L'apothicaire

DU MÊME AUTEUR
AUX ÉDITIONS FLAMMARION ET J'AI LU

Le Testament des siècles, 2003
Le Syndrome Copernic, 2007
Le Rasoir d'Ockham, 2008
Les Cathédrales du vide, 2009

DE HENRI LŒVENBRUCK & FABRICE MAZZA
SÉRUM – SAISON 1
Épisode 1
Épisode 2
Épisode 3
Épisode 4
Épisode 5
Épisode 6

AUX ÉDITIONS BRAGELONNE
La Moïra, édition intégrale
Gallica, édition intégrale

Site officiel de l'auteur :
http://www.henriloevenbruck.com

Henri Lœvenbruck est membre de la Ligue de l'imaginaire
www.la-ldi.com

HENRI
LŒVENBRUCK

L'apothicaire

Il est permis de violer l'histoire,
à condition de lui faire un enfant.

Alexandre DUMAS

À Paolo, Emmanuel et Christophe,
qui roulèrent avec moi jusqu'en Galice.

Livre I

Où l'on rencontre Andreas Saint-Loup à Paris et la jeune Aalis en pays occitan, et où il est traité de ce qui les mena l'un et l'autre sur les routes.

1

Il vécut à Paris en l'an 1313 un homme sans famille qui allait du nom d'Andreas Saint-Loup, mais que d'aucuns appelaient l'Apothicaire et, quand on le désignait ainsi, nul n'ignorait qu'il s'agissait de celui-là bien qu'il y eût de nombreux autres hommes exerçant la profession dans la capitale, car il était à la fois le plus illustre et le plus mystérieux des préparateurs de potions, onguents, drogues et remèdes que l'on pût trouver dans la ville et peut-être même dans le pays tout entier.

Des divers adjectifs qui pouvaient qualifier l'homme, s'il n'eût fallu en retenir qu'un, on eût aisément dit de lui qu'il était sibyllin, en ce sens que ses paroles comme ses actes étaient aussi obscurs, mystérieux et impénétrables que ceux des oracles de l'Antiquité, et son passé, au reste, demeurait pour tout Paris une véritable énigme, même pour l'abbé Boucel, l'homme qui l'avait trouvé, recueilli et élevé non loin de là, dans l'abbaye de Saint-Magloire, et dont nous aurons l'occasion de reparler plus tard.

Quand on venait quérir dans son officine quelque médicament et qu'on expliquait son mal, il restait silencieux un instant, comme s'il n'avait point de réponse à fournir, prenait un air absorbé, presque distant, puis il disparaissait dans son laboratoire et revenait enfin avec une préparation dont il ne disait souvent rien mais qui, toujours, apportait au patient toute satisfaction. La scène, inlassablement, se jouait dans un silence théâtral. Plus d'une fois on le vit corriger discrètement le diagnostic d'un illustre médecin – bien que cela fût rigoureusement interdit par les maîtres de la profession – et proposer à ses visiteurs une cure différente de celle préconisée par le supposé savant, et alors, dit-on, jamais il ne se trompait. On raconte même qu'il soigna bien des pauvres âmes que la médecine avait depuis longtemps abandonnées et qu'il ne se privait jamais de faire payer davantage ses clients les plus aisés pour assurer, sans la moindre ostentation, la gratuité aux démunis. Cela, encore, contredisait le serment prêté par les maîtres pharmaciens, mais l'homme était un iconoclaste et faisait passer la santé de ses semblables avant le respect de sa confrérie, ce qui lui valut, comme on le découvrira, quelques mésaventures.

Dans le quartier qu'il occupait, au cœur de la rue Saint-Denis – qui était en ce temps celle des apothicaires, des épiciers et des selliers, et où était installée sa boutique – tout le monde connaissait sa figure, non seulement parce qu'il était un personnage majeur de la vie quotidienne de tout le voisinage, mais aussi parce que sa physionomie n'était pas ordinaire, et nous la tracerons ici brièvement.

S'il n'était pas de ces beautés évidentes qui font l'unanimité, et bien qu'il approchât quarante ans, il ne manquait pas d'attirer le regard sur son passage, notamment celui des femmes, et même des plus jeunes. C'était un homme de taille moyenne et d'une saine corpulence, mais dont la posture – qui eût pu passer pour suffisante aux yeux d'un observateur hâtif – le faisait paraître plus grand. Il avait la peau tannée et le teint hâlé des hommes du Sud, ce qui permettait à certains d'affirmer qu'il possédait d'exotiques origines, encore que nul ne pût dire précisément d'où il venait, puisqu'il avait été un enfant abandonné. Il avait le visage oblong et fermé, creusé en haut des joues, si bien qu'il semblait toujours fatigué, ou tout au moins préoccupé. Ses yeux noirs, soulignés de cernes épais, brillaient d'un reflet d'argent, comme si deux petites lunes d'hiver, la nuit de sa naissance, étaient venues se graver à jamais au bord de ses pupilles. Son nez, aquilin, courbé comme le bec d'un aigle, lui donnait un air conquérant, qu'accentuait encore sa manière de regarder les gens en inclinant légèrement la tête en arrière, comme s'il les dominait. En conséquence, tout le monde, dans la rue Saint-Denis et ses venelles adjacentes, lui vouait un profond respect où se mêlaient admiration sincère et crainte inavouée. On chuchotait beaucoup à son sujet, de préférence après son départ.

Son crâne rasé et ses sourcils touffus lui prêtaient un faux air monacal, mais ses habits de métier corrigeaient vite l'impression : l'homme revêtait chaque jour cette longue cape teinte d'un bleu de lapis-lazuli, nouée autour du cou et qui lui retombait sur les bras comme une toge romaine. Le col d'une épaisse chemise blanche qui dépassait de la cape lui faisait deux larges triangles sur les épaules. À la taille il portait une cordelette où étaient accrochées une minuscule balance et plusieurs bourses en cuir, emplies d'herbes rares ou de secrets ingrédients.

Ces quelques composants qu'il ne quittait jamais – sans doute parce qu'ils étaient les plus utiles à ses préparations, ou les plus dispendieux – entouraient sa personne d'une odeur remarquable, si forte qu'elle persistait encore quelques instants après qu'il eut quitté toute pièce où il s'était attardé. S'y mêlaient, entre autres, des arômes de safran, de mandragore et de camphre ainsi, pour qui savait le reconnaître, qu'un léger parfum de jus de pavot.

Il parlait peu, et quand il parlait, on l'écoutait cérémonieusement. Il souriait rarement, et quand il le faisait, c'était avec au bord des lèvres ce petit air narquois qui laissait supposer que, pour lui, la farce n'était pas celle qu'on croyait. Il ne démontrait aucune chaleur, n'avouait nul sentiment et on ne lui connaissait pas de véritable ami.

Andreas Saint-Loup, en somme, était un homme singulier, et son histoire, comme nous allons le voir, fut à l'image de cette singularité.

2

En ce matin du onzième jour de janvier de l'an 1313, l'Apothicaire n'ignorait pas, en se levant, que la journée qui s'annonçait ne serait pas comme les autres. Il n'eût pu deviner, toutefois, à quel point.

Jehan, l'apprenti qu'il entraînait et hébergeait depuis six ans maintenant, avait achevé sa formation, comme en témoignaient les six petites marques gravées sur son échantillon, ce bâton de taille que portaient les jeunes gens du premier au dernier jour de leur instruction. Il avait terminé son chef-d'œuvre et l'on devait célébrer aujourd'hui sa maîtrise, et donc son départ, avec les rites et coutumes propres à la profession.

Bien qu'il pût tirer quelque fierté de cet accomplissement, ce n'était guère pour Andreas nouvelle fort heureuse. D'abord, il n'était pas friand de ce genre de célébrations, qu'il tenait pour des mascarades inutiles et affectées, perversités d'un monde et d'un siècle où se lovait le serpent de la futilité, où l'apparence l'emportait sur l'essence, et il s'en fût passé volontiers. Ensuite, Jehan parti, l'Apothicaire allait devoir lui trouver un remplaçant. Or les jeunes hommes de qualité – ayant terminé des études à la faculté des arts et jouissant d'une fortune suffisante pour payer leur formation – étaient encore rares.

Sa contrariété, en outre, n'était pas exclusivement motivée par ces désagréments pratiques. Bien qu'il ne le lui eût jamais dit de vive voix (comme il avait horreur des démonstrations sentimentales), Andreas devait bien admettre, pour lui-même, qu'il allait regretter son jeune apprenti. Jehan était un brave garçon, doué et courageux. Il avait appris avec une célérité admirable à effectuer les tours de main nécessaires aux préparations, possédait de solides notions de latin et de grammaire, ce qui lui permettait de lire aisément les formulaires et les ordonnances des médecins. Enfin, il était capable de commenter brillamment Hippocrate, Galien, Avicenne ou Dioscoride en faisant preuve de qualités de logique et de dialectique étonnantes et même d'un esprit critique, ce qui n'était pas pour déplaire à son maître. Des trois apprentis qu'Andreas avait formés au cours de sa carrière, Jehan s'était révélé, et de fort loin, le plus talentueux. Les deux premiers, d'ailleurs, avaient été si mauvais qu'il les avait congédiés l'un au bout de trois années et l'autre dès la prime.

La corne du guet, soudain, sonna à la tour du Châtelet, annonçant aux Parisiens la première heure du travail. Andreas poussa un grognement agacé : sans pouvoir se l'expliquer, il s'était réveillé plus tard qu'à l'accoutumée.

Il s'assit sur le bord de sa couche surélevée et tira vers lui sa ceinture, dont il ouvrit l'une des bourses pour en extirper une petite fiole en verre soufflé. D'un trait, il but une gorgée de ce sirop visqueux qu'il préparait lui-même, en faisant bouillir jusqu'à la tierce partie, du lever au coucher du soleil, des têtes de pavot importées de Turquie, ni trop vertes ni trop sèches. Il y ajoutait ensuite safran, cannelle et jus de prunelles, puis laissait le tout fermenter dans une jarre cachée dans un placard du laboratoire auquel Jehan n'avait pas accès. Ce looch, qu'il ne pouvait manquer de prendre soir et matin, soignait un mal secret dont il ne parlait jamais et qui, sans cet antidote, l'eût empêché de bien penser le jour et bien dormir la nuit.

Il se leva en grimaçant et se rinça le visage au-dessus du récipient d'eau posé près de sa couche. Il secoua la tête énergiquement et frissonna. L'eau, chaque matin, était un peu plus glacée. L'hiver se montrait particulièrement rude, cette année-là, et le feu que les serviteurs laissaient brûler toute la nuit dans l'ouvroir, en bas, peinait à maintenir quelque chaleur dans les pièces de la maison jusqu'à l'aube.

Vivifié, il partit enfiler sa cape et sortit de sa chambre en grattant sur son menton les poils durs d'une barbe de trois jours où la roue du temps venait coucher chaque année un peu plus de taches grises.

La porte de la chambre que le jeune Jehan partageait avec Lambert et Marguerite – l'Apothicaire ayant pris pour valet et chambrière un vieux couple de paysans – était grande ouverte. Sans doute ses trois occupants s'étaient-ils déjà levés depuis longtemps pour préparer consciencieusement cette journée particulière. Comme chaque matin, ils avaient dû balayer et épousseter l'ouvroir, installer le montre et l'auvent à la fenêtre qui donnait sur la rue, laver et récurer la cuisine, aérer le laboratoire et disposer à l'huis la petite selle où Jehan passait la plus grande partie de ses journées pour accueillir le chaland et surveiller les petits brigands du quartier. Andreas imaginait déjà, avec déplaisir, l'excitation dans les yeux de son apprenti, dont l'impatience serait aussi légitime que contrariante.

Il descendit les marches grinçantes de l'escalier, puis, à mi-étage, il s'arrêta brusquement devant une petite porte. Une petite porte de bois abîmée, vieillie.

À cet instant, l'Apothicaire fut saisi d'une impression troublante, et c'est ainsi, sans qu'il pût d'emblée en prendre conscience, que tout bascula.

3

Afin de dissiper tout mystère superflu, il convient ici d'expliquer au lecteur – qui pardonnera la digression nécessaire à l'historien que nous voulons être – comment il fut possible à Andreas Saint-Loup de jouir ainsi d'une maison de deux étages au cœur même de la capitale. Et pour cela nous devons revenir succinctement sur son passé, ou du moins sur les bribes que l'on pouvait en connaître.

Abandonné à sa naissance dans une ruelle du quartier, l'enfant avait vu le jour en l'an 1274, précisément l'année où mourut Thomas d'Aquin, un hasard que certains, sans doute, poussés par une foi zélée en les analogies du destin, pouvaient voir comme un signe, car toute sa vie durant Andreas se passionna pour l'œuvre du dominicain, qu'il citait souvent, poussant alors des soupirs qui semblaient vouloir dire que son plus grand regret était de ne l'avoir point rencontré, autant peut-être que de n'avoir pu un jour converser avec le *doctor mirabilis*, Roger Bacon.

Ce fut au sortir d'un office dominical, sur le parvis de l'église Saint-Gilles, que l'abbé Baudouin Boucel trouva dans un linge immaculé ce nourrisson à la peau mate et aux yeux sombres et qui ne pleurait pas. Comme cela se faisait en ce temps, le religieux amena à l'abbaye Saint-Magloire – qu'il dirigeait déjà à l'époque – cet enfant donné à Dieu, et se fit un devoir de l'élever, non pas comme un fils, mais au moins comme un filleul. Puisque c'était un garçon, il le baptisa Andreas, et quand il fallut lui trouver un nom de famille, Boucel opta pour Saint-Loup, en hommage à cet ancien et illustre évêque de la ville de Sens, dont il était lui-même originaire, et qui était le saint protecteur des enfants.

Élevé par les moines de l'abbaye, le jeune homme, qui avait fait la preuve d'une intelligence et d'une sagacité hors du commun, fut envoyé à la faculté des arts de l'université de Paris dans l'espoir de le faire entrer ensuite à la faculté de médecine. Mais, pour une raison qu'il refusa d'expliquer même à son tuteur, Andreas abandonna soudain ses études, alors qu'il venait tout juste d'acquérir le titre de maître ès arts, et décida de partir en pèlerinage à Compostelle où il resta sept longues années et où, dit-on, il apprit le métier d'apothicaire.

Un jour de l'an 1304, ce fut donc un homme mûr de trente ans que Paris vit revenir enfin, tout auréolé de mystère. Fort de son apprentissage et jouissant de quelque fortune ramenée d'Espagne, Andreas put acquérir cette petite maison de la rue Saint-Denis, où il installa son apothicairerie, à quelques pas seulement de l'église où il avait été trouvé. C'est ainsi que l'enfant abandonné, défiant la Providence ou obéissant peut-être à ses arcanes, devint l'un des plus illustres commerçants du quartier dont, à présent, nous devons également dire quelques mots.

La rue Saint-Denis, qu'on appelait aussi cérémonieusement *grant chaussée de Monseigneur Saint-Denis* et qui s'étendait vers le nord jusqu'à la porte homonyme, était une ancienne voie romaine et probablement l'une des plus vieilles routes de la capitale. Si, comme nous l'avons déjà dit, elle était réputée pour être le siège des apothicaires, des épiciers et des selliers, elle était aussi célèbre pour accueillir de nombreuses *fillettes*, ou femmes de légère vie, principalement à la hauteur du quartier de Bourg-l'Abbé qu'occupait justement Andreas, mais cela ne l'avait jamais dérangé, et il entretenait même avec elles des rapports courtois, offrant souventes fois aux moins chanceuses tel remède à base de sulfate de mercure quand elles avaient contracté quelque mal curial auprès d'un client à l'hygiène douteuse. Curieusement, c'était aussi l'une des rues de Paris où avaient été érigées le plus grand nombre d'églises, telles Sainte-Opportune, Saint-Jacques-de-la-Boucherie ou Saint-Julien-des-Ménestrels ; tous les cent pas, entre les demeures étroites et au milieu des enseignes bigarrées des commerçants, on ne pouvait échapper à quelque édifice religieux, fût-il chapelle ou hôpital. Avec autant de prêtres et de catins à la ronde, on pouvait dire qu'ici se côtoyaient donc le corps et l'esprit, mais bien malin celui qui saurait affirmer lesquels cultivaient l'un, et lesquelles cultivaient l'autre.

Quant à la maison d'Andreas, à colombages, elle n'était ni la plus belle ni la plus grande du voisinage. Il faut comprendre qu'avec l'essor que connaissait alors la capitale, commerçants et artisans pouvaient se permettre d'occuper des demeures de plus en plus hautes où ils logeaient sans peine apprentis, valets, compagnons et serviteurs. Ainsi se développait la grande bourgeoisie parisienne, celle des travailleurs qui faisaient fortune, fussent-ils drapiers, pelletiers, merciers, importateurs ou exportateurs de textiles, souvent propriétaires d'immeubles et de biens ruraux.

La maison de l'Apothicaire était, somme toute, modeste. Elle disposait au rez-de-chaussée de l'officine, grande pièce où étaient disposées les drogues dans des fioles, des pots, des vases en verre de Murano, et qui donnait directement sur la rue par l'ouvroir, afin que chacun pût observer celles-ci. Derrière, une salle de taille identique, privée, où l'on pouvait recevoir, manger et se réchauffer devant une large cheminée. Y étaient disposés un dressoir, empli de vaisselle d'étain, d'aiguières et de coupes, une table à tréteaux entourée de bancs, et le sol, comme dans l'ouvroir, y était joliment carrelé. Dans la partie arrière, enfin, se nichaient la cuisine et le laboratoire – où l'Apothicaire conservait précieusement assez d'ingrédients pour confectionner la plupart des recettes de l'antidotaire Nicolas et de celui de Mésué sur une paillasse en marbre, et où s'entassaient, autour de l'alambic, tout un tas d'ustensiles nécessaires à la fabrication des remèdes : bassines de cuivre simples ou étamées, chaudières, poêles et poêlons, marmites, coquemars, écuelles, pots, cucurbites de verre, piluliers, poudriers et bouteilles de verre, mortiers de bronze, de cuivre, d'étain, de plomb ou de verre avec leurs pilons de la même matière, presses, pincettes, entonnoirs, spatules, râpes, cuillères, écumoires, étamines, tamis, mesures, poids et balances, couteaux et ciseaux et d'autres encore qui, peut-être, échappent à notre mémoire. Le sol pavé du laboratoire et de la cuisine était judicieusement incliné pour que l'eau s'écoulât vers la cour, dans laquelle Andreas partageait avec les propriétaires des deux maisons voisines des aisances et un puits dont l'eau n'était pas bonne à boire mais pouvait servir au nettoyage. Ainsi, chaque matin, Lambert, le valet, était contraint de quitter l'apothicairerie pour se rendre à la fontaine que Philippe Auguste avait fait construire aux Halles, et y chercher, comme tous les habitants du quartier, les rations d'eau potable de la journée.

À l'étage se trouvaient les deux chambres. Et à mi-étage... Eh bien, à mi-étage, justement, se trouvait ce qui provoqua ce matin-là le trouble de l'Apothicaire.

4

C'était une petite porte en bois aux sculptures effacées par le temps, nichée dans une alcôve, et qui nécessitait que l'on se courbât un peu pour la franchir, à l'image de ces passages dérobés que l'on voit parfois dans les temples anciens ou les pyramides de l'Antiquité.

Les sourcils froncés, Andreas Saint-Loup leva lentement la main vers la porte, actionna la poignée et ouvrit. Dès lors une petite pièce apparut, éclairée faiblement, à travers sa modeste fenêtre, par les premiers rayons du soleil bas de janvier qui sillonnaient la nuée.

Et cette pièce était vide.

Pas un meuble, pas un bibelot, pas même une seule décoration ou la moindre tenture. Quatre murs de pierres traversés de poutres sinueuses, une ouverture, et rien de plus.

Or c'était bien ce qui avait arrêté Andreas alors qu'il descendait les marches de sa propre maison. C'était comme si, soudain, il s'était souvenu de l'existence de cette pièce et demandé non seulement ce qu'elle faisait là mais pourquoi, depuis toutes les années qu'il vivait ici, il n'avait jamais songé à l'occuper.

La chose était parfaitement incompréhensible, et l'effet de cette incompréhension particulièrement désagréable pour cet homme de raison. Un instant, l'Apothicaire se demanda même s'il n'avait pas tout bonnement perdu son discernement. Cette pièce n'était tout de même pas apparue pendant la nuit ! Non. Au fond de lui, il avait *conscience* de sa préexistence. Cette pièce *était*. Simplement, elle semblait avoir échappé à sa vie quotidienne, échappé à l'emprise du temps, et être restée, sans explication, aussi désespérément vide qu'au tout premier jour.

Mais pourquoi Andreas ne s'en rendait-il compte que maintenant ?

Il y avait là quelque énigme qui défiait l'entendement. Eût-il été un autre, l'Apothicaire eût sans doute affirmé qu'il y avait derrière tout cela quelque sorcellerie, quelque science occulte. Mais il n'était pas de ceux qui croient à l'imperméabilité des forces de la nature, et il fut donc certain qu'il allait trouver, à terme, une explication. Il ne pouvait en être autrement. Il ne *devait* en être autrement.

— Bonjour, maître.

La perplexité d'Andreas fut interrompue – ou tout au moins ajournée – par la voix de Jehan, son apprenti. L'Apothicaire hésita un instant, passant la paume de sa main sur son crâne chauve et brillant, puis referma la petite porte et descendit l'escalier sans quitter son air soucieux.

— Tout va bien, maître ?

Jehan, debout devant la selle disposée à l'huis, où il restait chaque matin, même en hiver, appuyé sur son bâton d'apprenti, lui adressait un regard inquiet. C'était un jeune homme tout en finesse. Grand et mince, les traits délicats, il avait encore, malgré ses vingt-quatre ans, des airs de garçon.

Andreas ne répondit pas immédiatement à la question de son élève. Arrivé en bas des marches, il grimaça, puis son regard fit des allers et retours entre l'apprenti et la pièce au-dessus d'eux, à mi-étage.

— Peux-tu me dire, Jehan, quels sont les cinq canons de la rhétorique ?

Le jeune homme parut surpris par la demande, puis songea que c'était peut-être un dernier exercice que le maître voulait lui faire pratiquer en ce jour où finissait son apprentissage. Il récita pieusement :

— *Inventio, dispositio, elocutio, memoria et pronuntiatio.*

— En effet. Pour Aristote, la rhétorique était la mère de la pensée. Et Thomas d'Aquin accordait une attention toute particulière au quatrième de ses canons. Il est sans doute, de tous les philosophes, celui pour qui la mémoire avait le plus d'importance. On raconte qu'il était capable de dicter ses pensées sur des sujets différents à trois, voire quatre secrétaires en même temps.

— Thomas d'Aquin... Encore lui. Et je suppose que vous en avez autant au sujet de votre bien-aimé Roger Bacon. Pourquoi me dites-vous cela, maître ? Vous avez peur que j'aie des trous de mémoire tout à l'heure, quand je devrai dire mon serment ?

— Non, Jehan. Je me demandais pourquoi nous n'avions jamais utilisé cette pièce, là, au milieu de l'escalier. Nous manquons de place dans le laboratoire, et elle serait parfaite pour y ranger le sucre et tous les autres ingrédients qui se conservent. Cela libérerait de la place autour de l'alambic et des mortiers et, comme tu le sais, je vais justement avoir besoin d'espace pour cette expérience dont je t'ai parlé et pour laquelle j'attends d'Italie une importante... marchandise.

L'apprenti fit une moue désemparée et jeta à son tour un coup d'œil vers la pièce susdite.

— Je... Oui. Je dois avouer que je ne me suis jamais posé la question. J'avais même oublié qu'il y avait une pièce ici, concéda-t-il d'un air troublé.

— Oublié ?

Jehan, comprenant enfin les raisons de cette introduction sur la *memoria*, offrit pour toute réponse un haussement d'épaules.

— Tu avais oublié ? insista l'Apothicaire. Mais as-tu à présent la mémoire de la chose, Jehan ?

— Que voulez-vous dire ?

— Reconnais-tu pour passée la conscience que tu as, aujourd'hui, de cette pièce ?

Le visage de l'apprenti s'empourpra aussitôt.

— Je...

— Pour en être certain, coupa Andreas, il faudrait que tu puisses affirmer que la conscience de cette pièce a été conservée quelque part en ton esprit. Ainsi, je te le demande, peux-tu l'affirmer ?

— Je... je ne saurais vous dire, maître, balbutia l'apprenti en se demandant soudain si l'Apothicaire ne se posait pas plutôt la question à lui-même. C'est votre maison, après tout.

Le maître fit un signe de tête qui voulait dire : *C'est bien !* comme si cette affirmation eût pu apaiser son propre embarras, ce qui, de toute évidence, n'était pas le cas. Cette histoire de pièce vide se dérobait à l'intelligence, et s'il était une chose dont Andreas Saint-Loup avait horreur, c'était bien que la raison lui échappât.

L'Apothicaire semblait réfléchir profondément.

— Lambert et Marguerite ont-ils allumé le feu et terminé l'ouvroir ?

— Depuis un bon moment, oui. Nous nous sommes levés avant la première heure. Vous n'avez pas oublié que nous célébrons aujourd'hui...

— Non, je n'ai pas oublié, Jehan. *Cela*, je ne l'ai pas oublié. Mais ce n'est pas une raison pour ne pas tenir boutique. Es-tu suffisamment vaniteux pour penser que l'univers tout entier, désireux d'honorer la fin de ton apprentissage, puisse offrir un répit passager aux malades de notre bonne vieille capitale ? L'affliction ne chôme jamais. Même un jour de... fête.

5

C'est précisément en ce moment – mais dans un autre pays – que bascula la vie d'un second homme. Certes, le lecteur ne pourra pas, d'emblée, percevoir le lien entre ces deux événements distincts, mais si nous menons à bien la tâche qui nous est impartie et qu'il veuille bien lire cette histoire jusqu'à son terme, il découvrira sans doute la secrète causalité de leur coïncidence.

Cet autre homme, donc, allait du nom de Juan Hernández Manau et vivait à Pampelune, au cœur du royaume de Navarre (qui était alors uni à la couronne de France par son roi Louis Ier, fils aîné de Philippe le Bel et de Jeanne de Navarre).

Cet homme, qui devait avoir près de soixante-cinq ans, était un sage et il appartenait à une société fort énigmatique, dite *schola gnosticos*, que nous présenterons plus en détail à un point ultérieur du récit.

Comme tous les membres de cette confrérie, érudit, lettré et polyglotte, il était homme de sciences et philosophe, passionné par les mystères de la Création et par ses arcanes, que certains nomment à tort sciences occultes. Son savoir s'étendait de la théologie aux mathématiques, de l'astrologie à la chimie, et il n'était pas un seul domaine des sciences auquel il ne se fût intéressé au moins une fois. On raconte que nombreux étaient ceux qui venaient le consulter, chercher son conseil dans cette obscure maison qu'il occupait au centre de Pampelune, fussent-ils notables ou doctes, et l'on cite même parfois, parmi ceux qu'il éclaira de son savoir, les noms d'illustres rabbins comme Itzhak ben Menir ou de nobles figures politiques comme Don Guillermo de Navarra.

L'homme, en somme, était grandement respecté dans tout le pays avoisinant. Il faisait forte impression mais ne se laissait pas, lui, facilement émouvoir. Il était de ces figures assurées, qui oncques n'exhibent la moindre faiblesse, qui ont réponse à toute chose et ne quittent en aucun cas le masque de leur sapience reconnue.

Ce jour-là, pourtant, nous le découvrons assis à sa petite table, le visage livide et les yeux grands ouverts, ses mains ridées posées devant lui, parfaitement immobiles, et ce que nous lisons dans son regard ressemble singulièrement à un sentiment de peur.

Les deux hommes qui étaient entrés dans sa petite maison, quelques instants plus tôt, étaient vêtus avec un luxe et une élégance qui ne ressemblaient pas à la mode de Navarre, ni même à celle de Castille ou d'Aragon. Il y avait quelque chose d'exotique et d'inquiétant dans leur figure et dans leur tenue, et ils se ressemblaient tant qu'on eût dit deux jumeaux. Habillés de noir de la tête jusques aux pieds, ils portaient tous deux le même pourpoint à col haut et manches fendues, la même ceinture, la même chemise, et des hauts-de-chausses, noirs eux aussi, assortis à cet étonnant uniforme. Leur carrure laissait penser qu'ils étaient hommes d'épée, mais ils ne portaient, visiblement, aucune arme.

Malgré la finesse de leur accoutrement, malgré la blondeur de leurs chevelures bouclées, la délicatesse de leurs gestes et la parfaite distinction de leurs propos, Hernández songeait qu'il y avait quelque chose dans leur sourire qui achoppait.

— Vous savez ce qui me fascine, chez les gens de votre monde ?

Celui qui parlait était le plus grand des deux. Assis devant le vieux sage, il avait les jambes croisées et les mains posées sur la cuisse avec une désinvolture qui semblait volontairement déplacée. Le dos droit et la tête haute, il donnait le sentiment de posséder la pièce, où il était pourtant étranger et où il n'avait pas été invité.

Son complice se tenait quelques pas en retrait et faisait mine de ne pas écouter, de n'être là que pour le décorum, examinant la pièce avec nonchalance, comme s'il se fût agi d'un monument que l'on visite pour la beauté de la chose.

Hernández, qui avait compris que la question n'était que pure rhétorique, n'y répondit pas, mais se demanda ce que l'intrus entendait par « les gens de votre monde » et, en conséquence, à quel monde appartenaient donc ces deux improbables individus.

— Ce qui me fascine, voyez-vous, c'est de voir où se niche parfois votre étonnante inventivité.

L'étranger, en disant ces mots, avait adopté un air ébloui, presque ingénu, mais auquel il manquait sensiblement toute authenticité.

— Je veux parler ici des moyens de torture, dit-il d'un ton monocorde.

À ces mots, Hernández sentit tout son corps se raidir. Il s'efforça, toutefois, de ne rien laisser paraître de l'appréhension qui, de plus en plus ardente, s'était insinuée en lui depuis l'entrée de ces deux quidams. Sans pouvoir s'en expliquer la cause, il jugeait le calme et la froideur avec lesquels son interlocuteur discourait plus effrayants même que l'eût été un acte de violence physique. Or, si, tout au long de sa vie, il avait été confronté souventes fois à la contradiction, à la dispute, jamais Hernández n'avait connu la violence, la véritable violence, et il n'était pas sûr de pouvoir la supporter.

— Je veux parler de leur incroyable diversité, mais aussi de la formidable ingéniosité dont font preuve vos contemporains dans le perfectionnement de ceux-ci. Quel raffinement ! Vous savez combien il existe de moyens de torture différents, à ce jour, maître Juan ?

Le vieux sage ne répondit toujours pas.

— Eh bien, pour être tout à fait honnête, reprit l'inconnu, je ne les connais pas tous, mais j'en ai moi-même dénombré plus de trois cents. Trois cents façons différentes pour l'homme de torturer l'homme. Je ne sais pas ce que vous en pensez, mais j'y vois, moi, une forme de poésie. Oui. N'ayons pas peur des mots : une forme de poésie. Vous n'avez pas l'air convaincu ? L'imbécile voit dans la torture la marque d'une sauvagerie ou d'une animalité qui serait indigne de l'homme, alors qu'en réalité, elle est justement la plus éclatante affirmation de la singularité de l'espèce humaine, ne trouvez-vous pas ? La chose est tout simplement prodigieuse : l'homme a certainement consacré plus d'intelligence et de science au développement de la torture qu'il n'en a consacré, par exemple, à celui de la médecine.

Hernández, toujours immobile et silencieux, peinait de plus en plus à voiler son énervement et son inquiétude grandissante.

— Vous n'êtes pas d'accord ? demanda l'intrus d'un air faussement offensé. Allons ! La médecine, de nos jours, est une véritable plaisanterie ! Combien de malades meurent entre les mains de leurs médecins quand ceux-ci sont censés pouvoir les guérir ? Les médecins n'y connaissent rien, à la médecine. Alors que les bourreaux, eux, s'il vous plaît ! Il est fort rare qu'un client reparte insatisfait, concédez-le !

L'homme ouvrit un large sourire, puis il laissa passer un instant de silence, tout en parcourant la pièce du regard. Ses yeux s'arrêtèrent sur un panier de fruits posé près du foyer. Le silence s'éternisa, comme si l'étranger avait attendu quelque chose, puis il reprit la parole.

— Je n'ai pu m'empêcher de remarquer, en entrant dans votre charmante demeure, ces magnifiques oranges, dit-il en les désignant du doigt. Serait-ce abuser de votre hospitalité que de vous en demander une ? J'affectionne grandement ces fruits.

Hernández sentit sa mâchoire se serrer. Il hésita un instant, puis comme l'homme continuait de le regarder d'un air interrogatif, il prononça enfin ses premières paroles :

— Je vous en prie.

L'étranger se leva, l'air enchanté, et partit se servir. Ayant pris sous sa chemise un fin couteau à la lame étincelante, jusque-là dissimulé, il revint à sa place et commença à éplucher lentement l'orange, comme si tout cela avait été parfaitement à propos.

— Elles sont vraiment magnifiques, dit-il d'un air admiratif. Je ne savais pas qu'il poussait d'aussi belles oranges au royaume de Navarre.

— Je les fais venir de Sicile.

— Ah ! fit-il. Je comprends mieux. Splendides ! Vraiment splendides !

Il croqua dans le fruit à pleines dents, et dans ses yeux brillait la lumière de l'enfant qui a trouvé un trésor. De fait, ses cheveux clairs et bouclés lui donnaient un faux air enfantin. Le bruit de sa mastication enthousiaste emplit toute la pièce, et quelques gouttes de jus orangé coulèrent sur son menton sans qu'il prît la peine de les essuyer.

— Et les noms de certains de ces instruments de torture ! reprit-il sans cesser de mâcher et sans quitter cet air de provocante satisfaction. Les noms ! Certains sont un véritable enchantement, vous ne trouvez pas ? Le *berceau de Judas*, par exemple. Vous savez, cette pyramide en bois au-dessus de laquelle on hisse le sujet, puis sur laquelle on le laisse tomber plusieurs fois afin qu'il s'y empale par l'anus, ou par le vagin lorsqu'il s'agit d'une femme ? Vous avez déjà vu cela ?

C'est un peu rudimentaire, j'en conviens, mais ne trouvez-vous pas que le nom recèle quelque drôlerie ?

Hernández resta de marbre tandis que l'orateur continuait de broyer entre ses dents, avec force bruits, l'orange qu'il tenait négligemment dans la main droite.

— Tenez, puisque nous sommes dans les fruits, il est un instrument de torture qui me captive particulièrement : c'est la *poire d'angoisse*. Vous connaissez la poire d'angoisse ? Oh ! une merveille d'inventivité, croyez-moi ! C'est une espèce de petite boule – en forme de poire, vous l'aurez deviné – sertie de piques de métal, et qui, par un ingénieux système de ressorts, s'ouvre et s'élargit à souhait. On l'introduit dans la bouche, le vagin ou l'anus du supplicié – selon qu'il a péché par l'un ou l'autre de ces trois orifices – puis on en augmente progressivement le volume. C'est d'une efficacité édifiante. Bien sûr, quand on s'en sert dans la bouche du sujet, il faut prendre garde à ne pas trop ouvrir la poire, au risque de voir son crâne céder sous la pression. À moins, bien sûr, que cela soit l'effet désiré, ce qui est tout à fait envisageable…

L'homme en noir se leva soudain, essuya sa bouche d'un revers de manche, fit quelques pas vers Hernández, sourit, puis s'approcha de la cheminée où il jeta les pelures du fruit.

— Un jour, dit-il en retournant s'asseoir, toujours avec cette aise inconvenante, j'ai assisté à une séance de question définitive, menée par un inquisiteur français dont l'habileté et l'imagination, il faut bien l'admettre, forçaient le respect. C'était à Toulouse. Je crois me souvenir qu'on reprochait à un homme, qui devait avoir une vingtaine d'années, d'être hérétique et d'avoir commis un meurtre. L'histoire ne dit pas s'il était vraiment coupable, mais cela n'a, pour notre exemple, aucune espèce d'importance, n'est-ce pas ? Ainsi, donc, je vois le bourreau lier les mains et les pieds de l'homme dénudé et lui couper les cheveux d'un grand coup de lame. Il le place ensuite sur une échelle. Je me rappelle encore le regard terrifié de ce pauvre garçon, car il savait sans doute tout ce qui l'attendait. Quand on connaît l'opiniâtreté de l'espèce humaine, il n'y a rien de plus effrayant que d'être entre les mains d'un homme qui a la liberté de vous faire souffrir, n'est-ce pas ? Et voilà donc que le bourreau verse de l'alcool sur la tête de l'accusé et y met le feu afin que ce qu'il reste de cheveux disparaisse totalement. Je me souviens que l'odeur de chair et de cheveux brûlés était assez incommodante, mais ce n'était que le début.

Plus l'étranger avançait dans son récit, plus le visage de Juan Hernández Manau blêmissait. Quant au deuxième intrus, il n'avait toujours pas bougé, de son côté de la pièce.

— Ensuite, le bourreau a placé ce qui m'a semblé être des morceaux de soufre sous les bras et autour du cou de son sujet, et les a enflammés eux aussi. Alors que l'homme poussait d'horribles cris de douleur et suppliait qu'on l'épargnât, il lui a attaché de très lourds poids sur le corps et l'a élevé jusqu'au plafond par un habile système de poulie. Il l'a laissé dans cette position fort inconfortable pendant plusieurs heures, il me semble, avant de l'asperger à nouveau d'alcool et de l'enflammer une troisième fois. Je ne sais pas si vous avez déjà senti l'odeur d'un homme qui brûle, mais c'est très proche de celle du cochon, voyez-vous. Quand les hurlements du supplicié se sont enfin tus, l'Inquisiteur lui a placé le dos à vif contre une planche hérissée de pointes, lui a comprimé les pouces et les gros orteils dans des vis et lui a, par plusieurs fois, frappé les bras avec un bâton, jusqu'à ce que les os se brisent. À ce stade de la question, je peux vous assurer que les plaintes et les pleurs du supplicié sont assez éprouvants pour le spectateur, et le sang commence à couler abondamment. Après une seconde pause assez longue, pendant laquelle l'homme était toujours suspendu, le bourreau lui a pressé les jambes à la vis, avec un mécanisme tout simplement diabolique. Comme le malheureux n'avouait toujours pas ses crimes, il a été décidé de passer à la seconde phase de la torture, bien plus délicate car ayant peu de chances d'avoir une fin heureuse, il faut en convenir : la roue.

À cet instant, l'étranger se leva pour la troisième fois et alla s'asseoir sur le bord de la table, tout proche du vieux sage navarrais, lequel ne bougeait toujours pas. Les deux mains posées près de celles du maître des lieux, le grand blond reprit son histoire, mais avec dans la voix un ton nouveau, bien plus grave, presque menaçant.

— Après l'avoir détaché, l'Inquisiteur a conduit l'homme, déjà fort éprouvé, vers une pièce voisine, dans laquelle était dressé un échafaud. Au milieu de celui-ci était fixée, à plat, une croix de Saint-André. Vous voyez ce qu'est une croix de Saint-André, n'est-ce pas, maître Hernández ? Il s'agit de deux solives obliques, qui se croisent en leur milieu, et sur lesquelles sont creusées des entailles à hauteur des jambes et des bras. Allons, je suis sûr que vous vous la figurez bien : c'est la croix sur laquelle fut crucifié André, le premier apôtre de Jésus – ce qui explique qu'on la nomme de la sorte. Bref, le bourreau a donc fait étendre et attacher l'accusé sur cette croix, le visage tourné vers le plafond et la tête calée contre une pierre polie. Ensuite, il s'est saisi d'une large barre de fer carrée et a donné un coup violent entre chaque ligature, vis-à-vis des entailles, afin que les os soient brisés net. Avec un tel mécanisme, il n'est pas rare que l'os traverse la peau, et le flot de sang qui en jaillit est alors formidable. Aux trois premiers coups, l'homme a crié beaucoup. Au quatrième, il a perdu connaissance. Mais l'Inquisiteur n'avait pas terminé sa besogne et est alors passé, par la même méthode, à l'écrasement de la cage thoracique. Vous pourriez penser qu'à ce stade notre pauvre garçon avait perdu la vie, mais non, mais non, il n'en était rien ! Quel solide gaillard, tout de même ! Malgré tous ces os brisés, broyés, malgré tout ce sang perdu, ces brûlures, l'homme vivait encore, accroché à son dernier souffle, tel Christ crucifié au Golgotha. Oh ! bien sûr, il n'était plus dans un état de conscience tout à fait intègre, mais il vivait, il vivait ! Le corps du criminel a donc été porté, comme il se doit, sur une petite roue de carrosse placée horizontalement sur un pivot. Profitant de la brisure des os, on lui a plié les cuisses, de telle manière que ses talons touchaient l'arrière de son crâne, et on l'a lié à cette roue où il est resté quelques heures encore avant de mourir enfin. Et vous savez le pire ? Le sot n'avait rien avoué.

L'étranger se redressa sur la table et poussa un long soupir.

— Prodigieux, n'est-ce pas ? dit-il avec cynisme tout en plongeant son regard dans celui du vieil homme.

Ils restèrent ainsi un long moment, face à face, dans un silence empli de sous-entendus et de suppositions. Puis l'étranger retourna sur sa chaise.

— Mais assez bavardé. Mon associé et moi-même ne voudrions pas vous déranger. Je m'égare, je me laisse emporter par la saveur du récit, et nous savons que votre temps est précieux. Nous ne sommes pas là pour vous raconter de vieilles histoires.

Les mains d'Hernández se crispèrent sur la table.

— Non. Mon associé et moi-même sommes venus ici simplement pour vous poser une question. Une question très simple, qui plus est.

— Je vous écoute, murmura le Navarrais dans un souffle, comme s'il était pressé d'en finir.

L'homme en noir marqua une pause, puis fronça les sourcils.

— Un homme est venu vous voir ici il y a quelques années. C'était en l'an 1304, pour être précis. Un Français. Il était apothicaire. Vous vous souvenez sûrement de lui, il paraît que l'homme fait forte impression. Or, voyez-vous, mon associé et moi-même cherchons cet homme. Et nous voudrions simplement connaître son nom. Rien de plus.

À cet instant, tout le corps de Juan Hernández Manau, cet homme d'habitude pourtant si ferme, se mit à trembler. Son front brillait de petites gouttes de sueur.

— Voilà. C'est tout ce que nous vous demandons, maître. Voulez-vous bien nous dire quel était le nom de cet homme ?

Les lèvres du vieux sage frémirent, et son visage fut secoué de petits spasmes incontrôlés.

— Il... il s'appelait Andreas. Andreas Saint-Loup.

6

Lorsqu'il pénétra dans la salle à manger, l'Apothicaire ne fut pas surpris d'y trouver Marguerite qui battait les linges avant de les pendre à une corde tendue devant la grande cheminée. En cette saison, la pauvre femme ne pouvait plus effectuer cette tâche quotidienne dans la cour ; c'était Andreas lui-même qui, dès le début de l'hiver, lui interdisait de se soumettre à la morsure du froid, malgré les protestations de la chambrière qui arguait qu'il n'était pas correct de faire sécher les linges dans la pièce à vivre.

— Monsieur a-t-il bien dormi ?

— Il faut croire, Marguerite, que le souper que vous nous avez préparé hier soir avait quelque vertu soporifique. Les œufs et la salade sont certes réputés pour régler la complexion et faciliter le sommeil, mais cela ne suffit pas à expliquer que j'aie dormi si tard. Vous devez avoir mis là-dedans certain ingrédient auquel je n'ai pas pensé ou dont j'ignore les propriétés. À moins que ce ne soit le sel dont vous couvrez les légumes verts pour les conserver dans ces pots…

La vieille femme secoua la tête d'un air amusé.

— C'est tout monsieur d'aller chercher de tous côtés des causes compliquées… Vous étiez fatigué, voilà tout. Avec tout ce travail que vous donne votre profession !

— Ma foi, vous me plaignez ? Mais qu'en serait-il si j'exerçais la vôtre, Marguerite ? Je ne sais si je devrais vous admirer pour cet altruisme dévoué ou avoir pitié de votre soumission imbécile aux injustices de notre monde. Mais oublions cela. Ce n'est pas de sommeil que je veux vous parler.

— Ah ! parce que monsieur veut me parler de quelque chose ?

L'Apothicaire s'installa à la grande table pour faire repas du pain, du fromage et du cidre que la chambrière y avait disposés pour lui.

— Oui. Je voudrais vous demander une chose, Marguerite, et je souhaite que vous me répondiez en toute franchise.

La vieille femme arrêta de battre les linges et se retourna vers son maître avec un air légèrement inquiet. Elle avait la mine douce des gens de cœur et son embonpoint témoignait de la façon digne dont l'Apothicaire traitait ses serviteurs. Quoique portant sur son visage et sa silhouette la marque des années, elle n'avait pas beaucoup changé depuis qu'elle était entrée au service d'Andreas Saint-Loup. C'était toujours cette paysanne robuste, aux gestes précis et au regard vif, dans les reflets duquel se lisait un mélange de bonté et de résignation. Elle était petite et forte, rougeaude, n'avait plus de sourcils sur le bas du front et cachait ses cheveux blancs sous un foulard dont Andreas se demandait si elle l'enlevait pour dormir.

— Je vous écoute, maître.

— Quand avez-vous lavé pour la dernière fois la pièce qui se trouve à mi-étage ?

Le trouble qui passa sur les traits de la chambrière suffit à confirmer à l'Apothicaire ce qu'il avait pressenti : Marguerite, tout comme Jehan et lui-même, avait tout simplement oublié la présence de cette pièce.

La femme se gratta le menton d'un air affolé.

— Eh bien... Je ne crois pas l'avoir jamais lavée, concéda-t-elle en faisant quelques pas en direction de l'escalier, comme si elle avait voulu vérifier.

— Vous vous souvenez bien qu'il y a une pièce, à cet endroit ? demanda l'Apothicaire.

La chambrière parut de plus en plus troublée.

— C'est peut-être mon âge qui me joue des tours... ou bien l'habitude. À force de passer chaque jour devant cette porte fermée, depuis des années, je n'y fais plus attention... et je l'ai oubliée. Mais... je peux aller la nettoyer tout de suite, maître.

— Non, Marguerite. Cela ne sera pas nécessaire.

Et c'était bien ce qui aggravait le désarroi d'Andreas, car, en effet, cela n'eût servi à rien : la pièce, telle qu'il l'avait vue ce matin, était d'une propreté irréprochable. Il n'y avait pas la moindre toile d'araignée au plafond, pas de poussière au sol, de souillure aux murs. Rien. Ce qui, pour une pièce oubliée depuis des années, ou ne fût-ce que quelques semaines, était rigoureusement impossible. Ou plutôt inexplicable, se corrigea l'Apothicaire.

7

L'enfant (si tant est qu'on puisse encore parler d'une enfant quand il s'agit d'une fille approchant quinze printemps), qui se penchait à la fenêtre de la petite maison de pierre rouge pour voir au-dehors si la rue était bien déserte, s'appelait Aalis. Aux yeux de la nature, c'était déjà une femme : cela faisait plus d'un an maintenant qu'elle avait eu ses premières menstrues, et sa poitrine était faite de deux petits seins fermes et blancs qui, sans doute, ne grossiraient pas davantage.

Figurez-vous une villageoise occitane, comme elles étaient alors, chausses et chemise grises portées tous les jours de l'année, d'un lin épais, abîmé par le temps, et manteau de laine à capuchon pour l'hiver.

Celle-là avait le visage fin, bien lisse pour sa condition, le nez droit, étroit et gracieux, deux petites fossettes au bord des lèvres, et des sourcils délicats, comme tracés du bout des doigts par quelque sculpteur habile. Sa longue chevelure châtaine s'évadait en cascades sur ses épaules frêles et épousait sa fragile silhouette. Elle était de haute taille pour son âge, gracile et élancée, et ses yeux d'un vert d'acacia, grands et ronds, avaient la profondeur triste d'un enfant qui en sait déjà trop. Ils étaient si verts, même, que c'était souvent la première impression que l'on gardait de la jeune fille : ces deux billes pareilles à de pures émeraudes où semblaient se refléter le ciel et la terre tout entiers.

Prenant garde à ne faire aucun bruit, elle fit basculer ses jambes de l'autre côté de la fenêtre et se laissa glisser le long du mur. Ses pieds s'enfoncèrent dans la neige avec un craquement sourd.

Ayant attendu un temps assez long pour s'assurer qu'on ne l'avait pas repérée, Aalis se redressa, inspecta l'alentour et ne put s'empêcher de penser que, parée de son manteau d'hiver, la ville eût été si belle, sans ses habitants ! Car notre jeune fille posait sur ses concitoyens un regard dédaigneux, nourri de rancœur et d'ennui. Béziers était la cité qui l'avait vue naître et grandir ; elle s'y sentait néanmoins chaque jour un peu plus étrangère, un peu plus malvenue, et brûlait d'échapper enfin à ces remparts qui semblaient ne jamais vouloir finir de s'élever, comme si la ville elle-même avait choisi de se couper définitivement du reste du monde, quand Aalis, elle, voulait seulement embrasser celui-ci.

Elle jeta un coup d'œil vers l'arrière-boutique de ses parents puis, comme elle n'y vit personne, enfila sa capuche et partit d'un pas preste.

Au milieu d'une valse de flocons, elle emprunta les petites rues désertes de Béziers, presque certaine, en cette saison, de ne croiser personne si elle évitait le quartier des artisans et des commerçants. Quand, ayant passé la haute porte Saint-Jacques, elle fut arrivée à l'extérieur de la ville, sa figure se transforma lentement ; elle s'adoucit, sembla même s'illuminer quelque peu. La neige faisait de petites gouttes d'eau sur ses joues, et ceux de ses cheveux qui dépassaient de sa capuche étaient émaillés de fins cristaux blancs.

Aalis, la tête rentrée dans les épaules, s'engagea sur la route qui menait vers Carcassonne. Elle traversa rapidement le pont qui enjambait l'Orb et bifurqua vers l'ouest. Le chemin qu'elle suivit alors, elle le connaissait par cœur pour l'avoir parcouru, en cachette, presque tous les jours depuis plusieurs mois. Elle devinait les pierres rouges cachées sous la neige, reconnaissait autour d'elle les formes de la garrigue, et ses pieds se posaient sur le sol accidenté avec une aisance que seule pouvait procurer l'habitude.

Après plusieurs pentes et méandres, elle arriva enfin en vue de ce qu'elle venait visiter : la capitelle. C'était une petite bâtisse en pierre sèche comme on en voyait alors à travers tout le pays occitan et qui servait tantôt de cellier, tantôt de bergerie ou de rudimentaire habitation.

Alors qu'elle n'était plus qu'à quelques pas, la jeune fille s'immobilisa soudain. Quelque chose avait éveillé son inquiétude.

D'abord, elle n'aimait pas ce morne silence, que l'hiver soulignait cruellement. Ensuite, aucune fumée ne s'échappait de la petite cheminée qui traversait la couche de neige sur le toit de l'édifice.

Et à cette heure-là, et par ce froid, ce n'était pas normal.

8

— Lambert, je vous confie la maison, dit l'Apothicaire en arrivant sur le pas de la porte, sans même se retourner.

Dehors, l'hiver faisait la plus belle démonstration de sa rigueur inhabituelle.

Ce n'était pas la première fois qu'Andreas devait laisser ainsi son valet de métier tenir la boutique en son absence – l'homme y était habilité – mais il le faisait toujours avec une certaine appréhension, non pas qu'il n'eût toute confiance en son dévouement, mais parce qu'il tenait sa propre présence comme un devoir canonique. En outre, comme on l'a vu, l'obligation qui l'appelait hors de chez lui (le rituel par lequel Jehan devait publiquement sceller la fin de son apprentissage) ne l'enchantait guère, et il était toujours en proie au tourment de son étrange découverte.

— Vous pouvez compter sur nous, maître.

Andreas fit signe à son apprenti.

— Allons-y, jeune homme.

Ils se mirent tous deux en route dans la rue Saint-Denis, salués par les passants qui, presque tous, reconnaissaient aisément la figure chauve et le teint mat de l'Apothicaire.

Malgré le froid et l'heure matinale, les ouvroirs bigarrés des épiciers envahissaient l'allée, avec leurs odeurs mêlées de suif à bougies, de cannelle, de gingembre, de galanga et de clou de girofle. L'Apothicaire soupira. Ces vulgaires marchands faisaient passer de simples blandices pour de vrais médicaments en les vendant à des prix que seule la mode expliquait, sans les justifier pour autant. Un autre jour, Andreas eût sans doute profité de la promenade pour railler les charlatans en les confrontant à leur ignorance de la vraie médecine, mais il était, ce matin-là, bien trop préoccupé pour céder à ces jeux, son esprit encore accaparé tout entier par ce qu'il convient désormais d'appeler : le mystère de la pièce oubliée.

Soudain, alors qu'il était plongé dans ses pensées, l'Apothicaire sentit une main le saisir à l'épaule et le tirer en arrière.

— Faites attention, maître !

Un tombereau passa devant lui à toute vitesse, tracté par deux grands et forts chevaux. Les fermiers des boues – comme on les appelait alors – prenaient de moins en moins garde aux passants quand ils emmenaient les déchets de la ville vers sa périphérie, et il n'était pas rare qu'un citadin soit renversé au beau milieu de la chaussée. Le mois précédent, tout le quartier s'était ému de la mort d'un jeune garçon de six ans, écrasé par la roue d'une de ces charrettes, mais l'émoi et la révolte des habitants n'avaient pas suffi à modifier le comportement de ces hommes qui, deux fois la semaine, venaient ramasser à la pelle les ordures que l'on jetait par les fenêtres vers le bas du pavé.

— Vous m'avez l'air bien absorbé, maître, dit Jehan en regardant le tombereau s'éloigner. C'est mon départ qui vous tracasse ?

— Se croire nécessairement au cœur des pensées d'autrui est le propre du sot, ou celui de l'infatué. Lequel des deux es-tu, Jehan ?

— Je ne sais si je suis l'un ou l'autre, mais au moins je suis de ceux qui ne se font pas renverser dans la rue, répondit l'apprenti en prenant un air offensé.

— Si je suis vivant, c'est bien que nous sommes deux dans ce cas.

— Parce que je vous ai tiré par le bras ! La prochaine fois, débrouillez-vous tout seul !

— C'est en effet ce à quoi va m'obliger la fin de ton apprentissage, Jehan. Mais je peux te regarder partir avec la satisfaction de t'avoir appris au moins une chose : à empêcher un homme plus âgé que toi de se faire renverser dans la rue. Belle réussite.

Le jeune homme haussa les épaules.

— Vous m'avez appris bien plus que ça.

— Malheureusement.

Jehan sourit.

— Vous voyez bien que mon départ vous ennuie ! Allez, dites-le !

— Sot *et* infatué. Ton départ est donc une bonne nouvelle, je suis débarrassé, conclut Andreas en reprenant la route. Dépêchons-nous de rejoindre la maison du maître de quartier que je me libère enfin du fardeau que m'impose ta sottise.

L'apprenti secoua la tête et lui emboîta le pas.

9

Aalis éprouva comme une constriction dans son estomac et accéléra le pas, luttant contre la neige, et peut-être aussi contre certaine appréhension.

À peine arrivée devant la capitelle, elle frappa de son poing fermé contre la porte en bois branlante, laquelle tenait encore par un miracle que la jeune fille préférait ne pas éprouver.

— Zacharias ! cria-t-elle par deux fois, exhalant du même coup deux petits nuages de vapeur blanche.

Mais comme elle n'obtint aucune réponse, elle poussa le panneau de bois et pénétra dans la modeste bâtisse, le cœur battant.

L'intérieur, plongé dans la pénombre, était moins spacieux encore que la chambre qu'Aalis partageait avec ses parents. Il y régnait une désagréable odeur de moisissure et il y faisait presque aussi froid qu'au-dehors. Sur un sol couvert de paille, il y avait une petite table, une cuve, une armoire rudimentaire, tout un fatras de vieux objets qu'on discernait mal, et un âtre où, donc, ne brûlait aucun feu. Au-devant, le corps allongé d'un vieil homme emmitouflé dans une fourrure n'avait pas bougé.

Aalis, les yeux écarquillés, se laissa tomber sur les genoux près de la silhouette immobile. Cela faisait des semaines qu'elle redoutait de voir un jour arriver cet inéluctable instant. Elle pria, pria pour que l'heure ne fût pas encore venue.

— Zacharias ! répéta-t-elle en secouant l'homme par les épaules, et elle poussa un grand soupir en le voyant ouvrir péniblement les paupières.

Il grogna, toussa, puis, dans la faible lueur que laissait passer la porte entrouverte, le fantôme d'un sourire se dessina sur ses lèvres traversées de petites gerçures.

— Aalis, ma petite Aalis, bredouilla-t-il enfin d'une voix rocailleuse qui forçait encore le trait de son accent étranger. Qu'est-ce que tu fais ici ?

Il se frotta les yeux et tenta en vain de relever la tête.

— Est-ce le jour, ou est-ce la nuit ? demanda-t-il en grimaçant.

— C'est le jour, Zacharias ! Vous ne vous êtes pas réveillé ! Et votre feu s'est éteint ! Vous allez mourir de froid !

— Ah... Hier soir, j'avais les doigts tellement gelés que je n'ai pas réussi à battre briquet.

Malgré les années qu'il avait passées dans ce pays, Zacharias Buljan roulait encore ses « r » avec emphase. Avec le temps, Aalis n'y faisait plus attention. Elle savait en outre que ce vieil homme, derrière l'imperfection de son accent, cachait une érudition étonnante et connaissait bien plus de langues étrangères qu'elle n'eût pu en citer.

— Vous n'auriez simplement pas dû laisser le feu s'éteindre ! réprimanda la jeune fille en se rapprochant du foyer.

— Je me suis endormi.

L'homme ne lui avait jamais confié son âge, mais Aalis était certaine qu'il était le plus vieux de tous ceux qu'elle avait rencontrés et, pourtant, il subsistait dans son regard comme dans sa voix une sorte de jeunesse éternelle qu'on trouve souvent chez les sages et les grands voyageurs. Si le blanc de ses yeux avait pris quelque nuance jaunâtre, l'iris, lui, était d'un bleu encore très clair qui leur conférait une malice et une joie immuables, et ses sourcils épais lui donnaient un air de philosophe de l'Antiquité. À la teinte de ses cheveux, d'un brun aux reflets orangés, on devinait qu'il avait été roux et, à celle de sa peau, qu'il avait été longtemps exposé au soleil.

Sans se défaire d'un sourire ému, Zacharias regarda la jeune fille s'activer devant lui pour que le feu reprenne.

— Vous devez me promettre de ne jamais vous coucher sans avoir nourri votre feu, dit-elle lorsque les bûches s'enflammèrent enfin. Je vous ai amené plus de bois qu'il n'en faut...

Pour tout rire attendri, le vieillard ne parvint à émettre qu'une toux sèche.

— Petite Aalis... Tu es la bonté même, mais tu sais, je suis vieux, je peux bien mourir de froid, cela ne serait ni une tragédie ni un déshonneur. Ce serait même sans doute la plus désirable des sorties.

La jeune fille secoua la tête, extirpa de son manteau la galette qu'elle avait apportée et la tendit au vieil homme.

— Tenez, mangez un peu au lieu de dire des sottises. Je ne vous accorde pas encore le droit de mourir, Zacharias : il vous reste bien trop d'histoires à me conter.

— C'est pour cela que tu viens me voir, Aalis ? Pour entendre mes histoires ?

La jeune fille haussa les épaules sans répondre.

— Je me demandais si ce n'était pas plutôt un prétexte pour te tenir hors des murs de la ville ?

— Sûrement un peu des deux, concéda-t-elle.

— Il y a là quelque drôlerie, tu ne trouves pas ? Toi qui vis à Béziers, tu ne demandes qu'à en sortir ; et moi qui aimerais pouvoir y finir mes jours en paix, on m'en interdit l'entrée.

— Je ne suis pas sûre de trouver cela si drôle. Je ne comprends pas ce qu'on vous reproche.

Le vieil homme croqua à petites bouchées dans la galette que lui avait offerte sa jeune amie.

— D'être un fils d'Israël. Mais cela n'a pas toujours été ainsi.

Aalis vint se placer en face du vieil homme et, la tête posée sur les genoux, écarquilla ses grands yeux verts et brillants. Les flammes dansaient dans son dos et projetaient de longues ombres vacillantes sur les murs de pierre sèche. Dehors, on entendait des branches d'arbres qui craquaient sous le poids de la neige. De toute sa vie, Aalis n'avait jamais connu hiver si rude et elle ne pouvait s'empêcher d'y voir un signe, un signe qu'elle attendait secrètement : ce n'était pas une année comme les autres.

— Racontez-moi.

— Comme on nous chasse de partout, nous marchons, nous foulons des terres qui ne nous appartiennent pas – qui devraient, d'ailleurs, n'appartenir qu'à elles-mêmes – et nous dépendons de l'accueil que l'on veut bien nous réserver en chemin. Les enfants d'Israël ont vécu ici jadis de belles années, je me souviens. Mais les choses se sont abîmées.

— Pourquoi ?

Zacharias, d'un geste lent, les doigts tremblants, posa sa main sur le genou de la jeune fille.

— Au nom de votre Messie, vos rois ont ordonné que nous soyons dépouillés de nos biens et contraints à quitter le royaume. Les synagogues que mes ancêtres avaient bâties ont été transformées en églises, leurs richesses redistribuées à la noblesse...

— C'est injuste.

— C'est ainsi. Il fallait humilier Israël qui a refusé d'être « sauvé ». La chose s'est répétée à de nombreuses reprises dans l'histoire. Et encore... Ton pays – le pays occitan – est sans doute celui qui s'est montré le plus accueillant avec mon peuple. Le comte de Toulouse nous voyait d'un œil favorable et confiait même des charges importantes à certains des nôtres.

— Alors pourquoi n'avez-vous plus le droit de vivre à Béziers, aujourd'hui ?

— À cause du roi. Malheureusement, Béziers ne dépend plus du comte de Toulouse mais directement de Philippe le Bel. Et c'est un roi fort dépensier. Il y a presque dix ans, comme le Trésor était vide, il a décidé d'aller chercher l'or là où il savait pouvoir le trouver : chez les Templiers et chez les fils d'Israël. Tu as sans doute entendu parler du sort qu'il a réservé aux Templiers. Nous, il nous a fait arrêter, nous a contraints de nouveau à l'exil et a saisi nos biens, nos propriétés et nos créances. Beaucoup sont morts en quittant le royaume. Je n'ai, moi, pas eu ce courage. Et j'ai donc préféré me terrer ici, dans cette capitelle. Comme je suis vieux et pauvre, personne ne vient me chercher querelle...

— Qu'ils essaient ! Ils me trouveraient sur leur chemin ! promit la jeune fille d'un air animé.

— Je n'en doute pas un seul instant, ma petite.

— Au fond, avec l'accueil qu'on vous y a réservé, je ne sais pas pourquoi vous regrettez Béziers, Zacharias. Moi, je ne désire qu'une seule chose : partir d'ici.

— Sans doute parce que c'est ici que s'est terminé mon long voyage. C'est la seule ville où je me suis réellement installé. Et, malgré tout, j'y ai vécu de bons moments. Les bourgeois de Béziers sont des gens bien étranges...

— Ce sont des imbéciles. Vous devriez être heureux de ne pas vivre parmi eux.

— Il faut leur pardonner : l'histoire de ta ville est une histoire pleine de drames. On a massacré des milliers d'hommes en une seule nuit derrière ces remparts, au cours du siècle dernier, comme ils avaient été jugés hérétiques. « Tuez-les tous, Dieu reconnaîtra les siens » ; tu connais cette histoire, n'est-ce pas ? Tes ancêtres aussi ont connu la persécution religieuse.

— Justement ! Les gens d'ici devraient savoir et se comporter mieux.

— J'ai voyagé toute ma vie, je suis vieux. Je voudrais simplement… me reposer, maintenant.

Il marqua une pause, puis, sur le ton de la confidence, il reprit :

— Si tu le veux, je vais te révéler un grand secret.

Aalis se rapprocha un peu du vieil homme.

— Je vous écoute.

— Tu vas peut-être me prendre pour un vieil imbécile qui se donne des airs de philosophe… Mais, vois-tu, je crois, Aalis, que notre vie n'a d'autre fin que de nous faire accepter de retourner à notre solitude originelle, et rien d'autre. Et moi, je crois y être enfin parvenu.

La jeune fille fit une grimace perplexe.

— Pardon ?

— Notre première expérience de vie, dans le ventre de notre mère, est une expérience solitaire. Dès lors, toute son existence, on cherche l'Autre. Désespérément. On cherche une âme sœur, une entière compagnie, comme pour soigner cette solitude première, tu comprends ? Et puis les années passent, les illusions s'abîment, et la vie nous apprend à nous préparer à retrouver cette solitude. Ainsi est le sens de la vie : au contact d'autrui, il s'agit d'accepter qu'un jour nous serons seuls à nouveau. Et l'accepter n'est pas une mince affaire, je te l'accorde. Mais je crois y être parvenu. Je suis prêt.

— C'est horrible, ce que vous dites.

— Non. C'est de ne pas l'accepter, qui est horrible, Aalis. Mais rassure-toi, si le chemin est long, il est aussi fort beau. Tu verras, tu n'as même pas quinze ans. En route, nous vivons de belles choses, et je crois que ce sont ces choses, justement, qui nous aident à accepter notre sort.

La jeune fille fit une moue sceptique.

— Pour l'instant, mon chemin à moi n'a rien de réjouissant.

— Vraiment ? Tous ? Et donc, même vous ? demanda le jeune homme, provocateur.

L'Apothicaire haussa un sourcil.

— Moi plus que personne, mon garçon ! Serais-je aussi fâché de te voir partir si je pensais à autre chose qu'à mon propre intérêt ?

L'apprenti ne put retenir un petit ricanement.

— Ainsi donc vous reconnaissez être fâché ? Je crois, moi, que vous êtes heureux pour moi, mais que vous ne voulez pas l'avouer.

— Détrompe-toi. Je te souhaite tout le malheur du monde. Si tu étais capable de réfléchir un peu, tu saurais que, fondamentalement, il n'y a rien de plus triste que de mourir heureux.

Jehan secoua la tête et s'avança vers la foule qui les attendait.

Les hommes et les femmes qui étaient assemblés là s'écartèrent sur leur passage, formant comme une haie d'honneur qui guida les deux hommes vers le maître de métier, debout devant le portail de l'église, où était sculptée une magnifique sainte Catherine.

Maître Malingrey était le doyen des apothicaires du quartier de Bourg-l'Abbé et celui qui, avant l'arrivée d'Andreas, y avait joui de la meilleure réputation. C'était un homme grave, cérémonieux, sans doute l'un des plus âgés de la profession. Petit et rond, il avait d'épais cheveux blancs coiffés à la romaine mais ne portait pas, contrairement à ses confrères, la longue et lourde cape bleue. En effet, ayant été nommé parmi les six gardes parisiens du métier d'apothicaire, tels les juges et les consuls des villes municipales, il portait la robe de drap noir, bordée de velours, à collet et à manches pendantes.

Jehan vint se placer devant lui et lui adressa un salut révérencieux avant de sortir de sa bourse un petit pot qui contenait son « chef-d'œuvre » : un onguent, à la confection particulièrement complexe, et qui contenait du camphre, de l'amidon, de la citrine et du marbre blanc passés au mortier, et d'autres ingrédients encore qui, malheureusement, ont échappé à notre mémoire.

Le maître prit le baume et l'inspecta longuement d'un air circonspect, le renifla et en caressa la surface du bout de son auriculaire avant de refermer négligemment le pot.

— C'est là votre chef-d'œuvre ? demanda-t-il en haussant un sourcil. Un onguent citrin ? La chose est détaillée en profondeur dans l'antidotaire Nicolas. Votre manque d'inventivité, jeune homme, est étonnant de la part de l'élève d'un maître aussi renommé que M. Saint-Loup.

En retrait, Andreas n'avait pas bougé. Impassible, il regardait la scène comme si elle lui eût été totalement indifférente.

Jehan baissa les yeux.

— C'est que... ce n'est pas tout à fait le même onguent que celui de l'antidotaire, maître. J'y ai apporté quelques petites modifications.

Malingrey fit un sourire moqueur.

— Auriez-vous l'orgueil de vouloir faire mieux que Nicolas ?

— Ne venez-vous pas de me dire que vous attendiez un peu d'inventivité ? risqua le jeune homme en espérant ne pas paraître trop impertinent.

— Certes. Mais encore faudrait-il que les vertus de votre chef-d'œuvre soient avérées, et il eût fallu pour cela nous l'apporter plus tôt...

Le maître de métier hésita, puis posa un regard circulaire sur l'auditoire silencieux.

— Talmon ! lança-t-il à l'un des apothicaires venus assister au rituel. Dites à votre valet d'approcher un peu.

Un murmure courut par toute l'assemblée, puis un vieil homme fit quelques timides pas en avant. Le dos voûté, le crâne dégarni, le pauvre bougre avait la peau aussi abîmée qu'un lépreux, les joues et le front couverts de pustules purulentes, de squames et de plaques rouges.

— Venez ici, mon brave, afin que l'on éprouve, de première main, l'onguent de cet apprenti qui demande la maîtrise.

Le valet, épouvanté, adressa un regard suppliant à son patron derrière lui. Mais celui-ci riait autant que tous les autres.

Malingrey, qui prenait visiblement beaucoup de plaisir à la double humiliation à laquelle il semblait vouloir se livrer, tendit le petit pot à Jehan.

— Tenez, jeune homme. C'est votre onguent, après tout. Je vous laisse le soin d'oindre la peau de ce vilain afin que nous puissions observer le miracle.

Jehan, la figure empourprée, se tourna brièvement vers Andreas dans l'espoir de trouver un peu de réconfort, mais celui-ci ne lui adressa en retour aucune espèce d'encouragement. Dans ses yeux se lisait plutôt une sorte d'amusement qui ramena au souvenir de l'apprenti ses dernières paroles : « *Aucun des hommes que tu vois ne veut ton bien. Tous passeront leur vie à te jalouser et à espérer ton malheur.* »

Jehan frissonna. Essayant de masquer les tremblements qui avaient gagné ses mains, avec l'hésitation de la peur, il enleva le capuchon, prit une noisette d'onguent et commença à l'étaler sur le visage scrofuleux du vieux valet, avec une grimace de dégoût qui déclencha une cascade de rires alentour.

— L'effet n'est pas immédiat, balbutia l'apprenti en refermant le pot.

— Manifestement, répliqua Malingrey, tout sourire.

Les yeux rivés au sol, le valet resta ainsi, penaud, livré aux regards moqueurs de cette cruelle congrégation. L'état de son visage, évidemment, ne changea pas du tout : il resta toujours cet assortiment disgracieux de peaux mortes et de furoncles écarlates.

Quand il estima que la farce avait assez duré, le maître de métier s'approcha de lui d'un air ingénu.

— Alors, vieil homme ? Vous sentez quelque différence ? Car pour nous autres, votre peau semble aussi infectée qu'elle l'était tout à l'heure.

Les lèvres du valet se mirent à remuer, mais il ne parvint à prononcer aucune parole.

— Allons ! Répondez ! Vous sentez quelque bienfait ?

— Eh ben… Je n'sais pas… Oui… Peut-être. Comme qui dirait : ça gratte un peu moins.

De nouveaux éclats de rire s'élevèrent dans la ruelle. Jehan serra les poings. Il enrageait. Il ne lui échappait pas que, à travers lui, c'était Andreas Saint-Loup que Malingrey tentait d'humilier. L'expérience à laquelle le maître de métier venait de le soumettre ne faisait pas partie du rituel. D'ordinaire, on acceptait sans délibérer le chef-d'œuvre de l'apprenti, quand celui-ci avait reçu la caution de son maître. Mais Malingrey, sans doute, avait des comptes à régler avec l'Apothicaire, comme la plupart de ses confrères, d'ailleurs. C'était le prix que devait payer un esprit rebelle quand il avait acquis telle renommée.

Toutefois, l'apprenti ne dit pas un mot. Et plutôt que d'en vouloir à Andreas de lui faire porter le poids de la jalousie des autres maîtres, il préféra éprouver la fierté d'avoir été instruit par le meilleur d'entre eux.

— Bien, reprit Malingrey d'un ton condescendant, disons que cet onguent sera accepté par cette vénérable assemblée comme votre chef-d'œuvre, jeune homme, et finissons-en. Je vous écoute, Jehan.

L'apprenti vint à nouveau se placer devant le maître de métier et commença à réciter le texte qu'il avait déjà appris depuis bien longtemps, comme il avait attendu ce jour avec impatience – impatience dont il se demandait à présent si elle était bien justifiée tant l'épreuve était pénible.

— Maître, j'ai fait et accompli mes six années.

Malingrey se tourna alors vers le coutumier, qui avait pour charge de percevoir les amendes et redevances du métier dans cette partie de la ville.

— Pouvez-vous en témoigner ?

Le coutumier opina du chef.

— Jehan, votre échantillon, s'il vous plaît.

Le maître de métier saisit alors le bâton que le jeune homme lui tendait et l'inspecta pour s'assurer qu'il portait bien six encoches.

— Maître Saint-Loup, attestez-vous de l'authenticité de ces six entailles ?

Andreas, qui ne s'était pas approché, répondit depuis le milieu de la rue.

— Protagoras disait que l'homme est la mesure de toute chose. La vérité n'est jamais que l'aspect sous lequel le monde nous apparaît. Il m'apparaît que ce bâton porte six encoches et que chacune d'elles fut faite lors d'une année d'apprentissage du jeune Jehan. De là à vous dire qu'elles sont authentiques, ce serait renoncer à ce scepticisme que j'ai toujours élevé, pour ma part, au rang de religion.

Tous les regards se tournèrent vers l'Apothicaire et le silence qui suivit fut si long que Jehan crut un instant que la cérémonie n'irait jamais jusqu'à son terme. Il ferma les yeux d'un air abattu, maudissant pour lui-même l'irrévérence pathologique de son mentor.

— Andreas, lâcha finalement Malingrey d'une voix irritée, le rituel exige de vous que vous répondiez simplement par « oui » ou par « non » à cette question...

— Étant entendu que ledit rituel n'exigeait pas que vous tourniez mon apprenti en ridicule, alors qu'il a confectionné un onguent dont la subtilité vous a visiblement échappé, j'estime avoir à mon tour quelque licence dans la formulation de mes réponses, et, partant, celle-ci restera la mienne.

Le maître de métier poussa un soupir las.

— Soit. Nous la prendrons donc pour un « oui ».

Malingrey, les traits tendus, se tourna de nouveau vers le jeune apprenti.

— Puisque tout est en ordre, Jehan, et que maître Saint-Loup a jugé que votre apprentissage était terminé, vous pouvez à présent prêter le serment des apothicaires.

Le jeune homme ne put s'empêcher de penser au sermon qu'Andreas, le matin même, lui avait livré sur les canons de la rhétorique, et en particulier sur la *memoria*, si chère à Thomas d'Aquin. Au fond de lui-même, cependant, il n'était pas inquiet. Il connaissait parfaitement le texte de son serment. Mais pour la première fois, ces mots si souvent répétés, tels qu'il allait les dire, devaient prendre tout leur sens. Ce ne serait plus un poème ou un exercice qu'on dit sans y penser, mais des phrases habitées d'une promesse qu'il voulait sincère. Il redressa la tête, leva la main droite et planta ses yeux dans ceux du maître de métier.

— Je jure et promets devant Dieu, auteur et créateur de toutes choses, unique en essence et distingué en trois personnes éternellement bienheureuses, que j'observerai de point en point tous les articles de mon serment.

Un silence profond gagna à nouveau les spectateurs, soulignant la solennité de l'instant. Jehan eut l'impression de sentir sur sa nuque la quinzaine de regards, et en particulier celui d'Andreas, mais il ne se laissa pas déconcentrer et continua son serment.

— Premièrement, je jure et promets de vivre et mourir en la foi chrétienne. D'honorer, respecter et faire servir, en tant qu'en moi sera, non seulement aux docteurs médecins qui m'auront instruit en la connaissance des préceptes de la pharmacie, mais aussi à mes précepteurs et maîtres pharmaciens sous lesquels j'aurai appris mon métier. De ne médire d'aucun de mes anciens docteurs, maîtres pharmaciens ou autres qu'ils soient.

La teneur des différents articles trahissait qu'ils avaient été rédigés par des médecins et non par des apothicaires. Les docteurs s'y étaient accordé un rôle bien plus important que celui qu'ils tenaient dans les faits. Deux ans plus tôt, Philippe le Bel avait confirmé le statut des apothicaires à Paris et les avait partiellement débarrassés du joug des médecins, mais cette ordonnance avait surtout eu pour objet de distinguer les pharmaciens des épiciers et de confirmer leur exemption de guet : le métier d'apothicaire faisait en effet partie des rares métiers parisiens où les maîtres étaient affranchis des jours de guet que chacun devait effectuer chaque mois sur les remparts de la ville. Il restait encore – au grand regret d'Andreas Saint-Loup – de nombreuses traces de la domination des docteurs sur la profession.

— De rapporter tout ce qui me sera possible pour l'honneur, la gloire, l'ornement et la majesté de la médecine. De n'enseigner aux idiots et ingrats les secrets et raretés d'icelle. De ne faire rien téméraire-ment sans avis des médecins, ou sous l'espérance de lucre tant seulement. De ne donner aucun médicament, purgation aux malades affligés de quelque maladie que premièrement je n'aie pris conseil de quelque docte médecin.

En disant ces mots, Jehan se demanda s'il serait capable de toujours tenir cette promesse, ayant vu son maître la trahir en de fort nombreuses occasions. L'idée, lui avait un jour affirmé Andreas, était de saisir l'esprit de ce serment plutôt que d'en respecter la lettre…

— De ne découvrir à personne le secret qu'on m'aura commis. De ne toucher aucunement aux parties honteuses et défendues des femmes, que ce ne soit par grande nécessité, c'est-à-dire lorsqu'il sera question d'appliquer dessus quelque remède. De ne donner jamais à boire aucune sorte de poison à personne, et de ne conseiller jamais à aucun d'en donner, non pas même à ses plus grands ennemis. De ne jamais donner à boire aucune potion abortive. De n'essayer jamais de faire sortir du ventre de la mère le fruit, en quelque façon que ce soit, que ce ne soit par avis du médecin.

Là aussi, Jehan se souvint d'avoir vu Andreas manquer plusieurs fois à cette parole quand une pauvre femme s'était présentée à lui en démontrant son incapacité à garder l'enfant qui lui était promis. Mais lui-même, si un jour il devait se trouver devant pareil dilemme, aurait-il la hardiesse de trahir son serment ?

— De désavouer et fuir comme la peste la façon de pratique scandaleuse et totalement pernicieuse de laquelle se servent aujourd'hui les charlatans, empiriques et souffleurs d'alchimie, à la grande honte des magistrats qui les tolèrent. De donner aide et secours indifféremment à tous ceux qui m'emploieront, et finalement de ne tenir aucune mauvaise et vieille drogue dans ma boutique.

Ces trois derniers points, en revanche, nul doute qu'Andreas les avait toujours respectés avec un zèle qui lui faisait honneur.

— Le Seigneur me bénisse toujours, tant que j'observerai ces choses, termina Jehan, le regard brillant.

Malingrey, impressionné sans doute par l'aisance avec laquelle le jeune homme avait récité son texte et la profondeur qu'il avait semblé lui donner, ne put retenir un sourire bienveillant.

— Nous prenons acte de votre serment, Jehan. Vous devez aussi jurer de ne faire ni fraude ni mensonge, de mettre à jour votre antidotaire selon les corrections des maîtres pharmaciens et des médecins, et de ne servir que des poids reconnus bons par vos visiteurs.

— Je le jure.

— Jehan, j'ai l'honneur, en présence de cette vénérable assemblée et en vertu des pouvoirs qui me sont conférés, de vous affranchir.

Une salve d'applaudissements résonna entre les façades des hautes maisons.

— Vous pouvez désormais exercer librement votre métier de maître apothicaire. Je vous souhaite, au nom de tous ici, la bienvenue dans notre profession. Mes amis, je vous invite à entrer en l'église Sainte-Catherine pour partager le vin en l'honneur de notre nouveau confrère !

Avec force acclamations, maîtres et valets entrèrent dans le lieu saint et se pressèrent autour du jeune apothicaire, qui pour le féliciter, qui pour lui donner une tape amicale sur l'épaule. Bousculé par tant d'enthousiasme, Jehan, tout sourire, chercha des yeux le visage d'Andreas.

Mais il comprit bientôt que celui-ci était parti, et le jeune homme – bien qu'il sût combien il était pénible à son maître de pénétrer dans une église – éprouva dès lors une profonde tristesse.

Le reste de la matinée fut l'occasion d'une belle fête dans une dépendance de l'hôpital, à laquelle ne manquait que Saint-Loup, dont l'absence n'échappa à personne. Il y eut beaucoup de mets avalés et plus de jarres vidées encore. On échangea des nouvelles, on partagea des avis, et on s'amusa beaucoup, même si la perfidie de certains, lovée dans de faux compliments, commença déjà à apparaître au nouvel initié.

Mais notre relation des faits serait incomplète si nous ne révélions pas les deux épisodes qui achevèrent leur dénouement.

D'abord, quand la fête fut finie, le visage du valet de Talmon, que Jehan avait oint, était presque entièrement débarrassé de ses pustules et rougeurs ; mais Malingrey se garda bien de relever le prodige.

Ensuite, comme il quittait les lieux pour aller trouver ses parents à Coulombe (un petit bourg au-delà de la ferme de Nully qui ne manquait pas d'un certain agrément pittoresque), et leur annoncer la merveilleuse nouvelle, Jehan trouva dans son manteau une bourse qui, il en était certain, n'y avait pas été le matin même.

À l'intérieur il découvrit, perplexe, soixante livres, une véritable fortune, suffisamment d'argent en tout cas pour installer sa première boutique à Paris. Du fond de la bourse dépassait aussi une petite note que Jehan, les doigts tremblants, déplia pour la lire. Elle ne comptait qu'une seule phrase, que le jeune homme reconnut pour être de Thomas d'Aquin : « *Beaucoup de biens ne se produiraient pas s'il n'y avait pas de mal dans les êtres* », et elle était signée Andreas Saint-Loup.

11

— Peux-tu nous dire où tu étais ? s'exclama sa mère en découvrant le manteau d'Aalis couvert de neige.

Catherine et Maurin Nouet étaient de petits drapiers de Béziers, enfants de drapiers eux-mêmes, et n'ayant jamais connu d'autre ville de leur pays occitan, non pas seulement que leur condition les en eût empêchés, mais aussi parce que – quand bien même la liberté leur en eût été donnée – ni l'un ni l'autre n'aurait souhaité quitter les faubourgs qui les avaient vus naître.

Ils étaient de cette petite bourgeoisie naissante, acharnée au travail et animée par la soif d'élévation sociale qu'alimentaient depuis des siècles les injustices de ce qu'il convient aujourd'hui d'appeler la féodalité. Ne jouissant pas encore d'une fortune suffisante, ils étaient contraints d'assurer eux-mêmes, avec l'aide de trois ouvriers, l'entière fabrication des draps qu'ils vendaient. Une fois le mois, ils achetaient leur matière première, un textile grossier, de lin, de laine ou de velours, à un tisserand de Montpellier qui leur faisait un bon prix, lors ils le lissaient dans leur atelier, l'amenaient au moulin du Mons, sur les rives de l'Orb, pour l'y faire fouler, puis pouvaient enfin procéder à la teinture, étape cruciale de la confection des draps et qui faisait la différence entre les nombreux vendeurs de la ville comme des foires locales. Pour ce faire, ils utilisaient des plantes tels la garance, le pastel de Carcassonne ou la gaude, lesquelles, selon la façon dont ils les mélangeaient, pouvaient donner une large gamme de couleurs et laissaient dans tout le bâtiment une odeur caractéristique qui, longtemps, resterait gravée dans la mémoire de notre jeune héroïne.

— Je suis allée me promener, répondit Aalis en lissant ses longs cheveux mouillés.

Sa mère lui administra aussitôt une claque sonore.

— Je sais très bien où tu étais, petite insolente !

La jeune fille porta une main à sa joue en feu et lutta pour ne laisser paraître aucune larme.

— Tu es encore allée voir ce vieux Juif à l'extérieur de la ville ! Je ne comprends pas ce qui te passe par la tête ! Non seulement tu manques à ton devoir en fuguant plutôt que de nous aider à l'atelier, mais en plus tu traînes avec ce voleur, ce hors-la-loi, ce vieillard de malheur ! Si les gens de Béziers savaient que notre fille sympathise avec un Juif, tu imagines un peu le dommage que cela causerait à notre commerce ?

— Ce n'est pas un voleur ! protesta Aalis.

Catherine Nouet secoua la tête d'un air blasé.

— Ah oui ? Et comment crois-tu qu'il peut survivre, lui qui ne travaille pas ? L'argent ne tombe pas du ciel, Aalis, même chez les Juifs ! C'est un voleur, et toi tu es une imbécile. C'est la dernière fois, ma fille, la dernière fois. Si je te reprends encore une seule fois à quitter la maison en cachette pour aller le voir, je t'enferme pendant une semaine dans le chai ! Maintenant, file à l'atelier pour aider ton père !

La jeune Occitane fit volte-face et s'achemina d'un pas preste vers la grande pièce où l'on travaillait les tissus, à l'arrière de la boutique. Les hommes levèrent un œil vers elle sans interrompre leur office ; son père lui adressa au passage un regard courroucé et, sans demander son reste, elle alla s'installer dans le coin de l'atelier où étaient stockées les matières premières.

Depuis qu'elle était en âge de travailler, Aalis avait en charge le feutrage de la laine tissée, parce que c'était l'étape qui demandait le moins de savoir-faire

– selon son père – et qui, surtout, n'était pas digne des ouvriers qu'il payait plutôt pour la teinture.

Il s'agissait d'abord de plonger le drap brut dans des bains successifs pour enchevêtrer les brins. Ensuite, on purgeait le tissu de ses impuretés et on le dégraissait en l'immergeant dans l'urine qu'Aalis, chaque matin, devait aller collecter dans le pot disposé près de la fosse d'aisances du jardin. Il convenait alors de rincer la laine puis de lui enlever ses nœuds, un par un, ce qui était long et fastidieux, et permettait de la préparer pour le foulage.

Ainsi, Aalis passa toute la journée, comme à l'accoutumée, à exécuter consciencieusement sa tâche tout en souhaitant une autre vie, cette autre route dont avait parlé Zacharias et qui, en ce jour plus que jamais, lui sembla tout à la fois des plus désirables et des plus inaccessibles.

Quand la nuit fut tombée, fort tôt en cette saison, alors qu'Aalis continuait, malgré la douleur aiguë qui avait gagné le bout de ses doigts, à ôter toutes les peluches des grands draps de laine, sa mère entra dans l'atelier.

— Aalis, il fait trop sombre pour travailler maintenant, tu peux arrêter. Il y a François, devant la boutique, qui demande à te voir.

— Je n'ai pas envie de sortir.

La drapière poussa un soupir agacé.

— Ne sois pas idiote. Je préfère grandement te voir discuter avec un garçon de ton âge plutôt que de traîner avec le vieux Juif. François est le fils du prévôt, c'est un honneur pour notre famille qu'il ait envie de te fréquenter. Alors ne discute pas et sors tout de suite parler avec ce garçon.

Aalis ferma les yeux, la mâchoire serrée.

— Obéis à ta mère, lança Maurin Nouet d'une voix cinglante de l'autre côté de l'atelier. Et estime-toi heureuse d'avoir encore le droit de sortir !

La jeune fille s'essuya les mains sur un chiffon et quitta la pièce en traînant des pieds.

12

Plutôt que de retourner aussitôt à son apothicairerie, comme il eût pourtant dû le faire, Andreas avait éprouvé le besoin de flâner en ville, un luxe qu'il ne s'accordait que rarement, surtout en hiver, mais que sa perplexité du jour lui avait inspiré. Pendant le serment de Jehan, l'Apothicaire n'était pas parvenu à penser à autre chose qu'à cette mystérieuse pièce vide et oubliée, qui avait comme envahi sa maison, sa vie même, et toute la journée encore, foulant le pavé parisien, il était resté la victime impuissante de cette inexplicable obsession.

En suivant au hasard les grandes voies de Paris, il avait espéré trouver une interprétation satisfaisante de ce prodige, ou, à défaut, l'oublier un instant. Il n'était parvenu ni à l'un ni à l'autre.

Les rapports qu'Andreas entretenait avec la capitale – la *Merveille* comme on l'appelait alors – étaient pour le moins complexes, mêlés de mépris et d'admiration, de réjouissances et de déceptions.

S'il détestait la saleté de ses rues, noyées sous une boue puante de détritus et d'excréments dans laquelle trempaient cochons et chiens errants et à laquelle s'ajoutait la pestilence des panses du bétail égorgé en plein air par les bouchers, il admirait, en revanche, ses splendeurs architecturales : hors les murs, il y avait le Temple et Saint-Martin-des-Champs, le Louvre bien sûr, avec ses belles colonnades et sa vaste cour carrée, qui était bornée à l'orient par l'enceinte de la ville ; rive droite, il y avait Saint-Germain-l'Auxerrois, la plus ancienne église de la capitale, le Grand Châtelet, Saint-Gervais et Saint-Jacques-de-la-Boucherie ; rive gauche, il y avait Saint-André-des-Arts, le collège de Cluny, le moulin des Copeaux qui surplombait la Bièvre ou Saint-Nicolas-du-Chardonnet ; et puis, dans le berceau de Paris, qu'on nommait la Cité et qui était enfermé par les deux bras de la Seine, il y avait Notre-Dame, que l'architecte Pierre de Chelles venait tout juste de doter d'un jubé magnifique évoquant la *descente aux limbes*, et le Palais, enfin, dont la beauté était à la hauteur de sa royale fonction.

S'il exécrait le dédain de la royauté, l'autorité stupide du prévôt de Paris qui siégeait au Châtelet ou le dogmatisme rétrograde d'un évêque frustré par la domination de Sens, il éprouvait toutefois un amour sans limites pour l'audace du clergé universitaire et l'impudence des étudiants qui, de plus en plus nombreux, faisaient souffler sur la ville un air de progrès et de nouveauté. Le prestige de Paris faisait venir à elle artistes, penseurs et philosophes de tous pays et la transformait en un berceau lumineux de pensée et de création.

Parfois, d'ailleurs, se mariait dans la capitale ce qu'il y avait de plus beau à ce qu'il y avait de plus laid. Ainsi, la semaine précédente venaient d'être achevés les travaux entrepris par Philippe le Bel sur le palais de la Cité. La nouvelle enceinte qui bordait la Seine était une véritable œuvre d'art qui anoblissait le fleuve, mais elle avait été érigée à grands coups d'expropriations injustes, ce dont Andreas, comme beaucoup de Parisiens, s'était fortement indigné.

Sur le chemin du retour, en la rive droite – que l'on appelait alors le quartier d'outre-Grand-Pont, par opposition à la gauche que l'on nommait d'outre-Petit-Pont ou Pays latin – arrivé dans la rue Saint-Denis, il s'arrêta près d'une étroite maison, à quelques pas de sa boutique, où travaillaient trois *fillettes* qu'il connaissait bien. Elles étaient, tout autant que lui, de véritables figures du quartier, qu'on n'allait pas seulement voir pour quérir le fruit de leur commerce mais aussi parce que les putains faisaient survivre la tradition des *diseuses de dit*, ces femmes qui, au temps jadis, contre un petit bout de pain, colportaient les nouvelles du coin. Les rumeurs que l'on venait chercher auprès d'elles étaient, de toute évidence, bien différentes de celles qu'on échangeait sur le parvis des églises au sortir de l'office dominical.

— Si ce n'est pas notre apothicaire qui s'en revient tout seul, la queue entre les jambes ! s'exclama celle qu'on appelait Magdala la Ponante, et qui était la plus âgée des trois. Alors, il est parti, ton Jehan ? C'est qu'il va nous manquer, le joli Jésus !

— Ne te lamente pas trop, ma fille, il n'est pas près d'arriver, le jour où ta profession manquera de chalands !

— Détrompe-toi, Andreas, répliqua-t-elle d'une voix soudain plus grave. M'est impression que la voirie est en train de nous préparer un mauvais tour et je ne donne pas cher de notre petit commerce. Si ça continue, je sens que je vais devoir aller vendre ce joli cul de l'autre côté des remparts.

Magdala n'était plus de toute jeunesse, mais elle avait encore de belles formes et une solide réputation. Approchant sans doute la quarantaine, tout comme Andreas, elle avait de longs cheveux ondulés d'un noir de jais, des yeux bleus comme deux lacs de montagne, une opulente poitrine pour une taille encore assez fine, et les rides sur son visage étaient celles du sourire.

— Qu'est-ce que tu racontes ?

— Que cela fait une semaine qu'un échevin vient nous becquer et nous chercher des noises et que je soupçonne qu'il a un projet. Je devine un dessein venu de plus haut, si tu vois ce que je veux dire, et qu'on va se faire macaronner.

— Et que crois-tu qu'ils vous veulent ?

— J'en sais trop rien, mais ce qui est certain, c'est que ce berdouillard y pense qu'à nous déloger.

— Allons bon ? Quelle idée ! *Dans le gouvernement humain, ceux qui commandent tolèrent à bon droit quelques maux, de peur que quelques biens ne soient empêchés, ou même de peur que des maux pires ne soient encourus.*

— Voilà qui est bien dit ! Tu sais causer, toi, mon lapin.

— Ce n'est pas de moi. C'est de Thomas d'Aquin, qui recommandait que l'on tolère ta profession.

Magdala éclata de rire.

— Forcément ! Un dominicain ! Si nous n'étions plus là, je me demande bien quelle bonne femme accepterait d'aller gamahucher la pine d'un dominicain, même pour le salut de son âme ! Le cul d'une putain, c'est une abbaye qui ne chômera jamais faute de moines.

Andreas esquissa un sourire.

— Votre maison est-elle sur la censive de l'abbé de Saint-Magloire, Magdala ?

— Oui, comme presque toutes les maisons du quartier.

— Bien. S'il le faut, j'irai en toucher quelques mots à l'abbé Boucel.

— La bonne nouvelle ! Cela pourrait nous être bien utile. Tu veux un petit encouragement, mon mignon ?

— Pas ce soir, la Ponante. Pas ce soir.

Andreas salua la dame et se remit en route dans la rue glaciale. La nuit était tombée et les commerçants commençaient déjà à fermer boutique.

Quand il fut enfin revenu chez lui, l'Apothicaire avait un air grave que ses valets, Lambert et Marguerite, mirent à tort sur le compte du départ de Jehan. Sans même leur adresser la parole, le maître monta directement les marches de son escalier et s'arrêta à mi-étage, devant la petite porte qui, d'une façon ou d'une autre, avait échappé à la mémoire de tous les occupants de cette demeure. Il avait presque espéré qu'elle eût disparu, que ce ne fût qu'un faux souvenir. Mais elle était bien là, devant lui, comme une insulte à la raison.

Saisi par un accès de colère ou de frustration, il se précipita vers l'étage et s'enferma dans le silence de sa chambre.

Debout devant la petite fenêtre, il attrapa dans sa bourse la bouteille de diacode, ce looch qu'il prenait en secret et dont nous avons parlé plus haut. Dehors, des flocons de neige se mirent à virevolter, certains venant s'écraser contre la paroi.

Il avala une gorgée du sirop, dépassant de fait la dose qu'il s'autorisait d'ordinaire. L'image de cette pièce vide hantait son esprit. La danse des flocons, la morsure du froid, le souvenir de cette étrange journée et, sans doute, l'effet du looch lui donnèrent l'impression d'avoir quitté le monde physique.

Comment avoir de l'existence de cette pièce une connaissance évidente, alors qu'elle échappe totalement à l'entendement ? Alors qu'elle a toujours, jusqu'à ce matin même, échappé à mes sens, et que je me refuse à raisonner en dehors de ceux-ci ? songea-t-il.

Il resta un long moment immobile, le front baissé vers la rue obscure en contrebas, attendant que le pavot de son looch fît pleinement son office, puis, après un profond soupir, il redescendit dans la grande salle à manger. En chemin, il s'efforça de ne pas s'arrêter devant la petite porte, objet de tous ses tourments.

Mais alors qu'il était décidé à ne plus penser à cela – pour un moment en tout cas – il tomba de nouveau sur une chose troublante, un second mystère qui le plongea dans une perplexité plus grande encore.

13

— Je vais aller dimanche à la chasse et j'aurais aimé que tu m'y accompagnes.

Aalis écarquilla les yeux, incrédule. François Ardignac était à peine plus âgé qu'elle – il devait avoir seize ans – mais il se donnait déjà des allures d'homme, fort de sa grande taille et de ses larges épaules.

Cela faisait plusieurs semaines que le fils du prévôt de Béziers lui faisait une cour maladroite et elle ne savait plus comment lui faire comprendre qu'elle n'était pas intéressée. Le garçon avait fière allure, le cheveu aussi brun qu'il avait les yeux clairs, et plaisait certainement à bien d'autres filles de la ville, mais elle le trouvait sot, grossier et, de toute façon, rien ne lui faisait moins envie que de fréquenter qui que ce fût dans ce coin-là du pays.

— À la chasse ? Tu n'y penses pas !

— Pourquoi ? Je sais que c'est une chose d'hommes, mais tu connais bien la garrigue, et avec toute cette neige, je suis sûr que tu pourrais m'aider. Et puis… On s'amuserait bien, tous les deux, hein ?

— Mon pauvre François, je crois que tu n'as pas la moindre idée de ce qui m'amuse.

Le garçon s'approcha en souriant et glissa une main sur la hanche d'Aalis.

— Je suis certain du contraire, dit-il sur le ton de la grivoiserie.

La jeune fille repoussa aussitôt son bras, mais François, dont les yeux brillaient à la lumière de la lune, se montra insistant et vint se coller plus près de son interlocutrice.

— Bas les pattes ! s'exclama Aalis, et cette fois elle le repoussa aux épaules d'un geste brusque. Ce n'est pas parce que tu es le fils du prévôt que tu peux te permettre n'importe quoi.

Le jeune homme fit une moue blessée.

— Pourquoi tu fais ta difficile, Aalis ?

— Si tu veux une fille facile, il y en a plein les rues de Béziers.

— Elles ne me plaisent pas.

— Et moi, c'est toi qui ne me plais pas.

— Qu'en sais-tu, tu ne m'as pas encore goûté, répliqua-t-il en attrapant la jeune fille par les deux fesses pour la coller contre lui.

Aalis sentit son sang bouillir et gifla le garçon, perplexe.

— Petite peste ! cracha-t-il entre ses dents serrées. Tu crois que je ne sais pas ce que tu fais quand tu sors de la ville ?

Le visage d'Aalis s'empourpra.

— Qu'est-ce que tu racontes ?

Voyant qu'il avait fait mouche, François esquissa un sourire narquois.

— Que tu le veuilles ou non, tu viendras dimanche avec moi.

— Plutôt mourir ! répliqua la jeune fille avant de faire volte-face et de rentrer en courant dans la maison de ses parents.

14

À l'instar de quelques Parisiens aisés, Andreas conservait dans sa salle à manger un portrait qu'il avait fait faire de lui et qui était suspendu près de la cheminée.

La chose était nouvelle, c'était une tendance coûteuse et réservée à quelques privilégiés. Toutefois l'Apothicaire ne s'y était pas plié pour céder à la mode – cela ne lui eût guère ressemblé – mais bien parce qu'il avait un véritable goût pour la peinture et qu'il comptait parmi ses clients maître Honoré, un célèbre artiste de la rue Erembourg-de-Brie, qui avait rencontré la gloire en enluminant un bréviaire pour Philippe le Bel. En plus de lui fournir drogues et médicaments, Andreas, fort de ses connaissances en chimie, avait plusieurs fois porté secours au peintre en l'aidant dans la confection de ses couleurs et, pour le remercier, Honoré avait fait réaliser ce portrait sur bois par l'un des disciples de son atelier.

Cela faisait plus de trois ans que la peinture siégeait sur ce pan de mur et pourtant, Andreas, le visage livide, s'était arrêté devant elle comme s'il la voyait pour la première fois.

Sur la gauche du tableau – qui respectait scrupuleusement les divines proportions du nombre d'or – on pouvait voir Andreas, représenté de la taille jusqu'au chef, le crâne chauve, le regard sombre, les lèvres pincées, revêtu de sa chemise blanche au large col et de la cape des apothicaires, d'un bleu de lapis-lazuli et dont le drapé était fort bien réalisé pour l'époque. Dans la main gauche il tenait une balance en argent dont les coupelles étaient vides, et tous les doigts de sa main droite – à l'exception de l'index qui était tourné vers le haut – étaient fermés, un geste qui symbolisait le secret. Cette main était peinte de telle sorte que l'on y trouvait, à nouveau, les rapports du nombre d'or, comme en de nombreux autres endroits du tableau. Posé sur une table au côté d'Andreas on pouvait reconnaître un exemplaire enluminé de l'antidotaire de Mésué, ouvert à la lettre D. En arrière-plan se superposaient, sur une étagère, des pots étiquetés, vases, fioles, jarres et mortiers.

La composition était fidèle aux représentations de l'époque et répondait aux codes du portrait. Mais il y avait quelque chose d'étrange sur ce tableau, quelque chose qui, dès l'instant qu'il était passé devant, avait provoqué la stupéfaction de l'Apothicaire.

La partie droite du tableau était vide, comme si on l'eût effacée.

Il n'y avait, sur le dernier tiers droit de l'image, qu'un glacis obscur d'ombres floues. Un vide qui n'eût pas dû y être.

La logique eût voulu qu'un autre personnage, à la gauche d'Andreas, se fût trouvé là, mais on avait l'impression qu'il n'avait jamais été peint, que le tableau était inachevé. Ou que le second caractère avait tout simplement disparu.

C'était en tout cas le sentiment – fort désagréable – qu'éprouva immédiatement Andreas. Cette absence, ce vide sur la droite du tableau ne lui était jamais apparu jusqu'à ce jour, et une certitude l'habita : il aurait dû y avoir quelqu'un à côté de lui sur cette peinture. Quelqu'un. Mais qui ? Et pourquoi n'y était-il pas ? Avait-il été effacé ou n'avait-il jamais été dessiné ? Il était incapable de se souvenir si ce tableau avait toujours été ainsi, et si c'était le cas, pourquoi cela ne l'avait-il pas intrigué dès le premier jour ? La chose lui parut au moins aussi inexplicable que l'existence de cette pièce oubliée, à mi-étage de sa demeure. Et ces deux mystères étaient si proches par leur nature – un défi soudain à la raison et à la mémoire – qu'il se demanda s'ils n'étaient pas liés.

L'Apothicaire crut vraiment avoir perdu la tête. La bouche grande ouverte, il fit quelques pas en arrière, titubant, et se laissa tomber sur le banc près de la grande table.

Il resta là un long moment, muet, interdit, et il eut beau analyser la chose sous tous les angles possibles, la passer au crible de la logique aristotélicienne, la réduire aux plus simples entités, rien n'y faisait : il était tout simplement incapable d'expliquer ces deux mystères surgis le même jour.

Cette fois, Andreas se refusa à parler de sa découverte à ses valets et, beaucoup plus tard, quand il partit enfin se coucher, il éprouva bien de la peine à s'endormir, se remémorant une phrase du *Dialectica* d'Abélard.

On ne peut croire ce qui ne se comprend pas.

15

Le lendemain matin, Andreas fut attiré au-dehors par des cris qui venaient de la rue. Il avait neigé toute la nuit, les toits et les rebords des fenêtres étaient drapés d'une soyeuse couche blanche et le pavé couvert d'une boue visqueuse et glissante. Des enfants, pourtant, jouaient obstinément à la crosse sur les bornes qui, en haut de la chaussée, délimitaient les différentes censives du quartier.

À quelques pas de sa boutique, l'Apothicaire découvrit l'attroupement qui provoquait tout ce raffut et comprit que cela venait de la petite maison où travaillaient Magdala la Ponante et les deux autres *fillettes*. Toutes les trois sur la chaussée, elles houspillaient quatre hommes qu'Andreas put identifier comme étant l'échevin Étienne Bourdon et trois jurés. La situation, visiblement, s'était envenimée et les trois jurés semblaient prêts à en venir aux mains.

La rue s'était couverte de curieux. L'Apothicaire passa sa capuche sur son crâne chauve et accéléra le pas, se frayant un chemin entre les badauds que la querelle semblait amuser.

— Qu'est-ce qu'il se passe, ici ? demanda-t-il en posant une main ferme sur l'épaule de l'échevin.

Andreas, à son grand regret, connaissait bien Étienne Bourdon, un homme qui avait une façon très personnelle de faire appliquer la justice municipale de ce côté de Paris. Chaque fois que l'Apothicaire avait eu un souci avec les maîtres de sa profession – et, comme on l'a dit, c'était assez fréquent – l'échevin était intervenu en sa défaveur, comme s'il nourrissait, lui aussi, quelque jalouse inimitié à son endroit.

Ici le lecteur nous pardonnera si, afin de l'éclairer sur notre récit, nous nous permettons une légère digression pour lui dire sommairement – au cas où il ne le saurait pas déjà – ce que représentait alors un échevin.

Depuis la nuit des temps il existait à Paris une hanse – entendez une association – dite des *marchands sur l'eau*, qui détenait le monopole de l'approvisionnement par voie fluviale. Or, le commerce fluvial ayant pris au cours des derniers siècles une importance fort grande, ladite association devint la plus puissante de la capitale et finit par se charger non seulement de la réglementation de tout le commerce parisien, mais aussi de l'administration de la municipalité. Ainsi, à la fin du XIIIe siècle, le dirigeant de la hanse fut nommé « prévôt des marchands » et obtint le privilège de l'ordonnance des cérémonies publiques, de l'entretien de la voirie, du percement des rues, de la construction des monuments, et cætera. Le rôle politique de la hanse devint de plus en plus conséquent, qui défendait les privilèges de la bourgeoisie près du roi. On notera, pour l'anecdote, qu'au temps d'Andreas, la hanse, dirigée par un certain Guillaume Pisdoe, tenait ses réunions au Parloir aux bourgeois, près du Châtelet, mais que ledit parloir fut ensuite transféré place de Grève et prit le nom d'Hôtel de Ville. Le lecteur comprendra aussi sans doute pourquoi le blason de la ville de Paris représente un navire marchand, avec sa devise *Fluctuat nec mergitur*.

Enfin – et c'est là que nous voulions en venir – le prévôt des marchands était assisté dans sa charge par quatre hommes, quatre échevins, dont on comprend mieux à présent le pouvoir et l'importance, mais explique aussi le peu d'amour qu'éprouvait notre Apothicaire à leur endroit.

— Nous sommes venus expulser ces trois catins, expliqua Bourdon, visiblement ennuyé par l'intervention de l'un des hommes les plus respectés du quartier.

— Et pour quel motif ?

— Non pas que cela vous regarde, maître Saint-Loup, mais elles ne se sont pas acquittées de leur fonds de terre.

— C'est faux ! s'exclama Magdala, les yeux rouges de fureur. C'est un canard ! On a toujours casqué la douille !

— Tais-toi, la putain ! rétorqua l'un des jurés en la menaçant du revers de la main.

— Parsanguié ! Que l'aze te foute ! répliqua-t-elle.

— Allons, allons ! Il y a de toute évidence un malentendu, intervint Andreas d'une voix qui se voulait apaisante.

— Il n'y a pas le moindre malentendu, Saint-Loup, et je vous prie de vous mêler de vos affaires, si vous ne voulez pas que je me mêle des vôtres.

— Bien sûr, bien sûr. Mais j'aimerais seulement comprendre, voyez-vous. L'éventualité que ces femmes n'aient pas payé leur fonds de terre se dérobe au syllogisme : il faut payer son fonds de terre pour occuper sa maison, ces femmes occupent cette maison, partant, ces femmes ont payé leur fonds de terre. L'affaire est faite, et merci pour le spectacle.

Un rire parcourut l'assemblée des badauds, dont le nombre ne cessait de grandir. Andreas n'ignorait pas que la prime de son syllogisme ne s'accordait que très faiblement à la suite du raisonnement, mais il savait aussi qu'il n'avait pas pour adversaire un homme rompu à l'art de la rhétorique et que, dans cette confrontation, la manière de dire les choses l'emportait sur les choses qui étaient dites.

— Justement non, ces femmes n'ont pas payé leur fonds de terre, donc ces femmes vont déguerpir !

— Si elles affirment avoir payé leur fonds de terre, il doit bien y avoir une trace quelque part...

— Et pourtant, voilà qu'elles sont incapables d'en apporter la preuve !

— Je vois, répondit Andreas en fronçant les sourcils, comme s'il se trouvait face à un simple problème d'arithmétique. Mais êtes-vous en mesure, vous, d'apporter la preuve qu'elles ne l'ont pas fait ?

Les rires des spectateurs redoublèrent. La foule était avec l'Apothicaire – et un peu avec les *fillettes* – et il comptait bien en profiter.

— Ce n'est pas à nous de le faire ! se défendit Bourdon, de plus en plus irrité. C'est à elles d'apporter la preuve de leur innocence !

— Euclide disait que ce qui est affirmé sans preuve peut être nié sans preuve.

— Cela ne sert à rien de nous servir votre philosophie, maître Saint-Loup. S'il nous faut des aveux pour vous convaincre, nous pouvons très bien envisager de soumettre ces *fillettes* à la question. Le pilori des Halles est à deux pas d'ici, après tout.

— J'oubliais que nous n'avions pas la même notion de la justice. Avant cela, je propose que nous allions vérifier les livres de comptes de l'abbé de Saint-Magloire pour voir si ce paiement a bien été fait. C'est à un pas d'ici, après tout.

Le visage de l'échevin se ferma. La colère et la moquerie qui planaient sur la foule s'illustraient à présent par des insultes vociférées avec de plus en plus de véhémence. Bourdon comprit qu'il ne pourrait déloger les prostituées sans déclencher une émeute. Il fit un signe de tête aux jurés, et les quatre hommes quittèrent les lieux sous les quolibets des habitants du quartier.

— Merci, Andreas, souffla Magdala en attrapant l'Apothicaire par l'épaule. Merci infiniment.

— Ne me remercie pas, je n'ai fait que vous acheter un court répit. Ils reviendront demain, plus nombreux, tu peux en être sûre, et il faudra alors bien plus qu'une dialectique foutraque pour vous défendre. Il faut que j'aille trouver l'abbé Boucel pour voir ce qu'il en dit.

— Cela ne te dérange pas ? Je sais que ce ratichon-là... tu l'as plus vraiment à la bonne.

— Je ne l'ai pas vu depuis longtemps, certes, mais l'occasion l'exige. J'irai le voir cet après-midi et j'essaierai de comprendre ce qu'il se passe. Tu es sûre d'avoir payé ?

Magdala prit un air offusqué.

— Tu connais une seule putain qui ne tient pas ses comptes, toi ?

— À vrai dire, toi et tes deux amies êtes les seules que je connaisse vraiment.

— Et mon cul, c'est du poulet ?

16

— Le prévôt est passé ce matin à la boutique et nous a demandé si nous t'autorisions à accompagner son fils dimanche à la chasse…

— Je n'ai pas envie d'y aller, soupira Aalis sans cesser de travailler sur un grand drap de lin qu'elle tenait entre les jambes.

— Ce n'est pas à toi d'en décider ! répliqua Mme Nouet, offusquée. Je lui ai dit que tu irais.

— Je n'ai pas envie. Je n'aime pas François.

— Je ne te demande pas ton avis. François est un garçon très bien, il deviendra sûrement prévôt comme son père.

— Il n'empêche que je ne l'aime pas et que je n'irai pas.

Sa mère se précipita vers elle et la gifla, plus fort encore qu'elle ne l'avait fait la veille.

— Qu'est-ce qui te prend de me répondre comme ça ? Une jeune fille ne parle pas ainsi à sa mère !

Aalis encaissa le soufflet sans mot dire ni larme verser. Elle resta un instant silencieuse, la tête haute, effrontée, puis se remit à briquer le drap qui trempait devant elle.

— Tu peux me gifler autant que tu veux, mère, cela ne changera rien. Je n'aime pas François et je n'ai pas envie de passer du temps avec lui. Je me moque qu'il soit le fils du prévôt ! Ce n'est pas cela qui m'intéresse ! Et de toute façon, je n'ai pas l'intention de rester toute ma vie à Béziers.

— Pardon ?

— Je ne passerai pas ma vie dans cette ville.

Mme Nouet éclata de rire et posa ses mains sur ses larges hanches.

— Ah oui ? Vraiment ? Et où crois-tu aller, sans mari, petite sotte ?

— Je me débrouillerai toute seule.

— Sans argent ? Mais tu n'as pas les idées en place, ma pauvre !

— Je préfère être pauvre et libre que riche et en prison.

— En prison ? Tu ne crois pas que tu exagères un peu, non ?

— Mère, je sais que vous auriez préféré avoir un fils, un bon fils qui puisse reprendre la draperie et vous faire honneur... Mais voilà, je suis une fille, et je n'ai pas l'intention de travailler toute ma vie avec vous, et encore moins d'épouser un garçon de Béziers. Je comprends que cela te chagrine, mais c'est ainsi. Il n'y a rien que tu puisses dire qui me fera changer d'avis.

Le sourire moqueur sur le visage de sa mère se mua en expression de rage folle.

— On va voir si tu en dis toujours autant devant ton père !

Mme Nouet sortit de la pièce d'un pas brusque.

Aalis reposa le drap dans le bain devant elle. À présent, des larmes, trop longtemps retenues, roulaient sur ses joues. Deux des ouvriers de ses parents, de l'autre côté de la pièce, avaient interrompu leur travail et la dévisageaient d'un air embarrassé.

La jeune fille se releva d'un coup, attrapa son manteau de laine et partit vers l'arrière de la maison. Comme elle l'avait fait la veille, elle passa par-dessus la fenêtre et sauta dans la cour enneigée.

17

Le couvent de Saint-Magloire avait été fondé au Xe siècle par des moines de Bretagne, chassés par les Normands. Ils avaient apporté à Paris les reliques de Magloire, évêque de Dol, et avaient bâti leur monastère sur l'île de la Cité. Mais en 1138, les Bénédictins s'y étant sentis trop à l'étroit s'installèrent sur un terrain de la rive droite qui leur appartenait, sur les bords de la rue Saint-Denis. Le monastère ne cessa de grandir jusqu'à recevoir le titre d'abbaye, et c'est dans l'enceinte de ce bel édifice qu'Andreas entra au milieu de l'après-midi.

En passant, nous ferons noter au lecteur que si, en ce temps, les assemblées de la confrérie des apothicaires se tenaient dans l'église de l'hôpital Sainte-Catherine, la coïncidence veut qu'ensuite elles se tinrent précisément à Saint-Magloire, mais ne nous égarons pas et revenons à Andreas.

Ainsi donc, on ne lui posa pas la moindre question à l'entrée, comme il était ici presque chez lui. Le monastère jouissait alors d'une vaste seigneurie foncière, entre son ancien domaine de la Cité et celui de la rue Saint-Denis, qui s'élargissait vers le nord et le sud. Depuis près de deux siècles, les religieux de Saint-Magloire possédaient la haute justice sur leur domaine, ainsi que la voirie. C'était donc un établissement puissant et profitant d'une certaine indépendance.

Au centre du cloître, parmi les tombes couvertes de neige s'érigeait l'ancienne chapelle, dont la nef avait été agrandie et, plus au sud, l'église Saint-Gilles, qui avait été construite plus tard pour accueillir le nombre croissant de fidèles, et sur le parvis de laquelle Andreas, disions-nous, avait été trouvé.

L'Apothicaire, qui maîtrisait fort bien l'ordonnance de l'abbaye pour y avoir séjourné toute son enfance, traversa le cloître sans s'arrêter. En chemin, il croisa plusieurs moines qu'il connaissait et d'autres qu'il ne connaissait pas. Tous, vêtus du scapulaire noir à capuchon, lui adressèrent un salut amical, mais aucun ne prit le temps de converser avec lui, la règle de saint Benoît et les charges de travail qu'elle entraînait ne leur en laissant pas le loisir.

Il longea la salle capitulaire et s'arrêta devant le parloir de l'abbé, où il savait pouvoir trouver Boucel à cette heure, puisque l'office de sexte venait de se terminer. De son poing serré, il frappa trois coups forts sur la lourde porte en chêne sculptée. Un jeune moine vint rapidement lui ouvrir et sembla surpris de voir un apothicaire en ces lieux.

— Vous avez une audience avec l'abbé ? demanda le jeune homme, visiblement gêné.

Mais avant même qu'Andreas pût répondre, une voix grave et rauque s'éleva de l'autre côté de la pièce et résonna entre les hautes parois de pierre.

— Laisse-le entrer, Jean-Baptiste, c'est M. Saint-Loup, mon filleul.

Les joues du moine s'empourprèrent et il s'effaça devant le nouvel arrivant. Andreas traversa la pièce et vint se placer devant la table où l'abbé Boucel était occupé à écrire.

— Excuse mon secrétaire, Andreas, il vient d'entrer à l'abbaye, il ne peut pas te connaître. Jean-Baptiste ? Vous pouvez nous laisser.

Le jeune moine s'éclipsa, soulagé sans doute.

— Je ne cache pas que c'est une surprise de te voir, Andreas.

— J'ai toujours aimé vous surprendre, père abbé.

— C'est le moins qu'on puisse dire. Assieds-toi, je t'en prie.

L'Apothicaire s'installa face au vieil homme. La pièce n'avait pas beaucoup changé. Richement décorée, elle comptait toujours autant de tapisseries qui détonnaient avec la pauvreté requise par la règle de saint Benoît. Le plafond, très haut, était voûté et la devise *Ora et labora* y était peinte en lettres pourpres. Sur des meubles de maîtres menuisiers se bousculaient cierges dorés, calices, sculptures et croix, et au milieu du mur méridional se dressait un retable. Derrière l'abbé, une très haute bibliothèque accueillait ceux des livres qui n'étaient pas conservés par le frère archiviste au *scriptorium*.

C'est le moment, nous le croyons, de donner à nos lecteurs une idée exacte de l'abbé Boucel, comme il est destiné à jouer quelque rôle dans le cours de notre histoire.

Selon les calculs d'Andreas, l'homme venait de passer sa soixante-dixième année, et il le trouva transformé. Les marques du temps et le poids de ses responsabilités se lisaient sur son front ridé, ses paupières tombantes et la blancheur des quelques cheveux que lui laissait la tonsure. Les veines rouges sur son nez et le haut de ses joues trahissaient le goût que le Très Révérend Père avait pour la boisson tirée des vignes de son domaine, mais en cela il ne se distinguait pas beaucoup des autres bénédictins. C'était un homme petit et rond, mais dans le corps duquel on sentait circuler encore beaucoup de force et d'assurance. Le front était court, mais large ; la bouche fine, mais expressive.

— Que me vaut l'honneur de ta visite, à moi qui ne t'ai pas vu depuis presque trois ans ? Aurais-tu quelque service à me demander ?

Andreas choisit de ne pas s'offusquer de la perfidie et, au contraire, entreprit de la retourner contre son émetteur.

— Certes. Vous ne pensez tout de même pas que je suis venu par plaisir ?

— Qu'est-ce qui t'amène, Andreas ?

— J'ai peine à croire que vous ne le sachiez déjà, Baudouin.

— Comment le saurais-je ?

— La chose a déjà dû venir à vos oreilles, père abbé.

— Tu sais bien que nous vivons loin du monde profane, entre ces murs, et que ce qu'il se passe au-dehors ne nous concerne pas.

— Si seulement !

L'allégation de l'abbé était outrageusement fallacieuse ; une provocation. Nul n'ignorait – et certainement pas Andreas – à quel point, au contraire, les intérêts des bénédictins dépassaient largement la limite du pouvoir spirituel, mais s'ingéraient de plus en plus dans le temporel ; chaque jour davantage, les frères noirs se mêlaient des questions de politique et, plus encore, de finances. Les domaines gérés par la communauté étaient de plus en plus vastes, ce qui faisait des abbés de véritables seigneurs, gardiens de somptueux trésors, et la multiplication des ordres du clergé régulier – franciscains, dominicains, cisterciens, bernardins, carmes, augustins, chartreux – alimentait des luttes de pouvoir intestines bien éloignées des idéaux originels de pauvreté. Tout ce joli monde se querellait bruyamment sur des questions plus ou moins théologiques, franciscains disputant aux dominicains le privilège de l'Inquisition, scotistes reprochant aux thomistes leur adhésion à la philosophie d'Aristote, mystiques s'opposant aux scolastiques, mendiants aux prédicateurs, conventuels aux spirituels, et cætera, mais toute cette tapageuse *disputatio* masquait en réalité une bataille qui était bien plus triviale que métaphysique : celle du pouvoir et de l'argent. Ainsi, les bénédictins, comme tous les cénobites, s'étaient fastueusement écartés du précepte même de leur saint fondateur, lequel avait affirmé que les moines n'avaient « pas besoin de se disperser au-dehors, ce qui n'est pas du tout avantageux pour leurs âmes »...

— Mais soit, reprit Andreas. Faisons comme si vous ne saviez pas : je suis venu vous entreprendre au sujet des trois *fillettes* qui logent dans une maison de la rue Saint-Denis et que l'échevin Bourdon tente d'exproprier au motif qu'elles n'auraient pas payé leur fonds de terre.

L'abbé poussa un soupir.

— Et ?

— Et je veux savoir si vous avez ordonné cela.

— Je me demande pourquoi tu prends cette affaire à cœur, Andreas. Est-ce pour le plaisir de me contrarier, ou bien entretiens-tu avec ces femmes quelque inavouable relation ?

— Les deux, mon père.

Boucel ne put retenir un sourire.

— J'avais presque oublié avec quelle générosité le Seigneur t'a doté d'un esprit sagace.

— Merci. Je comprends votre sentiment d'injustice en la matière...

— Ce que tu peux être insolent ! Dire que je t'ai élevé comme un fils !

— Comme un fils ? Comme un fils ? s'emporta soudain Andreas, piqué au vif. Vous semblez avoir une perception fort corrompue des attributs paternels !

Une ombre passa sur le visage de l'abbé, et Andreas savoura la gêne occasionnée par le silence qui s'ensuivit. D'un air soudain plus grave, le vieil homme se rapprocha de sa table.

— La présence de ces *fillettes* – dont l'hygiène et le mode de vie sont effroyables – dans un quartier aussi pieux que la rue Saint-Denis, n'est simplement plus tolérable.

— C'est donc bien ce que je pensais : l'accusation selon laquelle elles n'auraient pas payé leur fonds de terre est une fabrication. La cause de leur expulsion n'est pas celle qu'on prétend.

— Leur maison est sur la censive de l'abbaye, Andreas, tout comme ta boutique, d'ailleurs. En tant qu'abbé, je possède la haute justice sur mon domaine et je peux y faire ce que bon me semble.

L'Apothicaire pencha la tête sur le côté et fronça les sourcils.

— Ce que vous venez de me dire et la manière dont vous l'avez dit me laissent penser que l'idée, au contraire, ne vient pas de vous.

L'abbé Boucel secoua la tête.

— Parfois, je regretterais presque de t'avoir si bien instruit dans l'art de la dialectique.

— Qui est derrière tout ça ? La hanse des marchands de l'eau ?

Boucel fit non de la tête.

— Le roi ?

— Tu n'y es pas du tout.

Andreas laissa sa tête retomber vers l'arrière en riant.

— L'évêque ! Cela vient de l'évêque de Paris, n'est-ce pas ?

— Non pas, Andreas. Il s'agit d'une ordonnance venue directement du pape.

— Du pape ? s'exclama Andreas, avant d'allonger les lèvres comme fait l'homme qui doute.

— Clément V a décidé qu'il était du devoir de l'Église de mettre de l'ordre dans la prostitution à travers tout le pays.

— Mettre de l'ordre ? Vous voulez dire que l'Église va l'organiser, c'est ça ?

— Tu ne peux pas nier que les prostituées seront mieux logées et mieux traitées, y compris d'un point de vue sanitaire, dans des maisons gérées par l'Église.

— Des bordels ! Des bordels tenus par le Très Saint-Père ! Oui, bien sûr, comment n'y ai-je pas songé plus tôt ?

— Il ne s'agit pas de bordels, Andreas ! Et ces femmes y seront mieux loties. Toi qui te disais jadis disciple de Thomas d'Aquin, tu sais qu'entre deux maux, il faut choisir le moindre. Nous pourrons réglementer la profession.

— Vous pourrez surtout en tirer de substantiels bénéfices ! Après avoir pris l'argent du Temple, Avignon a donc besoin de celui des putains...

— Surveille ton langage, Andreas ! Il n'y a aucun rapport avec le procès du Temple qui, je te le rappelle, a été initié par le roi.

— Et soutenu par l'Église. Quant au rapport que cela a avec vous, mon père, dois-je vous rappeler que c'est votre ami, l'archevêque de Sens, qui a condamné plus de cinquante templiers à mort et les a fait brûler sur le bûcher, il y a trois ans de cela ?

— Cela n'a rien à voir, Andreas. Il ne s'agit pas de condamner la prostitution, mais de codifier cette regrettable mais nécessaire activité afin qu'elle ne nuise plus à l'ordre public.

— La codifier ?

— Oui. Limiter le déplacement des filles, par exemple, garantir les jours et les horaires de fermeture des maisons, en interdire l'entrée aux hommes mariés, aux prêtres et aux Juifs...

— Mais pas aux moines, je suppose...

L'abbé poursuivit sans relever :

— Contraindre les prostituées à porter des tenues distinctes de celles des femmes de bonnes mœurs afin que celles-ci ne soient plus importunées, réglementer leurs pratiques sexuelles et, enfin, les accompagner dans leur repentir afin que, telle Marie-Madeleine, elles puissent sauver leur âme.

— C'est amusant, Baudouin, vous discourez, vous proférez toutes ces belles paroles, et moi, pourtant, je n'entends que « profit, profit, profit ». Percevoir le fonds de terre de ces femmes ne vous suffit donc plus, vous voulez votre part de leur commerce ?

— Tu peux l'entendre comme tu veux, Andreas, mais c'est ainsi que le pape en a décidé, et ta petite croisade n'empêchera pas le cours de l'histoire.

— Non, certes. En revanche, elle pourrait salir les dernières années de la vôtre.

— C'est une menace ?

— Oui.

L'abbé Boucel resta pantois devant la froideur impudente et franche de cette réponse.

L'Apothicaire, lui, estima qu'il avait dit ce qu'il avait à dire, se leva de son siège, réajusta sa cape et se dirigea tout droit vers la porte de sortie. Avant de quitter la pièce, il se retourna vers le vieil homme et ajouta simplement :

— Très Révérend Père, laissez ces femmes tranquilles et j'en ferai autant de notre passé.

18

— Pourquoi ne jouez-vous plus de musique, Zacharias ? demanda Aalis, la tête posée sur les genoux, dans la pénombre de la capitelle. Depuis le temps que je viens vous voir ici, vous ne m'avez jamais joué un seul morceau.

— Allons, j'ai trop mal aux doigts, ma petite ! Et je ne serais même plus capable aujourd'hui d'accorder ces soixante-douze cordes !

Aalis leva la tête vers le psantêr posé sur une table bancale contre le mur de pierre sèche. C'était un instrument de musique venu du Moyen-Orient, qui avait été apporté en Europe par les voyageurs juifs et qui ressemblait à une cithare. On en frappait les cordes à l'aide de deux petits marteaux que l'on tenait élégamment entre les doigts. Celui de Zacharias Buljan était aussi vieux qu'il était magnifique. Sa lutherie ouvragée était entièrement de bois de noyer, ses chevalets – que l'on pouvait déplacer pour changer de mode – ressemblaient aux pions d'un échiquier, et la table d'harmonie était enluminée d'une peinture aux tons rouges qui s'était partiellement effacée.

— Quel dommage de ne pas en jouer, soupira Aalis. Il est tellement beau !

— J'en ai vu de plus beaux encore, tu sais. Il est un peu petit, car je devais pouvoir le cacher facilement sous mon manteau dans les lieux où la musique était mal perçue. Ça ne facilite pas le jeu. Mais il sonnait bien quand même. C'est un grand luthier byzantin qui l'a fabriqué il y a plus de cent cinquante ans. Tiens, tu peux le prendre dans tes mains, si tu veux.

Aalis tergiversa ; elle n'avait jamais osé toucher le psantêr, puis comme Zacharias lui adressait un sourire insistant, elle se leva et prit le précieux instrument entre ses mains. Elle se rassit près du vieil homme et pinça quelques cordes, qui étaient regroupées trois par trois.

— J'aurais tellement aimé vous entendre jouer ! répéta la jeune fille en admirant l'objet posé sur ses genoux.

— Et moi j'aurais aimé pouvoir jouer pour toi, petite Aalis. Mais un naggân qui n'est plus sur les routes ne peut plus vraiment jouer.

— Un naggân ?

— C'est le nom que l'on donne aux musiciens comme celui que j'étais. Nous avons notre façon bien à nous de jouer. Un peu comme notre langue, notre musique s'est enrichie au contact de tous les pays que nous avons été forcés de traverser. Les gens d'ici ne comprennent pas toujours les subtilités de notre jeu. Petit à petit, nous avons inventé plusieurs modes : l'*Ahava Rabba*, qui signifie « grand amour », le *Mi Chébérakh*, l'*Adnaï Malakh*, et celui qui, selon moi, est le plus beau de tous : le *Magen Avot*, la « mélodie des pères ». Oui, j'aimerais pouvoir jouer pour toi sur ce mode. J'aimerais. Mais je ne peux plus.

Le vieil homme poussa un profond soupir et Aalis crut même déceler au coin de son œil la naissance d'une larme.

— Quand il était petit, le soir, je jouais toujours pour mon fils sur le mode du *Magen Avot*, et cela le guidait vers le sommeil.

— Votre fils, Nissim ?

— Oui.

— Vous m'en parlez si souvent !

— Parce qu'il me manque et que je crains de mourir sans l'avoir revu.

Aalis se leva de nouveau et reposa précautionneusement le psantêr sur la table.

— Et pourquoi n'iriez-vous pas le voir ? demanda-t-elle sur un ton plus léger, comme si elle voulait forcer son ami à un peu d'enthousiasme.

— À Bayonne ? Je ne suis pas capable d'aller jusque là-bas !

— Et pourquoi pas ? Après l'hiver. Rien ne vous oblige à marcher tout le jour. Vous pouvez prendre votre temps, ou trouver un marchand pour vous emmener.

— Tu es mignonne, mon enfant. Oui, peut-être j'irai, après l'hiver. Peut-être.

— Si je le pouvais, moi, je vous emmènerais là-bas. J'aimerais bien rencontrer votre fils.

Un silence s'installa entre les deux compagnons, chacun perdu dans ses pensées. Zacharias, sans doute, avait son esprit tout occupé par le souvenir de son fils, et Aalis, elle, toujours debout, regardait le psantêr avec envie. Elle essayait de se figurer le vieil homme quand il était plus jeune, voyageant de pays en pays, s'arrêtant de ville en ville pour jouer de la musique avec ses cousins, et cette pensée l'attendrissait.

Zacharias Buljan – il l'avait un jour raconté à Aalis – appartenait au peuple des Khazars, un peuple venu d'Asie centrale et au sein duquel on comptait de nombreux hommes roux, comme l'était celui-là.

Selon lui, les Khazars faisaient partie de ces Juifs qui ne descendaient pas directement d'Israël, mais de l'un des fils de Noé, appelé Togarma. Hélas ! la véritable histoire de ce peuple s'est perdue et, à présent, nul ne se souvient plus de ces hommes, dont Zacharias était sans doute l'un des derniers représentants.

— Tes parents vont s'inquiéter, Aalis.

— Oui. Mais je m'en moque. Je n'en peux plus de rester toute la journée enfermée dans l'atelier. Ce n'est pas ce que je veux faire de ma vie. C'est vous qui m'avez dit que je devais décider moi-même de mon chemin.

— Oui, je t'ai dit ça, mais tu n'es pas obligée de le faire dans le conflit. Tu devrais peut-être leur expliquer, les rassurer.

— Ils ne veulent pas comprendre.

— As-tu vraiment essayé ? Ce sont des parents, ils s'inquiètent, c'est normal.

— Et vous ? Vous vous inquiétez pour moi ?

— Non. Je sais que tu trouveras ton chemin. Tu n'as pas encore trouvé ton talent. Mais je sais que tu en as un.

Aalis releva ses yeux verts et brillants vers son ami. *Je sais que tu trouveras ton chemin*. Cette phrase était si douce à entendre ! C'était la première fois, en vérité, que quelqu'un – et un adulte de surcroît – lui témoignait une marque de confiance, lui disait qu'il croyait en elle, et comme cela venait de la personne qu'elle estimait le plus au monde, la chose prenait toute son importance à ses yeux.

— Mais je ne suis pas ton père, ajouta le vieil homme.

— J'aurais pourtant aimé...

Zacharias sourit et caressa la main de la jeune fille. Il y avait entre ces deux êtres une tendresse profonde, une amitié rare et triste, que seul le manque pouvait expliquer. L'une cherchait la figure d'un père, et l'autre la main d'un enfant, et leur lien avait ceci de magnifique et de terrible à la fois qu'il n'avait, de toute évidence, aucune issue heureuse, car aucun ne pouvait vraiment être pour l'autre ce qu'il attendait de lui.

Tout absorbés qu'ils étaient par leur conversation, les deux amis ne purent apercevoir la personne qui, depuis longtemps déjà, les observait à travers la fenêtre.

Et en cet instant, cette ombre mystérieuse s'effaça derrière le rideau des flocons de neige et disparut dans la garrigue.

19

Laissons Aalis et Zacharias à leur intime conversation et suivons Andreas Saint-Loup qui, après une journée fort chargée, sort de son apothicairerie et s'enfonce dans les rues obscures de la capitale.

Contrairement à la plupart de ses contemporains, l'homme se rendait rarement le soir dans les tavernes du faubourg mais, quand il le faisait, alors il traversait la Seine et allait de l'autre côté de la Cité pour fréquenter, au bas de la rue des Mathurins-Saint-Jacques, *La Mule*, un établissement réputé, tenu au cœur du quartier étudiant par l'un des frères de la famille Allegret, qui gouvernait depuis longtemps la confrérie des marchands de vin. L'Apothicaire en appréciait le calme relatif, bien que quelques écoliers de l'Université y eussent établi l'un de leurs points de ralliement – du moins ceux que le manque d'argent ne poussait pas à marcher jusqu'aux auberges situées hors des remparts, où le vin n'était pas taxé – et ce soir-là il choisit donc d'y trouver un peu de divertissement pour oublier ces contrariétés qui, comme on le sait, l'avaient assailli depuis la veille. Le départ de son apprenti Jehan, la pièce oubliée, le tableau effacé, et maintenant cette dispute avec l'abbé... Cela faisait beaucoup, même pour un homme aussi serein.

Ici, on servait aux gosiers des chalands un vin français, issu des vignes plantées sur les coteaux du fleuve parisien, et qui oncques n'était coupé à l'eau, comme cela se faisait trop souvent à d'autres enseignes, malgré les vérifications régulières des jaugeurs. On discutait, on se disputait, on se moquait de l'évêque ou du roi, on chantait parfois, et des chansons grivoises, on jouait aux dés, aux billes, aux échecs, mais surtout on buvait ; on buvait beaucoup. Le long trajet qu'Andreas devait accomplir pour rentrer chez lui après la fermeture lui laissait au reste le loisir de dégriser quelque peu, surtout quand il se perdait en chemin, ce qui n'était pas rare.

Le prix du vin, annoncé chaque jour par les crieurs dans les rues de Paris, n'avait cessé d'augmenter au cours des dernières années, ce qui avait eu pour résultat de réduire sensiblement la fréquentation du lieu et d'en trier la clientèle. Les mauvais payeurs étaient dépouillés de leurs vêtements et jetés au-dehors par les garçons du maître, et l'on en voyait souvent, en plein hiver, courir cul nu dans la neige sous les rires goguenards des habitants du quartier.

La grand-salle, parfumée par l'odeur des graisses venues de la cuisine, de la soupe et de la sueur, était enfumée dès la nuit tombée. Les teintes rouge et verte du mobilier dansaient à la lueur des bougies et de l'âtre, et au milieu du brouhaha et des disputes on entendait ici et là le claquement des dés qui roulaient sur les tables et le tintement des gobels que l'on entrechoquait pour porter une santé aux viticulteurs, au maître des lieux ou aux nouveaux venus de la Faculté.

Spectateur muet de toute cette agitation, se tenant la tête comme un homme qui craint que celle-ci n'explose sous le flot des pensées qui y affluent, Andreas peinait, malgré le vin, à oublier ces deux faits inexplicables dont il avait été le malheureux témoin en son propre domicile. Son espoir était d'établir un lien entre ces deux mystères – comme ils lui étaient apparus le même jour – de trouver une accointance entre cette pièce vide et ce tiers de tableau effacé afin que, de ces deux éléments distincts, il pût tracer une seule et même énigme, de ces deux objets un seul paradigme. Confrontant les indices de l'un et de l'autre, il nourrissait l'espoir de déduire une explication générale, ou au moins plusieurs possibles, afin d'en choisir la meilleure.

Une chose était indéniable, la mémoire devait jouer un rôle important dans la singularité de ces deux anomalies. Mais alors qu'il s'efforçait de concevoir quelque hypothèse, il voyait son esprit s'envoler rapidement vers des suppositions bien trop farfelues pour l'homme de science. Sous l'effet de l'alcool, toutefois, il accepta de décortiquer la chose assez librement et traça, mentalement, les prémisses d'un axiome.

A – Le mystère de la pièce oubliée :

i. Cette pièce à mi-étage est venue soudain à ma connaissance, comme apparue de nulle part, et elle est inoccupée.

ii. Pourtant, elle est bien là, comme en ont témoigné Jehan et Marguerite, encore qu'aucun des deux ne fût certain de l'avoir déjà vue auparavant.

iii. Hypothèse : si cette pièce est là, c'est sans doute qu'elle a eu quelque utilité, et même qu'elle doit avoir été précédemment occupée, quand bien même personne ne s'en souvient.

iv. En admettant l'hypothèse iii, reste à savoir par qui cette pièce a donc été jadis occupée.

B – Le mystère du tableau effacé :

i. La partie droite du tableau est vide.

ii. Pourtant, le peintre a pris la peine d'inclure cet espace dans sa représentation, et ce ne peut être fortuit.

iii. Hypothèse : le tableau étant un portrait, quelqu'un a dû ou devrait s'y trouver à mes côtés.

iv. En admettant l'hypothèse iii, reste à savoir qui manque sur le tableau.

C – Conclusion :

Étant entendu que le raisonnement repose sur deux affirmations hypothétiques, lesquelles sont largement favorisées par une ivresse naissante, le lien entre ces deux mystères est donc, peut-être, une seule et même personne. Trouver qui a occupé la pièce vide et qui eût dû se trouver près de moi sur ce tableau pourrait permettre, éventuellement, de résoudre d'un seul coup, et avec parcimonie, ces deux énigmes distinctes.

Le double mystère se serait alors résumé à un individu. Un mystérieux individu. Un homme dont l'évidence échappait à la mémoire de l'Apothicaire. Un homme… ou une femme.

Andreas poussa un soupir et rit de sa propre fantaisie. La seule pensée ne pouvait suffire à trouver la bonne déduction car, comme le disait si bien l'Admirable docteur, *aucun discours ne peut donner la certitude, tout repose sur l'expérience.* Il lui faudrait donc trouver des indices plus concrets, des preuves. Il manquait trop d'éléments à Andreas pour établir la moindre hypothèse satisfaisante et, par les arcanes d'une étrange mise en abyme, tout était donc affaire de manque. De vide. D'absence.

Chercher une personne qui n'existe pas, n'est-ce point là le fardeau de tout homme, du jour de sa naissance jusqu'à celui de son trépas ? Qui un père absent, qui une mère perdue, qui le frère ou la sœur qu'il n'a jamais eus, qui un ami véritable, un amour, une âme sœur qui jamais ne trahisse, s'unisse pleinement à soi pour ne former plus qu'un et combler ce vide originel qui fait nos solitudes et qui frappe l'enfant à l'instant même qu'il quitte l'utérus maternel ? Un être d'entière communion qui rassemble ce qui est épars, fasse siennes nos peurs et nos turpitudes pour nous aider à confronter la mélancolie profonde que fait naître, pour peu qu'on daigne l'interroger, le grand inconnu, le grand mystère de la vie ? Ce besoin d'amour et de fraternité qui étreint même le plus vil des hommes n'est-il pas la preuve de notre inextinguible quête d'un Autre qui nous fasse oublier que nous ne sommes qu'un ? Et l'amour charnel, encore, qui anime tant les hommes, n'est-il pas et un désir de pénétrer l'Autre pour s'unir à lui et un dessein d'enfanter, par cet acte, un autre soi ? Et quand bien même on ne la trouve jamais vraiment, on continue, pourtant, de chercher jusqu'au dernier instant cette personne qui n'existe pas, comme la promesse d'un antidote qui saurait panser toutes les plaies de l'existence.

Alors qu'il en était à son troisième abreuvon, Andreas remarqua du coin de l'œil un garçon qu'il n'avait jamais vu ici auparavant et qui semblait complètement dépassé par sa tâche ; une nouvelle recrue, sans doute. Le pauvre bougre était la cible des railleries des autres servants de *La Mule* comme de sa clientèle, chaque fois qu'il renversait un plat ou qu'il se trompait de table. Ici, on ne mâchait pas ses mots : il fut affublé d'une fort créative série de sobriquets, tant et si bien qu'Andreas se demanda si maître Allegret n'avait pas embauché ce nicodème davantage pour la comédie que pour sa capacité à servir.

C'était un jeune homme de quatorze à seize ans, grand, svelte, avec de courts cheveux roux et frisés, un visage anguleux, et il y avait dans toute sa personne cet air inquiet et d'appréhension particulier aux hommes habitués depuis leur enfance à essuyer les moqueries de leur entourage. Il se déplaçait maladroitement, comme s'il était gêné par ses longues cannes et qu'il ne sût jamais que faire de ses bras.

Un peu plus tard dans la soirée, Andreas, las de cogiter seul, était en train de jouer aux échecs avec un copiste de Saint-Jacques-de-la-Boucherie quand les malheurs du nouveau servant prirent une tournure plus dramatique encore. Comme, avec cette maladresse dont plusieurs fois déjà il avait donné la preuve, il s'était trompé en apportant un mauvais plat à l'un des clients habitués de *La Mule*, un bourgeois, celui-ci s'emporta et l'insulta en criant si haut que toute l'assemblée se tourna vers le jeune homme et éclata de rire, le couvrant de nouveaux sarcasmes sans que personne prît sa défense, pas même maître Allegret qui, au lieu de cela, vint s'excuser et renvoya le garçon en cuisine.

Quelques instants plus tard, le servant revint tout penaud, avec le bon plat cette fois, et renouvela ses excuses au bourgeois.

Andreas, qui était le seul à n'avoir point ri, fit un signe au garçon qui, la tête baissée, vint alors jusqu'à sa table.

— Comment t'appelles-tu ?

— Robin.

Le jeune homme, comme abattu par les humiliations qu'il endurait depuis l'ouverture de la taverne, avait les joues rouges et ses yeux étaient rivés sur le plateau d'échecs disposé devant l'Apothicaire.

— Dis-moi, Robin, crois-tu que tu serais capable de m'apporter un gobel de vin d'Argenteuil ?

— Oui, murmura-t-il. Oui, je crois.

— Tu crois ?

— Oui.

— Alors va, mon garçon. Je te promets de ne pas crier si tu te trompes, et si tu ne te trompes pas, je te promets une petite pièce.

Le rouquin, sans relever la tête – craignant sans doute de croiser les regards moqueurs qui se posaient encore sur lui – partit d'un pas preste vers le cellier.

— Quel bon Samaritain vous faites, maître Saint-Loup ! lança le copiste sur le ton de l'ironie tout en déplaçant une pièce sur l'échiquier.

— Vous n'y êtes pas, cher ami ! Il s'agit seulement pour moi de faire une expérience sur le conditionnement de la mémoire. Je veux démontrer que l'esprit se fixe mieux à la promesse d'une récompense.

— Passionnant, sans doute. Mais vous feriez mieux de fixer votre esprit à vous sur cette partie d'échecs, je suis sur le point de venir à bout de vos défenses.

— Vraiment ? répondit l'Apothicaire sans même regarder le plateau qui les séparait.

— Allons, ne soyez pas mauvais perdant, Andreas ! J'ai pris presque toutes vos pièces maîtresses, il ne vous reste qu'une tour et ce fou, qui est en outre fort mal placé. J'imagine mal comment vous pouvez vous sortir de ce mauvais pas.

— Que ce fou soit mal placé ne fait aucun doute, mais encore faudrait-il savoir pour qui, murmura Andreas comme s'il se parlait à lui-même.

Au même instant, le jeune Robin revint avec un gobel qu'il posa précautionneusement sur la table. L'Apothicaire le porta à son nez, renifla et reconnut sans peine le cépage. Il se rembrunit et se tourna vers le garçon d'un air perplexe.

— C'est un vin de Passy, jeune homme.

— Je… oui. N'est-ce pas ce que vous aviez demandé ?

Le copiste qui faisait face à Andreas partit aussitôt d'un rire gras et sonore.

— Saint-Loup ! Je crois que votre petite expérience a échoué ! Il est des esprits que rien ne conditionne, pas même la promesse d'une pièce !

L'Apothicaire, lui, dévisagea longuement le rouquin comme s'il avait devant lui un prodige de la nature. Il semblait n'avoir pas envisagé la possibilité d'une nouvelle erreur du garçon et la chose le déconcertait.

— Dis-moi, Robin, à quoi as-tu pensé, entre notre table et le cellier ?

— Pardon ?

— À quoi pensais-tu, quand tu es allé chercher mon vin ?

Le jeune homme resta silencieux, certain que, cette fois, il avait fait la maladresse de trop et qu'il allait se faire renvoyer par maître Allegret.

— Allons, réponds, je t'en prie. Dis-moi ce à quoi tu pensais.

— Eh bien, maître… Je pensais… je pensais que votre partenaire de jeu ne devait surtout pas prendre votre cavalier.

Andreas écarquilla les yeux. Le garçon, lui, posa un rapide regard sur l'échiquier.

— Mais je vois qu'il l'a fait...

— Qu'est-ce que tu racontes, vilain ? coupa le copiste, hilare. Je suis sur le point d'écraser notre bon apothicaire !

— Robin, veux-tu bien expliquer à mon adversaire pourquoi, en effet, il a scellé son sort en prenant mon cavalier ?

Mais le jeune homme redevint silencieux. De l'autre côté de la table, le visage du copiste commençait à trahir le doute qui le gagnait lentement. Andreas sortit un denier de sa bourse et le posa lentement sur la table.

— Cette pièce que je t'ai promise, et dont ta mégarde t'a privé, elle est à toi de nouveau si tu peux me dire combien de coups il me faut pour, immanquablement, faire un mat et moucher ce présomptueux copiste.

Robin regarda la pièce. Il hésita, ses yeux faisant des allers et retours entre le visage du copiste et celui de l'Apothicaire. Puis, finalement, il se décida. En désignant les cases de l'échiquier du bout de l'index, il énonça la marche à suivre :

— Le fou ici.

— En C4 ?

— Je ne connais pas le nom des cases, avoua le servant. Puis la tour là.

— En D1.

— Oui. Échec et mat en deux coups, annonça le jeune homme timidement, comme s'il était embarrassé d'avoir trouvé la solution.

Andreas regarda l'échiquier, hocha la tête avec un sourire admiratif, puis tendit le denier promis au rouquin.

— Tu es bien meilleur joueur d'échecs qu'apprenti tavernier, mon garçon. Tu sais lire ?

— Un peu.

— Eh bien, à ta place, j'irais relire la parabole des talents. Va, je dirai de bonnes choses à ton sujet au maître Allegret.

— Merci, répondit le garçon avant de disparaître, son denier serré dans le creux de la main.

Le copiste, blafard, resta muet un instant avant de jeter un regard suspicieux à son adversaire.

— Vous lui avez soufflé le coup, Saint-Loup ?

— Pas du tout ! se défendit l'Apothicaire. Pour tout vous dire, je n'avais trouvé qu'un mat en trois coups, pas en deux. Ce jeune homme est très doué. Et vous me devez la prochaine rasade !

Le copiste acquiesça à contrecœur.

— Il n'empêche que votre expérience sur la mémoire a échoué, dit-il, mauvais perdant.

— Il faut croire que ce jeune homme est davantage intéressé par les problèmes de logique que par le gain. C'est tout à son honneur.

— En tout cas, il ne fera pas carrière ici.

Quand, après trois ou quatre autres gobels, l'Apothicaire décida qu'il était temps qu'il aille se mettre au lit, il salua son partenaire – contre lequel il n'avait pas perdu une seule partie – et s'extirpa au-dehors.

Il découvrit alors un homme qui, à quatre pattes, était en train de dégobiller tripes et boyaux sur la chaussée enneigée.

Andreas reconnut d'emblée le bourgeois qui, à l'intérieur, avait vertement insulté le jeune servant, plus tôt dans la soirée. En d'autres circonstances, la scène ne l'eût pas intrigué outre mesure – vomir au sortir d'une taverne était après tout une récréation fort courante – mais ce client habitué de *La Mule* avait la réputation de ne boire point, et l'alcool ne pouvait donc pas être une explication satisfaisante à ce spectacle désolant. Indice supplémentaire : les bruits qui sortaient à présent de l'arrière-train du pauvre homme laissaient deviner qu'il allait bientôt se vider, malgré lui, par un autre orifice.

Andreas ne fut pas long à élaborer quelque résolution à cette énigme-là. Un sourire aux lèvres, laissant ce bourgeois détestable à sa purgation, il fit le tour du bâtiment et entra dans la cour de *La Mule*, depuis laquelle on livrait les cuisines. La porte, malgré le froid, était entrouverte pour permettre à la fumée et aux odeurs de quitter plus rapidement la pièce.

Quand, après avoir attendu assez longtemps, Andreas aperçut enfin la chevelure rousse du jeune servant qui passait là, il se glissa à l'intérieur, l'attrapa par l'épaule et le fit sortir dans la cour. Le garçon, terrorisé, tremblait de la tête jusques aux pieds.

— Qu'est-ce que tu as fait à ce bourgeois pour qu'il défèque et vomisse ainsi sur la chaussée ? demanda vivement l'Apothicaire sur le ton de la menace.

— Je... je n'ai rien fait, maître, se défendit le jeune homme alors que les larmes montaient déjà à ses paupières.

— Tu n'es pas aussi malin que je le croyais, Robin : ton méfait sera vite découvert, il n'y a pas besoin d'être capitaine du guet pour deviner qui a empoisonné ce fâcheux rouspéteur. Toutefois, si tu as de la chance, ton maître sera trop ivre pour faire le rapprochement. Allons, dis-moi ce que tu lui as fait et je promets de ne pas te dénoncer.

Robin, du bout des lèvres, passa piteusement aux aveux.

— Je lui ai mis de la coloquinte...

Andreas, qui tenait toujours le jeune homme par le col, pencha la tête d'un air intrigué.

— De la coloquinte ?

— Oui. Le maître Allegret fait de l'huile avec des graines de coloquinte. J'ai récupéré une racine et je l'ai broyée dans le plat.

— Et comment savais-tu que les racines de coloquinte avaient un tel effet ?

Le jeune homme haussa les épaules.

— Je connais un peu les plantes...

— Comment ?

— Mon père est cultivateur et il compte plusieurs herboristes parmi ses clients. Quand j'étais petit, je me cachais chez eux pour les regarder faire…

Andreas relâcha enfin le garçon.

— Les herboristes sont des imbéciles. Tu sais ça ?

Robin ne répondit pas. Il tremblait toujours.

L'Apothicaire le dévisagea plus longuement encore qu'il ne l'avait fait plus tôt, dans la grand-salle, quand le jeune homme avait fait la démonstration étonnante de son intelligence des échecs. Puis, d'une voix qui se fit plus accorte :

— Pourquoi travailles-tu ici ?

— Mon père fournit maître Allegret en légumes. Celui-ci m'a pris à son service pour lui faire plaisir. Je vous en supplie, ne lui dites rien ! Je me ferais renvoyer et mon père ne le supporterait pas. Je ne suis bon à rien.

Andreas réfléchit, jaugea le jeune homme avant de lui poser, d'un air sévère, sa dernière question :

— Bien. Dis-moi, Robin, où se trouve ton père, et j'irai demain lui proposer un arrangement pour te sortir de ce mauvais pas.

20

Aalis tressaillit quand trois coups violents portés à la porte de la capitelle résonnèrent entre les murs de pierre sèche comme autant d'éclats de tonnerre.

— Aalis ! Je sais que tu es là-dedans !

La jeune fille adressa un regard épouvanté à Zacharias.

— C'est mon père !

Mais le vieux Juif n'eut pas le temps de la rassurer car, déjà, le drapier de Béziers, la flamme de la colère au front, était entré dans la petite bâtisse et fonçait droit sur eux.

Maurin Nouet attrapa sa fille par le bras et la souleva du sol comme une vulgaire poupée de paille. Aalis, tétanisée, se laissa faire en jetant des regards suppliants à son vieil ami. Son père la jeta hors de la capitelle avant de se retourner vers Zacharias.

— Si j'apprends encore une seule fois que ma fille vient ici…

Il ne termina pas sa menace, mais son regard rouge de haine en disait suffisamment sur ses intentions. Puis il fit volte-face et sortit de la petite bâtisse en donnant un coup de pied dans la vieille porte branlante qui se décrocha, fit plusieurs tours sur elle-même et atterrit plus loin dans un buisson d'arbousiers dénudés.

Il se précipita alors vers Aalis et lui administra deux gifles, si fortes que la seconde fit perdre l'équilibre à la jeune fille, qui s'étala de tout son long sur le sol glacé. Des gouttes de sang, qui avaient coulé de son nez, tachetèrent le manteau blanc de la neige. Maurin attrapa à nouveau sa fille en sanglots par le bras et la traîna tout le long du chemin, au-delà de l'Orb et à travers la ville, jusqu'à leur maison où, sans un mot de plus, il l'enferma dans le chai.

— Elle était donc là-bas ? demanda Catherine Nouet en voyant son mari entrer comme une furie dans la boutique.

— Je vais demander au prévôt de nous débarrasser de ce vieux Juif ! s'exclama le drapier en frappant du poing sur un étal. Dieu sait quel poison ce sorcier a donné à notre fille pour l'envoûter de la sorte !

Catherine abandonna les paquets qu'elle était en train de préparer et prit son époux dans ses bras.

— Elle ne se rend pas compte, murmura-t-elle, la tête posée contre sa poitrine.

— C'est comme si elle voulait nous faire du mal.

— Aalis a toujours eu un esprit un peu libre, Maurin. Quand elle était petite, cela nous amusait, souviens-toi. Mais tu sais que ce n'est pas une mauvaise fille. Un jour, elle comprendra.

— Je ne la reconnais plus. C'est à cause de ce Juif ! Nous ne pouvons pas le laisser la pervertir.

— Aalis dit qu'il est simplement un ami pour elle.

Maurin se dégagea de l'étreinte de sa femme.

— Un ami ? Les Juifs sont l'ennemi du Christ, Catherine ! Je suis certain qu'il nourrit quelque dessein de vengeance contre Béziers. Petit à petit, il va se servir d'elle pour nous atteindre et semer le trouble dans notre ville. Si nous le laissons faire, nous allons avoir toute la population contre nous et perdre notre affaire. Je dois y mettre fin.

Catherine acquiesça. La croisade contre les Albigeois – lors de laquelle on avait éradiqué les hérétiques du pays occitan – avait laissé sur Béziers les plus terribles stigmates de l'Inquisition. Bien que subsistassent ici et là, en clandestinité, quelques secrets héritiers des *Bons Hommes*, craignant de revivre ces jours sombres, le clergé de la région était devenu l'un des plus rigides du royaume et il planait sur cette ville-là plus que sur toute autre un climat nauséabond de suspicion. S'il était une chose avec laquelle les Biterrois ne badinaient point, c'était bien la religion, et le commerce avec les Juifs faisait sans aucun doute partie des interdits que nul ne voulait plus braver.

— Je parlerai ce soir à Aalis, pour essayer de la raisonner.

— Non. Tu as déjà essayé tant de fois ! Cela ne sert plus à rien. Je veux qu'elle reste enfermée dans le chai plusieurs jours durant. Cela lui donnera le temps de réfléchir toute seule.

21

— J'ai envoyé mon fils chez l'maître Allegret parce qu'i est tellement maladroit qu'i n'est point foutu d'm'aider ici sur la closerie. Avec sa mère, nous avons pensé qu'c'était point un gars pour la campagne et qu'i fallait l'envoyer à la ville. Mais j'commence à crère qu'i n'est point pu doué là-bas qu'ici, et je n'sais point ce que j'm'en vais faire de li.

— Votre fils est bien plus doué que vous ne le pensez.

— Agali ! Doué ? Doué pour quoi ?

Andreas avait été contraint de louer un cheval pour la journée afin de se rendre rapidement sur la ferme du père de Robin, qui était proche du village de Rueil. Après le temps qu'il avait passé dans sa jeunesse sur les routes de France et d'Espagne, l'Apothicaire était encore un fameux cavalier. Ainsi, malgré la neige, il avait eu peu de peine à rejoindre la petite exploitation.

M. Meissonnier était ce que l'on appelait en ce temps-là un *laboureur* : il était libre, il possédait ses propres terres, à l'opposé des *manœuvriers* qui, eux, ne possédaient rien et devaient travailler la terre d'un seigneur. Ses grands-parents avaient obtenu quelque aisance modeste en revendant ceux de leurs terrains qui, sous le règne de Philippe Auguste, s'étaient soudain trouvés à l'intérieur des remparts de Paris et avaient donc acquis un peu de valeur. Pas assez pour s'élever de leur condition, mais suffisamment pour ne plus devoir rien à personne et vivre du fruit de leurs seules cultures.

À Rueil, Meissonnier, qui apparut à Andreas comme un homme sage et raisonnable, semait alternativement ses différents champs en céréales puis en légumes avant de les laisser une année entière en jachère, de telle sorte qu'il n'y en avait toujours qu'un sur trois qui ne fût exploité. L'essentiel de sa production était destiné aux marchés et aux foires de la ville, mais il se réservait aussi quelques clients pour lesquels il travaillait directement, et dont la taverne de *La Mule* faisait donc partie.

— Savez-vous que votre fils sait lire ?

— C'n'est point moi qui ai appris, c'est l'curé... C't'un bon gars, curieux, mon fils, i passait plus de temps dans les livres du curé qu'à m'aider à la ferme, mais j'me demande bin à quoi qu'ça sert.

L'écart qu'il pouvait constater entre les manières de parler du père et du fils permettait à Andreas de présumer que Robin n'était positivement pas fait pour travailler ici, et de comprendre que le potentiel du garçon – fort différent de ce qu'on pouvait attendre d'un fils de fermier – pût donc échapper à M. Meissonnier. C'était comme si ces deux parents n'étaient pas du même pays, et malgré l'affection évidente qu'ils avaient l'un pour l'autre, ils ne devaient pas pouvoir partager beaucoup. Il en est parfois ainsi d'un père et de son fils qui, s'ils s'aiment, ne se comprennent pas quand ils aspirent à de si différentes choses.

— Monsieur, accepteriez-vous que je prenne Robin comme apprenti dans mon apothicairerie ?

Le laboureur écarquilla les yeux, incrédule. Puis, une fois la surprise passée, il fronça les sourcils, comme s'il se demandait si l'Apothicaire ne lui jouait pas quelque tour.

— Maître, vous vous fichez de nous ?

— Pas du tout.

— Mais à la fin des fins ! L'Robin n'a point fait d'études ! Et nous n'avons pas les moyens d'vous compenser pour l'feu et l'lieu, ni même de li pouier un droit d'entrée dans vot' confrérie !

— Je me propose de le former, monsieur, de lui assurer le feu et le lieu et de payer son droit d'entrée si, au lieu des six années ordinaires, vous me confiez votre fils pour huit années pleines.

Le paysan resta bouche bée. Il regardait Andreas comme s'il se fût agi soit d'un saint, soit d'un illuminé, et sembla conclure qu'il s'agissait peut-être un peu des deux.

— Vous li en avez causé ? demanda l'homme, un peu pris au dépourvu.

— Non. Pas encore. Je ne veux pas nuire à vos relations avec maître Allegret, j'attendais votre accord, et je vous laisserai alors le soin de le lui dire.

— Eh bah... J'vous cache point que j'ai un peu d'mal à y crère. Pourquoi mon fils ?

Andreas, comprenant que la partie était gagnée, remit la capuche de sa cape bleue sur son crâne d'un air théâtral.

— Parce que mon apprenti vient de terminer sa formation, que j'en cherche un nouveau, que les apprentis de qualité se font rares à Paris et que je crois que votre Robin n'a pas grand avenir dans les tavernes mais quelque talent inné pour la pharmacie. Votre dame et vous-même, monsieur Allegret, avez fait un enfant étonnant.

22

Le chancelier sortit de la Grand-Salle du palais de la Cité où s'était tenue, comme à l'accoutumée, l'audience du parlement de Paris, en l'absence du roi qui, cette fois, étant parti se reposer quelques jours en son château de Fontainebleau, n'avait pu tenir son lit de justice.

Contrairement à la plupart des conseillers, notaires et huissiers qui, à l'issue de l'audience, étaient partis directement sur les quais de Seine en passant entre les deux tours du Palais, Guillaume de Nogaret – qui portait la simarre violette propre à sa fonction ainsi que, au bout d'une chaîne à son cou, le sceau royal, qu'il tenait fermement de la main droite – emprunta vers l'ouest le couloir qui menait à la Salle sur l'eau.

Au fil des années, de simple juriste du Languedoc, l'homme était devenu l'un des plus proches conseillers du roi, en passant par les postes successifs de juge mage et d'enquêteur, avant d'entrer en 1298 au Parlement, où il siégeait toujours, puis au Conseil du roi, au sein duquel il avait été anobli. Éminence grise de Philippe le Bel, il avait été l'instigateur de l'attentat d'Anagni, apogée du conflit entre le roi et le pape Boniface VIII, et qui, bien que ce fût d'abord un échec, avait permis à Philippe d'installer par la suite la papauté au royaume de France, en Avignon.

Nogaret, que d'aucuns appelaient encore « l'homme qui a giflé le pape », avait reçu le titre de garde du

Sceau, et donc de chancelier (ainsi que de substantielles récompenses en terre et en argent), le 22 septembre 1307, le jour même où fut ordonnée l'arrestation des Templiers, ce qui laisse peu de doute au chroniqueur que nous tâchons d'être sur son implication décisive dans cet épisode sombre de notre histoire.

C'était un homme déterminé, habité par le droit romain, et le ressentiment qu'il concevait à l'égard du pouvoir ecclésiastique – malgré sa foi très profonde – comme sa soumission absolue à la monarchie étaient tous deux nourris par son passé de juriste de province, mais surtout par le sort atroce qu'on avait réservé à son grand-père, déclaré hérétique et massacré par l'Église lors de la croisade des Albigeois.

Les pouvoirs de Nogaret étaient à présent immenses, décisifs quant aux inclinations politiques du Conseil, et capitaux dans les actes de justice du Parlement. Il avait en outre un regard sur toutes les ordonnances de Philippe le Bel, l'apposition du sceau royal, dont il était le dépositaire, étant la conclusion obligatoire de toute décision gouvernementale.

Toutefois, Nogaret comptait à la cour du Capétien un opposant et concurrent de taille en la personne d'Enguerran de Marigny, chambellan et ministre de Philippe, et demi-frère de l'archevêque de Sens. Marigny, qui était un homme plus subtil, moins partisan, était sans doute plus proche du roi encore, ce qui motivait l'animosité de Nogaret à son endroit.

La Salle sur l'eau était, parmi toutes les nouvelles pièces dont le Roi de fer avait commandé la construction, l'une des plus richement décorées. Le peintre du roi en personne, Évrard d'Orléans, y avait dirigé les travaux de peinture et de sculpture avec une attention toute particulière, et l'avait fait entièrement paver de marbre importé d'Allemagne. Les murs, dans la longueur, étaient pareils à deux galeries avec leurs arcades en ogives, et les arêtes d'icelles reposaient sur de hautes colonnes gothiques. Quatre immenses cheminées, placées en vis-à-vis, complétaient l'architecture singulière de la pièce. C'était ici que Nogaret, qui avait un goût certain pour le luxe, aimait à donner ses rendez-vous en l'absence du roi. On avait une vue unique sur la Seine et la salle, ouverte des deux côtés, recevait une vive lumière même en cette saison, grâce aux longs vitrages incolores qu'assemblaient de fines résilles de plomb.

— Quelle est donc cette nouvelle qui ne pouvait pas attendre, mon cher Jean ? demanda-t-il en rejoignant l'homme qui l'attendait derrière les colonnes.

Jean Ploiebauch, prévôt de Paris (charge royale que l'on ne doit pas confondre, malgré l'homonymie, avec celle du prévôt des marchands), était, dans la lutte de pouvoir qui opposait Nogaret à Marigny, l'un des plus fidèles soutiens du garde du Sceau.

— Chancelier, vous m'avez demandé de garder un œil sur les desseins du pape quant à la réglementation de la prostitution à Paris.

— Si seulement son dessein n'était que de la réglementer ! C'est surtout les bénéfices qu'il veut en tirer qui aiguisent ma suspicion, et le fait que ces bénéfices échapperont au Trésor. Je n'aime pas voir de l'argent se dérober aux caisses du royaume pour entrer dans celles d'Avignon. Le pouvoir spirituel ne devrait pas s'occuper des affaires de finances et, pour citer le très saint Matthieu : « *Nul ne peut servir deux maîtres. Car, ou il haïra l'un et aimera l'autre ; ou il s'attachera à l'un et méprisera l'autre. Vous ne pouvez servir Dieu et l'argent.* »

Nogaret, homme pieux et érudit, avait pour manie de se référer souvent aux Saintes Écritures, surtout quand il entendait critiquer le clergé, ce dont il se privait rarement.

— Eh bien, justement, il y a peut-être matière à se réjouir : l'ordonnance secrète de Clément V vient de rencontrer quelque résistance.

Nogaret souleva un sourcil intéressé.

— Expliquez-vous.

— L'abbé de Saint-Magloire a refusé d'exproprier trois *fillettes* dont la maison était sur sa censive.

— Un abbé qui s'oppose au Très Saint-Père ? s'étonna le chancelier sans cacher son amusement. Je savais que Boucel était un pervers, mais j'ignorais qu'il était aussi séditieux !

— Visiblement, il l'a fait sous la pression d'un apothicaire du quartier.

— Lequel ?

— Un certain Andreas Saint-Loup.

À la seule évocation de ce patronyme, le visage de Nogaret s'obscurcit. Il se mit alors à se frotter la partie droite de son grand front, comme il le faisait souvent, en proie à de terribles migraines.

— Je vois, dit-il en grimaçant.

— Il m'a semblé opportun de vous en faire part, car vous n'êtes pas sans savoir que l'abbé Boucel est proche de l'archevêque de Sens.

— Et vous vous demandez donc si Marigny n'aurait pas un rapport avec tout cela ?

— Je me contente de vous rapporter les faits, chancelier.

— Vous avez bien fait, Jean, vous avez bien fait.

Nogaret fit quelques pas vers le bord de la salle et plongea son regard dans les eaux verdâtres du fleuve en contrebas.

— Il faudrait que vos gardes surveillent discrètement l'homme.

— L'abbé Boucel ?

— Non. Saint-Loup. Je veux que vos hommes surveillent de près cet apothicaire, monsieur le prévôt.

— Vous pensez que...

— Je n'ai pas besoin de vous expliquer ce que je pense. Il y a plus au sujet de cet homme que ce que l'on peut voir.

23

Le lecteur nous pardonnera à présent si, pour le bénéfice de la narration, nous choisissons d'accélérer – mais un instant seulement – notre relation des faits, et brossons en quelques pages ce qu'il advint pendant les quarante-cinq jours qui suivirent ce qui vient de lui être rapporté.

Pendant tout ce temps, maître Saint-Loup, en proie à cette inextinguible perplexité, continua en lui-même de chercher à expliquer les deux mystères survenus dans sa demeure. En vain. Aucun raisonnement ne vint à bout de ses vicissitudes.

Un jour il alla même visiter l'atelier du peintre Honoré, qui lui avait offert ce tableau devenu aujourd'hui l'objet de ses tourments, mais celui-ci ne put lui donner la moindre explication, car celui de ses disciples qui avait exécuté le portrait avait quitté le pays pour rejoindre à Florence un maître italien fort réputé. Honoré, toutefois, dut reconnaître que la chose était étrange et affirma qu'il n'avait pas souvenir d'avoir vu le tableau sortir ainsi de son atelier.

Andreas lutta contre l'envie de décrocher cette peinture qui, dans la salle à manger, rappelait chaque jour à son souvenir l'insulte qu'elle faisait à la raison, et décida pareillement de ne point utiliser la pièce vide tant qu'il ne serait pas en mesure de résoudre l'énigme de sa vacuité.

Lambert et Marguerite comprirent fort vite que le sujet troublait leur maître et se gardèrent bien de l'évoquer, mais l'on peut supposer que, le soir, dans l'intimité, le vieux couple lui aussi se posait moult questions, au moins au sujet de cette pièce qu'eux-mêmes avaient oubliée.

Comme le lecteur l'aura compris, Andreas prit donc à son service le jeune Robin Meissonnier, lequel, malgré quelques problèmes de concentration, se révéla un excellent apprenti, moins rapide que Jehan, certes, car moins érudit, mais beaucoup plus inventif, ce dont l'Apothicaire ne s'était pas encore plaint.

Le maître commença la première semaine par lui enseigner, tout en travaillant, les vertus des nombreux ingrédients que comportait sa boutique ; mais il lui montra aussi comment ranger ceux-ci à leur place, vérifier qu'aucun ne venait à manquer et assurer leur bonne conservation.

Une fois ces premières bases assimilées – même s'il faudrait encore de nombreuses années au jeune homme pour posséder vraiment une connaissance solide de toute la pharmacopée, et surtout des plantes orientales – Andreas lui apprit ensuite à utiliser convenablement les outils propres aux apothicaires, les pilons, les mortiers, l'alambic, puis il lui inculqua les différentes techniques de préparation, la lotion, la coction, la distillation, le bain-marie, la filtration goutte à goutte, et les modes d'administration, les cataplasmes, les pulvérisations, les emplâtres, les clystères, les collyres, les juleps, les poudres, les baumes, les onguents, les loochs, les électuaires, et bien d'autres encore que notre plaisir de l'énumération nous pousserait à rapporter s'il n'était plus important, à ce moment, de faire avancer le récit.

Le soir, le jeune Robin travaillait à mémoriser l'antidotaire Nicolas, dans cette secrète version annotée qu'Andreas conservait au laboratoire et qui n'était pas tout à fait celle des maîtres du métier. La tâche était plus difficile pour ce fils de paysan qui, n'ayant pas fait d'études à la faculté des arts mais seulement appris à lire auprès d'un curé, n'avait pas les mêmes facilités qu'un apprenti ordinaire. Le jeune homme, soucieux de bien faire, s'efforça toutefois de parcourir aussi les textes d'Hippocrate, de Galien et d'Avicenne, et il parut qu'il en tirait même un certain plaisir.

Après un mois, Robin était non seulement capable d'assister Andreas dans la tenue de sa boutique mais aussi de préparer, et tout seul, plusieurs drogues et onguents, bien que, lunaire, il lui arrivât encore parfois d'oublier tel ou tel ingrédient, comme il avait oublié, le soir de leur rencontre, quel vin Andreas lui avait commandé à *La Mule*. C'était un garçon silencieux, taciturne, patient, assez en tout cas pour ne contrarier que très rarement ce vieil ours d'apothicaire. De même, le jeune rouquin avait vite séduit Lambert et Marguerite, qui le traitaient sinon comme un fils, au moins comme un parent.

Ainsi, un soir de février, alors que les quatre occupants de la maison tentaient de se réchauffer près de la cheminée, Andreas eut l'occasion de mesurer les progrès rapides effectués par le jeune homme et de se réjouir, ainsi, du choix osé qu'il avait fait en prenant pour apprenti un garçon qui n'était pourtant pas destiné à l'être, ni par l'âge ni par l'instruction.

Marguerite était en train de raconter à son mari comment la fille de la cousine de la sœur d'une amie, qui vivait sur la rive gauche, agonisait sur sa couche après avoir donné naissance à deux magnifiques jumeaux. Magnifiques par le poids, tout au moins.

— Enfanter en février est un vrai malheur ! assura la vieille chambrière tout en reprisant le manteau de son époux.

— Enfanter tout court est un vrai malheur, répliqua Andreas, de l'autre côté de la pièce. La douleur, toutefois, est peut-être une juste punition pour ces mères inconscientes qui osent encore mettre bas dans un monde aussi désespérant que le nôtre.

La vieille femme secoua la tête.

— Vous feriez mieux de nous raconter comment aider cette pauvre femme, plutôt que de dire des sottises, maître !

— Il eût plutôt fallu lui enseigner les vertus de la contraception, railla l'Apothicaire. Le *concubinus masculinus*, par exemple, est un procédé fort efficace, mais peu amusant pour la femme, j'en conviens. L'*amplexus reservatus*, quant à lui, l'est peu pour l'homme, encore qu'il soit en Asie – paraît-il – le signe d'un extrême raffinement. La continence périodique me paraît hasardeuse, et ne parlons pas des substances ridicules que les herboristes vendent à prix fort sous le manteau et qui sont à peu près aussi efficaces que cautère sur jambe de bois ! Non, ma préférence va au *coitus interruptus*, lequel permet en outre de recueillir, une fois l'affaire terminée, la semence masculine, dont chacun sait qu'elle fait un onguent admirable pour les femmes qui veulent rester jeunes de peau. Mais je dois avouer qu'à long terme, cette pratique peut entraîner chez l'homme une douleur testiculaire des plus contraignantes…

Lambert et Marguerite ne purent retenir un rire franc, mais Robin, lui, sembla n'avoir pas tout compris de l'humour de son maître, ni même être certain qu'il s'agissait bien d'humour.

— Allons, plus sérieusement, vous ne pourriez pas me conseiller un remède efficace pour cette femme ? insista la chambrière.

Andreas, saisissant l'occasion, se tourna vers son nouvel apprenti.

— Robin, peux-tu nous dire s'il y a dans l'antidotaire un remède qui te semblerait convenir à la fille de la cousine de la sœur d'une amie de Marguerite, qui ne se remet pas après l'enfantement ?

Le jeune homme, pris de court, réfléchit un long moment. Les craquements du bois dans l'âtre semblèrent alors mesurer le temps, ou l'allonger peut-être.

— *Antidotum hemagogum* ? proposa timidement le garçon.

Andreas sourit.

— Pour provoquer le flux menstruel ? Oui. C'est une solution. Ce n'est pas la meilleure, et il faudrait un diagnostic plus poussé, mais soit, admettons. Après tout, nous ne cherchons pas à faire de toi un médecin, mais bien un pharmacien. Peux-tu me dire alors comment l'on fabrique cet antidote ?

— Il faut de l'asaret, mais en très faible quantité, car la plante est vénéneuse. De l'acorus d'Orient. Une drachme de jus de fenouil et deux d'anis. Une plante aristoloche...

— Pourquoi l'appelle-t-on ainsi ? le coupa Andreas d'un ton professoral.

— Je ne sais pas, maître.

— En grec, *aristos* signifie « meilleur », et *locheia* « enfantement ». Les vertus des plantes aristoloches se valent avant et après l'accouchement. Tu comprends maintenant pourquoi je voudrais que tu apprennes le grec et le latin ?

— Je n'aurai jamais le temps, soupira Robin.

— Tu as huit années devant toi. Quoi d'autre ?

— Trois... non, deux drachmes d'armoise.

— Laquelle est utilisée dans quels autres cas ?

— Pour soulager les douleurs de l'intestin et pour lutter contre les accès de danse de Saint-Guy qui attaquent certains enfants.

— Bien. Continue.

— Une drachme de grande centaurée et une d'hellébore noire.

Andreas hocha la tête en signe d'assentiment.

— Quels sont les autres noms de cette plante ?

— La rose de Noël ou l'herbe aux fous.

— Entre autres. On l'appelle aussi le pied de griffon, la patte d'ours ou la rose de serpent. Ensuite ?

— Une drachme et demie de feuilles de laurier, une de réglisse et une de pivoine. Une drachme de semence de rue et une autre de jus de genévrier sabine.

Robin ferma alors les yeux, cherchant péniblement la fin de la recette dans les tréfonds de sa mémoire.

— Alors ? le pressa Andreas.

— Enfin... enfin il faut deux drachmes de girofle, une de câpre et une autre de cumin !

Il rouvrit les yeux et adressa un regard inquiet à son maître. L'Apothicaire le toisa longuement, sans qu'on pût lire sur son visage s'il était satisfait ou non par son élève.

— Es-tu sûr de n'avoir rien oublié, Robin ? demanda-t-il finalement.

— Je... je ne sais pas. Ai-je oublié quelque chose ?

— Je ne te demande pas de me demander à moi ce que tu aurais oublié, je te demande si tu as le sentiment, toi, de n'avoir rien oublié.

— Je ne sais pas, maître.

— Un bon apothicaire doit sentir cela, Robin. Il doit sentir que son œuvre est achevée. La mémoire ne suffit pas, vois-tu. Il faut aussi comprendre le remède que l'on fabrique, suffisamment pour être certain qu'il est parfait quand on l'a terminé. Tu dois apprendre à reconnaître ce sentiment, celui du travail accompli. Ainsi, je te le demande une troisième fois, Robin, as-tu le sentiment que ta recette est complète ?

Les joues du jeune homme s'empourprèrent.

— Je ne sais pas. Que vous me posiez la question m'en fait douter. Mais je me dis que vous me la posez peut-être volontairement, justement, pour me faire douter, dans le but d'illustrer votre propos sur l'importance de ce sentiment d'achèvement. Alors peut-être n'ai-je en réalité rien oublié.

— C'est audacieux que de vouloir raisonner en essayant de deviner mes intentions, et en l'occurrence c'est déplacé. Je n'attends pas de toi que tu analyses mes méthodes d'enseignement, mais bien que tu maîtrises ton propre savoir.

— Je comprends. Je crois que je ne suis pas encore assez sûr de moi, maître.

— En effet, répondit Andreas d'un air déçu. Si tu veux un jour devenir apothicaire, tu vas devoir maîtriser parfaitement les trois étapes de la pharmacie : l'élection, la préparation et la mixtion. L'élection consiste à choisir les drogues simples dont on fait les remèdes, et tu devrais pouvoir le faire toi-même, sans l'aide de l'antidotaire, en fonction de leur origine, du climat, du voisinage, du temps, de la substance, de l'odeur, du goût et, bien sûr, de leur vertu. La préparation, comme tu le sais, consiste à laver les ingrédients, les monder, les sécher ou les humecter, les faire macérer ou digérer, puis les faire cuire. La mixtion, enfin, consiste à les mélanger et les unir ensemble pour en faire des compositions. Ces trois étapes, qui sont aussi celles d'un discours bien ordonné, tu dois les ressentir, les accomplir comme si elles étaient innées, naturelles, évidentes. Et, dans ce processus, il n'y a pas de place pour le doute.

— Ai-je oublié quelque chose ? demanda de nouveau Robin, penaud.

Mais plutôt que de répondre, l'Apothicaire se leva et commença à ranger les affaires qui traînaient sur la grande table. Rapidement Lambert et Marguerite l'imitèrent. Ensemble, ils accomplirent en silence les tâches nécessaires à la fermeture de l'officine et du laboratoire.

— Il est grand temps d'aller dormir, maintenant, ordonna le maître des lieux, et tous gravirent le petit escalier qui menait aux deux chambres, passant sans s'arrêter devant la pièce vide à mi-étage.

Arrivé en haut des marches, Andreas attrapa Robin par l'épaule avant que celui-ci n'entre dans la chambre des deux valets.

— Tu as oublié le miel, Robin. Sans miel, tu ne trouveras aucune femme pour avaler cette drogue, mon garçon. Mais j'oubliais que tu ne connais pas encore grand-chose aux femmes… Bonne nuit, jeune homme.

24

Février, à Paris comme dans toute la chrétienté, était à cette époque un temps de célébrations. La semaine grasse, que l'on appelait aussi les « jours charnels », débuta cette année-là le 20 février, pour s'achever le 27, jour de mardi gras et apothéose de cette huitaine de festivités carnavalesques à laquelle, le lecteur l'aura deviné, Andreas Saint-Loup se privait bien de participer. Toute la semaine durant, il tint son officine ouverte sans prendre part aux réjouissances, et de fait il eut beaucoup de travail, non seulement parce que nombre de ses confrères chômaient, mais aussi parce que les festivités occasionnaient dans la population plus de maux qu'à l'accoutumée.

Pour l'occasion, on allumait chaque soir de grands feux de joie sur la place de Grève, suffisamment près du fleuve pour se préserver d'un incendie. Les Parisiens y venaient en nombre, déguisés, pour danser, boire et manger, pendant que les enfants s'amusaient à des jeux de bravoure en sautant par-dessus les flammes.

Tout au long de la semaine, les voyers organisaient des parties de soule entre les différents quartiers de la ville, un violent jeu de balle où deux équipes s'affrontaient jusqu'à ce qu'un quartier fût déclaré vainqueur, et cette année-là ce fut, comme souventes fois, celui des étudiants qui remporta la compétition, non sans déplorer un grand nombre de blessés.

Sur des échafauds qu'on installait ici et là, des comédiens se donnaient en spectacle, déclamant de longs monologues parodiques où il était beaucoup question de fornication et de politique, ou jouant leurs soties, saynètes qui retraçaient avec ironie les plus grands scandales de l'année. Nul n'était besoin de préciser le nom des protagonistes, le peuple de Paris reconnaissait aisément à leurs costumes lequel était le roi, lequel un Marigny, un Nogaret ou un de Baufet.

Le 27 février, Andreas Saint-Loup fut donc sans doute l'un des rares Parisiens à ne pas participer au mardi gras, et quand il fit savoir à Robin qu'il pouvait prendre sa journée s'il le désirait, l'apprenti préféra se priver de la fête pour rester près de son maître.

La journée tout entière fut rythmée par la longue procession qui, partie du Louvre, traversa la capitale jusqu'à Notre-Dame, contre le froid de l'hiver, avec pour figure de proue un immense mannequin de paille qui symbolisait Carnaval.

Sur ce chemin, chacun venait costumé : les bourgeois s'habillaient en vilains et les vilains en bourgeois, les hommes en femmes, les enfants en adultes... C'était une immense mascarade où tout allait à l'envers, où l'on riait beaucoup, où l'on se battait un peu, où tous les excès étaient permis, qui buvant, qui blasphémant, qui forniquant en pleine rue. C'étaient les Saturnales de Rome et les Bacchanales d'Athènes que l'on avait réunies sous le ciel gris de Paris, et les esprits s'échauffaient tant que d'aucuns semblaient avoir oublié la neige.

L'on vit cette année-là se côtoyer le drôle et le graveleux, le profane et le païen, le burlesque et le grotesque, le satirique et le fantasque, l'indécence et l'immoralité ; l'on vit des valets qui, comme autant de Spartacus, battaient leurs maîtres défroqués à grands coups de verges, des cracheurs de feu, véritables dragons de l'Apocalypse, le visage barbouillé de charbon, des jongleurs de balles et de sabres vêtus comme des guerriers sarrasins, des saltimbanques masqués de papiers bariolés qui marchaient sur les mains, des musiciens tapant sur des tambours à en ébranler d'un seul coup la voûte des cathédrales de Metz, de Reims et d'Amiens, des marauds qui couraient, bouteilles à la main, derrière un pauvre moine qu'ils avaient dépouillé de sa coule, une vieille femme tirée sur une charrette avec un seau de purin renversé sur le chef, une dizaine de jeune filles pansues bramant en farandole d'obscènes couplets où il était beaucoup question de pine, de con, de braquemart, de flûte à un trou, de drôle de bénitier et de bête à deux dos, un boulanger obèse roulant sur une barrique de vin et qui entonnait le *Te Deum* sur un ton discordant, un charcutier déguisé en ours, un pelletier en coq, un fourreur en chat, une licorne, un éléphant, un lion, loup, taureau, cerf, centaure, hippogriffe, gorgone, manticore, toute une faune hyperbolique, gaie et fantastique qui faisait paraître la rue pour un immense bestiaire enluminé de Philippe de Thaon, une sorcière chevauchant un démon à deux têtes et deux queues, un bossu qui, tel un Atlas difforme portant la terre à bout de bras, poussait à lui seul un char monté par trois fillettes faisant des ballets lascifs, un nain au nez crochu qui tenait des phallus en bois dans chacune de ses mains, une femme tous seins dehors montée à l'envers sur un âne à trois pattes, un couple de faux seigneurs avec leurs beaux habits retournés et qui jetaient dans la foule de fausses pièces de monnaie en jurant qu'elles étaient du roi Philippe, les douze apôtres arborant chacun les instruments de leur martyre et qui couraient derrière une Vierge Marie en promettant de lui faire oublier l'immaculée conception, un fou tenant sa marotte entre les jambes comme sorti d'un échiquier cosmique, un alchimiste affirmant derrière son alambic pouvoir transformer la merde en or, un géant, des nains, un pèlerin de Compostelle, un macchabée, la Mort même, une rouquine qui, sur un brancard, accouchait d'une poupée ointe de sang de bœuf, un barbier qui rasait, de gré ou de force, toutes les barbes autour de lui, des vieillards hilares en enfants de chœur polissons, deux frères jumeaux qui se disputaient à celui qui pisse le plus loin, des vignerons qui, debout dans un tombereau, se jetaient des paquets de boue au visage, deux ou trois papes, sept ou huit évêques qui agitaient des encensoirs au parfum douteux, une abbesse, un duc, un diable, deux adolescents cul nu qui se tenaient à revers, un chanoine qui conduisait dans la neige un hareng au bout d'une longue laisse, un renard couvert d'un surplis fait à sa taille, portant une tiare sur la tête et à qui l'on donnait des poules qu'il dévorait goulûment, des sots chantant la sérénade en bas des maisons bourgeoises, des hommes avec des hommes, des femmes avec des femmes, des putes en reine et des dames en putes, et dans tout ce désordre dionysiaque l'on vit aussi des bandes venues de fort loin pour participer à la fête, des Picards, des Normands, des Bretons, des Tourangeaux, des Champenois et même, paraît-il, des Anglais…

Au milieu du cortège paradait enfin la célèbre confrérie des cornards, dont les membres portaient masque grimaçant d'homme barbu, orné d'une paire de cornes, et jouaient la comédie du cocuage. On y voyait l'amant, la femme, le cocu et le juge se déchirer ou s'accommoder sous les rires gouailleurs des petites gens. Le maître de la confrérie, le Grand Cornard, portait une grande bannière à son effigie que tous les jeunes mariés devaient baiser lorsqu'ils passaient devant.

Quand cette foule immense, bruyante et dépravée arriva enfin sur le parvis de la cathédrale, au tout début du soir, on mit en scène le procès de Carnaval. Le grand mannequin, qui incarnait tous les maux de l'année passée, fut cérémonieusement jugé puis condamné à mort, et alors on le brûla dans un brasier formidable pour que pût commencer le dernier festin, d'oies, de dindons et de crêpes. Il se but en cette seule soirée plus de vin qu'on n'en buvait en une entière semaine, et cela ne fut pas sans conséquences sur la fin de la nuit, pleine de cris, de rires, de stupre, d'échauffourées et de drames. Mais il en était ainsi chaque année, et les autorités politiques et religieuses laissaient faire, car cette nuit d'abandon où toutes les règles pouvaient être bafouées rappelait justement que, les autres jours de l'année, elles devaient être respectées, et l'observateur averti conclura peut-être avec nous que la mascarade n'était pas celle qu'on croyait.

25

Ce fut en ce matin du 28 février qu'Andreas Saint-Loup reçut, d'Italie, un colis qu'il attendait depuis fort longtemps et qui fut porté jusqu'à sa demeure par un marchand lombard avec lequel il traitait souvent.

À peine le paquet livré, l'Apothicaire l'emporta sans mot dire dans son laboratoire, où il s'enferma.

Quand les cloches de la paroisse annoncèrent le début de la célébration du mercredi des Cendres, Robin vint frapper timidement à la porte.

— Maître, nous allons être en retard pour l'entrée royale !

Andreas poussa un grondement de l'autre côté et ne répondit pas. On l'entendait s'affairer, déplacer des meubles, manipuler des outils tout en marmonnant.

— Maître ! insista le jeune rouquin.

— Tu me déranges, Robin !

— Je... je suis désolé. Mais nous allons être en retard !

— Erreur de logique : nous ne serons pas en retard puisque nous n'irons pas.

— Mais... mais nous y sommes obligés ! Maître Malingrey est souffrant ! Vous êtes attendu par le prévôt des marchands pour le remplacer et représenter la confrérie des apothicaires. C'est un grand honneur que la hanse vous fait...

— Tu apprendras un jour à te défier des apparences ; ce n'est point un honneur que l'on me fait, mais un piège que l'on me tend, pour qui sait combien m'horripilent ces solennités vaines et orgueilleuses.

— Mais enfin... Mercredi des Cendres, maître...

— Je m'en tamponne allègrement le coquillard, mon garçon.

Robin resta muet, interloqué.

Le mercredi des Cendres était un jour fort important du calendrier chrétien, qui marquait le début du carême. Pour l'occasion, loin des abandons de la semaine grasse, tout Paris assistait à une entrée royale. La *Merveille* prenait alors toute son arrogante dimension : centre politique et religieux du royaume, on lui accordait la plus grande attention, à la hauteur de son prestige. Le Corps de la ville et les Parisiens unissaient leurs efforts pour faire de cette journée un moment unique, qui rapprochait prétendument les gens du peuple et leurs gouvernants.

Ainsi, Philippe le Bel allait entrer dans Paris en tête d'un prestigieux cortège, accompagné de son frère Charles de Valois, de ses conseillers Guillaume de Nogaret et Enguerran de Marigny, de l'évêque de Paris, Guillaume de Baufet, mais aussi – comme le diocèse de Paris dépendait de la province ecclésiastique de Sens – de l'archevêque de Sens, Philippe Leportier de Marigny qui, comme on l'a dit, était le demi-frère du chambellan. Une fois la procession terminée, une grand-messe se tiendrait en la cathédrale Notre-Dame où les fidèles seraient marqués au front d'une croix de cendre bénie, évoquant la destinée future de leur corps.

— Maître, si nous n'y allons pas, ou plutôt, si *vous* n'y allez pas, cela va faire un scandale.

Las, Andreas ouvrit soudain la porte, se plaça devant son apprenti et le dévisagea d'un air fantasque.

— Je te le répète, Robin : je m'en tape jovialement les bourses.

— Mais qu'est-ce qui vous prend ?

— Il me prend que j'ai reçu d'Italie un colis que j'attendais depuis des mois, et que j'ai donc bien mieux à faire que d'aller parader dans les rues comme un baudet pour fanfaronner à côté de notre faux-monnayeur de souverain et de son égorgeur de Nogaret, dont le seul mérite, je dois bien l'admettre, est d'avoir dûment taloché le pape. Il n'y a rien de plus inepte qu'une cérémonie religieuse, la foi est une affaire personnelle, et sitôt qu'on est plus d'un à parler de Dieu, on se trompe, si bien que je crois que, comme moi, Notre-Seigneur Soi-même s'en tape jovialement les divins testicules. La religion – qui n'a de nos jours plus grand-chose à voir avec la foi – favorise, avec son lot de miracles et de guérisons fabuleuses, la superstition du petit peuple. La crédulité au dogme et la soumission aveugle aux rituels sont les ennemis de la science et de l'expérience. Le seul véritable apport de la religion au monde moderne, c'est son art architectural et la traduction des textes d'Hippocrate, de Galien et de Celse, que l'on doit aux moines – car si la plupart de ceux-ci sont des imbéciles et des gloutons, quelques-uns, il faut toutefois le reconnaître, sont de pieux et illustres savants, tel le grand Roger Bacon. Mais tout le reste de l'activité religieuse n'est qu'asservissement de l'esprit humain. Les prédicateurs sont le bras armé de ceux qui, dans nos dirigeants, veulent nous détourner de la sapience, car ils savent qu'il n'y a de sujets plus dangereux que doctes.

Le visage de Robin, qui n'était pas encore habitué aux tirades blasphématoires de son maître, se décomposa à vue d'œil.

— Bref, non, je n'irai pas, conclut l'Apothicaire.

— Mais alors... Et moi ? Moi, que dois-je faire ?

— Ce que bon te semble, mon enfant. Tu peux aller te faire étaler de la cendre sur le front, si tu le souhaites, peu me chaut. Je m'en accommoderais volontiers, même, car ainsi tu ne traînerais pas dans mes pattes. Mais si tu veux rester avec moi, je te conseille vivement de ne pas ouvrir la bouche et de ne rien toucher.

Andreas fit volte-face et retourna dans son laboratoire.

Robin le regarda s'éloigner, atermoya, tiraillé entre le désir d'observer ce qui animait tant son maître et la crainte de ne pas se soumettre aux usages de la religion, puis, la curiosité l'emportant sur la peur, il entra dans le laboratoire à son tour et, tout en gardant ses distances, contempla l'Apothicaire en silence.

L'homme était occupé à fixer, dans un tube étroit qu'il avait préalablement entaillé, ce qui ressemblait à deux petites pièces de verre. Quel que fût l'objet qu'il essayait de construire, cela semblait nécessiter beaucoup de minutie et de précision, car Andreas s'y reprenait à plusieurs fois, examinait le résultat, puis recommençait en soupirant, utilisant des outils de plus en plus petits, qui rappelaient ceux des orfèvres.

La manœuvre dura si longtemps que le soleil eut le loisir de disparaître derrière le toit des maisons sans qu'aucune parole fût prononcée, et Robin, épuisé, finit par s'asseoir sur un tabouret pour continuer à observer son maître sans faire de bruit.

L'entrain et l'enthousiasme de l'Apothicaire étaient si forts qu'ils semblaient cacher quelque chose, ou peut-être étaient-ils le fruit d'une libération qu'Andreas appelait de ses vœux depuis longtemps. Se jeter à corps perdu dans cette secrète entreprise était sans doute le meilleur moyen pour lui d'oublier un moment le tourment qu'avaient occasionné la pièce vide et le portrait : il pouvait enfin occuper son esprit et son cœur à autre chose.

Ainsi, le maître coupa, vissa, serra, grogna, siffla, retourna tout un tas d'affaires, démonta, remonta, ajusta... Et puis, au début du soir, il rompit enfin cet interminable silence :

— Tu vois ces deux petites rondelles de verre ? demanda-t-il à son apprenti sans interrompre sa besogne.

Robin hocha timidement la tête.

— Ce sont des lentilles que j'ai fait faire par le grand Salvatore Armati, le plus fameux maître verrier de Florence, qui rassemble les meilleurs de toute l'Europe.

— Et à quoi servent-elles ?

— Tu ne sais pas à quoi sert une lentille ?

— Non.

— À converger la lumière, ou à la diverger, selon la façon dont l'une des faces est polie. Cela fait des siècles que l'on connaît la propriété des lentilles, leur capacité à focaliser les rayons du soleil, par exemple, tout comme leur effet grossissant. Nombreux sont les savants qui, aujourd'hui même, pensent, comme moi, que de grandes avancées scientifiques viendront de leur utilisation. Mon vénéré Roger Bacon le présageait déjà dans son traité sur la perspective, tout comme deux autres moines érudits, mais dominicains ceux-là : Jordanus de Rivalto et Alessandro di Spina, qui viennent tout juste de mourir l'un et l'autre. Mais nul n'avait jamais poussé aussi loin l'art de confectionner ces précieux outils que le grand Armati et, à présent, je crois que nous allons pouvoir réaliser avec ces lentilles des choses extraordinaires.

— Des nouveaux remèdes ?

Andreas secoua la tête.

— Tu n'y es pas du tout ! Je ne cherche pas à fabriquer de simples médicaments !

— Mais que cherchez-vous à faire, alors ?

L'Apothicaire, qui venait visiblement d'achever l'objet qu'il s'évertuait à fabriquer, colla son œil sur la partie supérieure du cylindre dans lequel il avait monté les lentilles et qui était, par la grâce d'un minuscule trépied, posé sur sa paillasse en marbre.

— Est-ce que tu connais Démocrite, Robin ?

— Non, maître.

— Ah ! Démocrite d'Abdère ! Un grand homme ! Disciple de Pythagore, contemporain de Socrate, et peut-être, avec Roger Bacon bien sûr, le plus grand savant de tous les temps !

— Vous dites cela de tous les Anciens...

— C'est sans doute que nous sommes entrés dans un âge d'obscurité et que l'amour de la science était plus grand dans l'Antiquité. Bernard de Chartres disait que les savants d'aujourd'hui, s'appuyant sur les grands penseurs du passé, sont *nanos gigantium humeris insidentes*. Des nains sur des épaules de géants.

— Il n'empêche que, sur les épaules d'un géant, on voit plus loin que le géant.

— C'est vrai, répondit Andreas avec un sourire. Toujours est-il que, dans les dernières années de sa vie, Démocrite, disais-je, perdit la vue ; mais il affirma que c'était pour lui une chance, car sa cécité aurait facilité sa réflexion, et en effet, l'homme dépassa son empirisme pour ne plus raisonner que par sa grande capacité d'abstraction. Or, vois-tu, Démocrite affirmait – et c'est pour cette raison que je t'entretiens de lui – que le monde physique est composé de deux uniques principes : les atomes et le vide.

— Les atomes ?

— Oui. Les atomes sont, selon lui, des corpuscules solides et indivisibles, si petits qu'ils échappent à nos sens, si durs qu'ils ne peuvent être altérés, et ils sont à l'origine de toute chose et de tous les éléments. Ils se déplacent éternellement dans le vide ; quand ils s'associent, ils créent la matière, quand ils se séparent, ils la détruisent. En somme, l'être n'est pas unique mais composé d'une grande quantité de ces corpuscules.

— Et c'est cela que vous voulez observer avec ces lentilles ?

— En quelque sorte, Robin. Je veux observer l'infiniment petit. Ce faisant, je crois pouvoir, du même coup, mettre un terme définitif à la théorie des humeurs, à laquelle les médecins continuent de se vouer aveuglément alors qu'elle me semble de la plus grande ineptie, ce qui, en soi, n'est guère étonnant quand l'on sait combien les praticiens modernes – qui n'ont plus rien inventé depuis les docteurs grecs et arabes – sont prompts à s'engager derrière toute doctrine, pour fumeuse qu'elle soit, tant que celle-ci leur permet de donner une explication aussi simple que possible, fût-elle inexacte, à ce qu'ils ne comprennent pas. Tu connais la théorie des humeurs, mon garçon ?

— Un peu.

— C'est un héritage de la médecine salernitaine et, à travers elle, des théories hippocrato-galéniques. Pour ces imbéciles, la maladie n'est qu'un déséquilibre entre les quatre humeurs de l'homme. Foutaises ! La science médicale n'a guère progressé depuis bien des siècles, l'Occident s'étant perdu dans les facéties de l'alchimie, plus disposée à rechercher l'or, la pierre philosophale et l'élixir universel qu'à perfectionner l'art de soigner nos véritables souffrances. Or je veux démontrer, moi, l'existence d'un organisme étranger, minuscule, responsable de la plupart des maux qui touchent les hommes.

— C'est donc bien à des fins médicales que vous faites tout ceci !

— Pas seulement, Robin. Le domaine médical n'est qu'une infime partie de ce que permettront les découvertes que j'espère initier.

— Mais alors, quel est votre vrai dessein ?

— Je veux trouver la clé du monde physique, mon enfant.

26

Le lecteur se souvient sans doute de ces deux personnages singuliers, tout de noir vêtus, qui, au début de notre récit, avaient obtenu du grand maître Juan Hernández Manau, à Pampelune, le nom d'Andreas Saint-Loup, et l'on sait de quelle sournoise manière. Qu'il se rassure : nous ne les avons pas oubliés nous non plus, et nous les retrouvons maintenant à la frontière entre le royaume de Navarre et le duché de Guyenne, parcourant la terre, remontant tout droit vers le nord sur deux grands et fiers chevaux. Les deux pur-sang, l'un blanc et l'autre brun, avançaient tout le jour, chaque jour, sans jamais montrer la moindre fatigue, telles les plus robustes montures de croisés.

Chaque soir, les deux hommes, qui n'échangeaient aucune parole, s'arrêtaient dans une nouvelle ville, un nouveau village, soupaient dans une auberge où l'on n'osait leur poser la moindre question, et y dormaient sans avoir parlé davantage. Les gens les observaient avec une crainte non dissimulée, car leur taille, leur mutisme, leur blondeur d'anges diaboliques, leur accoutrement et l'épée à leur ceinture impressionnaient grandement, et quand, par un malheureux hasard, on croisait leur regard, on se ravisait aussitôt et détournait rapidement les yeux.

On devinait deux soldats, deux guerriers en mission, que rien d'autre n'animait que leur dévouement à une cause mystérieuse et qui, de toute évidence, ne s'arrêteraient pas avant d'avoir terminé leur obscure besogne. Eussent-ils été quatre que d'aucuns, à n'en pas douter, les auraient dits cavaliers de l'Apocalypse, chevauchant vers la fin du monde à l'ouverture des quatre premiers des sept sceaux, pour faire périr les hommes par l'épée, par la famine, par la peste et par les bêtes sauvages de la terre.

Mais ils n'étaient que deux, et pourtant leur passage inspirait la même terreur que ceux-là.

27

À l'occasion du mercredi des Cendres, la boutique de ses parents étant fermée, Aalis trouva, en fin de matinée, dans le désordre causé par toute cette émulation, le loisir de partir en cachette pour revoir Zacharias à l'extérieur des remparts de Béziers.

Après dix jours de punition où elle n'avait plus eu le droit de sortir de la maison, tout juste du chai, ses rapports avec ses parents s'étaient quelque peu améliorés, en apparence tout au moins. Au fond d'elle, la jeune fille nourrissait toutefois une rancœur grandissante à leur endroit, mais elle faisait mine d'avoir compris la leçon, ce qui, petit à petit, lui avait donné la seule chose qu'elle voulait vraiment : un peu plus de liberté. Catherine et Maurin Nouet se montraient moins méfiants.

Il y avait toujours autant de neige dans la région de Béziers, bien plus qu'on n'en avait vu depuis fort longtemps. Sous ce grand drap de blancheur, les maisons se confondaient les unes avec les autres, les terrasses avec la chaussée et les arbres avec la pierre ; on n'eût su dire quel objet cachait tel monticule immaculé, quelle plante tel autre, et les escaliers de la ville ressemblaient à de longues rampes lisses.

Profitant que toute la ville était occupée à préparer les célébrations du soir sur le parvis de l'église de la Madeleine, emmitouflée dans son manteau de laine, Aalis traversa le bourg par le sud. Mais au coin d'une rue, alors qu'elle n'était plus qu'à quelques pas de la porte Saint-Jacques, soudain, elle sentit une main l'attraper par l'épaule.

La jeune fille poussa un cri de surprise, mais avant qu'elle n'ait eu le temps de se défendre, elle se retrouva plaquée contre le mur, et le visage de François apparut devant elle, ses yeux bleus grands ouverts.

— Qu'est-ce que tu fais ? cria-t-elle alors que le garçon, la maintenant par les poignets, se pressait contre son corps.

— Tu n'es pas venue hier soir à Carnaval, Aalis. J'aurais bien aimé t'y retrouver. Tu as raté quelque chose.

— Laisse-moi !

Le sourire étrange qui se dessina sur la figure rouge du fils du prévôt ne préludait rien de bon. Il avait bu, et il ne semblait plus tout à fait maître de lui-même.

— Allons, Aalis, ne fais pas ta petite sauvage. Je sais que tu me désires...

— Laisse-moi ! répéta-t-elle en se débattant.

Mais François avait plus de force que notre jeune fille et ne la laissa point s'échapper. Il la colla plus violemment encore contre le mur, si fort même que la tête d'Aalis heurta la paroi.

Elle poussa un cri de douleur et, sonnée, ferma les yeux un instant. Le garçon en profita pour l'embrasser à pleine bouche. Aalis tourna la tête pour échapper à ce baiser forcé. Il descendit alors vers son cou et lui lécha la peau en poussant un râle libidineux, puis, la bloquant de toute la pression de sa grande anatomie, il relâcha l'un de ses poignets et enfouit une main sous le manteau de la jeune fille. Quand ses doigts trouvèrent la courbe d'un sein, ils le pressèrent avec frénésie, jusqu'à lui faire mal.

Dans un ultime réflexe de protection, Aalis lui envoya un puissant coup de genou judicieusement placé. François, abandonnant immédiatement sa prise, mugit et, blafard, s'écroula sur le sol en se tenant l'entrejambe.

Sans hésiter, la jeune fille se mit à courir, toute tremblante, ses pieds luttant contre la lourdeur de la neige. Des larmes coulaient sur ses joues quand elle franchit la porte Saint-Jacques, et le trajet jusqu'à la capitelle lui parut irréel, comme coupé de courts moments d'absence. La blanche garrigue défilait autour d'elle comme autant de tableaux aux contours incertains. Son cœur battait à lui rompre la poitrine et sa gorge lui brûlait ; la neige lui fouettait le visage.

Quand elle fut enfin arrivée devant la petite bâtisse, elle s'immobilisa, appuyée contre le mur de pierre sèche, et attendit de reprendre son souffle.

— Aalis ? C'est toi ? appela la voix du vieux Juif à l'intérieur. Entre !

La jeune fille essuya les larmes sur son visage, prit une profonde inspiration et poussa la porte que le vieil homme avait péniblement réparée, le mois précédent, après la violente intrusion de Maurin Nouet.

— Aalis, tout va bien ?

L'intérieur de la capitelle était plus froid et plus obscur encore que les dernières fois qu'elle l'avait visitée.

— Ça peut aller, Zacharias.

— Qu'est-ce qui se passe ?

— Rien, rien, mentit la jeune fille.

— Allons, montre-moi s'il te plaît ce sourire qui te sied si bien et qui te fait ces deux charmantes fossettes au bord des lèvres.

Aalis s'exécuta et, de fait, ses petites joues rougies par le froid se creusèrent harmonieusement.

— Comment vous sentez-vous, Zacharias ? demanda-t-elle pour détourner l'inquiétude de son ami.

— Eh ! Comme un vieil homme, mon enfant ! Mais je suis content de te voir ! Cela n'arrive plus très souvent...

— C'est à cause de mes parents.

— Ce n'était pas un reproche. Assieds-toi un instant avec moi.

Aalis prit place à côté de lui, près de la cheminée où brûlaient péniblement les dernières flammes d'un trop petit feu.

Le vieux Buljan eut beau lui offrir son plus généreux sourire, Aalis vit bien que son état s'était beaucoup dégradé. Le froid et le manque de nourriture, sans doute, affaiblissaient le vieil homme chaque semaine un peu plus et il y avait dans son regard une résignation que la petite n'aimait pas reconnaître.

— Je vous ai apporté à manger, dit-elle en sortant le paquet qu'elle avait caché dans sa poche, mais les petites galettes étaient en miettes ; elles avaient été écrasées lors de la rixe avec François. Il faut que vous preniez des forces.

— Tu es si bonne, ma fille. Je suis bien fatigué et ta présence me réchauffe le cœur. J'aurais tellement aimé avoir mon fils Nissim auprès de moi en cet instant...

— Après l'hiver, Zacharias. Vous irez le voir après l'hiver.

Le vieil homme lui adressa un sourire mélancolique.

— Je ne crois pas que je tiendrai jusque-là, tu sais.

— Si ! Et vous aurez même la force de revenir ici quand vous l'aurez vu, à moins que vous ne décidiez de rester avec lui, et alors, ce sera moi qui aurai de la peine de ne plus vous voir.

— Que Dieu t'entende, mon enfant. Mais j'aimerais que tu me fasses une promesse, tu veux bien ?

— Tout ce qui vous plaira !

— Si je meurs avant d'avoir revu mon fils, Aalis, j'aimerais que tu le trouves, toi, et que tu lui donnes mon psantêr. Il lui revient de droit. Et ainsi il saura que tu étais mon amie.

— Vous le lui donnerez vous-même, Zacharias.

— Oui, oui. Mais promets-moi tout de même. Promets-moi.

— Je vous promets, affirma la jeune fille à contrecœur.

Mais au fond d'elle, elle refusait d'envisager que la chose puisse se passer ainsi. S'il était un seul être qu'Aalis ne voulait pas perdre, c'était bien celui-là, qui la regardait comme nul autre, l'écoutait et l'aimait comme aucun, lui racontait de si belles histoires et lui offrait de si profondes paroles que celles-ci lui faisaient oublier son malheur, et qui portait dans toute sa personne assez de bonté pour qu'elle pût croire encore que la chose existait dans ce monde.

28

— L'absence de maître Saint-Loup a fait un bel esclandre à la cérémonie de ce soir, observa Guillaume de Nogaret en avalant une grosse et grasse tranche de viande dans ses appartements du logis du roi, au palais de la Cité, et en disant cela il ne semblait pas malcontent, encore qu'on n'eût pas pu dire si ce qui le réjouissait de la sorte était plutôt ce morceau de carne ou le scandale évoqué.

Jean Ploiebauch, se tenant révérencieusement debout de l'autre côté de la table, approuva.

— Le prévôt des marchands était furieux, et je crois que l'affront n'a pas échappé à l'évêque de Paris. Cet Apothicaire semble se moquer de toutes les convenances et s'estimer intouchable. Mépriser ainsi la hanse des marchands sur l'eau ! Comme nous l'avons supposé, peut-être bénéficie-t-il de la faveur de Mgr Marigny.

— La chose est inattendue, mais ses rapports avec l'abbé Boucel y seront alors pour quelque chose. Quoi qu'il en soit, je n'aime pas cela, car si ce lien avec l'archevêque est avéré, je ne pourrais pas m'empêcher d'y voir la main de l'autre Marigny.

En cela, le garde du Sceau se trompait, comme on le verra plus tard, et il n'aura pas échappé au lecteur que l'éventualité d'une entente entre notre Apothicaire et un haut dignitaire de l'Église ou de l'État eût été plus qu'étonnante, mais le ressentiment que Nogaret nourrissait à l'égard des deux Marigny faussait peut-être le jugement de cet homme pourtant d'ordinaire si fin politicien. En outre, le chancelier avait sur Andreas Saint-Loup d'autres soupçons plus obscurs dont il ne voulait pas encore parler.

— Mes gardes ont surveillé Saint-Loup pendant plus d'un mois, comme vous me l'avez demandé, et ils n'ont rien remarqué de suspect qui puisse confirmer vos suspicions, chancelier. En revanche, l'homme aurait reçu ce matin un paquet venu d'Italie, et se serait enfermé chez lui toute la journée, ce qui pourrait expliquer son absence à la cérémonie de ce soir.

— C'est étrange... Je n'aime pas cela, répéta Nogaret. Je n'aime pas cela du tout.

Et, comme il le faisait chaque fois qu'il était contrarié, il se frotta la partie droite du front tout en clignant nerveusement de l'œil. Il effectuait toujours ce geste de la main gauche, car il tenait la dextre fermée sur la chaîne autour de son cou, où était attaché le sceau royal.

— Si je puis me permettre, glissa le prévôt de Paris, à qui la surveillance continue d'Andreas avait coûté cher en effectifs, je ne comprends toujours pas l'importance que vous accordez à cet Apothicaire.

— C'est que vous ne possédez pas, vous, tous les éléments, Ploiebauch, rétorqua le garde du Sceau d'un air agacé, qui n'aimait pas que l'on questionne ses décisions.

Nogaret attrapa un autre morceau de viande et le mastiqua bruyamment. Il resta un long temps sans parler, visiblement absorbé par quelque impénétrable réflexion.

— Je veux que vous le fassiez arrêter, finit-il par ordonner sans quitter des yeux sa pitance.

— Pardon ?

— Je veux que vous arrêtiez Andreas Saint-Loup. Peut-être pourrais-je alors le faire parler. Je veux savoir si les Marigny préparent quelque chose et, si tel est le cas, quel rôle y joue l'Apothicaire.

— Mais, pour quel motif l'arrêterais-je ? demanda le prévôt, embarrassé.

— Vous trouverez bien quelque chose. Trouble à l'ordre public avec l'affaire des prostituées, ou absence non motivée à une convocation lors du mercredi des Cendres. Mieux encore : les deux.

— Aucun des deux crimes ne relève de ma judicature.

— Je siège au Parlement, elle relève de la mienne. Je m'assurerai que les conseillers approuvent sa réclusion, si besoin est. Quelle que soit la réputation de Saint-Loup – et je pense qu'elle est plus grande qu'on ne peut le deviner – personne n'osera s'opposer à une décision du chancelier.

— Mais le roi ?

— Je m'en charge.

Ploiebauch acquiesça, sans grande conviction.

— Il n'y aura pas de quoi l'enfermer bien longtemps…

— Je n'aurai besoin que de quelques jours.

— N'avez-vous pas peur de vous mettre Marigny à dos ?

— C'est déjà fait depuis longtemps, monsieur le prévôt. Et cessez de m'importuner avec toutes ces questions ! Vous parlez sans réfléchir. *As-tu vu un homme pressé de parler ? Il y a plus à espérer d'un sot que de lui*. Contentez-vous de faire arrêter l'Apothicaire !

Le prévôt baissa les yeux avec humilité.

— Ce sera fait dès demain.

— Non. Ce soir. Faites-le arrêter ce soir, quand les bonnes gens seront couchés, pour éviter tout chahut. L'homme, aux yeux de ses voisins, est un véritable héros.

— Voulez-vous que je le place à la prison du Châtelet afin que je puisse garder un œil sur lui ?

— Non. Non, le Châtelet est trop en vue, mettez-le à la prison du Temple, hors des murs de la ville, où nous pourrons nous garder de l'attention de nos ennemis.

29

— Maître ! Maître ! s'écria l'un des ouvriers de Maurin Nouet en entrant dans la boutique avec un air affolé. Les draps de Bruxelles, ils ont disparu !

De tous les draps que l'on fabriquait chez les Nouet, les plus beaux, et les plus rares étaient ceux que l'on confectionnait à partir d'étoffes que l'on faisait venir de Bruxelles, et que l'on vendait, une fois l'an, et fort cher, à la foire de Montpellier, où s'approvisionnait la grande noblesse occitane. Or, cette foire, justement, allait avoir lieu le surlendemain et l'on préparait déjà la marchandise.

— Comment ?

— Tous les beaux draps ! Ils ont disparu, maître ! Comme je vous le dis ! Disparu !

Maurin bouscula son ouvrier sans ambages pour aller dans la réserve vérifier par lui-même, et de fait il put constater que l'une des armoires avait été forcée et qu'une étagère entière manquait.

Le drapier resta un instant comme statufié, la mâchoire tombante et le regard vide. Puis, avec la colère d'Achille reprenant les armes pour affronter Hector, il sortit de sa boutique sans même prendre son manteau et se précipita dans la rue en répétant : « Charogne ! La charogne ! »

Courant presque, Maurin traversa Béziers dans la pénombre du soir, passa la porte Saint-Jacques, puis l'Orb, et suivit le chemin qu'il avait emprunté le mois précédent et qui, comme on le sait, menait à la capitelle de Zacharias Buljan.

D'un coup de pied il enfonça, et pour la deuxième fois, la porte branlante.

— Où sont mes draps ? hurla-t-il en se jetant sur le vieil homme et en le prenant au col. Où sont mes draps, vilain Juif ?

Mais le pauvre vieux ne lui retourna que des marmonnements confus et un regard terrifié. Maurin le poussa vigoureusement en arrière et se mit à retourner avec rage tout l'intérieur de la petite bâtisse. Les quelques meubles que gardait le vieillard tombèrent, volèrent, se fracassèrent, la paille tournoya, tel objet termina dans la cheminée avec une nuée d'étincelles, tel autre dans la neige au-dehors, et le drapier, grognant, fouilla longtemps encore sans trouver ce qu'il cherchait. Quand il comprit que les draps n'étaient pas là, les yeux injectés de sang, il dévisagea Zacharias, qui s'était recroquevillé dans un coin, puis il sortit de la capitelle, les poings serrés et le corps tout tremblant de colère.

Mais alors qu'il allait retourner vers Béziers, sur le pas de la porte, il aperçut du coin de l'œil des traces de pas dans la neige qui disparaissaient derrière l'édifice. Il fronça les sourcils, puis entreprit de suivre cette piste et s'enfonça de quelques enjambées dans la blanche garrigue. Là, caché derrière un talus, il trouva un coffre en bois qu'il ouvrit d'un seul coup de talon.

À l'intérieur, tachetés de petits flocons, étaient empilés ses beaux draps en étoffe de Bruxelles.

30

Le soir venu, Andreas – qui avait fait dire à Marguerite qu'il ne souperait pas – s'était de nouveau plongé dans un mutisme dont la grandeur n'avait d'égale que celle de son agitation. Au cœur de son laboratoire, il avait l'allure d'un jeune novice tout animé par la joie de la découverte, mais Sophocle ne disait-il pas que *le savoir est, de beaucoup, la portion la plus considérable du bonheur*, et Virgile *qu'on se lasse de tout, excepté d'apprendre* ?

Avec l'appareil qu'il avait confectionné, et que – pour satisfaire à la demande de son apprenti – il avait baptisé *oculus corpuscula*[1], il observa, sur la paillasse, tout ce qui lui passait sous la main : petits bouts d'étoffe, petits bouts de peau, ingrédients de sa pharmacopée, toute une série de végétaux et d'animaux disséqués qu'il avait conservés dans des jarres...

Sans pouvoir distinguer ce qu'il écrivait vraiment – comme il n'osait s'approcher assez pour lire par-dessus son épaule – Robin, qui n'avait pas quitté son maître, le vit prendre une considérable quantité de notes dans un petit in-folio sur parchemin. De fois à autre, l'Apothicaire relevait la tête, semblait fixer un point imaginaire au plafond, et murmurait tantôt un « prodigieux ! », tantôt un « sacristi ! » avant de coller à nouveau son œil sur le mystérieux cylindre.

1. *Œil à corpuscule.*

— Vous voyez quelque chose, maître ? demanda timidement l'apprenti, dont la curiosité était de plus en plus aiguisée par l'effervescence de l'Apothicaire.

— Ah, mon bon Robin ! Il me faudrait de bien plus puissantes lentilles encore pour grossir assez la composition de toutes ces choses ! Il faudrait des mois encore, peut-être des années, pour que Salvatore Armati réalise pour moi les outils dont j'aurais besoin. Mais oui, je peux le dire, ce que je vois est déjà fascinant. Édifiant ! Il y a tant à apprendre de ce que l'œil nu ne peut voir !

— Je peux regarder ? demanda timidement Robin en se frottant les mains.

— Non.

Puis, après un long moment de grande et immobile perplexité, le maître se tourna vers l'apprenti et, d'une voix sévère qui indiquait qu'il ne souffrirait pas la contradiction, lui demanda :

— Va me chercher le tableau qui est dans la grande salle.

Robin se leva d'un seul coup, tout à sa joie d'être enfin tiré d'un long désœuvrement.

— Oui, maître !

— Et prends garde, en le portant, à ne point me l'abîmer.

— Oui, maître.

Le jeune rouquin revint bientôt avec le portrait, qu'il posa sur la longue paillasse de marbre. Andreas disposa alors précautionneusement son *oculus corpuscula* sur la surface peinte et jeta un premier coup d'œil. Mais la nuit, à présent, était complètement tombée, et il n'y avait plus assez de lumière dans le laboratoire.

— Plus de lampes ! Il nous faut plus de lampes, Robin !

Le jeune homme s'exécuta aussitôt et rapporta toutes celles – de fait, quatre – qu'il put trouver dans la pièce attenante, puis les plaça autour du tableau.

Andreas, l'œil collé au cylindre, déplaça lentement celui-ci sur le portrait. Il eut alors tout le loisir d'observer les infimes détails de la peinture, à la *tempera*, telle qu'il ne l'avait jamais vue, et telle que personne, sans doute, n'avait encore pu en examiner aucune en ce temps.

Passant de la gauche à la droite du tableau, il arriva bientôt sur le tiers qui, comme nous le savons, était singulièrement vide, et ce qu'il découvrit alors donna plus de consistance encore à ce mystère qui le hantait depuis plus d'un mois déjà.

Sur la partie gauche du tableau, où était représenté Andreas, sous le glacis, on devinait l'émulsion du jaune d'œuf qui liait les pigments et l'on pouvait distinguer les différentes couleurs de ce qui avait été peint : le lapis-lazuli pour la cape d'apothicaire, le safran pour la balance, la terre de Sienne pour les mains… Sur la partie droite, en revanche, on ne voyait que les couches teintées d'un enduit à la colle, déposé sur le bois, mais aucune peinture, et pourtant, le glacis était intact. Or, la couche de peinture ne pouvait pas avoir été enlevée sans que le glacis le fût aussi, puisqu'il était la dernière couche qu'on appliquait sur un tableau. Or, sa nature étant identique sur toute la surface du bois, il ne pouvait s'agir, de ce côté-là, d'un glacis ajouté ultérieurement.

Andreas put en tirer une première conclusion : soit la partie droite n'avait jamais été peinte, soit la peinture avait disparu toute seule, sous le glacis, par l'opération d'une magie à laquelle il ne voulait croire. Il décolla son œil de son *oculus corpuscula*, poussa un soupir et approcha davantage les lampes de la partie droite du tableau.

— Attention, maître, l'huile ! lança Robin, pris par l'exaltation, mais au regard courroucé que lui jeta alors Andreas, le jeune homme comprit qu'il avait outrepassé ses prérogatives et rentra une tête embarrassée dans ses épaules.

L'Apothicaire prit une profonde inspiration et se pencha de nouveau sur le portrait. Lentement, il fit des allers et retours sur le tiers droit du tableau, et il parut de plus en plus agité, comme s'il avait remarqué quelque chose.

— Ventre-saint-gris ! s'exclama-t-il soudain sans se détacher du cylindre. Robin, ma plume d'oie !

De la main droite, alors que son œil était toujours collé à l'appareil, l'Apothicaire se mit à dessiner un trait sur un parchemin.

— Que faites-vous, maître ?

— L'enduit a deux teintes différentes sur ce tiers du tableau, si semblables que je ne les ai pas distinguées tout de suite, mais en y prêtant une plus grande attention, on peut voir une ligne de séparation entre ces deux teintes, laquelle ligne, je le crois, si on la suit, pourrait bien nous donner une forme.

— Et c'est cette forme que vous reproduisez ?

— À l'évidence !

À mesure qu'il faisait glisser, de la main gauche, l'*oculus corpuscula* sur le portrait, Andreas continuait de tracer, de la dextre, une ligne sur son parchemin. Ici une courbe, là une autre, le trait monta, monta, puis s'arrondit vers le côté avant de redescendre avec force détours, à l'instar d'un fleuve sinueux, et petit à petit se dessinait une espèce d'énigmatique cartographie, comme le chemin secret vers un trésor.

Quand il eut fini, Andreas se redressa et inspecta le résultat. Il fit un pas en arrière. D'emblée, il vit que la forme qu'il avait tracée confirmait ses suppositions et il ouvrit un large sourire : c'était, à n'en pas douter, la silhouette d'un personnage.

— Par Pythagore ! s'extasia l'Apothicaire. C'est de la thaumaturgie !

Robin, qui n'était pas tout à fait sûr de comprendre ce que sous-entendait son maître, fit sa propre supposition :

— Il y a un personnage caché dans le tableau ?

Andreas lui offrit alors un visage si lumineux qu'il en était presque inquiétant.

— Pas du tout, mon garçon ! Le personnage n'a pas été caché. Il a disparu.

La réponse n'apaisa nullement la consternation du jeune rouquin, mais avant qu'il ait pu demander à son maître quelque éclaircissement, ils furent tous deux surpris par trois coups violents qui venaient de l'ouvroir.

Le visage d'Andreas se rembrunit. Lambert et Marguerite étaient couchés depuis longtemps. La France entière, parbleu, était couchée depuis longtemps !

— Sans doute quelqu'un venu chercher un médicament, supposa Robin.

— Non.

L'Apothicaire, présumant une affaire plus sombre, enferma précipitamment tableau et cylindre dans ce placard dont nous avons parlé et où il conservait, loin des regards, ses loochs de diacode, puis il sortit du laboratoire. Robin, le front soucieux, lui emboîta le pas.

Alors qu'ils se dirigeaient l'un derrière l'autre vers l'ouvroir, trois nouveaux coups, plus forts encore, retentirent.

— Maître Saint-Loup ! Au nom du roi, ouvrez !

Andreas s'approcha de la porte, ouvrit le judas et jeta un coup d'œil au-dehors. Il reconnut sans peine le visage de Jean Ploiebauch, prévôt de Paris, et comme l'homme était accompagné de deux sergents, il comprit qu'on allait l'emmener. Aussitôt, il se retourna et attrapa son apprenti par les épaules.

— Robin, lui intima-t-il à voix basse, cache-toi dans la salle à manger, et demain tu iras voir l'abbé Boucel, à Saint-Magloire, et tu lui diras que j'ai besoin de son aide.

— Que se passe-t-il, maître ? demanda le jeune homme, affolé.

— Je crois qu'on vient m'arrêter. Mais n'aie pas de crainte et fais ce que je t'ai dit. Va !

— Vous arrêter ? Mais pourquoi ?

— Va !

— C'est à cause de votre absence au mercredi...

— Va ! le coupa Andreas, irrité.

L'apprenti hésita un court instant, puis il obéit et partit se cacher. L'Apothicaire attrapa son manteau d'hiver, l'enfila et ouvrit lentement la porte.

— Messieurs, commanda le prévôt, veuillez passer les entraves à cet apothicaire ! Maître Saint-Loup, nous sommes venus vous arrêter !

Le visage d'Andreas ne trahit nulle émotion.

— Puis-je savoir ce qui motive mon arrestation ?

— Trouble à l'ordre public dans une affaire concernant l'expulsion de quatre prostituées, et manquement à une obligation municipale.

— Voyez-vous cela ! Ces choses dont vous m'accusez relèvent du prévôt des marchands, comment se fait-il que ce ne soit pas un échevin qui vienne m'arrêter ? demanda l'Apothicaire, non sans une pointe d'ironie.

— L'ordre est venu de la chancellerie, maître.

— Nogaret ? Et qu'est-ce qu'il me veut, celui-là ?

— Je vous en conjure, ne résistez pas !

— Et comment le pourrais-je ? répondit Andreas d'un air serein. Vous êtes irrésistible, cher prévôt.

Et sans un mot de plus, les sergents emmenèrent l'Apothicaire, les mains liées, dans le froid glacial de cette nuit d'hiver.

31

Le lendemain, profitant que ses parents étaient accaparés par les préparatifs pour la foire de Montpellier, Aalis avait réussi à s'absenter de nouveau pour aller visiter son ami Zacharias. Les occasions se faisaient de plus en plus rares, et avec le froid de l'hiver, elle n'aimait pas laisser le vieil homme seul trop longtemps.

Quand elle arriva près de la capitelle, elle vit qu'aucune fumée ne sortait de la petite cheminée et elle poussa un soupir, certaine que Zacharias s'était encore endormi sans rallumer son feu, comme cela lui arrivait de plus en plus souvent. Mais quand elle vit que la porte de la bâtisse avait été enfoncée, de mauvais souvenirs lui étreignirent l'estomac et elle sentit même s'affoler les battements de son cœur.

— Zacharias ! appela-t-elle en se précipitant à l'intérieur.

Aussitôt entrée, elle comprit, avec effroi, que l'heure qu'elle redoutait tant était arrivée.

Le vieil homme était étendu au milieu de la capitelle, et la position insolite de son corps ne laissait, hélas ! aucun doute : cette fois, il ne dormait pas. Il était mort.

Aalis, sentant ses forces lui échapper, s'effondra sur les genoux dans l'encadrement de la porte et éclata en sanglots. La douleur qui lui enserra alors la poitrine fut, de beaucoup, la plus grande et la plus violente de sa jeune vie. Sa gorge se noua si fort qu'elle crut qu'elle-même allait livrer son dernier souffle.

Elle resta un long temps immobile, perdue, transie, pleurant toutes les larmes de son petit corps, et les images qui assaillirent son esprit furent celles du sourire de Zacharias, de son regard si bleu et si tendre, et elle sut que si son cœur semblait vouloir ainsi les retenir, c'était qu'il avait déjà compris, lui, que plus jamais elle ne reverrait l'un et l'autre. Et sur l'heure elle éprouva le plus profond sentiment de solitude et d'abandon.

Ce fut après avoir versé bien des larmes que ses grands yeux verts, soudain, purent s'éclaircir un peu et embrasser tout entier le malheureux spectacle qu'offrait la capitelle, et alors seulement elle vit que l'homme n'avait pas succombé par la morsure du froid.

L'intérieur de la bâtisse était devant derrière : meubles renversés, fracassés, paille dispersée, et plus aucun objet n'était à sa place. Quant à Zacharias... Eh bien, Zacharias avait le visage tuméfié et couvert de sang. On l'avait frappé, et beaucoup, et fort, et jusqu'à la mort.

La tristesse de la jeune fille se mua soudain en un sentiment de rage et d'injustice, mais d'incompréhension, aussi. Qui pouvait avoir eu ainsi la cruauté de frapper un vieil homme inoffensif ? Était-ce parce qu'il était juif ?

Oui, sans nul doute.

Celui ou ceux qui l'avaient assassiné étaient probablement des habitants de Béziers, des lâches, des plus infâmes, des plus monstrueux, et, à cette pensée, la haine qu'Aalis nourrissait déjà à l'égard de sa propre ville n'en fut que décuplée. Impuissante, elle laissa un cri strident de colère s'échapper de sa poitrine, et ce cri résonna entre les murs de pierre sèche, puis s'éteignit d'un coup, comme s'était éteinte, sans doute, la flamme qui, la veille encore, avait brûlé dans les yeux de son seul ami.

Les membres tout tremblants, les yeux embués, elle se mit à avancer à quatre pattes vers le corps sans vie de Zacharias. Avec des gestes maladroits, mal assurés, elle lui toucha l'épaule, la joue, le front, puis elle se laissa retomber sur sa poitrine et l'enlaça, comme elle n'avait jamais osé le faire de son vivant. Mais le cadavre du vieil homme était glacial et dur comme la pierre, et elle ne trouva dans cette étreinte morbide nul réconfort, nul soulagement. Alors elle se redressa, puis, frénétiquement, elle se mit à fouiller la petite pièce.

Séchant ses joues d'un revers de manche, elle retourna un à un les meubles et les bibelots, ses mains grattèrent la terre gelée, soulevèrent, tirèrent, poussèrent, et enfin, derrière une étoffe vulgaire, la jeune fille trouva ce qu'elle cherchait.

Le psantêr, nappé d'un peu de paille et de terre rouge, avait le fond de sa table d'harmonie fêlé. De longues échardes effilées sortaient de l'entaille, comme de la souche d'un arbre que la foudre a brisé.

Aalis serra l'instrument contre elle et ferma les yeux un instant. Puis, sans le regarder, elle adressa au vieux Juif ces dernières paroles : « Je tiendrai ma promesse, Zacharias. »

32

Après la dissolution de l'ordre du Temple – qui avait été prononcée l'année précédente par le pape Clément V, mais dont les véritables instigateurs, on le sait, étaient Philippe le Bel et Guillaume de Nogaret lui-même – la commanderie parisienne, qui était la maison chevetaine de l'Ordre en France, fut confisquée, comme le furent d'ailleurs toutes les commanderies templières, et elles étaient fort nombreuses, ici comme en Orient, sur la péninsule Ibérique ou à l'est de l'Europe. Si la plupart d'entre elles furent léguées aux Hospitaliers, celle de Paris resta, un temps, aux mains du royaume ; et de l'une de ses deux tours on fit donc cette prison où, en ce moment, nous retrouvons notre Apothicaire.

Ainsi, la geôle du Temple était installée dans la petite tour, dite de César ou du Colombier, accolée à la façade de la grande et flanquée de deux tourelles. L'édifice, étroit, glacial, comptait quatre étages, chacun doté d'ogives et d'une colonne centrale, et c'était au troisième de ceux-ci que s'alignaient six cellules austères.

L'ironie de l'histoire, qui nous rappelle souvent combien peuvent être futiles nos plus grandes agitations, voulut que le chambellan Enguerran de Marigny y fût enfermé lui-même deux ans plus tard, sur ordre de Louis X, avant que d'être pendu au gibet de Montfaucon, sur lequel son cadavre pourrissant resta exposé au regard du peuple pendant deux longues années, et ceci accroît encore ladite ironie, car c'était Marigny lui-même qui avait fait construire ce grand gibet de pierre, à fourches patibulaires, qui pouvait contenir suspendus jusqu'à cinquante macchabées et dans la cave duquel on jetait les restes des suppliciés.

Mais défions-nous de notre goût pour l'histoire, celle de tous les hommes, et revenons à notre récit, qui n'est celle que d'un seul.

La veille au soir, donc, Andreas avait été jeté dans cette triste forteresse où, les mains toujours liées, il méditait encore, non pas sur son sort comme on eût pu le croire, mais sur ce qu'il avait vu sur ce fameux tableau, par la grâce de son *oculus corpuscula*.

Et maintenant qu'il y songeait, il devait s'avouer que sa découverte, plutôt que de l'aider à résoudre le mystère, l'avait encore agrandi. Car il y avait bien là quelque chose qui paraissait surnaturel, et on sait combien le mot pouvait déplaire à notre docte pharmacien. Une peinture ne disparaît pas toute seule de sous un glacis.

Ainsi étaient les faits : un personnage, peint sur la droite du tableau, aux côtés d'Andreas, avait disparu. Mais qui ? Une figure allégorique, symbolisant la pharmacie ou la science, sous les traits d'un vieil homme, par exemple, tenant un compas, un caducée, ou peut-être sous les traits d'Hermès lui-même ? Ou encore une véritable personne, connue de l'Apothicaire ? La silhouette, tracée la veille sur l'in-folio, était trop imprécise pour donner la moindre indication. Les idées défilèrent dans l'esprit d'Andreas, sans qu'aucune pût l'emporter sur les autres : Roger Bacon, Thomas d'Aquin, un apprenti, un maître, un confrère ? Et pourquoi pas l'abbé Boucel ? Ou bien... une femme ?

Une femme. Cela faisait bien longtemps que l'Apothicaire n'avait pas aimé, et le souvenir de cette affliction, lointain, il l'avait soigneusement enfoui dans les limbes de sa mémoire.

Il poussa un long et profond soupir et laissa son regard planer sur les trois murs de pierre taillée et la grille qui l'enfermaient. Il faisait froid et sombre, on ne lui avait toujours pas apporté de quoi se nourrir et, pour la première fois, Andreas se surprit à espérer qu'il n'allait pas rester ici trop longtemps.

Il n'avait pu emporter avec lui la moindre fiole de diacode, et il savait le marasme désastreux qu'il éprouvait quand, un soir seulement, il omettait de prendre son looch. Même s'il n'en avait jamais parlé à personne, ni à ses valets, ni à ses apprentis, ni même à un confrère, et surtout pas à un médecin, Andreas était sagace quant à l'accoutumance qu'il avait à ces têtes de pavot bouillies : le looch lui faisait de moins en moins d'effet, si bien qu'il était contraint d'en prendre toujours davantage, et aujourd'hui il ne savait plus vraiment s'il en buvait pour retrouver la sensation qu'il procurait ou, plutôt, pour lutter contre ce manque douloureux qui le terrassait quand il ne le faisait pas.

Ainsi, malgré ce qu'il pensait de l'homme à présent, il espéra que l'abbé Boucel allait le sortir d'ici promptement, et il tenta de se concentrer sur les deux mystères qui l'habitaient encore.

33

Tout en se signant, Robin entra silencieusement dans l'église Saint-Gilles, au cœur de l'abbaye de Saint-Magloire, au moment même où l'abbé terminait le prône. La liturgie achevée, Boucel livrait aux paroissiens quelque information sur la vie du quartier et sur un décret épiscopal ordonnant la construction de deux nouvelles chapelles, dédiées à saint Pierre, saint Paul et saint Rémi, dans la cathédrale Notre-Dame. Suivirent l'offertoire, la consécration et la communion, et à cette dernière Robin participa, comme il était bon chrétien.

Quand l'église se fut vidée et que l'abbé, qui avait retiré sa chasuble pour signifier que l'on était sorti du temps sacré, eut terminé de répondre aux questions des paroissiens qui, comme à l'accoutumée, étaient venus s'entretenir avec lui sur le parvis, Robin se dirigea vers le Très Révérend Père. Celui-ci marchait vers le cloître d'un pas preste mais, luttant contre la retenue et l'humilité que lui imposaient son âge et son rang, l'apprenti l'interpella.

— Mon père ! J'aimerais vous demander une audition...

— Ce n'est plus l'heure, mon fils.

— C'est... c'est important, mon père ! Et c'est urgent.

L'abbé, sans cesser de marcher, lui adressa un regard plein de hauteur.

— La précipitation est l'œuvre du diable. Dieu travaille lentement.

— C'est au sujet de maître Saint-Loup, insista Robin.

Alors, Boucel s'immobilisa et, d'un air las, se tourna vers le jeune apprenti.

— Eh bien ?

— Il a été arrêté hier soir.

— Arrêté ?

— Le prévôt de Paris l'accuse de trouble à l'ordre public, mon père...

— Le prévôt de Paris ? Tu es sûr ? Tu ne confonds pas avec le prévôt des marchands ?

— Non, non, c'était bien M. Ploiebauch. L'ordre est venu de Nogaret et non pas de la hanse. Mais c'est une accusation injuste, et maître Saint-Loup m'a demandé de vous prévenir, comme on l'emmenait.

— Et qu'y puis-je, moi ? répliqua l'abbé avec irritation. Ce n'est pas moi qui l'ai fait arrêter, il me semble ?

— Il a dit que vous pourriez l'aider, expliqua Robin alors que le rouge lui montait aux joues.

— Avant d'affirmer que je le pouvais, encore eût-il fallu s'assurer que je le voulusse.

— Mon père... Vous ne pouvez pas laisser mon maître en prison ! Il n'a rien fait !

— Crois-tu vraiment cela ? La liste des péchés de ton maître est si longue que la vie entière de trois frères copistes ne suffirait pas à la coucher sur parchemin !

— Je... je croyais que vous étiez son ami.

— Son ami ? Je suis son parrain, jeune homme ! Je suis celui qui l'a trouvé, élevé, nourri, logé, instruit. Toute ma vie, je n'ai eu de cesse que de le bien traiter, que de lui assurer un avenir honorable en ce monde et, un jour, il a abandonné ses études et déserté cette abbaye. Alors non, je ne suis pas son *ami*.

— Mais tout de même !

— Il suffit ! Tu es venu me livrer une information, je l'ai entendue, tu peux t'en aller maintenant. Je n'aiderai pas Andreas, il est très bien là où il est.

— Mon père, insista Robin, tourmenté.

Mais l'abbé s'était remis en marche.

Robin sentit les battements de son cœur s'accélérer. Il avait tant espéré de cet entretien ! Tout comme Lambert et Marguerite, le jeune garçon avait été anéanti par l'arrestation de son maître. Sans lui, qu'allait-il devenir ? Combien de temps pourrait-il tenir avant que de devoir retourner à la ferme de son père ? Et alors tous ses espoirs d'une vie meilleure seraient ruinés. Il ne parvenait pas à comprendre pourquoi Andreas l'avait envoyé chercher de l'aide auprès d'un homme qui, de toute évidence, n'était pas son ami. La chose n'était pas logique, songea Robin. Or, l'Apothicaire, justement, était le plus fervent des logiciens. Il devait bien y avoir une explication.

Voyant l'abbé s'éloigner, l'apprenti s'empressa de réfléchir. Le temps était compté et, sans doute, Boucel ne le recevrait pas une seconde fois. Il essaya d'adopter la façon de penser propre à son maître : si Andreas l'avait envoyé voir l'abbé, c'était qu'il devait y avoir un moyen de convaincre celui-ci de le secourir. Mais puisque l'abbé nourrissait quelque solide rancœur à l'égard de l'Apothicaire, et que donc il ne l'eût point aidé de son plein gré, le moyen devait, de toute logique, être coercitif. Malheureusement, Robin ne connaissait pas l'objet de cette coercition supposée. Mais peut-être n'était-il pas nécessaire qu'il le connût. Peut-être pouvait-il laisser croire à l'abbé qu'il en avait été averti et user de la menace induite. La chose était risquée, et fort inconvenante de surcroît, mais pour l'heure rien ne comptait plus aux yeux du jeune homme que la libération d'Andreas, et donc il rassembla tout son courage – et de fait il en avait bien plus qu'on ne pourrait le croire – et rattrapa l'abbé Boucel.

— Très Révérend Père…

— Encore toi ? s'indigna le vieil homme.

— Pardonnez-moi, mon père, je tenais seulement à vous remercier de m'avoir fait l'obligeance de bien vouloir m'écouter. Ainsi, il est entendu que je dirai à maître Saint-Loup que vous n'avez su l'aider. Et je veux vous assurer que je dirai aussi ce soir une prière, dans l'espérance qu'il ne vous en tienne pas grief quand il sera libéré, car l'objet de son accusation n'étant pas fondé, il ne fait nul doute que, tôt ou tard, il sortira de prison.

À ces mots, les traits de l'abbé se durcirent et Robin comprit qu'il avait fait mouche.

— Sur ce, mon père, je vous souhaite une douce journée. Vous dirigez une bien belle abbaye.

Et il s'écarta.

En un peu plus d'un mois, le jeune homme avait déjà beaucoup appris de son maître, et dans un domaine qui, on le voit, dépassait largement la seule pharmacie.

34

Aalis se précipita dans la maison de ses parents et, sans même s'arrêter devant sa mère qui préparait encore des marchandises pour la foire de Montpellier, elle partit, les joues trempées de larmes, se réfugier dans la chambre à l'étage.

La chose n'avait pas échappé à Mme Nouet qui, rapidement, alla chercher sa fille et la trouva étendue sur sa paillasse, la tête enfouie dans son manteau.

La drapière, attendrie, vint s'asseoir à côté d'elle et passa une main dans sa chevelure châtaine.

— Allons, ma fille, que se passe-t-il ?

Aalis, secouée de sanglots, ne répondit pas ; les mots lui semblaient trop horribles. Sa mère s'approcha davantage et se blottit contre elle.

— Aalis, ma petite Aalis ! Pourquoi pleures-tu ?

— C'est... c'est Zacharias, balbutia finalement la jeune fille d'une voix étouffée par les pleurs.

Les doigts de Mme Nouet continuèrent de caresser lentement son cuir chevelu.

— Il... il est mort.

La drapière poussa un soupir, serra sa fille dans ses bras, puis elle l'obligea à se retourner afin de pouvoir la regarder dans les yeux et essuyer les larmes sur ses joues.

— Mon pauvre enfant... C'est ainsi. Je comprends que tu sois triste, mais il était vieux, tu sais.

— Non ! On l'a tué !

Et la colère monta au front d'Aalis, y chassant la seule tristesse.

— On l'a tué, maman ! C'est le prévôt, n'est-ce pas ?

— Allons, allons ! Calme-toi ! répondit Catherine d'un ton énergique. M. Ardignac n'y est sûrement pour rien.

— Si ! C'est le prévôt qui l'a tué ! insista la jeune fille. Parce qu'il était juif !

— Ne dis pas ça. Tu ne sais pas.

Aalis se redressa et, de ses grands yeux verts injectés de sang, elle dévisagea sa mère.

— C'est vous qui l'avez dénoncé ?

— Non.

— Papa a dit qu'il le ferait si je retournais voir Zacharias ! C'est lui qui l'a dénoncé !

— Non, Aalis, répéta fermement la drapière. Ton père ne l'a pas dénoncé au prévôt.

— Tu me le promets ?

— Je ne suis pas sûre qu'une mère doive promettre quoi que ce soit à sa fille, mais si cela peut te rassurer, alors oui, je te promets que ton père ne l'a pas dénoncé au prévôt.

Aalis resta un instant immobile, les yeux plantés dans ceux de sa mère, comme si elle essayait d'y lire une autre vérité, puis elle se laissa de nouveau tomber sur sa couche de paille.

Catherine Nouet continua de caresser les cheveux de sa fille pendant un long moment, comme savent si bien le faire les mères, puis elle se leva.

— Je dois aller finir d'aider ton père. Nous partons demain matin pour la foire de Montpellier. Tu vas rester seule ici une semaine entière, pour surveiller la boutique. Cela te donnera du temps pour te consoler, ma fille. Tu dois apprendre à accepter la mort, car c'est la volonté de Dieu.

Mais Aalis, du haut de ses quatorze ans, savait déjà qu'il est des douleurs dont on ne se console jamais.

35

Le soir était déjà tombé quand, enfin, on apporta à Andreas un modeste repas. L'Apothicaire, qui était un homme sage, s'était nourri tout le jour de ses spéculations et n'avait pas laissé à la faim le loisir de le tyranniser. Il n'était pas mécontent, toutefois, de pouvoir souper un peu car il savait que, à terme, on réfléchit mal le ventre vide ; sans compter le manque de diacode qui, bientôt, allait certainement se faire ressentir.

Mais alors qu'il allait se lever pour ramasser la gamelle que son geôlier avait glissée sous les barreaux, il vit que celui-ci avait continué son chemin et il l'entendit déposer un autre plat sur le sol, après avoir fait quelques pas. Andreas, surpris, en conclut qu'il n'était pas le seul prisonnier à la tour du Temple. Pourtant, de toute la journée, il n'avait pas entendu un seul bruit.

Quand le garde fut parti, l'Apothicaire vint se coller contre les barreaux de sa cellule et appela :

— Quelqu'un est là ?

Pour toute réponse, il n'obtint que l'écho de sa voix entre les hauts murs de pierre. Comme il n'était pas homme à insister, il décida de retourner à sa place et de manger la soupe peu ragoûtante qu'on lui avait portée. Il entendit alors, plus loin, des bruits similaires à ceux qu'il faisait lui-même en dînant, et il en déduisit que son voisin souffrait peut-être de mutisme mais pas de cacositie.

Plus tard, Andreas se leva pour tenter, sur la pointe des pieds, d'observer la cellule attenante, mais les barreaux de la sienne étaient si rapprochés qu'on n'y pouvait point passer la tête. Toutefois, il leva les yeux vers une petite fenêtre, dans le couloir, qui faisait face à son cachot, et comme il y avait aussi, au milieu du mur dans son dos, une autre ouverture, il estima que la lumière du jour suivant, si elle n'était obstruée par des nuages, pourrait lui apporter quelque solution.

Il décida donc de chercher le sommeil, mais celui-ci fut bien long à venir, empêché par le froid et d'incontrôlables tremblements dont Andreas devinait la médicinale origine.

Le lendemain matin toutefois, comme il l'avait espéré, le miracle opéra. *Et lux fuit*[1] ! Les rayons du soleil qui pénétrèrent par l'ouverture derrière lui, soudain, frappèrent la vitre de la seconde fenêtre selon une inclinaison qui transforma celle-ci en surface spéculaire, et alors l'image du second prisonnier se réfléchit d'un seul coup, avec plus de clarté encore qu'Andreas ne l'avait espéré. Ainsi, il découvrit la silhouette d'un vieil homme barbu, vêtu d'une robe blanche et qui avait la posture d'un roi de l'Antiquité.

— C'est étrange, j'aurais juré qu'on vous avait enfermé au château de Gisors ! s'exclama malicieusement l'Apothicaire.

Aussitôt, la réflexion de l'homme, qui devait approcher les soixante-dix ans, se redressa. Il resta muet encore un certain temps puis, intrigué, ou inquiet, il finit par rompre le silence.

— Vous savez qui je suis ? dit-il avec la voix grave et rauque d'un vieil homme qui n'a pas parlé depuis longtemps.

L'Apothicaire esquissa un sourire de satisfaction.

— Eh bien, je crois vous reconnaître.

---

1. *Et la lumière fut !* (extrait de la Genèse.)

— Me reconnaître ? Et comment pourriez-vous me reconnaître sans me voir ?

— Pardon ! Il eût été plus juste de dire : *comment pourriez-vous me re-connaître sans m'avoir d'abord connu* ? Et pour ce qui est de vous voir… Socrate racontait dans le *Théétète* qu'une servante raillait Thalès parce que celui-ci, tout occupé à observer les astres, comme il avait les yeux au ciel, tomba dans un puits ; pourtant, parfois, il suffit de monter un peu le niveau de son regard pour voir mieux ce qu'il se passe sur la terre.

Dans le reflet de la vitre, Andreas vit le vieil homme lever la tête et l'apercevoir à son tour.

— Et vous prétendez me reconnaître en voyant de la sorte mon image dans une fenêtre ?

— Une magnifique barbe blanche, une belle carrure malgré les années, la couleur brune d'une peau qui a passé beaucoup de temps sous un grand soleil, et puis le fait que vous semblez regarder ces murs comme un homme qui les a connus sous de meilleurs auspices… Tout laisse penser que vous êtes un dignitaire de l'ordre déchu qui, jadis, occupait ces lieux. Oh ! je l'admets, cette prison n'ayant servi, jusqu'à ma venue, qu'à enfermer des templiers, la logique m'a mis rapidement sur la voie. Or, si vous n'avez pas encore été ni brûlé ni remis en liberté, cela ne laisse que trois choix : Hugues de Pairaud, Geoffroi de Charney ou Jacques de Molay lui-même.

Le vieil homme ricana.

— *Omne ignotum pro magnifico est*[1].

Andreas ne se laissa pas décontenancer par la légère moquerie.

— Hugues de Pairaud jamais ne mit les pieds en Orient ; votre peau indique le contraire. Quant à Geoffroi de Charney, il a un fort accent normand ; le vôtre, incontestablement, ne l'est pas. Dans les

1. *Tout ce qui est inconnu nous semble magnifique.* (Tacite.)

quelques phrases que vous venez de dire, j'ai entendu vos voyelles diphtonguées, et votre « r » s'est légèrement effacé devant la consonne, quand vous avez prononcé le mot « sorte ». Je pencherais donc pour un accent bourguignon. Cher vénérable Jacques de Molay, je suis enchanté.

— Bravo, bel esprit d'analyse. Je commence à me demander si vous ne seriez pas sergent ou inquisiteur...

— *Conjecturalem artem esse medicinam*[1]. Je suis apothicaire.

— Alors on met aussi ici de simples marchands ?

Plutôt que de se piquer de la condescendance de son interlocuteur, comme à son habitude, Andreas opta pour retourner l'ironie.

— Certes, mais de préférence les « marchands du Temple », n'est-ce pas ? Et donc, maître, vous n'êtes pas à Gisors ?

Jacques de Molay sembla goûter la hardiesse de son voisin de cellule et ne prit pas offense, lui non plus, de sa repartie. C'était un homme fatigué, à l'évidence, mais qui, malgré les nombreuses épreuves qu'il avait traversées, semblait avoir conservé tout son esprit et même quelque vigueur. Certes, Molay n'était pas, loin s'en fallait, ni le plus fin ni le plus valeureux des maîtres souverains que le Temple avait connus, en près de deux cents ans d'histoire, mais il en était le dernier et, dans l'espoir de sauver l'Ordre de sa dissolution, il avait dû mener, finalement, la plus dure bataille templière : non pas contre les Sarrasins, non pas sur les terres ennemies, mais contre la chrétienté elle-même, et sur son propre territoire. Cela faisait six ans, maintenant, que l'homme était en prison, et, tout en assistant, impuissant, à l'exécution sordide de nombre de ses frères, il avait eu le temps de revenir

1. *La médecine est l'art de la conjecture.* (Aulus Cornelius Celsus, médecin de l'Antiquité qui était surnommé l'Hippocrate latin.)

sur les aveux qu'avait tirés de lui l'Inquisiteur Guillaume Humbert, de clamer son innocence ainsi que celle de l'Ordre, et d'obtenir du pape qu'une nouvelle commission de trois cardinaux fût nommée, laquelle devait statuer sur le sort des derniers dignitaires de l'Ordre, justement, à la fin de l'année.

En somme, l'homme, qui s'était d'abord illustré par sa couardise et sa maladresse, s'était bonifié à l'épreuve ; assagi, peut-être.

Andreas, qui avait peu ou prou le même dédain pour les religieux que pour les soldats (et celui-là était les deux à la fois), n'était pas enclin à apprécier grandement cet illustre voisin, mais il devait reconnaître que l'occasion de converser avec un tel personnage, et qui avait vu tant de pays, était suffisamment rare pour ne pas passer à côté.

— On m'a transféré ici le mois dernier, expliqua Molay. La chose est drôle quand on pense que c'est dans cette tour même que l'Ordre gardait et protégeait dûment jadis la partie du Trésor royal qui nous était confiée... Mais je ne crois pas qu'il soit de bon augure qu'on veuille m'éloigner des miens.

— Parce que vous entreteniez encore quelque espoir quant à votre sort ? Vous pensez vraiment que le roi de fer laissera vivre le maître souverain de l'Ordre dont il a tant désiré la destruction ?

— *Nemo est qui semper vivat et qui hujus rei habeat fiduciam melior est canis vivens leone mortuo*[1].

— Un homme comme vous, qui a séjourné si longtemps en Orient, devrait pouvoir livrer cette phrase dans son hébreu originel, persifla Andreas que l'abondance de citations latines agaçait. Mais je ne vous savais pas si humble, *magister*, qui vous comparez à un chien...

1. *Pour tous ceux qui vivent il y a de l'espérance, et même un chien vivant vaut mieux qu'un lion mort*. (Livre de l'Ecclésiaste.)

— C'est pourtant ainsi que l'on me traite ici. Seul le pape, à présent, peut me sauver, lui qui nous a d'abord trahis.

— Malheureusement - pour vous en tout cas, car pour moi, cela ne change pas grand-chose - nous ne sommes plus au temps de Boniface VIII, qui vous aimait tant, et Clément V est trop soumis au Capétien pour oser s'opposer à lui.

— Je ne plierai pas pour autant.

— Sauf votre respect, il me semble que vous avez déjà plié, en 1307.

— Plié ? Je suppose, cher ami, que vous n'êtes jamais passé à la question d'un inquisiteur...

Andreas s'inclina.

— Certes. Il paraît que Guillaume Humbert n'est pas homme de grande tendresse.

— Monsieur est adepte de la litote ! Le Grand Inquisiteur de France ne recule devant rien, pas même devant la perspective de torturer une pauvre femme avant de l'envoyer au bûcher.

— Si vous faites référence à Marguerite Porete, je ne la qualifierai pas, moi, de pauvre femme, mais plutôt de mystique illuminée, dans le mauvais sens du terme. Toutefois, en effet, cela ne justifiait pas qu'on la brûlât. Il faut à l'Église de savantes pirouettes et de vicieux sophismes pour trouver un lien entre le message d'amour du Christ et la crémation d'une femme...

— Humbert n'est pas l'Église, monsieur ! Humbert est un monstre, plus fanatique que les hérétiques qu'il prétend juger. Ses méthodes sont telles qu'un aveugle jurerait avoir recouvré la vue pour mettre un terme à son supplice.

— Voulez-vous dire que vos frères et vous n'êtes ni sodomites ni adorateurs de Satan ? ironisa Andreas.

— Jugé par Ponce Pilate, Jésus n'a-t-il pas essuyé lui aussi de multiples faux témoignages, sans essayer de se justifier ? Christ fut accusé de blasphème et condamné à mort alors qu'il avait, comme nous l'avons toujours fait au Temple, voué sa vie à Dieu.

— Je sais que votre barbe est splendide, mais tout de même, après vous être comparé à un chien, seriez-vous maintenant en train de vous comparer à Jésus de Nazareth ?

— Je dis simplement qu'il n'était pas plus parjure que nous ne sommes sodomites...

— Oh ! vous savez, moi, je ne vois pas la sodomie comme un acte diabolique. Il m'arrive même de la recommander aux dames qui veulent se prémunir contre l'enfantement, et, pour ma part, je préfère grandement deux hommes qui s'enculent à deux qui s'entre-tuent. Si j'avais dû faire, moi, le procès de votre Ordre, c'est bien tout le sang qu'il a sur les mains que je lui aurais reproché, et non pas ses mœurs supposées. Nous vivons une drôle d'époque où l'on sanctifie celui qui égorge allègrement les infidèles et où l'on brûle celui qui pédique.

Dans la vitre, et à sa grande surprise, Andreas vit que le vieux templier esquissait quelque chose comme un sourire, quand il s'était attendu à le voir choqué par ces propos licencieux. L'homme, sans doute, en avait entendu de pires. Après tout, c'était un soldat. Et sans doute le drame qu'il vivait à présent lui avait donné sur le monde et la bienséance un peu de recul et d'ironie. L'Apothicaire, malgré lui, commença à trouver son interlocuteur moins antipathique.

— Dites-moi, Molay, éprouvez-vous, aujourd'hui, quelque regret ?

— Vous sentez-vous une âme de confesseur, monsieur l'apothicaire ?

— C'est que l'humain ne me fascine jamais autant que dans ses blessures. La grandeur des hommes ne m'intéresse pas beaucoup, mais ses faiblesses profondément.

— Parce qu'elles vous rassurent ?

— Parce qu'elles me touchent bien davantage. Alors, dites-moi, éprouvez-vous, maintenant que le pape et le roi vous ont sali, trahi, abandonné, quelque regret ?

— Jà. Je regrette, mais pour la survie de mes frères seulement, d'avoir refusé que mon ordre fût réuni à celui de l'Hôpital. Si j'avais accepté cette demande du pape, Philippe le Bel n'aurait sans doute pas pu obtenir notre dissolution.

— Péché d'orgueil ?

— Indiscutablement, avoua le vieux templier.

— Ma foi, les orgueilleux ont ceci de sympathique qu'ils ont, de fait, une absence totale de jalousie.

De nouveau, le vieil homme sembla goûter l'esprit de son voisin.

— Mais ce que je regrette pour moi-même, c'est d'avoir cru que la richesse, celle-là même que je cherchais pour les miens, pouvait nous préserver du malheur.

— Péché d'avarice...

— Mammon a des attraits qui font succomber les plus sages, s'excusa Molay.

— Pour ce péché-là j'ai moins de tendresse, confia Andreas. Sans doute parce que c'est celui auquel je cède le plus largement.

— Vous aimez l'argent ?

— Non. La connaissance. Et pour acquérir cette richesse-là, je le confesse, je suis prêt à bien des vilenies.

36

Maurin et Catherine Nouet partirent pour la foire de Montpellier avec leurs trois ouvriers au matin du 2 mars, laissant à leur fille le soin de garder la boutique, non pas que celle-ci fût ouverte, mais parce qu'il y avait chaque jour plusieurs tâches à accomplir afin de la maintenir en état.

Aalis, toutefois, abattue, passa la semaine à pleurer, esseulée, se refusant à sortir, s'efforçant seulement d'effectuer les quelques besognes dont ses parents l'avaient priée de s'acquitter. Elle ne mangeait presque rien, dormait beaucoup et ne quittait que très rarement sa couche.

Par la fenêtre, elle observait les derniers balbutiements de l'hiver, qui semblait décidé, enfin, à s'en aller, après s'être abattu si durement sur le pays. La neige fondait sur les plaines et dans les vallées, la vague de froid se retirait et bientôt l'on allait voir la nature se draper des couleurs du printemps, les plantes bourgeonner puis fleurir, le ciel, parcouru par les flèches d'oies sauvages et d'hirondelles revenues de leur migration, cracher de temps à autre ses brèves giboulées et ajouter à la boue du sol gorgé d'eau par la fonte. La sève allait remonter vers la cime des arbres et l'on verrait alors renaître toute la flore du Biterrois comme croîtrait le jour.

Aalis ne pouvait s'empêcher de voir dans cette primevère le signe de la vie nouvelle à laquelle elle aspirait tant, et dont elle avait tant parlé avec Zacharias. Peut-être devait-elle y entendre, elle dont les yeux d'émeraude symbolisaient justement ladite saison, l'appel de la Providence ? L'heure n'était-elle pas venue d'une nouvelle existence, d'une seconde naissance ? Elle se rappela les paroles du vieux Juif : « Peut-être devrais-tu arrêter de subir une vie qui n'est pas la tienne, et commencer celle qui te donnera satisfaction. Tu as deux routes possibles, mon enfant. Celle qu'on ouvre pour toi, ou celle que tu te dessineras toi-même. »

Au soir du deuxième jour, alors qu'elle était toujours allongée, plongée dans cette inextinguible mélancolie, elle entendit trois coups frappés à la porte de la maison. La boutique étant fermée, et comme elle n'attendait personne, elle ne se leva même pas pour voir, par la fenêtre, qui était à l'huis. Mais l'on insista plusieurs fois.

— Aalis ! Je sais que tu es là ! Ouvre-moi !

La jeune fille reconnut sans peine la voix de François Ardignac, le fils du prévôt, et sa détermination à ne pas se lever n'en fut qu'agrandie.

Après un long silence, Aalis comprit que le fâcheux était parti. Mais le lendemain, il essaya de nouveau. Et le surlendemain. Toutefois, la jeune fille persista dans son mutisme, comme elle ne voulait parler à personne, et surtout pas à celui-là.

37

En l'absence de leur maître, Lambert, Marguerite et Robin n'eurent d'autre choix que de fermer provisoirement boutique, faute de quoi ils eussent sans doute été inquiétés par le prévôt des marchands pour pratique illégale de la pharmacie. Aucun des trois, toutefois, ne voulut montrer son inquiétude, bien qu'il allât de soi que ladite fermeture ne pourrait durer longtemps avant que l'argent ne vienne à manquer.

Ainsi, les deux valets continuèrent de tenir la maison comme si rien n'avait changé et Robin fut assez occupé par la préservation des drogues et médicaments, ainsi que par l'étude des Anciens, qu'il s'efforça de poursuivre seul, et de fait il eut beaucoup de temps pour compulser les ouvrages de Galien, *Le Canon de la médecine* et *Le Livre de la guérison* d'Avicenne ainsi que le *De materia medica* de Dioscoride.

Un soir que, débordant quelque peu de son sujet, il était plongé dans un chapitre d'Avicenne consacré à la métaphysique, le jeune homme se trouva bien démuni sans l'éclairage que son maître eût pu lui apporter s'il n'eût été enfermé, et il poussa un profond soupir qui n'échappa point à la chambrière, occupée près de lui à préparer des légumes pour le lendemain.

— Allons, mon garçon, tu as déjà bien travaillé aujourd'hui ! Pourquoi ne t'arrêtes-tu pas pour ce soir ? demanda-t-elle d'un air faussement distant.

— Je ne peux pas.

— Et pourquoi donc ?

— C'est que j'ai tant à apprendre ! Et sans maître Saint-Loup, je ne progresse pas vite.

— Je suis sûr qu'il ne t'en voudrait pas de refermer ce livre... Pourquoi ne sors-tu pas un peu ? Un garçon de seize ans doit s'amuser, tant qu'il est encore temps !

— Oh non ! répliqua Robin, presque gêné. Mon maître ne s'amuse jamais, lui, et je dois suivre son exemple.

Un sourire se dessina sur le visage de Marguerite, qui interrompit aussitôt sa besogne et dévisagea ce garçon qu'elle avait appris à aimer comme un fils.

— Crois-tu vraiment cela ? Que notre Apothicaire ne s'amuse jamais ?

— Il est tout le temps à travailler.

— Vraiment ? Et pourtant, c'est bien dans une taverne qu'il t'a rencontré, n'est-ce pas ? Et dans son laboratoire, ce petit appareil qu'il a fabriqué, tu crois que ce n'est pas pour lui un divertissement ?

— Mais pas du tout ! s'indigna Robin. L'*oculus corpuscula* doit lui servir à percer les mystères du monde physique ! Ce n'est pas de l'amusement, c'est très sérieux !

Cette fois, la chambrière partit d'un rire franc.

— Mais c'est tout le contraire, mon enfant ! Rien ne l'amuse autant ! Tu sais, cet homme n'est ni un moine ni un saint ! Il est plein de défauts, et je suis bien placée pour les connaître, moi qui travaille à ses côtés depuis près de dix ans !

— Vous dites cela comme un reproche !

— Au contraire ! Sans doute n'aurais-je pas autant d'amour pour notre maître s'il n'était un homme comme les autres, tout plein de faiblesses et de failles. Allez ! Les mystères du monde, laisse-les à ce grand tourmenté d'Andreas, et penche-toi plutôt sur celui qui devrait intéresser un garçon de ton âge. Est-ce que tu as une amoureuse, Robin ?

À cette seule question, le jeune rouquin baissa les yeux et ses joues devinrent aussi rouges qu'un champ de tulipes, ce qui redoubla les rires de Marguerite.

— Pour sûr ! Ce n'est pas en restant enfermé ici tout le jour que tu vas rencontrer une jolie fille, mon garçon !

— Ça... ça ne m'intéresse pas.

— Voyez-vous cela ! Un garçon de seize ans qui n'est pas intéressé par l'amour !

— Et pourquoi pas ? Maître Saint-Loup n'en a pas, lui, de compagne ! rétorqua le jeune homme comme si cela eût pu le sauver de ce mauvais pas.

— Qui te dit qu'il n'en a jamais eu ? rétorqua la chambrière avec malice.

Robin resta muet, mais, malgré lui, une lueur d'intérêt s'était allumée dans son regard.

— Eh bien, figure-toi, mon garçon, que je me suis laissé dire qu'il y avait, dans le passé de notre docte Apothicaire, une grande et belle histoire d'amour...

— S'il est seul aujourd'hui, c'est sans doute qu'elle a mal fini, et donc ce n'est pas une grande et belle histoire d'amour.

— Ah... Tu découvriras peut-être un jour qu'on ne mesure pas la beauté d'une histoire d'amour à sa longévité. Les plus grandes amours ne sont pas toujours les plus longues.

— Mais, balbutia l'apprenti, presque choqué, et vous et Lambert ?

La chambrière haussa les épaules, et dans son silence se lisaient bien des sous-entendus auxquels le jeune homme préféra ne pas trop songer.

Marguerite se leva, referma le livre devant Robin et lui posa sur l'épaule une main maternelle.

— Allez, mon garçon, ouste ! Dehors ! Va rencontrer un peu les gens de ton âge ! Tiens, par exemple, maître Saint-Loup m'a dit que tu excellais aux échecs... Va faire une partie dans une taverne de la rue Saint-Denis ! Je veillerai jusqu'à ton retour, et si tu rentres très tard, je promets de ne rien dire.

Robin écarquilla les yeux, perplexe.

— Mais… je…

— Ne discute pas ! dit la chambrière avec autant d'autorité que de prévenance, puis elle chercha quelques sous dans sa bourse. Tiens, il y a là de quoi te payer trois verres. Tu les as bien mérités. Allez ! Dehors !

Elle le poussa avec tant d'insistance que le jeune homme n'eut d'autre choix que de sortir dans la rue. Et en effet, il advint qu'il rentra fort tard, et jamais Marguerite ne lui posa la moindre question sur ce qu'il avait fait ce soir-là.

38

Comme les jours passaient dans son obscure et froide cellule, le malaise d'Andreas, provoqué par l'absence de son looch, ne faisait que croître. Les crises se succédaient, de plus en plus proches, frappant surtout le soir, et il éprouvait un grand trouble, accompagné de fièvres et de sueurs, d'une ankylose des bras et des jambes et d'une douleur abdominale grandissante. Son insomnie et son agitation s'aggravaient de jour en jour, et à l'apogée de ces accès douloureux, tout son corps était pris de tremblements. Il n'ignorait pas que l'angoisse qu'il ressentait alors n'était que le fruit de son état de manque, mais il ne pouvait s'empêcher d'y succomber, la poitrine compressée, les épaules engourdies, et l'espoir qu'il avait de s'en sortir diminuait d'autant : il n'arrivait plus à se raisonner, à penser correctement.

Au soir du quatrième jour, alors qu'il était assis sur le sol, dos au mur, à se tordre de douleur dans une grande suée, l'Apothicaire entendit, péniblement, la voix de Jacques de Molay dans la cellule voisine, qui l'appelait, depuis quelques moments déjà, sans doute.

— Maître ! Maître !

La mâchoire crispée par l'affliction, Andreas ne parvint pas à lui répondre.

— Je connais le trouble qui vous terrasse, mon ami.

Le souffle court, l'Apothicaire tenta de calmer ses tremblements et de se ressaisir. Les yeux envahis par la transpiration, il avait la vue trouble, et les murs de sa cellule lui paraissaient comme déformés par un miroir courbe.

— Laissez-moi, balbutia laborieusement Andreas.

— Avant la chute de Saint-Jean-d'Acre, quand je n'étais pas encore maître souverain de l'Ordre, j'ai séjourné près de quinze années en Orient pour défendre la Terre sainte. Là-bas, nombre de mes frères sont tombés dans l'accoutumance au jus de pavot. Je connais les forces de l'opium, monsieur, et je vous mentirais si je disais ne pas y avoir goûté moi-même. Cette sensation de bien-être où disparaissent la faim, la douleur et les démons de l'appétit sexuel... En Terre sainte, sur les routes des croisades, nombreux moines avaient besoin de ces effets-là, qui étaient envahis par la fatigue, l'appétence, l'affliction, et le désir de la chair. Et je reconnais chez vous le mal qui les accablait quand, de force, le commandeur les enfermait plusieurs jours dans une pièce close pour qu'ils s'en délivrassent.

— Je suis apothicaire, je sais très bien ce qui m'arrive. Laissez-moi, Molay.

— Je pense pouvoir vous aider.

— J'en doute fort.

— *In omnibus sumentes scutum fidei in quo possitis omnia tela nequissimi ignea extinguere*[1].

Andreas poussa un grognement.

— Épargnez-moi la Vulgate, ce n'est pas de belles paroles dont j'ai besoin.

— Je peux vous aider de deux façons, mon ami, car pour vos maux, il n'existe que deux remèdes, et je peux vous donner l'un ou l'autre.

— Je ne fais pas confiance aux médecins pour me soigner, alors devinez quel espoir je place dans les conseils thérapeutiques d'un moine soldat...

1. *Prenez par-dessus tout cela le bouclier de la foi, avec lequel vous pourrez éteindre tous les traits enflammés du malin.* (Épître aux Éphésiens.)

— Le premier remède consiste à tenir bon, mon ami, continua le templier comme s'il n'avait pas entendu. Car, après une semaine de résistance, ces troubles finissent immanquablement par disparaître. Cette cellule, au fond, est peut-être votre chance de vous débarrasser définitivement de votre accoutumance.

— Taisez-vous, par pitié !

— Le second, qui n'a toutefois pas ma préférence, consiste, quand on ne dispose pas de pavot, à prendre une plante jusquiame.

Andreas, quoique surpris par l'exactitude de ce que venait d'affirmer calmement le templier, maugréa de plus belle.

— Je vous remercie, Molay... mais je n'ai pas plus avec moi de jusquiame que je n'ai de pavot, et je vous en conjure, taisez-vous maintenant, vous ne faites qu'accroître ma torture !

Mais le moine persévéra.

— Vous qui êtes du métier, vous connaissez sans doute les nombreuses plantes qui appartiennent à cette famille. Toutefois, on n'en trouve que deux espèces en Europe. La jusquiame blanche, qui pousse près de la Méditerranée, et que vous avez peu de chances de trouver ici. La noire, en revanche, *hyoscyamus niger*, pousse un peu partout en France...

— Oui. Et c'est une plante annuelle, qui fleurit l'été, qui sent fort mauvais, et dont je pourrais vous parler tout le jour... Tout cela est fort intéressant, mais je ne vois pas en quoi cela peut m'aider !

— Vous n'avez pas oublié, mon ami, que j'ai été, pendant seize ans, jusqu'à ce que le roi complote contre moi, le maître souverain de l'ordre du Temple, et que nous nous trouvons, à l'instant même, dans la maison parisienne de l'Ordre, où j'ai longuement séjourné.

— Vous allez maintenant me dire que l'*hyoscyamus niger* pousse dans les jardins du Temple, ce qui, sachant que nous sommes en plein hiver et prisonniers dans une cellule, ne me fera pas la jambe plus belle.

Jacques de Molay poussa un soupir paternel.

— La tour où nous nous trouvons est au sud de la commanderie. Au nord, entre l'hôpital et les fermes, se trouve un petit bâtiment où le frère herboriste conservait précieusement ses plantes. J'ai très bien connu le dernier herboriste de la maison : frère Chaignon, un homme érudit et qui ne manquait pas d'esprit. Peut-être en avait-il même un peu trop pour un moine. Je suis sûr que vous auriez goûté sa nature pétillante. Je ne sais pas ce que ce frère est devenu, aujourd'hui, mais je sais en revanche que l'herboristerie, pour l'heure, n'a pas été détruite et qu'elle renferme encore bien des trésors, et très certainement un peu de cette jusquiame noire qui, en effet, poussait dans nos jardins.

— La bonne nouvelle ! Il ne nous reste plus qu'à aller en chercher ! ironisa Andreas. Mais, mon Dieu, j'oubliais : nous sommes enfermés ! À moins que vous ayez omis de me dire, par quelque inexplicable étourderie, que vous disposiez des clefs de ma cellule ?

— Je vois que votre goût pour le persiflage vous redonne un peu d'entrain. Tant mieux, tant mieux. Non, je ne dispose pas, malheureusement, de ces clefs. Mais le gardien qui, chaque jour, nous porte notre repas, me doit quelque service...

Le visage d'Andreas, sans que Molay pût le voir, se métamorphosa.

— Eh bien ? railla le moine. Vous ne dites plus rien ?

— Qu'attendez-vous de moi ? souffla l'Apothicaire.

— Celui qui aime Dieu aime aussi son frère, et la charité n'est charité que sans hypocrisie. Je n'attends rien de vous, mon ami. Si vous me dites que vous n'avez pas l'esprit assez fort pour lutter contre votre accoutumance, alors je m'arrangerai pour que l'on vous fasse porter la jusquiame.

— Je vous en supplie, murmura Andreas, et l'on devine combien cette imploration coûtait à son orgueil.

— Êtes-vous bien sûr de vous ? demanda Molay.

— Jacques... Venir à bout de cette accoutumance ne me servirait à rien, car alors ressurgirait le mal qui, au départ, me fit prendre le looch de diacode.

— Et quel est ce mal ?

— Un mal qui ne se soigne pas.

Le maître souverain dut trouver l'explication suffisante, car il n'ajouta pas un mot et, le lendemain, Andreas trouva, cachées dans son repas, des feuilles de jusquiame dont il put tirer le jus.

39

Ce fut donc au soir de son cinquième jour de réclusion qu'Andreas Saint-Loup reçut en la prison du Temple une visite, sinon tout à fait inattendue, au moins singulière.

À la lueur jaune des lampes à huile qui brûlaient dans le couloir, l'Apothicaire vit arriver cet homme en simarre violette, petit, âgé d'une cinquantaine d'années, sa chevelure grisonnante coiffée vers l'arrière, et qui avait de grosses lèvres et un fort vilain nez. Voyant que l'homme portait une chaîne à son cou, son poing droit fermé dessus, et qu'au bout d'icelle était fixé le sceau royal, où Philippe le Bel était représenté sur son trône, portant sceptre et fleur de lys, Andreas trouva la confirmation à sa prime impression : celui qui venait d'entrer était bien Guillaume de Nogaret, chancelier et garde du Sceau.

Nogaret s'arrêta d'abord un instant devant la cellule de Jacques de Molay.

— Bonsoir, Jacques. Je vois que la santé ne vous a pas quitté.

Le templier, dont la haine pour le chancelier était sans doute, et à bon droit, la plus grande de tout le pays, ne daigna pas répondre. Assurément, il savait que, désormais, tout ce qu'il eût pu dire à cet homme n'eût fait qu'aggraver son cas, envenimer les choses, et il s'était promis de ne plus parler à personne qu'aux trois cardinaux de la commission pontificale.

— Tant mieux, tant mieux, dit Nogaret, tout sourire. Votre dernière audition aura lieu dans quelques mois, et nous aimerions que vous y paraissiez en pleine forme, afin que, cette fois, vous ne puissiez revenir sur les aveux que vous voudrez bien y faire. Mais nous aurons le loisir d'en reparler ; ce n'est pas vous que je suis venu voir.

Nogaret revint alors sur ses pas et se plaça devant la cellule d'Andreas.

— Voici donc cet impudent Apothicaire, souffla-t-il, comme si cette vision provoquait déjà chez lui une profonde lassitude.

Comme il était encore sous les effets de la jusquiame noire – qui a des vertus enivrantes et soporifiques quand elle est prise en petite quantité, et hallucinatoires quand on en a abusé – Andreas éprouva quelque peine à répondre rondement. Pour tout dire, l'Apothicaire douta même un moment que Nogaret ne fût pas une illusion.

— Maître Saint-Loup, mon cher maître Saint-Loup...

D'un geste théâtral, le chancelier se prit le menton dans la main gauche, comme pour signifier qu'il était étreint par un immense embarras.

— Vous me causez bien du tourment !

Andreas, qui n'avait même pas pris la peine de se lever, ricana. Petit à petit, ses esprits lui revenaient.

— Je ne savais pas que vous étiez si attaché à la cérémonie du mercredi des Cendres, railla-t-il. Qui eût pu prévoir autant de bigoterie chez un homme qui a giflé le pape ?

— Tss, tss, allons, vous savez bien qu'il ne s'agit pas de cela, Andreas.

— On m'a pourtant dit le contraire en m'arrêtant. Mais alors, de quoi s'agit-il, monsieur le chancelier ?

Nogaret, une main toujours accrochée au menton et l'autre à sa chaîne, fit une grimace affectée. Il dévisagea longuement l'Apothicaire, du chef jusques aux pieds, puis se mit à faire des allers-retours devant la cellule, avec une sorte d'artificielle désinvolture.

— Voulez-vous bien me dire, cher pharmacien, ce que vous fîtes entre l'an 1295 et l'an 1304, où l'on ne vous vit point à Paris ?

Andreas ne put masquer un geste de surprise. Lui qui était pourtant homme clairvoyant, toujours armé de sagacité, il n'avait pas imaginé un seul instant que Nogaret allait lui poser cette question-là, qui semblait n'avoir rien à voir avec les événements des derniers jours, et il dut bien reconnaître que, cette fois, il était pris de court.

— Pardon ?

— Voulez-vous bien me dire, répéta le garde du Sceau avec une amabilité forcée, ce que vous fîtes entre l'an 1295 et l'an 1304 ?

— Eh bien, j'étais en Galice, mais je ne vois pas en quoi cela intéresse monsieur le chancelier.

— Laissez-moi le soin, je vous prie, de poser les questions, maître Saint-Loup. Vous étiez donc en Galice, me dites-vous. Et puis-je savoir ce que vous faisiez en Galice ?

Andreas fronça les sourcils. Décidément, il ne pouvait voir sur quel terrain le chancelier voulait l'emmener, et il espérait ne pas être en train de tomber dans un piège. Quel rapport pouvait-il donc y avoir entre le chef de son accusation et son passé hors de France ?

— Après avoir obtenu le diplôme de maître ès arts à la faculté des arts de l'université de Paris, j'ai décidé d'accomplir un pèlerinage à Saint-Jacques-de-Compostelle, en empruntant l'*Iter francorum*.

— Vraiment ? demanda Nogaret en s'immobilisant. Vous ? Un pèlerinage ?

— Oui. Vraiment. Moi.

— Et pourquoi cela ? Je sais que ce fut un abbé qui vous éleva, mais vous ne me paraissez pas être le plus fervent des chrétiens...

Un sourire narquois se dessina sur les lèvres de l'Apothicaire. Nogaret était donc bien informé à son sujet.

— Eh bien, il faut croire que j'avais envie de changer d'air.

— Et vous êtes parti seul ?

— Oui.

Était-ce là ce que cherchait Nogaret ? Il n'y avait pourtant pas de véritable mystère autour de ce voyage. Certes, l'affliction qui avait poussé Andreas adolescent sur les routes n'était pas un sujet dont il aimait parler, mais c'était une affaire intime dont il ne comprenait pas en quoi elle pouvait concerner le chancelier.

— C'est amusant, maître Saint-Loup, voyez-vous, mais le pape Clément, quand j'ai reçu mon absolution pour ce que je dus faire à son prédécesseur, m'a donné pour pénitence de devoir effectuer ledit pèlerinage, alors je me suis un peu renseigné... Or, j'ai appris que ce pèlerinage, quand on part de Paris, dure deux, voire trois mois au plus large. Ce qui en fait six pour un aller-retour. Et vous, vous êtes resté neuf ans en Galice ?

— Le chancelier est un habile arithméticien.

— Pourquoi neuf ans ? insista Nogaret.

— C'est le temps qu'il m'a fallu pour achever mon apprentissage : je suis devenu apothicaire, là-bas. Les choses sont un peu différentes, en Galice, le temps de la formation est plus long et l'on passe au service de plusieurs maîtres.

— Je vois, dit le garde du Sceau en hochant la tête. Et quand vous avez eu fini cet apprentissage, vous êtes rentré à Paris pour ouvrir votre officine ?

— J'ai d'abord travaillé pendant un an comme maître en Galice, puis, ayant réuni assez d'argent, je suis revenu à Paris, oui.

— Toujours tout seul ?

— Oui !

L'Apothicaire ne put s'empêcher de noter l'importance que, pour la seconde fois, Nogaret semblait porter à cette question de la solitude, comme si Andreas lui eût caché l'existence d'une tierce personne.

— Je vois, je vois, répéta Nogaret, sans se défaire de son air à la fois suspicieux et condescendant. Bien. Dites-moi, Andreas, j'ai une dernière question à vous poser, si vous le voulez bien.

— Je suppose que la formule est toute rhétorique et qu'il me faudra vous répondre, que je le veuille ou non…

— Il y a quelques jours, je suis allé consulter le cadastre de la censive sur laquelle se trouve votre apothicairerie.

Andreas sentit les battements de son cœur s'accélérer. Les choses se précisaient.

— Oui ?

— Et, voyez-vous, quelque chose y a attiré mon attention, voire éveillé ma curiosité.

— Quelle chose ?

— Oh ! cela n'est peut-être rien, maître Saint-Loup, mais tout de même, j'avais envie de vous poser cette question : voilà, sur le cadastre, il est indiqué que votre maison compte trois chambres, or, vous ne logez qu'un seul apprenti, lequel, je m'en suis assuré auprès de celui qui vient d'obtenir sa maîtrise, est installé dans la même chambre que vos deux valets.

Andreas, saisi par une stupeur qu'il peinait à dissimuler, se leva, sans vraiment y penser, et s'approcha des barreaux, ses yeux plongés dans ceux de Guillaume de Nogaret.

— Et alors ? demanda-t-il en s'efforçant de paraître à son aise.

— Et alors j'aimerais savoir ce que vous gardez dans cette troisième chambre, maître Saint-Loup, puisque vous avez déjà, au niveau de la chaussée, votre officine, votre laboratoire et votre pièce à vivre ?

L'Apothicaire sentit dans son estomac la piqûre de la pointe d'une dague et, en l'occurrence, il savait qu'elle n'était pas occasionnée par le manque de diacode.

— Pouvez-vous me dire, reprit Nogaret, ce qu'il y a dans cette troisième chambre, qui se trouve à mi-étage ?

Andreas secoua lentement la tête.

— Rien... Il n'y a rien.

— Rien ? Allons donc ! Et comment cela est-il possible ? C'est bien la première fois que j'entends quelqu'un me dire à Paris qu'il a trop de place en sa maison !

— Je... je n'en ai aucun usage.

— Comme c'est étonnant ! Et pourtant, je sais que c'est, à présent tout au moins, la vérité, car le prévôt de la ville a fait fouiller, deux jours après votre arrestation, cette pièce et, en effet, elle était entièrement vide. Vous comprendrez, toutefois, que la chose éveille quelque peu mes soupçons... Je ne peux m'empêcher de penser que vous l'avez vidée, ou que quelqu'un s'en est chargé pour vous. Ainsi je me demande ce qu'il y avait dans cette pièce de si important pour que vous preniez le soin de le cacher...

Nogaret resta immobile et droit, observant Andreas avec insistance comme pour lire à travers lui, mais il reconnut bientôt l'échec de cette insistance. De temps à autre, sa paupière droite battait nerveusement, et l'Apothicaire le vit faire un geste qu'il avait déjà remarqué un peu plus tôt : le garde du Sceau se frottait le front en grimaçant. Cette mimique, exécutée comme un tic, un réflexe, trahissait une familiarité dans la douleur.

— Cette pièce, à ma connaissance, a toujours été vide. Est-ce pour cela que vous m'avez fait arrêter ? demanda Andreas en soutenant le regard de son sinistre interrogateur.

La bouche de Nogaret s'ouvrit en un sourire emprunté.

— Non, Saint-Loup, non, bien sûr. Vous savez bien, dit-il avec un air entendu : nous vous avons arrêté pour trouble à l'ordre public.

L'Apothicaire hocha la tête.

— Bien sûr, murmura-t-il avec sarcasme.

— Bien sûr. Andreas... Je voudrais tout de même vous poser la question une nouvelle fois, pour vous laisser une chance. Qu'y avait-il dans cette pièce ?

— Rien, répéta l'Apothicaire.

Nogaret soupira.

— Quel dommage ! Quel dommage que vous ne vouliez point me parler franchement. À l'heure des confidences, j'aurais pu, à mon tour, vous en faire une qui, j'en suis sûr, eût satisfait votre curiosité.

— Que savez-vous de ma curiosité ?

— Oh ! monsieur Saint-Loup, je ne connais pas un seul enfant abandonné qui ne paierait cher pour connaître le nom de sa mère.

Andreas, à ces mots, crut défaillir. Le souffle court, il dévisagea son interlocuteur. Il pensa d'abord que, sans doute, Nogaret lui jetait du grain, qu'il mentait. Comment eût-il pu posséder cette information ? Mais tout de même... s'il ne mentait pas ? Car en effet, s'il était bien un mystère auquel Andreas n'avait jamais pu trouver d'explication, c'était bien celui de sa naissance. L'abbé Boucel avait toujours affirmé ne rien savoir de ses origines. L'Apothicaire, fébrile, tenta de masquer son désarroi.

— Vous prétendez toujours qu'il n'y avait rien dans cette pièce ? répéta Nogaret avec un sourire moqueur.

Andreas réfléchit. De toute manière, il ne pouvait apporter de réponse satisfaisante au chancelier, car, de fait, il ne savait pas lui-même ce qu'il pouvait y avoir eu dans cette maudite pièce. Il préféra donc, non sans difficulté, jouer l'indifférence. Si vraiment Nogaret avait découvert quelque chose sur ses origines, sans doute pourrait-il y parvenir lui aussi, plus tard, et par d'autres biais.

— Absolument, monsieur le chancelier.

Nogaret peina à cacher sa déception.

— Soit. Comme vous voudrez. Alors je crois que ce sera tout, pour l'heure, cher Saint-Loup.

Il regarda encore l'Apothicaire avec circonspection, puis il se dirigea lentement vers la sortie.

Mais Andreas l'interpella.

— Chancelier !

Nogaret se retourna avec un air satisfait. Sans doute pensait-il que son homme allait passer aux aveux.

— Sauf votre respect, j'ai cru remarquer que vous souffriez d'une douleur chronique au côté droit de votre front.

Le visage du chancelier se rembrunit.

— Sans doute cela ne me regarde-t-il pas, mais... j'ai remarqué aussi que vous aviez, par moments, des clignements incontrôlés de votre paupière. La chose pourrait être le signe d'une simple migraine, l'*eterocrania* que décrivait si bien Hippocrate, qui y était sujet, mais d'autres éléments me font penser à quelque chose de plus grave, et il est de mon devoir d'apothicaire de vous mettre en garde.

Nogaret, décontenancé, chercha ses mots. Andreas ne lui en laissa pas le temps.

— D'abord, comme vos gestes sont faits sans y penser, il semble que vous soyez habitué à cette douleur, et qu'elle n'est donc pas nouvelle. Ensuite, je n'ai pas pu m'empêcher de noter que, depuis l'instant où vous êtes entré, vous n'avez pas ôté votre main droite de la chaîne où pend le sceau royal.

Le chancelier grimaça.

— Je me trompe peut-être, je sais que ce sceau vous est précieux mais, toutefois, la crispation de vos doigts suggère que votre bras droit est, pour tout ou partie, paralysé. Serait-ce le cas ?

— Nous disposons d'excellents médecins à la cour du roi, monsieur l'apothicaire, répliqua le chancelier alors que dans ses yeux se lisait à présent une véritable irritation. Je vous remercie de votre délicate bienveillance, mais je n'ai pas besoin de vos services.

— Bien sûr, bien sûr ! D'excellents médecins et chirurgiens. Ils vous auront donc certainement informé que ces symptômes pourraient indiquer un anévrisme, une tumeur molle contre nature, causée par la dilatation d'une artère.

Nogaret resta silencieux.

— Et que pour libérer celle-ci, continua Andreas, il vous faudrait prendre des loochs d'*origanum majorana*, manger moult légumes verts et bannir scrupuleusement le sel de votre alimentation. Ils vous auront aussi prévenu que, à terme, si la chose ne se résorbe pas, seule l'intervention d'un excellent chirurgien pourrait vous garder d'un plus grand drame. Henri de Mondeville, chirurgien du roi, est, quoique fort avaricieux, un homme sérieux. Et je ne dis pas souvent cela des chirurgiens. Si ce n'est pas déjà fait, peut-être devriez-vous le consulter, voilà tout ce que je voulais vous dire.

— Je ne suis pas venu chercher un diagnostic, Saint-Loup.

— Vraiment ? Les maux du corps sont la confession de l'âme. Il m'a semblé que vous étiez en quête d'un apaisement, et j'ai bien peur que celui-ci soit le seul que je puisse vous offrir.

— C'est ce que nous verrons, Saint-Loup, lâcha avidement le garde du Sceau en quittant le couloir.

40

— Père abbé, je vous remercie d'être venu me voir si vite, car nous avons beaucoup de choses à voir ensemble et je ne vais rester à Paris que quelques jours.

L'archevêque de Sens, Philippe de Marigny, jouissait à Paris d'un immeuble en bordure de Seine, sur la rive droite, qui n'était certes pas aussi somptueux que le palais de l'évêque, sis derrière Notre-Dame, mais qui n'enlevait rien au pouvoir de son occupant, bien plus grand que celui du diocèse parisien.

Demi-frère d'Enguerran, ce Marigny-là avait été nommé archevêque de Sens par Clément V à la demande explicite de Philippe le Bel. L'homme avait été secrétaire et conseiller du roi avant que d'entrer dans les ordres, il lui était donc tout dévoué, et c'était bien pour le compte du Capétien que Marigny, le 10 mai 1310, avait envoyé au bûcher cinquante-quatre templiers devant l'abbaye Saint-Antoine de Paris.

— Monseigneur, répondit Boucel, je suis votre serviteur.

— Asseyez-vous, Baudouin, asseyez-vous. Je veux d'abord parler de votre petite église Saint-Gilles.

Le regard de Boucel s'illumina. L'église Saint-Gilles avait été construite en 1235 sous la juridiction de l'abbaye Saint-Magloire, afin d'accueillir des paroissiens de plus en plus nombreux, mais à présent que la population n'avait cessé de croître, elle se révélait de nouveau trop petite et, depuis plusieurs années, l'abbé demandait l'aide de l'archevêché pour effectuer des travaux d'agrandissement.

— Je crois, mon ami, que vous allez être heureux, car le conseil archiépiscopal, dans sa pieuse sagesse, a décidé, en réunion extraordinaire, de vous apporter une aide substantielle pour la conduite des travaux nécessaires à l'agrandissement de votre église.

— *Laus deo semper*[1] *!* Et puis-je demander à quelle hauteur le conseil entend-il participer aux travaux ? demanda Boucel, qui ne perdait jamais le sens des affaires.

L'archevêque sourit.

— À hauteur du tiers, Baudouin, et croyez bien qu'il me fallut intercéder en votre faveur pour que ce montant fût accepté. Les caisses de l'archevêché sont fort sollicitées.

L'abbé fit un signe reconnaissant de la tête.

— Toutefois, nous avons une exigence, continua l'archevêque sans que la chose surprît Boucel, qui savait que, dans cette vénérable institution, tout se payait, y compris les indulgences…

— Je vous écoute, Votre Excellence.

— Nous aimerions que vous rebaptisiez votre église Saint-Gilles-Saint-Loup, en hommage au plus illustre archevêque de Sens, et puisque les deux saints sont célébrés le même jour. Comme vous êtes originaire de Sens vous-même – ce qui a toujours privilégié nos liens, n'est-ce pas ? – j'ai pensé que vous n'y verriez pas d'empêchement et que la chose ferait plaisir aux habitants de votre ville natale.

Boucel, saisi par l'incroyable coïncidence, écarquilla les yeux. Saint-Loup, devenu archevêque de Sens en l'an 609, était en effet un archevêque singulier. De son vivant, il avait été tout à la fois aimé du peuple et craint des souverains, comme il avait déclaré un jour que son devoir était d'obéir à Dieu plutôt qu'aux

1. *Dieu soit loué à jamais !*

princes, ce qui lui avait valu l'exil. Nommé saint protecteur des enfants depuis lors, il fut toutefois accusé de trop aimer une jeune vierge, fille de son prédécesseur, accusation à laquelle il répondit : « Les paroles d'autrui ne peuvent nuire en rien à l'homme qu'une conscience propre ne salit pas »...

— Vous y voyez une objection ? demanda Marigny, inquiété par le soudain mutisme de l'abbé.

— Aucune, monseigneur, aucune. Au contraire ! répondit Boucel prestement, sorti de la torpeur qu'avait provoquée en lui l'étrange et heureux hasard.

— Parfait. Passons donc à la deuxième affaire dont je voulais vous entretenir.

— *Amen*.

— Vous savez sans doute que j'ai ordonné, pour l'an prochain, la tenue à Paris d'un concile de tous les évêques de la province.

— Je m'en souviens, oui.

— J'annoncerai plusieurs nouveaux règlements lors de ce concile, et j'ai besoin de trouver à Paris de nombreux soutiens, car, pour ne rien vous cacher, il se pourrait que votre évêque ne soit pas de mon parti... concernant l'un de ces règlements.

Boucel retint un sourire. Cette histoire de concile était donc le véritable objet de l'entrevue à laquelle l'archevêque l'avait convié, et l'annonce concernant les travaux dans l'église Saint-Gilles n'avait été qu'une façon pour Marigny de s'attirer la gratitude de l'abbé. Celui à qui l'on tend une carotte ne peut s'empêcher de se sentir un âne.

— Votre abbaye est l'une des plus puissantes à Paris, Baudouin, et je sais que vous avez le bras long, continua Marigny.

— Je ne suis qu'un modeste abbé...

— Allons, allons ! Votre abbaye renferme de fabuleux trésors qui vous donnent quelque importance, outre les reliques de Saint-Magloire. Vous possédez de surcroît une juridiction sur nombreux prieurés de la région, et même jusqu'à Léhon, des terres à Charonne, dans les Yvelines, dans la vallée de l'Orge et la Brie, le château de Morsang, moult vignes... Le pouvoir de l'abbé de Saint-Magloire est grandement reconnu à travers tout le pays, Baudouin ! Et je sais que vous comptez un vaste nombre de partisans et de sujets.

Boucel fit un geste de la main pour prétendre à quelque humilité, mais ce geste, au vrai, trahissait tout son orgueil.

— Puis-je demander à Votre Excellence la teneur de ce règlement ?

— Il concerne la revendication de Sens sur la primatie des Gaules, père abbé. Si Paris ne nous soutient pas, nous ne pourrons jamais rivaliser avec Lyon. Or, l'évêque de Paris, qui espère obtenir son indépendance et, un jour, aussi, le primat, ne sera sans doute pas enclin à m'assister dans ma tâche...

La rivalité qui existait entre Sens et Lyon concernant le primat des Gaules – titre honorifique conférant à l'archevêché qui en bénéficiait une juridiction sur les autres provinces – datait de 1076, quand le pape Grégoire VII avait ôté à Sens la primatie pour la transférer à l'archevêque de Lyon. Depuis lors, Sens n'avait eu de cesse que de contester cette décision.

— Monseigneur, je puis vous assurer de mon plus total soutien, ainsi que de celui de tous ceux sur qui je sais pouvoir compter dans la capitale.

Le visage de Philippe de Marigny sembla s'irradier. Boucel était effectivement, à Paris, un abbé influent. Il faisait sans doute partie des quatre ou cinq personnes que l'archevêque tenait à s'adjoindre pour fortifier sa position.

— Très bien, père abbé, très bien. Je suis heureux.

— Les habitants de Sens, monseigneur, sont sénonais, mais ils sont aussi sensés, répliqua Boucel sur le ton de l'humour.

— À l'évidence, à l'évidence.

— Avant de prendre congé, toutefois, j'aurais moi aussi un petit service à vous demander, glissa malicieusement l'abbé.

— Je vous écoute, Baudouin.

Quiconque s'élève un peu dans le clergé sait combien le commerce des services et des faveurs y est aussi florissant que dans les couloirs d'un palais ou ceux d'un parloir aux marchands...

— Vous êtes familier, sans doute, des conflits qui existent entre votre demi-frère Enguerran – Dieu le bénisse – et le chancelier.

— Oui, oui, certes, ce Nogaret est un fâcheux personnage ! Mais mon demi-frère est à présent bien plus proche du roi que ne l'est le chancelier et ce conflit ne l'inquiète plus guère.

— À la bonne heure ! Eh bien, justement, Votre Excellence, Nogaret vient de jeter en prison un homme, un apothicaire, qui se trouve être mon filleul. Le hasard, ou la providence peut-être, a voulu que cet homme portât le nom de Saint-Loup...

— Voilà qui est singulier ! s'exclama Marigny.

— Peut-être devons-nous y voir un signe, monseigneur, conclut Boucel en se signant. Toujours est-il que ce bon Apothicaire, mon filleul donc, est retenu à la prison du Temple, sur de fausses accusations. Certes, l'homme n'est pas sans défaut, il a un indisciplinable esprit et son éducation m'a valu bien des tourments, mais ce n'est pas un criminel. Et je me demandais si vous ne pouviez en toucher quelque mot à votre demi-frère Enguerran, qui, j'en suis certain, pourra faire libérer promptement cet innocent dont Nogaret, indubitablement, veut se servir à d'obscures fins politiques.

— Tout ce que vous voudrez, Baudouin, répéta l'archevêque, visiblement soulagé que la faveur ne fût pas plus astreignante qu'il n'eût pu le craindre. Je verrai Enguerran dès ce soir et lui parlerai de votre pauvre filleul.

En sortant de la pièce, Boucel se promit que c'était la dernière fois qu'il portait secours à Andreas et décida même qu'il était grand temps qu'il mette un terme à leur délétère relation. Un jour, l'Apothicaire allait lui attirer de sérieux ennuis.

41

Au matin du 8 mars, Andreas, dont la barbe avait maintenant tellement poussé qu'on l'eût à peine reconnu, fut réveillé par un bruit de clefs qui résonna entre les hauts murs de la prison. Comme on ne les visitait jamais aux aurores, il présuma que c'était Nogaret qui était venu lui poser de nouvelles questions, mais au lieu du fâcheux chancelier, ce fut un garde qui apparut soudain devant les barreaux de sa cellule.

L'homme, celui-là même qui avait glissé les feuilles de jusquiame dans l'un de ses repas, introduisit une clef dans la grande serrure de fer.

— Maître Saint-Loup, vous êtes libre.

— Je n'ai jamais cessé de l'être, répondit l'Apothicaire avec malice.

Il se leva lentement et dignement, comme si cette heureuse nouvelle ne le surprenait pas. En réalité, cela faisait plusieurs jours qu'il avait cessé de croire que l'abbé Boucel pouvait le tirer de là, et en découvrant les motifs étranges de Nogaret, il s'était demandé si son emprisonnement n'allait pas durer bien plus longtemps.

Le garde le saisit par le bras et le fit entrer dans le couloir, mais quand il voulut le guider vers la sortie, Andreas résista et se retourna vers la cellule de Jacques de Molay.

Le vieux templier, qu'il voyait véritablement pour la première fois, sans la médiation d'une fenêtre réfléchissante, était debout au milieu de son cachot, avec sa barbe et sa robe blanches pour derniers apparats de sa grandeur. Les deux hommes échangèrent un long regard entendu, empreint d'une indicible et étonnante fraternité. Ces deux figures que, une semaine plus tôt, tout séparait – naissance, opinion et philosophie – éprouvaient à présent l'une pour l'autre un respect particulier, et il y avait dans les yeux de l'Apothicaire la lumière d'une profonde reconnaissance que l'on n'y voyait que très rarement scintiller.

— Bonne chance, Jacques, dit Andreas d'une voix grave et sincère.

— Que Dieu vous garde, Saint-Loup. Venez ici, que je vous embrasse.

Andreas jeta un coup d'œil au garde. Celui-ci poussa un soupir d'approbation. L'Apothicaire parcourut les quelques pas qui le séparaient de Molay et attrapa les bras que celui-ci lui tendait.

Le moine soldat leva une main vers le visage d'Andreas, qui remarqua alors à son doigt le sceau des Templiers, l'abraxas panthée, que l'homme portait encore comme si l'Ordre existait toujours, ce qui était fort triste. Molay posa alors la paume sur le front d'Andreas, comme s'il avait voulu lui offrir quelque bénédiction – ce qu'Andreas ne voyait pas du meilleur œil – puis il se pencha vers lui, aussi près que le permettaient les barreaux de sa cellule et, s'assurant que le garde ne pouvait pas l'entendre, il murmura :

— Pour Nogaret... Je crois savoir ce qu'il cherche. Allez trouver un maître de la *schola gnosticos*.

Andreas, qui ne s'était pas attendu à une telle confidence, haussa un sourcil circonspect.

— Pardon ?

— La *schola gnosticos*, chuchota le templier. Ils auront des réponses pour vous, mon ami. Puissiez-vous alors trouver la paix !

— Mais... mais de quoi parlez-vous ? balbutia l'Apothicaire.

Mais avant que Molay n'ait pu répondre, le garde s'était approché et, d'un geste agacé, il tira Andreas par le bras.

— Il suffit, maître Saint-Loup, sortons !

Tout en se laissant traîner vers la sortie comme un enfant qu'on emmène de force, l'Apothicaire, interloqué, ne détacha pas son regard du templier, mais dans les yeux de celui-ci il ne trouva aucune explication à ce qui venait d'être dit, et bientôt la porte se referma sur cet homme qu'il venait de voir pour la première et dernière fois et qui, un an plus tard très exactement, serait brûlé sur le bûcher de l'île de la Cité.

On mena Andreas, sans ambages, jusqu'à la rue du Temple où, devant l'enclos, l'attendait le jeune Robin. L'Apothicaire qui, par la fenêtre de sa cellule, n'avait rien vu d'autre que le ciel de Paris pendant plus d'une semaine, constata qu'il n'y avait plus un seul morceau de neige sur la chaussée détrempée. Le printemps approchait enfin.

Sans un mot de plus, le garde referma la grande porte derrière Andreas. Robin se précipita vers son maître, le visage illuminé.

— Maître ! Maître ! Quel bonheur de vous voir !

À la présence du jeune rouquin, Andreas comprit qu'il devait bien à son apprenti le génie de sa libération, et il lui adressa un sourire obligé.

— Ainsi tu es parvenu à convaincre le vieux Boucel, mon garçon ?

Le jeune homme acquiesça, mais sa modestie l'empêcha de dire qu'il avait fallu quelque astuce pour obtenir la faveur de l'abbé.

— L'abbé m'a fait savoir que c'était aux frères Marigny que vous deviez votre délivrance, maître.

— Aux frères Marigny ? Je reconnais bien là la perfidie de Boucel que d'avoir joué de l'animosité entre le chambellan et le chancelier.

— Ce qui compte, c'est que vous soyez libre à nouveau. Nous avons eu si peur !

— J'espère que tu n'y as pas trouvé le prétexte pour cesser d'étudier, Robin !

— C'est-à-dire que... vous n'étiez pas là...

Andreas sourit.

— Là où le chat n'est pas, souris s'y révèle. Allons, dépêchons-nous de rentrer, il me tarde de retrouver la cuisine de cette chère Marguerite. Chrétien de Troyes disait très justement qu'à tout repas, la faim est la meilleure et la plus piquante des sauces, mais il n'avait jamais séjourné en prison.

Laissant derrière eux le Temple et Saint-Martin-des-Champs, ils passèrent côte à côte les murs de Paris, et Andreas éprouva quelque plaisir inattendu à retrouver l'agitation folle de la capitale, où tout le monde semblait occupé, en retard, et il sourit en voyant s'aligner la foule immense des artisans et des commerçants en ébullition, les peintres, les selliers, les libraires, les écrivains, les parcheminiers, les boutonniers, les tondeurs de draps, les tailleurs de pierres, les buffetiers, les cordeliers, les faiseurs de gants de laine, les faiseurs de chapeaux ou de bonnets, les sauniers, les armuriers, les brodeurs de soie, les courtepointiers, les crieurs, les ameçonneurs, les fillandriers, les écorcheurs, les estoupiers, les cervoisiers, les orfèvres, les vendeurs d'auges, les lanterniers, ou, bien sûr, les apothicaires, tel qui travaillait seul, tel qui n'avait qu'un ou deux apprentis, des valets, ou tel qui avait plusieurs ouvriers...

Tout en savourant ces choses qui faisaient l'air de la ville et qui, souvent, effraient les gens de la campagne par leur profusion, Andreas songea néanmoins aux dernières paroles de Jacques de Molay.

La *schola gnosticos*. De quoi s'agissait-il au juste ? Certes, l'expression latine évoquait un antique mouvement philosophique, le gnosticisme, mais Andreas devait reconnaître qu'il ne savait que très peu de chose au sujet de celui-ci ; pour tout dire, il pensait même que la chose appartenait à un lointain passé et n'avait plus d'existence de ce temps. Et quand bien même le gnosticisme n'eût pas totalement disparu, que pouvait-il bien avoir à faire avec la vie d'Andreas, ou avec les questions de Nogaret ?

Tout cela était bien trop énigmatique et l'Apothicaire sut d'emblée qu'il n'était pas près de mettre un terme à cet imbroglio. À peine libéré des murs de la prison, voilà qu'il retombait déjà dans les entraves des insolubles et hermétiques questions qu'avait soulevées la découverte de la pièce vide et du tableau effacé, questions qui, en outre, semblaient captiver bien plus de monde que sa seule personne.

42

Quand le messager fut sorti de la pièce, Guillaume de Nogaret se dirigea vers sa chaire où, le visage livide, il se laissa tomber lourdement.

Pendant tout le temps qu'il avait donné ses instructions, il était parvenu à masquer son affliction, mais à présent qu'il était seul, il ne pouvait même plus tenir debout. La douleur à son front semblait ne plus vouloir se calmer ; elle se concentrait maintenant autour de l'orbite droite et elle était si violente que, bientôt, il ne pourrait plus rien faire, tant elle l'engourdissait. La seule lumière du jour, depuis le matin, lui était devenue insupportable et son bras droit ne bougeait plus du tout.

Le chancelier, crispé de douleur, pensa aux paroles d'Andreas Saint-Loup. L'Apothicaire, quoique narquois, semblait avoir parlé avec quelque vérité, et la possibilité que ces douleurs fussent occasionnées par un anévrisme hantait désormais le garde du Sceau, car s'il en savait peu sur la chose, il savait au moins qu'elle pouvait être fatale. Et il lui restait tant à faire !

Il devait encore ajuster la politique monétaire du royaume, régler le contentieux de l'impôt, mener le fait des Juifs, assouplir les relations avec le pape, défendre les intérêts français dans l'Empire, conduire à son terme la réforme administrative et assurer l'extension des prérogatives royales. Ensuite, sur un plan plus personnel, il devait consolider ses seigneuries – ô combien nombreuses grâce aux largesses du roi ! – dans le sud de la France : Calvisson, Congénies, Langlade, Vergèze, Aigues-Mortes, Codognan, Ardessan, Vestric, Livières, Caveirac, Bernis, Uchaud, Aubord, Boissières, Générac, Beauvoisin, Candiac, Nages et surtout Marsillargues, où il venait d'achever la construction de son château, afin, après sa mort, de léguer à son fils Guillaume un cohérent et substantiel héritage. Enfin, il y avait la question d'Andreas Saint-Loup, et ce qu'il supposait à son sujet.

Nogaret était persuadé que l'apothicaire savait bien plus de choses qu'il ne voulait en dire, et le mystère que cachait l'homme semblait si important, compte tenu des informations secrètes dont disposait le garde du Sceau, qu'il n'en allait pas seulement de la sécurité du royaume, mais peut-être de bien au-delà. Et le chancelier ne pouvait mourir sans avoir fait la lumière sur cette affaire.

Le corps tout tremblant, il se mit à appeler à l'aide. Comme personne ne venait, il cria de plus en plus fort. Enfin, un servant entra dans la pièce.

— Que se passe-t-il, monsieur le chancelier ?

— Faites venir au plus vite Henri de Mondeville, le chirurgien du roi ! Et le prévôt Ploiebauch !

Le servant, terrifié par la mine épouvantable du chancelier, se précipita au-dehors pour s'exécuter.

43

Comme ses parents devaient rentrer ce jour-là de la foire de Montpellier, Aalis entreprit de leur préparer le souper. Pour la première fois depuis leur départ, elle se décida enfin à sortir de la maison, signe, sans doute, que sa peine, si elle n'avait pas disparu, ne l'accablait plus autant qu'aux premiers jours.

Toutefois, pendant tout le temps de son expédition, elle ne put penser à autre chose qu'à la mort de Zacharias, car dans le regard de tous les gens qu'elle croisait elle ne pouvait s'empêcher de chercher la trace d'une culpabilité. Elle put constater alors que son inimitié pour les habitants de Béziers ne s'était pas amoindrie et que, au contraire, cet ultime drame n'avait fait que l'approfondir.

Avec l'argent que lui avait laissé sa mère, elle acheta du porc chez le boucher, car elle voulait, au moins, que ce repas de retrouvailles fût de fête. Cette semaine de solitude et de deuil lui avait laissé le loisir de penser aux rapports qu'elle entretenait avec ses parents, et, en mémoire du vieux Juif qui, l'une des dernières fois qu'elle l'avait vu, lui avait dit qu'elle n'était pas obligée d'entrer en conflit avec père et mère pour trouver sa liberté, elle était décidée à apaiser leurs liens. Se montrer plus douce avec ses parents serait, pour elle, un moyen de rendre un dernier hommage à Zacharias, même si cela ne changeait rien à son envie secrète : un jour, bientôt, elle les quitterait, comme elle quitterait cette ville, et elle deviendrait la maîtresse de sa propre vie.

Une fois rentrée chez elle, la jeune fille entreprit donc de préparer le repas. Elle alla chercher dans la réserve des fèves que l'on conservait en hiver à l'abri de la lumière dans des petits silos emplis de glace, et tout ce qu'il fallait d'épices, puis elle commença à découper la viande. Elle fit cuire des oignons et du pain grillé qu'elle broya au mortier avant de les mettre dans un récipient d'eau disposé à l'âtre. Alors, dans celui-ci elle mit la chair de porc à bouillir, en l'arrosant d'ail et de sel, puis elle ajouta les fèves. L'odeur qui se dégagea de la cheminée fut comme celle d'une présence nouvelle, venue rompre la solitude de la jeune fille, et soudain la maison parut visitée.

Aalis se surprit alors à penser de nouveau au vieux naggân qui, si souvent, lui avait raconté comment, jeune homme, il aimait cuisiner. Elle s'imagina préparer un souper pour lui, l'inviter chez elle, le faire asseoir à sa table et le regarder rire, chanter, jouer pour elle du psantêr sur le mode de la joie. Cela faisait une semaine que Zacharias était mort et, déjà, son visage s'effaçait du souvenir d'Aalis. Il avait pris dans son esprit des traits plus jeunes, sans doute parce que, au fond d'elle, la fille des drapiers regrettait, et regretterait à jamais, de ne l'avoir point connu plus tôt, du temps où il était ce musicien itinérant et libre. Comme elle aurait aimé, alors, tout quitter pour le suivre sur les routes et vivre avec lui la vie des voyageurs !

Voyant que la viande était cuite, Aalis l'ôta du feu quand, soudain, on frappa à la porte. La jeune fille se mit sur la pointe des pieds pour essayer de voir, par la fenêtre, si c'était déjà ses parents, mais elle reconnut la chevelure brune de François.

Elle poussa un soupir, hésita, puis, songeant à ce que sa mère lui eût dit, elle se décida à ouvrir, non sans lui adresser un regard plein de mépris.

Le fils du prévôt, surpris sans doute qu'on lui ouvre enfin, sembla comme illuminé d'un soleil intérieur.

— Aalis ! Tu vas mieux ! Tu étais malade ?

— Non.

— Ah ? Et pourquoi ne m'ouvrais-tu pas la porte, alors ?

Aalis, qui regrettait déjà d'avoir ouvert, haussa les épaules.

— Je n'avais envie de voir personne. Que veux-tu ?

— Eh bien, comme le printemps arrive... je voulais te proposer une promenade sur les bords de l'Orb.

Aalis ne put retenir une grimace où se mêlaient lassitude et miséricorde.

— François ! Mon pauvre François ! Tu ne veux donc vraiment pas comprendre ?

— Comprendre quoi ?

— Que je n'ai pas envie.

— Envie de sortir ?

— Envie de toi.

Les joues du garçon se teintèrent de rouge.

— Tu dis ça parce que... la dernière fois... j'ai été maladroit. J'étais ivre. J'aimerais que tu me pardonnes. Je n'étais pas moi-même. Alors tu as eu une mauvaise image de moi. Mais je vaux bien mieux que ça, Aalis.

— Peut-être. Mais je ne voulais pas de toi avant, je ne veux toujours pas de toi, et je ne voudrai jamais de toi.

La gêne sur le visage du jeune homme se transforma en humiliation.

— Mais... comment peux-tu le savoir ? Tu ne me connais pas vraiment !

— François... pourquoi insistes-tu ? Trouve-toi une autre fille. Une fille qui t'aimera.

— Mais c'est toi que je veux.

— Et moi, je ne te veux pas, répliqua prestement la jeune fille avec une voix de plus en plus agacée.

— Tu ne peux pas me résister, Aalis.

À ces mots, la jeune fille ne put retenir un éclat de rire. Elle s'en voulut aussitôt.

— Tu te moques de moi ? s'exclama François avec un regard de courroux.

— Non. Mais tu dois comprendre...

De toute évidence, le jeune homme n'en était pas capable. Sans doute, comme il était le fils du prévôt, n'avait-il pas été habitué à la contradiction, et la fureur dans ses yeux avait quelque chose de terrifiant.

— Tu ne riras pas autant quand je te dirai ce qui est arrivé à ton vieux Juif ! cracha-t-il sur le ton de la revanche et du défi.

— Pardon ?

La figure du garçon se métamorphosa.

— Ah ! tu vois ! Tu ne ris plus, maintenant, n'est-ce pas ?

— De quoi parles-tu, François ?

— Ton vieux Juif ! Ce vieux suppôt du diable que tu allais voir à la sortie de la ville, il est mort, et je sais, moi, comment il est mort !

— C'est ton père qui l'a tué, c'est ça ? demanda Aalis alors que ses jambes, soudain, s'étaient mises à trembler.

Une grimace de suprême dédain se dessina sur les lèvres du jeune homme.

— Mon père ? Oh non !... Tu n'y es pas du tout, ma pauvre Aalis ! Ce n'est pas mon père qui l'a crevé, ton vieux Juif. C'est le tien.

44

Bien que, plus que tout autre roi avant lui, Philippe le Bel s'efforçât, par obligation, de paraître le plus souvent possible en son palais parisien, il ne rompait toutefois pas complètement avec la vie itinérante de ses prédécesseurs, allant de domaine en domaine, de château en château, de France en Navarre, et sur une année entière il ne résidait jamais plus de trois mois dans la capitale. Mais, homme grave et laborieux, on ne lui connaissait qu'une seule fantaisie, la chasse, et celle-ci l'attirait souvent à Vincennes, à Poissy ou à L'Isle-Adam.

Nous le retrouvons donc à présent, en ce mois de mars où l'on chasse la corneille, dans son château de Fontainebleau, celui-là même où il avait vu le jour en l'an 1268 (et aussi où, par une autre ironie du sort, en se livrant à cette dévorante passion pour la traque, il trouva sauvagement la mort en 1314, mais cela est une autre histoire qui ne concerne pas notre récit). Assise dans la belle forêt de Bière, la propriété, agrandie par son grand-père, Louis IX dit Saint Louis, était vaste et somptueuse, dominée par un large donjon anguleux, fermée par une enceinte haute flanquée de tourelles et qui abritait aussi un couvent.

Quand il se déplaçait ainsi, Philippe ne venait pas avec tout son hôtel, mais bien avec cent ou cent cinquante hommes, selon que la reine ou les princes l'accompagnaient. Il y avait là tout le personnel de la chambre, de la chapelle, de la paneterie, de la cuisine, de l'écurie et de la fourrière, mais aussi, bien sûr, de la vénerie, avec ses chasseurs, ses archers, ses fauconniers et ses valets de chiens.

Quand il n'était pas retenu à son hôtel de la rue d'Autriche, le grand chambellan, Enguerran de Marigny, était là lui aussi, qui gouvernait à ses côtés. Il en était ainsi ce jour-là.

— Un messager est venu vous porter une lettre de Guillaume de Nogaret, Votre Altesse.

Marigny avait dit cela avec une imperceptible amertume, lui qui n'appréciait guère que son rival entretînt la moindre correspondance cachée avec le roi.

Le souverain et son chambellan marchaient côte à côte, sans la foule de leurs servants, comme ils aimaient à le faire parfois pour parler des affaires du royaume, et ils étaient arrivés maintenant au-delà des jardins du château, là où le sable donnait au paysage aride des airs de grand désert. Le temps s'était adouci et l'on reprenait enfin plaisir à la promenade.

— Une lettre ? s'étonna le Capétien. Cela ne lui ressemble pas. C'est sans doute que la chose ne peut pas attendre. Voulez-vous bien m'en donner lecture, Enguerran ?

Philippe IV, qui de sa belle figure avait tiré son célèbre qualificatif, était un homme que ses contemporains disaient dur et froid, de marbre ou de fer, mais à ses plus proches conseillers il n'échappait guère que derrière cette austérité se cachaient en vérité beaucoup de sagesse et, sans doute, un soupçon de timidité. C'était un souverain rigoureux et exigeant, opiniâtre, qui ajoutait à la très haute idée qu'il se faisait de sa fonction un ambitieux dessein pour son royaume, dont il voulait grandir la puissance et l'unité. S'il pouvait se montrer dur, impitoyable même, jamais il ne laissait transparaître la moindre colère et en toute chose il demeurait calme et maître de lui-même. Avec Marigny, toutefois, le Capétien se laissait plus facilement aller. C'était, de toute sa Cour, celui avec lequel Philippe le Bel était le plus intime et le seul auquel il épargnât donc, en partie du moins, la mise en scène de sa légendaire rigidité.

— Je ne sais si je puis, Votre Altesse : la missive porte le sceau du secret.

— Allons, allons, je n'ai plus de secret pour vous, chambellan.

Le ministre du roi fit une révérence obligée, puis il ouvrit la lettre.

— La lettre est en latin, Sire.

— Traduisez, traduisez...

Marigny s'exécuta.

« *Votre Royale Majesté, très noble Prince, par la grâce de Dieu roi des Français,*

La faveur dont Votre Altesse nous a honoré en nous accordant lundi dernier au Palais cet entretien privé si particulier est plus grande que nous n'eussions jamais osé espérer. Depuis lors, toutefois, il est advenu à Paris quelque nouvel événement que nous nous devons de porter à la connaissance de Votre Majesté, car il concerne cette chose dont nous avons parlé ce jour-là sous le sceau du secret, comme sa portée dépassait le champ des seules affaires politiques, et nous espérons donc que Votre Altesse nous pardonnera d'avoir pris la liberté de lui faire parvenir la présente par messager.

Ainsi, nous nous devons d'avertir Votre Altesse que l'homme que nous avions mis aux fers (pour les raisons que Votre Majesté connaît), entendu Andreas Saint-Loup, maître apothicaire de la rue Saint-Denis, fut libéré ce matin sur ordre du chambellan Enguerran de Marigny – lequel, sans doute, est en train de lire cette lettre aux côtés de Votre Altesse – sans que j'en fusse préalablement informé et que je pusse intervenir. »

Marigny, piqué par la perfidie de son rival, marqua une pause dans sa lecture, puis, voyant que le roi s'impatientait, reprit sa traduction.

« N'ayant eu le temps de soumettre le pharmacien qu'à une seule et courte séance de question, nous n'avons pu obtenir de lui les aveux que nous attendions, mais avons trouvé néanmoins la confirmation de ses liens certains avec l'énigme qui a été soumise à notre intelligence.

Il semble à votre humble serviteur que le retour dudit apothicaire en la prison du Temple relève donc de la plus grande priorité, car le danger encouru par le fait de cette libération est si grand que nous ne pouvons répondre de rien, et nous nous livrons à la sagesse de Votre Altesse pour qu'elle veuille bien l'ordonner de sa royale autorité, à laquelle nul ne peut se soustraire.

Nous reposant sur cet espoir, nous adressons les vœux les plus ardents à Notre Seigneur Dieu pour qu'Il daigne conserver le plus longtemps possible dans une santé prospère la personne de Votre Altesse, si essentielle au salut de tout le royaume.

Donné à Paris, le 8 mars de l'an 1313.

J'ai l'honneur d'être, de Votre Majesté, le très dévoué serviteur,

Guillaume de Nogaret. »

Dès les premiers mots de la lettre, Philippe le Bel s'était arrêté de marcher, et il regardait à présent Marigny avec une insistance et une gravité qui ne laissaient présager aucune fin heureuse à cette conversation.

— Avez-vous vraiment fait libérer cet homme ? demanda le roi d'un ton presque menaçant.

Le chambellan, encore sous le choc des nombreuses pointes qui lui avaient été adressées entre les lignes de ce courrier, mit quelque temps à répondre. Nogaret, comme il avait deviné que Marigny devrait lire lui-même cette lettre, s'était certainement délecté à l'avance de l'humiliation qu'elle lui occasionnerait.

— À la demande de mon demi-frère l'archevêque de Sens, expliqua-t-il, et selon la constatation qu'aucune charge sérieuse n'était retenue contre lui, je dois admettre, Votre Altesse, que n'ayant trouvé nulle ordonnance légale pour cette réclusion, j'ai, en effet, laissé sortir cet Apothicaire ce matin même de la prison du Temple, mais...

— Enguerran, vous êtes un imbécile, doublé d'un orgueilleux, dit Philippe d'un ton distant et monocorde. Vous avez fait cela dans le seul but d'importuner Nogaret, contre lequel vous continuez de mener une ridicule bataille de pouvoir. Si vous pensez que je suis trop distrait pour voir ce qu'il se passe dans mon propre hôtel, vous faites un stratège bien moins habile que je ne l'ai toujours estimé !

— Votre Altesse, j'ignorais que l'homme avait été arrêté par le chancelier et je ne faisais que...

— Il suffit ! Votre rivalité avec Nogaret ne m'intéresse pas, elle n'est pas digne des politiciens que vous êtes l'un et l'autre. Tout ce qui compte, à présent, c'est que vous avez libéré un homme qui ne devait pas l'être.

— Mon demi-frère, alors, ne m'aura pas tout dit de cet homme qui, selon lui, n'était qu'un simple pharmacien, certes quelque peu provocateur, mais grandement respecté dans sa profession.

— Peut-être n'est-il que cela. Souhaitons-le ! Mais vous n'auriez pas dû le libérer sans chercher à savoir.

— Oui, Votre Altesse, je comprends à présent mon erreur et en assume l'entière responsabilité. Puis-je toutefois demander pourquoi, si la réclusion de ce M. Saint-Loup était si importante, elle n'a point été ordonnée par Sa Majesté elle-même ?

— Il n'est pas dans mes habitudes de me justifier de mes choix devant mes conseillers, mais puisque l'heure est grave, je veux bien vous répondre, Enguerran. Nous avons fait cela pour ne pas éveiller plus de soupçons que nécessaire. Or, à présent, ce souci de discrétion va tomber à l'eau, car je vais devoir faire arrêter cet homme une seconde fois ce qui, sans nul doute, aiguisera bien des suspicions.

— Mais que lui reproche Nogaret ? insista Marigny, comme si ses questions avaient pu le laver de sa faute en montrant qu'il n'était que la victime impuissante du silence dans lequel on l'avait tenu.

Le roi, qui avait repris son air songeur, se mit de nouveau à marcher.

— Je ne puis vous le dire, mon ami.

— Sa Majesté disait tout à l'heure n'avoir aucun secret pour son serviteur...

— Vous m'avez mal compris : il ne s'agit pas de vous cacher quoi que ce soit. Je ne puis vous le dire car je ne sais pas moi-même ce que Nogaret lui reproche, et je ne suis pas certain que lui-même sache en vérité de quoi cet Apothicaire est coupable. Tout ce que nous savons, c'est qu'il est lié, de près ou de loin, à une étrange affaire de disparition, et que ladite disparition éveille des curiosités jusqu'au-delà des frontières de notre royaume, ce qui, vous en conviendrez, laisse supposer que se trame quelque part un complot dont nous ne pouvons ignorer l'existence.

— Certes, certes, et je suis plein de confiance dans l'insigne sagacité de Nogaret, mais je ne comprends pas pourquoi il ne m'en a pas parlé...

— Ah ! Si seulement vous oubliiez vos querelles, la chose eût pu être évitée ! Mais il en est ainsi, à présent, et il n'est plus l'heure de se lamenter mais celle de réagir promptement.

— Je suis le serviteur de Votre Altesse.

Philippe s'arrêta à nouveau et porta le poing à son menton dans l'attitude des grands penseurs.

— Nous allons renvoyer ce messager auprès du chancelier pour lui faire dire que nous faisons droit à sa requête. Et demain, je rentrerai à Paris. Faites chercher mon secrétaire.

Marigny s'excusa et partit remplir son office, non sans une rancœur renouvelée pour ce Nogaret qui, une fois de plus, avait comploté dans son dos dans l'espoir, sans doute, de prendre un peu d'avance sur lui dans leur course à la faveur du roi.

45

Alors qu'à Paris, Andreas, ignorant tout de l'intrigue politique dont il était à présent l'objet, retrouvait avec satisfaction le toit de sa maison et le sourire de ses deux valets, notre jeune Aalis, à l'autre bout du pays, était sur le point de découvrir, elle, une fort pénible réalité.

Après avoir fermé vertement la porte au nez de l'obstiné François, la jeune fille s'était précipitée, fébrile, dans la chambre familiale, à la recherche d'un indice qui lui eût permis d'apporter quelque crédit à l'horrible accusation du fils du prévôt. Un à un, elle ouvrit les meubles qui se trouvaient là, retourna les linges, souleva les couches, mais comme elle ne trouvait rien elle redescendit au niveau de la chaussée et fouilla la boutique, la salle à manger, l'atelier… Elle n'était pas certaine de savoir ce qu'elle cherchait exactement, une arme peut-être, une preuve confondante, et quand bien même celle-ci eût existé, elle n'ignorait pas qu'il y avait peu de chances qu'elle se trouvât ici. Petit à petit, elle se rendit compte de l'inanité de ses recherches, et elle était sur le point d'y mettre un terme quand, soudain, du coin de l'œil, elle aperçut une large boîte en bois abîmée, glissée derrière l'une des grandes armoires de l'atelier, qu'elle n'y avait jamais vue auparavant. La boîte, en outre, attira son attention car elle était couverte de traces de boue séchée et son couvercle avait été brisé.

Aalis s'agenouilla devant la caisse et, lentement, l'ouvrit avec la précaution de celui qui désarme un piège. Quand, à l'intérieur, elle découvrit deux beaux draps de Bruxelles roulés en boule et maculés de sang, elle comprit d'un seul coup que François avait dit la vérité et il lui sembla que son cœur allait s'arrêter.

La douleur et la colère la frappèrent comme l'eût fait l'épée sur le crâne de Damoclès si le crin du cheval de Denys se fut cassé, et alors toute la peine qu'elle était parvenue à faire taire resurgit, plus aiguë que jamais.

Dès lors, la porte de la maison s'ouvrit, et quand la jeune fille, les yeux embués de larmes, tourna la tête vers la boutique adjacente, elle croisa le regard de son père, et dans celui-ci elle trouva l'ultime et terrible confirmation de sa culpabilité.

— Papa ! Qu'est-ce... qu'est-ce que tu as fait ? demanda-t-elle en soulevant les beaux draps tachés de sang.

Maurin Nouet, qui avait les bras chargés de marchandise, poussa un long soupir et roula les yeux d'un air furibond.

— Qu'est-ce que tu fais là ? demanda-t-il à sa fille tout en déposant ses nombreux paquets sur un étal.

— Papa, bredouilla Aalis, toujours à genoux, comme clouée au sol par l'effroi. Papa, c'est toi qui as tué Zacharias...

Et ce n'était pas une question. C'était l'énoncé de la plus épouvantable vérité.

Catherine Nouet, qui venait d'arriver derrière son mari, et qui comprit d'emblée ce qu'il se passait, fit une moue accablée.

— Tu sais ce qu'il a fait ton vieux Juif ? demanda le père sur le ton d'une colère qui, sans doute, voulait masquer son embarras. Il a volé nos draps de Bruxelles ! Alors il n'a eu que ce qu'il méritait !

— Tu mens ! s'exclama la jeune fille en se levant d'un bond. Zacharias n'était pas un voleur ! Il n'aurait jamais fait ça !

— Ah oui ? Et comment expliques-tu que ces draps étaient cachés derrière sa maison, hein ?

— Quelqu'un les y aura mis pour le faire accuser ! répliqua Aalis et, en disant ces mots, elle fut soudain saisie par la certitude que François avait organisé ce funeste traquenard. Tu n'es qu'un assassin !

Aalis, pris par une folie que seul le désespoir expliquait, se jeta sur son propre père et commença à le frapper à la poitrine de ses deux poings serrés. Elle reçut en retour une première gifle, puissante, puis une seconde, plus forte encore, qui la fit tomber à la renverse.

Mais Maurin Nouet ne s'arrêta pas là. Gagné par une rage au moins aussi grande que celle de sa fille, il attrapa un bâton avec lequel on battait le linge, l'éleva au-dessus d'Aalis et se mit à la rosser furieusement. Le bois cognait bruyamment contre les petits os de son enfant sans qu'il s'en émût, sur les jambes, sur les bras, les mains, le dos, avec une violence abominable et insensée.

La petite, recroquevillée, les mains collées sur son visage dans une vaine tentative de se protéger, hurlait de douleur, poussait des cris de plus en plus stridents qui résonnaient entre les murs de l'atelier.

Témoin de la violence démesurée de son mari, la drapière, après de nombreux coups, hélas !, se jeta sur Nouet pour le supplier d'arrêter, le saisit par son bras punitif, et il est de l'avis du narrateur que, sans ce geste maternel, la jeune Aalis eût probablement poussé à l'issue de cette correction le dernier souffle de sa courte vie.

Les yeux injectés de sang, Maurin s'arrêta enfin, comme sorti d'une transe par les cris de son épouse, jeta son bâton au sol et sortit de la maison en proférant d'inaudibles jurons. On peut supposer à cet instant que l'homme prit la mesure de son excès, provoqué sans doute par la honte et les remords qu'il éprouvait lui-même, comme si frapper sa fille avait pu le libérer de sa culpabilité, mais il était trop tard, et Aalis gisait au sol, le corps secoué de spasmes inquiétants, et il y avait autour d'elle tant de sang qu'on eût dit la paillasse d'un boucher.

46

Au matin du 9 mars, à son aube même, quand le messager du roi arriva, épuisé, au palais de la Cité, il lui fallut peu de temps pour comprendre, par l'effervescence sombre de ses occupants, qu'il était arrivé un drame dans ses murs. Mais comme ses ordres étaient de ne parler à personne d'autre qu'à Guillaume de Nogaret, il ne posa aucune question et traversa l'édifice pour se diriger tout droit vers les appartements de celui-ci. Là, dans la chambre même du chancelier, au milieu d'une foule de servants, de conseillers et d'autres personnes qu'il ne connaissait pas, le messager vit Henri de Mondeville, la mine grave et les mains couvertes de sang.

Le jeune chevaucheur se fraya un chemin au milieu de cette curieuse assemblée puis, comme on l'empêchait de passer, s'écria en montrant la petite boîte en cuir armoriée qu'il tenait dans la main :

— Laissez-moi passer ! J'ai un message du roi Philippe pour M. de Nogaret !

Tous les regards, alors, se tournèrent vers lui et, avant même que le grand chirurgien ne lui annonçât la nouvelle, le messager comprit enfin, comme le lecteur l'a déjà fait sans doute, ce qu'il était advenu :

— M. de Nogaret est mort.

47

Ce fut précisément en ce morbide moment qu'Andreas, assisté de son apprenti et de ses deux valets, ouvrit de nouveau son apothicairerie, laquelle était restée close pendant toute la durée de son emprisonnement, ce qui, sans nul doute, n'avait échappé à personne dans la rue Saint-Denis.

La clientèle, comme excitée par la fin de cette relâche, ne fut pas longue à se presser devant l'officine la plus prisée du quartier, mais à ceux qui voulaient seulement complimenter maître Saint-Loup de sa libération, l'Apothicaire répondait qu'il était là pour travailler, et non pas pour entendre leurs inutiles civilités. Ceux-là repartaient satisfaits, car ils avaient eu la preuve formelle que la réclusion n'avait pas transformé leur bon pharmacien : il était toujours aussi odieux.

Andreas, toute la matinée, redoubla d'efforts pour remplacer ceux de ses remèdes qui, en son absence, s'étaient périmés et risquaient rapidement de venir à manquer. Dans son laboratoire, il fit de son mieux pour ne pas se détourner de son labeur et se précipiter vers l'*oculus corpuscula* qui, abandonné sur la paillasse, semblait l'appeler comme Ulysse la sirène.

Robin, qui avait fait d'indéniables progrès, tout à la joie de retrouver son maître, participa diligemment à la confection des cataplasmes, décoctions, collyres et autres loochs à ses côtés, et lui non plus n'avait pas changé : il était toujours aussi zélé qu'étourdi.

À la fin de l'après-midi, quand il estima qu'ils avaient rattrapé leur retard, Andreas expliqua à Lambert qu'il devait s'absenter et lui demanda de fermer boutique.

— Bien sûr, maître.

L'Apothicaire inclina la tête avec reconnaissance. Même si, on s'en doute, il ne le leur avait jamais dit de vive voix et ne le ferait jamais, il éprouvait pour Lambert et Marguerite une très grande affection. Depuis dix ans qu'il travaillait à son service, ce vieux couple ne lui avait jamais fait défaut, et l'un comme l'autre apportaient à sa tâche bien plus d'attention qu'un maître n'était en droit de l'exiger de ses valets. En réalité, maintenant que ses liens avec l'abbé Boucel s'étaient tant abîmés, ces deux-là étaient pour lui ce qui se rapprochait le plus d'une famille, entendu que la famille soit ce tout petit nombre de personnes pour lesquelles votre amour ne s'éteint jamais, même dans l'épreuve, qui jamais ne juge et toujours comprend sans même que vous deviez dire les choses ; or parfois, comme c'était le cas pour notre Apothicaire, la famille ne vient pas du sang, et il est des étrangers qui font les meilleurs parents.

— Où allez-vous, maître ? demanda Robin qui, derrière eux, avait tout entendu.

— Je dois aller visiter un dominicain, répondit le pharmacien.

— Pourquoi ? rétorqua l'apprenti avec un peu trop d'empressement.

Andreas fronça les sourcils, se demandant si le jeune rouquin ne s'était pas habitué à une trop grande liberté en son absence.

— Cela concerne les causes de mon emprisonnement.

— Alors je vous accompagne !

— Non, Lambert aura besoin de toi pour fermer.

— Maître ! insista Robin.

L'Apothicaire ne sut s'il devait s'inquiéter de cette nouvelle impudence ou, au contraire, y voir le signe d'un épanouissement dont il pouvait se réjouir. Après tout, ne devait-il pas sa libération à l'audace insoupçonnée du jeune homme ? Peut-être fallait-il, en rétribution, lui accorder un peu plus de confiance.

— Soit. Si tu le souhaites. Mais ne t'avise pas de dire un seul mot quand nous y serons. Tu seras là comme le simple apprenti que tu es : pour apprendre.

— Oui, maître.

Aussitôt ils quittèrent l'apothicairerie et traversèrent ensemble les grandes artères de la capitale sur laquelle, déjà, tombaient les ombres du soir.

— Quel est donc ce dominicain que nous allons visiter ? demanda Robin en chemin. Je croyais que vous n'aviez que très peu d'affection pour les gens de robe...

— Il ne faut pas confondre le général et le particulier, Robin. Il y a, parmi les hommes du clergé, certains des plus brillants penseurs de notre temps ; c'est le groupe qui est mauvais, pas les individus et, aussi bien, la plupart de ces penseurs sont davantage critiqués par leurs pairs qu'ils ne le seraient par moi. Imagine un peu ce qu'un Thomas d'Aquin ou un Roger Bacon auraient pu écrire s'ils n'avaient été contraints par les dogmes de l'Église qui les a produits ?

— Ce que vous dites est un peu paradoxal... Vous dites que c'est l'Église qui a façonné ces grands savants, mais que c'est elle qui les a censurés ?

— La vie est toute pleine de paradoxes, mon garçon, et tu dois t'en féliciter, car ne fut-ce pas justement un paradoxe qui me fit prendre pour apprenti un fils de paysan sans diplôme ?

Andreas répondait à son apprenti sans même lui jeter un regard. Il marchait vite, et le jeune homme peinait à le suivre, qui s'essoufflait en parlant.

— Et qui est-il, donc, ce dominicain que nous allons voir ? ânonna avec insistance le rouquin que plus rien ne semblait pouvoir faire taire.

— Il se nomme Eckhart von Hochheim et, comme son nom l'aura soufflé à ta perspicacité, c'est un Allemand.

— Que fait ce moine à Paris, alors ?

— Les dominicains ne sont pas des moines, Robin, ce sont des religieux.

— Comment cela ?

— La différence est subtile, je te l'accorde, mais les dominicains ne prononcent qu'un seul vœu, celui d'obéissance, et pas celui de stabilité.

— D'accord, d'accord, mais que fait-il donc à Paris ?

— À la demande des dignitaires de l'ordre dominicain, il a reçu du chancelier de Notre-Dame le *magister regens*, c'est-à-dire la licence d'enseigner à l'université de Paris, bien qu'il fût expulsé de France il y a presque dix ans par Philippe le Bel.

— Je suppose que son expulsion passée vous le rend sympathique, railla Robin, qui commençait à connaître son Apothicaire.

— Éminemment.

— Et pourquoi allons-nous le voir ?

— Parce que c'est un mystique.

— Et ?

— Et à la question que je me pose, seul un mystique peut répondre.

— Mais quelle est cette question ?

— Tu verras bien. Tais-toi, maintenant, et marche.

Robin, qui craignait sans doute d'être congédié, ne se le fit pas dire deux fois, et ainsi maître et apprenti continuèrent leur ambulation jusqu'à la rive gauche du fleuve dans un silence que seuls les bruits de la ville venaient rompre, et il faut reconnaître qu'ils étaient fort nombreux comme la journée se terminait.

Quand ils arrivèrent dans le quartier étudiant, Andreas mena son apprenti jusqu'à l'hôtel de la rue Saint-André-des-Arts, où siégeait le collège de Navarre, destiné à l'étude de la théologie, et qui avait été offert à l'Université par Jeanne de Navarre, épouse de Philippe le Bel. Dans l'une des grandes salles, ils trouvèrent le dominicain en pleine séance de théologie, devant une quinzaine d'étudiants attentifs qui, assis sur le plancher couvert de paille, semblaient boire les paroles de cet Allemand sulfureux, dont les idées eussent pu attirer les foudres de l'Inquisition, ce que d'ailleurs elles firent quelques années plus tard.

Andreas et Robin prirent place parmi les jeunes clercs, et quand maître Eckhart les aperçut, il leur adressa un chaleureux signe de tête mais n'interrompit pas pour autant son instruction, laquelle gagna même un peu d'entrain, comme s'il était stimulé par ce nouvel auditoire. Contrairement à la tradition, l'homme ne se contentait pas de s'attacher aux mots des Pères de l'Église mais livrait aux jeunes gens ses propres idées et, iconoclaste, il ne le faisait pas en latin, mais en français ce qui, s'il n'avait eu sa solide réputation, lui eût sans doute coûté sa place. Toutefois, il était notable que le dominicain, quoique avec un léger accent germanique, parlait parfaitement la langue française.

— ... et ainsi, ce faisant, il est nécessaire, disait-il, de chercher en tout lieu l'expérience mystique, car vous devez comprendre que l'être, dès lors qu'il est pris dans sa plénitude, s'identifie à Dieu.

Les étudiants hochèrent la tête, et certains, les plus aisés, prirent quelques notes sur les parchemins qu'ils avaient sur leurs genoux.

— Mais, comme nous le disions hier, il importe de distinguer Dieu et la déité. La déité est l'essence divine absolue, isolée par son aséité, en ce sens qu'elle existe pour elle-même et par elle-même, sans que son existence soit soumise à quelque autre entité. La déité est au-dessus de tout nom, de tout rapport, et nous ne pouvons rien affirmer à son sujet, sinon qu'elle est unité.

— Mais comment pouvons-nous la connaître, alors ? demanda l'un des étudiants.

— Précisément, nous ne le pouvons pas, mais par l'expérience mystique, nous devons y retourner.

Robin vit se dessiner sur les lèvres de son maître un sourire qui trahissait, pour qui les connaissait, son scepticisme et son irréligion.

— Dieu, au contraire, c'est la déité en tant qu'elle entre en rapport. La déité devient Dieu par l'acte de la création. Dieu n'est Dieu que lorsqu'il y a des créatures ; si elles n'étaient pas, il ne serait pas non plus. En somme, si je n'étais pas, Dieu ne serait pas. C'est pourquoi je prie Dieu qu'il me libère de Dieu, car mon être essentiel est au-dessus de Lui.

— L'âme est au-dessus de Dieu ? s'offusqua un jeune clerc.

— L'âme part de l'unité divine, de la déité, et c'est la création qui la fait prendre corps dans le monde réel, au cœur de la multiplicité. L'expérience mystique consiste donc à s'en abstraire pour accomplir notre retour à l'unité.

— Et qu'advient-il à celui qui y parvient ? s'exclama, sur un ton sarcastique, un autre étudiant.

— *Ach !* Si je le savais, sans doute ne serais-je pas ici pour vous le dire, mes enfants !

Un rire parcourut l'assemblée, rire dont le jeune Robin n'était pas certain de comprendre l'entière origine.

— Mais allons, il se fait tard, la nuit est tombée, et je vois qu'un illustre Apothicaire est venu me rendre visite. *Heraus !* Et malheur à celui qui, d'ici demain, n'aura pas achevé le *De immortalitate animae*[1].

Les étudiants quittèrent avec force bruit le cours de maître Eckhart, lequel, vêtu de sa tunique blanche, du scapulaire et de la capuche, se dirigea aussitôt vers Andreas, les bras grands ouverts.

— Mon bon Apothicaire ! *Ich bin so glücklich, dich zu sehen !* Quel plaisir que cette visite inattendue !

Les deux hommes s'embrassèrent chaleureusement. Si Andreas eût pu être soupçonné d'avoir un ami,

1. *De l'immortalité de l'âme,* œuvre de saint Augustin.

Eckhart eût été ce qui s'en approchait le plus. Il y avait entre ces deux érudits – qui s'étaient rencontrés deux ans plus tôt à la *Magna libreria* de la Sorbonne, où ils s'étaient disputé un volume de la *Sententia super metaphysicam* de Thomas d'Aquin – un respect mutuel évident et peut-être même la compassion fraternelle de deux âmes insoumises, éprises de liberté dans un âge de censure.

— Et qui est ce jeune garçon qui vous accompagne ? Un nouvel élève pour moi ?

— Non, maître Eckhart. Robin est mon apprenti, mais vous avez raison, il ferait auprès de vous un excellent élève, car il a un bel esprit, bien qu'il soit fort distrait.

Le religieux se tourna vers le jeune rouquin et lui serra vigoureusement l'épaule.

— Tu es entre de bonnes mains, *mein Junge* ! Et si tu suis bien les enseignements de ton maître, tu deviendras certainement l'un des plus grands *Apotheker* de Paris !

Robin, dont les joues s'étaient déjà empourprées, hocha timidement la tête.

— Alors, Andreas, que me vaut le plaisir de votre courtoise visite ? Voulez-vous que nous reprenions séance tenante notre belle dispute sur les universaux, là où nous la laissâmes en décembre dernier quand nous fûmes grossièrement interrompus par l'annonce d'une bulle papale ?

— Oh, de grâce, non ! Je resterai à jamais un aristotélicien et vous un platonicien, et je crois qu'il faudra des siècles pour mettre un terme à cette querelle. Non... Ce n'est pas pour cela que je suis venu vous voir. Moi qui n'étudiai pas la théologie mais la médecine, j'ai besoin de vos lumières en la matière, maître.

— Allons, allons, mon fils, y a-t-il dans tout l'univers une seule chose que je sache et que vous ne sachiez point ?

— Hélas ! le temps où un seul homme pouvait posséder tout le savoir universel est révolu, maître Eckhart, et le dernier qui eût pu s'en vanter était sans doute votre propre professeur dominicain, Albrecht von Bollstädt, que nous appelons ici Albert le Grand.

Andreas, à l'évidence, avait précisé cela à l'intention de Robin, qui écoutait, les yeux écarquillés.

— *Requiescat in pace*[1]. Mais mon professeur avait un autre élève, bien meilleur que moi, et qui eût pu aussi revendiquer ce titre : votre cher Thomas d'Aquin, qui nous valut de nous rencontrer, mon frère.

— Un autre dominicain, oui. À croire que votre Ordre est la plus brillante des écoles…

— Si seulement vous aviez voulu y entrer, Andreas !

— Je n'ai pas toutes les qualités requises, plaisanta l'Apothicaire. Pour l'heure, j'aimerais que vous me parliez du gnosticisme.

Le visage du dominicain s'illumina d'un sourire presque espiègle.

— Je vois que vous ne m'avez pas choisi au hasard, dit-il sur le ton de la confidence.

— Le peu que je sais de la gnose me laisse songer, en effet, que vous la connaissez mieux que quiconque à Paris, et peut-être même dans la France tout entière.

— Loin de là, loin de là, Andreas, elle compte d'éminents spécialistes. Mais je ferai de mon mieux. Que voulez-vous savoir ?

— Tout.

— *Mein Gott !* Mais vous venez de dire que le tout n'est pas connaissable ! dit-il avec amusement.

— Alors dites-moi un petit peu moins que tout.

— Soit, « un petit peu moins que tout ». Mais venez avec moi dans mon office, nous y serons… plus à l'aise.

Andreas et Robin suivirent le dominicain à l'étage de l'hôtel du collège de Navarre, vers une petite pièce toute de bois, emplie de livres et de parchemins, puis

1. *Qu'il repose en paix.*

ils prirent place sur deux fauteuils, en face de leur hôte.

— Voilà. Nous serons mieux ici, expliqua le dominicain, à l'abri de certaines oreilles, car vous savez, Andreas, il n'est pas toujours prudent de parler librement du gnosticisme, et moi qui suis déjà une cible de choix pour les fanatiques de l'Inquisition, je préfère ne pas accélérer l'acte qui, indubitablement, un jour, me déclarera hérétique et me conduira au bûcher.

— Triste époque, déplora Andreas.

— Détrompez-vous, l'intolérance n'a pas d'âge et ne finira jamais. Chaque siècle a connu et connaîtra ses inquisiteurs et ses hérétiques. *Also*.

— Triste monde, alors, et je comprends ceux des mystiques qui, comme vous, aspirent à le quitter.

— *Accipere quam facere praestat injuriam*[1]. Mais à présent que nous sommes tranquilles, voici ce que je peux vous dire du gnosticisme : il est difficile d'en parler comme d'une seule entité cohérente, car l'appellation a été utilisée sans mesure par les chasseurs d'hérétiques pour désigner toutes les interprétations de la Bible qui s'écartaient de celle de l'Église. En somme, pour certains, je pourrais être moi-même un gnostique…

— Nous ne vous en tiendrions pas rigueur, mon père. Si je comprends bien, il n'existe pas *un* gnosticisme, mais plusieurs. Pouvez-vous toutefois en dégager quelque communauté ?

— Je peux essayer. De manière générale, la gnose a pour objet les mystères du monde divin et des êtres célestes. Elle prétend révéler à ses seuls initiés le secret de leur origine et les moyens de la rejoindre.

— Dame ! Cela ressemble fort à ce que vous disiez tout à l'heure à vos étudiants de l'expérience mystique.

1. *Il vaut mieux être victime d'une injustice qu'en être responsable.* (Cicéron.)

— *Ja*. Vous comprenez mieux pourquoi je disais qu'on pourrait aisément m'accuser d'hérésie... Toutefois, je ne vais pas aussi loin que les gnostiques.

— En quoi divergez-vous ?

— Pour eux, le monde sensible a été créé par une puissance mauvaise, qu'ils appellent *démiurge*. Ce démiurge ignore ou cache l'existence du Dieu transcendant et bon, qui est la source du monde spirituel.

— Et qui s'apparente à ce que vous nommiez tout à l'heure « déité » ?

— En quelque sorte. Les âmes des hommes qui possèdent la « gnose » émanent de ce Dieu suprême, elles sont d'essence spirituelle, mais elles sont prisonnières du monde sensible. En somme, pour les gnostiques, nous vivons tous, vous et moi, et vous aussi, Robin, prisonniers d'un monde qui n'est pas celui du Dieu suprême, mais la création d'un malin démiurge. Pour certains, ainsi est expliquée la venue de Christ. Le Dieu transcendant aurait envoyé ici-bas un Sauveur pour délivrer quelques élus, leur livrer la gnose pour les ramener à leur origine, et les rassembler à nouveau dans le monde spirituel. Voilà, en quelques mots, ce que je peux vous dire du gnosticisme. Cela vous convient-il, *mein lieber Andreas* ?

— Tout à fait, tout à fait. Mais alors, j'aurais une dernière question à vous poser, maître Eckhart.

— Faites, mon fils.

— Existe-t-il toujours des mouvements gnostiques aujourd'hui ?

Le dominicain leva les mains en signe d'impuissance.

— Il est difficile de répondre à cette question, tant le terme est flou. Comme je vous l'ai dit, le gnosticisme désigne, au sens large, tous les mouvements qui ont eu ou ont encore une interprétation de la Bible différente de celle de l'Église. Cela fait beaucoup de monde, n'est-ce pas ?

— Certes.

— Ces mouvements se sont beaucoup développés par le biais du judaïsme, à l'époque et dans le lieu même où est né le christianisme. Les cabalistes juifs et les alchimistes arabes sont, en quelque sorte, des gnostiques, et la chose s'est, à l'évidence, beaucoup répandue sur la péninsule Ibérique, où se sont croisées les trois grandes religions. Les bons hommes cathares et vaudois étaient, eux aussi, des gnostiques, à leur façon. Ainsi, vous voyez, la gnose est présente dans bien des courants de pensée et je ne saurais vous en faire une liste exhaustive.

Andreas opina lentement du chef. Il fit alors quelques mouvements de la bouche, les lèvres pincées, comme s'il hésitait à poser sa prochaine question, ce qui indiquait, pour qui le connaissait un peu, qu'elle était le véritable objet de sa présence ici.

— Et dites-moi, maître Eckhart, avez-vous déjà entendu parler d'une *schola gnosticos* ?

À ces mots, un voile sembla se poser sur le visage du dominicain, comme sous l'effet d'une profonde contrariété. Lui dont le sourire avait resplendi pendant tout le début de la conversation offrit alors une mine défaite, choquée presque.

Comme l'homme ne répondait toujours pas, Andreas, perplexe, renouvela sa question.

— Maître ? Ce nom vous dit quelque chose ?

— Où donc l'avez-vous entendu ? répliqua Eckhart d'un air anxieux.

— Dans la bouche d'un moine soldat, répondit évasivement l'Apothicaire.

Le dominicain poussa un soupir et ses mains, croisées devant lui, se tordirent sous l'empire d'une inexplicable gêne.

— Que se passe-t-il, maître ? s'enquit Andreas, désemparé par l'attitude de l'Allemand. On dirait que je vous ai heurté.

— Non, non, Andreas. Mais êtes-vous certain de vouloir fouiller plus avant ces choses-là ?

Andreas, abasourdi, jeta un coup d'œil à son apprenti à ses côtés. Le jeune homme, lui aussi, semblait stupéfait. L'Apothicaire ne s'était pas attendu à provoquer un tel embarras chez leur interlocuteur mais, loin de le dissuader, le malaise soudain de celui-ci ne fit qu'aiguiser sa curiosité.

— Allons, maître Eckhart ! Me cacheriez-vous quelque chose, à moi ?

— Non, non, mon fils, bien sûr que non !

— Si je ne vous connaissais pas mieux, je croirais que ces deux mots... vous ont fait peur.

— Ce ne sont pas les mots mais la chose, Andreas ! Et ce n'est pas pour moi que j'ai peur, mais pour vous. Je pourrais vous parler pendant des heures, et sans la moindre crainte, de bien des sectes et des mouvements hérétiques. Je pourrais vous parler des fraticelles, des kantéens, des adamites, des cabalistes, des maghariens, des bogomiles, des frères du libre esprit, des euchites, des soufis, je pourrais vous entretenir des lucifériens, même, mais de la *schola gnosticos*... Je ne suis pas certain de pouvoir, ou de devoir vous en parler.

— En disant cela, toutefois, vous confirmez que la chose existe...

Le dominicain ne répondit pas, mais son silence était acquiescement.

— Soit. Je comprends donc que vous ne voulez pas me parler de cette chose dont, par respect pour vous seulement, je ne dirai plus le nom. Néanmoins, j'ai besoin, moi, d'en savoir davantage. Ne pourriez-vous pas me diriger vers quelque autre érudit qui saurait, lui, m'en dire un peu plus ?

Le maître Eckhart ferma les yeux et secoua la tête.

— Je vous en conjure, Andreas, oubliez tout cela ! Je ne sais pas ce qui motive vos recherches, mais il ne peut en sortir rien de bon. Vous pénétrez dans un domaine qui ne vaut pas d'être visité, car on ne peut que s'y égarer.

Cette fois, l'Apothicaire ne put masquer son agacement.

— Vous savez bien que je ne suis pas homme à me laisser dire ce que je peux ou dois connaître, et qu'il n'est aucun domaine que je m'interdise de visiter ! J'ai besoin de savoir.

Le dominicain fit une grimace.

— De savoir. Oui. Oui, je sais cela de vous. Vous êtes un homme de savoir, Andreas, et votre soif de connaissance vous honore comme elle pourrait vous perdre. Et en cela vous n'êtes pas si différent des gnostiques eux-mêmes, justement, qui, révoltés contre le mauvais créateur, à l'instar d'Ève, suivent le serpent pour goûter au fruit de la connaissance – laquelle, dois-je vous le rappeler, se dit *gnôsis* dans la langue de Socrate...

— Allons, répondez-moi, Eckhart ! Cela devient ridicule !

Le regard du dominicain fit des allers et retours entre celui d'Andreas et de son apprenti. Il tergiversa longuement, et son corps tout entier trahissait son irrésolution. Puis, dans un soupir d'abandon, il répondit enfin.

— Il y a un homme, à Artenay.

— Son nom ? demanda l'Apothicaire sans ambages.

— Arnaud de Roulay.

— Et qui est cet homme ?

— C'est un ancien moine franciscain.

— Ancien ?

— Il a été défroqué.

48

Comme elle était blessée, et grièvement, Aalis ne se coucha point ce soir-là à l'étage, dans la chambre de ses parents, mais resta seule en bas, sur une couche de fortune installée près de la cheminée, ainsi que l'avait prescrit le médecin qui était venu la soigner, non sans avoir adressé à Maurin Nouet des regards emplis de reproches entendus.

Harcelée par la douleur, elle ne put trouver le sommeil de toute la soirée et pleura beaucoup, encore que ces larmes pussent avoir coulé davantage sous les effets du sentiment d'injustice et de peine que sous ceux de ses moult blessures.

La nuit est tombée depuis longtemps quand, soudain, nous voyons la jeune fille se redresser sur sa couche, les yeux grands ouverts, comme saisie d'une rage subite, d'un brusque transport, comme possédée par un démon, et frénétique, et exaltée. D'ailleurs, son visage tuméfié est si abîmé qu'on dirait une sorcière, dans l'image que se font les gens de ces vilaines femmes.

Péniblement elle se lève. Le sang coule encore à son flanc. Un bras tremblant se saisit d'une torche imbibée d'huile, la plonge dans l'âtre jusqu'à ce qu'elle s'allume.

Aalis se retourne. La flamme orange à son côté colore sa figure et y dessine de sinistres ombres. Le regard fixe, elle avance pitoyablement à travers la pièce, et boitant et râlant, puisant dans son ire une force nouvelle, inattendue. Près de l'entrée elle attrape son manteau de laine qu'elle enfile. De sa main libre elle ouvre la porte. Une bise glaciale s'engouffre dans la maison et soulève sa chevelure châtaine. Les mèches volent autour d'elle et lui font une obscure auréole. Le front baissé, comme un taureau avant la charge, de ses yeux verts écarquillés elle pose sur cette salle un regard qui a quelque chose de définitif. Au sol, les derniers brins de paille de l'hiver. Aalis se penche. Le bâton enflammé, lentement, s'approche du parterre, lequel, d'un seul coup, s'embrase. Les flammèches se propagent rapidement. Bientôt, la pièce entière est envahie par un océan ardent et doré.

Le visage d'Aalis n'a pas changé. Figée, elle observe, un instant, son forfait, puis elle se retourne, sort de la maison et, sans que l'effleure le moindre remords, referme la porte derrière elle.

Ses pieds se posent lourdement sur le sol, ils sont nus, mais elle ne ressent pas le froid de la nuit. Pour tout dire, elle ne ressent plus rien, sinon la haine et le dépit. Elle marche. Il semble que ce sont ses jambes et non son esprit qui la mènent tout droit dans la rue, jusqu'à un carrefour, une autre rue, qui monte, serpente, traverse d'autres artères, et alors elle est au cœur du Béziers endormi, devant la maison du prévôt Ardignac, dont elle fait le tour, doucement, à la seule lumière de sa torche. Là, derrière, est une grange, qui flanque la demeure et qui, promptement, s'enflamme à son tour. La jeune fille reste immobile puis, quand la chaleur brûle son visage, elle lâche sa torche et s'éloigne à petits pas. Dans son dos, les flammes grandissent, gagnent la maison et se lèvent dans la nuit comme autant de langues diaboliques.

Quand, quelques instants plus tard, Aalis passe, pour la dernière fois, la porte Saint-Jacques, les deux bâtisses se consument entièrement et tout Béziers se presse dehors. On crie, on hurle, on court, on se précipite vers les puits pour chercher de l'eau, mais il en manque toujours, alors on s'agite, on s'affole, on implore Dieu, mais la jeune fille, elle, marche en silence. Elle est loin. Et bientôt ce n'est plus qu'une ombre qui s'efface dans la garrigue, c'est Gorgone, c'est Vesta qui disparaît dans la nuit.

49

Les faits qui arrivèrent précisément à la même heure en la ville de Paris sont si troublants par leur ressemblance avec ce qui vient d'être décrit que d'aucuns, parmi les lecteurs, y verront le signe de la Providence, quand il paraît seulement au narrateur que, parfois, les destins de deux inconnus se lient au hasard de la loi des très grands nombres ; mais la manière dont on observe le monde et dont on interprète ses correspondances, finalement, ne change rien à sa splendide et déroutante harmonie, et libre à chacun de voir de la raison là où surgit l'extraordinaire, ou de la magie là où agissent les mathématiques.

Il était fort tard quand Andreas et Robin, qui avaient soupé dans une taverne de la rive gauche après avoir quitté le maître Eckhart, arrivèrent dans la rue Saint-Denis. D'emblée, malgré l'obscurité, ils virent qu'il y avait là bien plus de monde qu'à l'ordinaire en cette heure, et que régnait sur ces gens un sensible vent de panique et d'effroi.

— Que se passe-t-il, maître ? demanda Robin d'une voix pressante.

— Lève les yeux, mon garçon, et tu verras, répondit l'Apothicaire, la mine sombre.

L'apprenti distingua alors dans les ténèbres du ciel une noirceur plus profonde qu'y dessinaient des volutes de fumée.

— Il y a un incendie.

Et comme ces colonnes noires s'élevaient précisément du quartier où était la maison d'Andreas, tous deux accélérèrent le pas, mus par le plus mauvais des pressentiments. Plus ils avançaient, plus la foule était grande, et bientôt ils furent certains, hélas ! que le feu venait bien de l'apothicairerie.

La première pensée d'Andreas fut pour ses valets. Il se mit aussitôt à courir et Robin lui emboîta le pas. Au bout de la rue, on voyait à présent les couleurs orangées d'un grand feu qui illuminait la nuit. Il y avait là une grande agitation et il était difficile de distinguer précisément ce qu'il se passait. Mais quand ils furent un peu plus près, Andreas et Robin virent, avec horreur, la scène qui se jouait devant eux.

Des habitants du quartier, le visage ruisselant de sueur et couvert de suie, venaient d'extirper deux corps immobiles de l'apothicairerie en flammes. Et aussitôt ils surent que c'était ceux de Lambert et Marguerite.

Robin poussa un hurlement et se jeta en avant. L'Apothicaire, la gorge comme soudain obstruée, l'imita, livide, mais après plusieurs foulées à peine, il fut brusquement arrêté par une silhouette noire, surgie des ombres, et qui l'attrapa vivement par les épaules. Andreas se défendit un instant, avant de reconnaître la longue chevelure noire de Magdala la Ponante.

— Andreas ! Andreas ! criait la catin.

— Laisse-moi, Magdala !

— N'y va pas, Andreas ! rétorqua-t-elle en le plaquant contre le mur. J'ai tout vu et tu dois te carrer !

— Qu'est-ce que tu racontes ? s'exclama l'Apothicaire, furieux. Je dois aller chercher Lambert et Marguerite !

— C'est trop tard, dit-elle d'une voix désolée. Y z'ont canné l'un et l'autre, regarde.

Andreas tourna la tête et vit, quelques pas plus loin, Robin qui, à genoux, pleurait sur les dépouilles des deux valets. L'Apothicaire resta muet un moment, comme s'il ne pouvait accepter ou comprendre ce terrible spectacle.

— Ce n'est pas possible ! murmura-t-il.

Magdala l'entraîna alors de force dans l'ombre d'une porte, et elle se mit à lui parler avec précipitation.

— J'ai vu des lascars entrer de force chez toi tout à l'heure, et puis on a entendu un grand vacarme, et puis le feu a pris. Y a les sergents de la ville qui font le balai autour de ta maison, Andreas, regarde ! Y te cherchent pour te remettre en carruche. Tu comprends ?

L'Apothicaire semblait pétrifié. La prostituée posa une main sur sa joue.

— Tu comprends, Andreas ? répéta-t-elle. Tu dois te carrer ! Je te prendrais bien chez moi, mais pour sûr qu'y viendront te chercher.

Au même instant, Andreas aperçut deux sergents qui approchaient à grands pas. Tiré de sa torpeur, il adressa un signe de gratitude à Magdala et se précipita vers la petite ruelle qui jouxtait la maison des *fillettes*.

— Occupe-toi de Robin ! lança-t-il avant de disparaître.

— Juré ! Mais dépêche-toi ! lui cria Magdala. J'vais faire de mon mieux pour les retenir, ces tocards !

Andreas fila aussitôt au milieu des façades rapprochées de la venelle, abandonnant derrière lui le tumulte de la rue Saint-Denis. Quand les voix de la Ponante et des sergents qui se disputaient s'élevèrent soudain entre les immeubles, il était déjà loin, et personne n'était là pour voir les larmes qui coulaient sur les joues de cet homme qui en était pourtant si avare.

L'Apothicaire crut qu'il allait s'évanouir. Son cœur battait à grands coups, tout son corps tremblait et sa vue trouble faisait vaciller le monde autour de lui. Mais il devait fuir, et vite, car de prison on ne peut être libéré deux fois. Tout près de là, on entendait l'écho de voix qui s'élevaient entre les maisons, et c'était celles de ses poursuivants. Frôlant les murs, se glissant d'ombre en ombre, il progressa à travers le quartier sans vraiment savoir ce qu'il faisait. Et puis soudain il vit que ses pas l'avaient mené derrière l'abbaye de Saint-Magloire.

Il contempla l'enceinte qui s'élevait devant lui et sa mâchoire se serra. Ce n'était pas la raison, mais l'instinct qui l'avait conduit jusque-là. Andreas privilégiait d'ordinaire la première au second, mais en ce moment il n'était pas certain de pouvoir réfléchir, alors il partit ouvrir une petite porte qui donnait sur les jardins de l'abbaye, qu'il connaissait bien pour y avoir passé les plus grandes heures de son enfance et, le dos courbé, il remonta vers le cimetière. Quand il fut arrivé à son sommet, Andreas se cacha derrière une tombe. Au loin, il pouvait distinguer les voix des moines qui psalmodiaient les vigiles nocturnes dans la salle capitulaire.

Il décida d'attendre la fin de la liturgie, quand l'abbé sortirait de la salle par une porte isolée. Et en effet, quelques instants plus tard l'Apothicaire fit irruption sur le chemin du Très Révérend Père qui s'en retournait seul vers ses appartements.

— Par Dieu ! Andreas ! s'exclama le vieux bénédictin, une main sur le cœur. Tu m'as fait peur ! Qu'est-ce que tu fais là ?

— Il faut que vous me cachiez, mon père !

Le visage du moine se teinta d'une violente colère.

— Te libérer de prison ! Te cacher ! Mais par tous les diables quand cesseras-tu donc ? Et qu'as-tu encore fait ?

— On a mis le feu à ma maison, Baudouin ! Les sergents de la ville veulent m'arrêter pour un crime que j'ignore, mais que, certainement, je n'ai pas commis. Laissez-moi au moins me cacher cette nuit dans l'église !

— Les églises, par ordre de Philippe le Bel, ne sont plus des asiles inviolables, Andreas ! Tu ne seras pas plus en sécurité ici qu'ailleurs.

— Allons, Boucel, vous savez bien que si ! Ils n'oseront pas entrer de force dans votre église.

— Et pourquoi te porterais-je de nouveau secours, à toi qui ne me montres que du mépris ?

— Parce que je suis innocent et que vous tenez la charité chrétienne dans la plus haute estime, Très Révérend Père ?

— Et que feras-tu après ? Je ne pourrai pas te cacher ici indéfiniment.

— Je vous promets que je partirai dès demain, mon père.

— Et où donc ? Les sergents vont te chercher dans toute la ville !

— Je partirai vers le sud. Il y a en Artenay un homme qui, je crois, saura me sortir de ce mauvais pas.

L'abbé secoua la tête. D'un air irascible, il plongea la main dans sa robe noire et en tira un trousseau dont il détacha une clef qu'il tendit à Andreas.

— Débrouille-toi seul, mon fils, et demain, que je ne te voie plus ici ! Que je ne te voie plus jamais ! Tu ne m'apportes que tristesse et déception.

L'Apothicaire acquiesça puis, sans dire un mot de plus, il partit se réfugier dans cette église qui l'avait presque vu naître.

50

Il fallut toute la nuit aux habitants de Béziers pour éteindre les incendies qui avaient ravagé, en deux endroits différents, deux maisons entières, du sol à la cime, et encore au petit matin les braises menaçaient-elles toujours de faire repartir le feu au moindre coup de vent. Toutes ces flammes ramenèrent aux souvenirs des plus anciens les heures sombres de la ville, qu'aucun n'avait vécues de fait, mais que tous avaient entendu raconter dans leur jeunesse, et que l'on appelait encore *lo grand masèl*, ce qui, dans la langue occitane, signifie « grande boucherie ».

Des décombres de la première demeure on sortit les corps calcinés des deux drapiers, et de la seconde on ne put sauver que M. Ardignac, le prévôt qui, à cette heure encore, pleurait sur le cadavre de son fils François.

Comme les feux avaient pris, presque simultanément, en deux lieux éloignés du bourg, les habitants de Béziers conclurent rapidement qu'ils étaient d'origine criminelle, et comme Aalis manquait, le prévôt affirma très tôt que la jeune fille était la coupable, elle qui avait comploté avec un vieux Juif, et il fit alors la terrible promesse de n'avoir de repos que quand la meurtrière serait retrouvée, jugée et pendue au gibet de la ville.

Sans doute les habitants, furibonds, se fussent-ils précipités aussitôt vers la colline des Moulins s'ils avaient su qu'en ce moment, Aalis s'y tenait, assise sur un rocher, et qui regardait, les yeux emplis de larmes, les dernières nappes de fumée qui flottaient en contrebas, tel un chef de guerre contemplant les cadavres dans la plaine au lendemain d'une féroce bataille.

La douleur qui étreignait son corps tout entier n'avait d'égale, par son intensité, que la confusion qui régnait en son esprit, où se mêlaient l'accablement, la rancœur, la peine et les premiers assauts du parricide remords dont elle savait déjà qu'il ne la quitterait plus. Si ses parents avaient péri, sans doute ne le saurait-elle jamais. Une seule chose lui paraissait certaine : ce drame ne lui laissait à présent plus aucun autre choix que celui de fuir, de fuir loin et toujours, et peut-être était-ce en partie la raison qui l'avait poussée à le provoquer. L'heure était donc venue d'embrasser une vie nouvelle, et que cette renaissance dût se bâtir sur les cendres et la mort ne pouvait l'emplir d'espoir ou de joie, lui coûterait cher sans doute, mais lui donnerait éventuellement la force si particulière de ceux qui ont perdu, d'un seul coup, toute leur innocence.

Secouée de sanglots qui ne devaient pas terminer avant longtemps, Aalis attrapa ce baluchon où, dans la nuit, elle avait enfoui quelques objets qu'elle était allée récupérer dans la capitelle de Zacharias Buljan : un couteau, quelques galettes, une écuelle et, surtout, le plus précieux de tous : le vieux psantêr brisé.

Elle se leva, fébrile, se tourna vers l'ouest et, le soleil dans le dos, portant à ses pieds des chausses qu'elle avait prises au vieux Juif, elle fit les premiers pas de cette longue route qui, un jour, elle l'espérait, la mènerait à Bayonne.

51

Andreas fut réveillé subitement par la splendeur colorée des premiers rayons du soleil qui filtraient à travers les vitraux de l'église Saint-Gilles.

Les événements de la veille lui revinrent en mémoire avec la violence d'une houle de tempête, et son cœur se noua comme il pensait à Lambert et Marguerite. Il se redressa péniblement, se leva et lissa tant bien que mal ses vêtements. De toute évidence, il avait fort mal dormi, et encore maintenant il se rappelait la terrible image des deux corps calcinés de ses valets, qu'il n'avait pas même pu rejoindre, pour rendre un dernier hommage à ces deux êtres qu'il chérissait plus que quiconque en cette terre ! Qu'adviendrait-il d'eux maintenant ? Comme il était désormais un fuyard, un banni, et pour longtemps sans doute, il ne pourrait pas s'occuper de leurs funérailles. Seraient-ils enterrés dignement, eux qui avaient tant mérité ? Et Robin ? Où était-il ? Andreas avait été obligé de l'abandonner, et il peinait à se le pardonner.

L'Apothicaire poussa un grognement quand, soudain, des voix s'élevèrent entre les galeries du cloître. Comme les laudes n'auraient pas lieu avant un peu de temps encore, il en déduisit que ce ne pouvait être les moines qui arrivaient, et il se précipita vers une petite porte du transept qu'il ouvrit doucement. Ce qu'il vit alors le plongea dans une grande colère : deux hommes, l'épée à la main, marchaient tout droit vers l'église. On l'avait retrouvé.

— Maudit Boucel !

Il referma la porte. S'il sortait de l'église, les chances de leur échapper étaient faibles. Cela ne lui laissait qu'une seule solution.

Sans perdre de temps, maître Saint-Loup courut vers le bas-chœur, enjamba la barrière de bois et contourna l'autel. Il fulmina quand son cœur, malgré lui, se mit à battre au plus fort. *Un homme de raison jamais ne s'alarme et toujours domine sa peur*, s'ordonna-t-il. Il glissa derrière l'exèdre, où était le siège de l'abbé, et se précipita au-dessus d'une trappe dissimulée dans le sol de pierres taillées. Les doigts tremblants, il souleva la planche de bois. La faible lumière de l'église éclaira alors les vieilles marches d'un escalier qui s'enfonçait dans la terre et où Andreas se jeta au moment précis où s'ouvrirent, d'un seul coup, les deux grandes portes à l'autre bout de la nef.

L'Apothicaire descendit les premières marches et referma la trappe au-dessus de lui, ce qui l'entoura aussitôt de la plus totale obscurité. D'un pas lent, il reprit néanmoins sa descente, à la façon d'un aveugle : tous ses sens, hormis la vue, en éveil. Ce passage secret, il le connaissait par cœur, il en maîtrisait, de mémoire, chaque recoin, chaque virage. Ainsi, il progressa sans trébucher jusqu'au bas de l'escalier, puis longea sur la droite le couloir long et étroit où, jadis, il venait souvent se cacher quand l'abbé Boucel le cherchait et qu'il était préférable qu'il ne le trouvât point.

Ses chausses s'enfonçaient dans la terre humide et ses paumes raclaient contre les parois rugueuses. Il compta ses pas, prenant garde à ne pas faire de plus grandes enjambées que celles que lui permettait, à l'époque, son corps d'enfant. Quatre-vingt-huit pas. Là, le corridor donnait sur un second escalier dont il gravit les marches une à une jusqu'à tomber sur la petite porte qui, il le savait, ouvrait sur le *scriptorium*.

Andreas colla son oreille contre le panneau de bois et, comme aucun bruit ne lui était parvenu, appuya sur la poignée et pénétra dans la grande pièce, encore vide à cette heure matinale.

Cherchant l'abri des ombres, il traversa ce havre de lecture et d'écriture, effleurant du bout des doigts les majestueux volumes enluminés qui avaient envoûté son adolescence, puis il en sortit prudemment. Dehors, comme les frères se préparaient pour les laudes et que les servants étaient aux cuisines, il n'y avait encore personne. Rassemblant tout son courage, il longea le cloître au pas de course et retourna dans les jardins par lesquels il était entré la veille, et alors il descendit, sans plus se retourner, jusqu'à l'enceinte de l'abbaye, du côté où une vieille porte donnait sur la rue Quincampoix.

Andreas, voyant que la route était libre, se mit rapidement en marche. Mais après quelques pas à peine sur la chaussée, il fut interpellé par maître Bernard, un sellier de ses voisins, dont les yeux respiraient l'urgence et la peur. L'homme, qui avait surgi sur le pas de sa porte, lui faisait de grands gestes avec les mains.

— Viens ici, Andreas ! Tu ne peux pas rester comme ça ! bafouilla l'artisan en lui désignant, affichée sur un mur, la copie d'une ordonnance royale appelant à son arrestation.

« *Philippe, par la grâce de Dieu, roi de France, aux prévôts et baillis de France ou leurs lieutenants, salut.*

Sur le rapport de personnes dignes de foi qui nous fut fait, il nous est revenu que monsieur Andreas Saint-Loup, maître apothicaire de la ville de Paris, sous l'habit de sa confrérie, insultant misérablement à l'honneur de son métier comme au respect du droit romain, s'est rendu coupable du meurtre par empoisonnement du chancelier et garde du Sceau royal Guillaume de Nogaret, et de multiples actes de dépravation hérétique.

Par suite, nous qui sommes établi par le Seigneur sur le poste d'observation de l'éminence royale pour défendre le bon droit et les canons ; vu l'enquête préalable et diligente faite sur les points susdits ; vu la suspicion véhémente résultant contre ledit adversaire du pacte social, tant de ladite enquête que d'autres présomptions diverses, d'arguments légitimes et de conjonctures probables ; attendu que la vérité ne peut être pleinement découverte autrement ; après délibération plénière avec les prélats, les barons de notre royaume et nos autres conseillers, nous avons décrété que ledit Andreas Saint-Loup devait être arrêté, retenu prisonnier et réservé au jugement du Parlement et de l'Église.

C'est pourquoi nous vous chargeons et vous prescrivons rigoureusement d'arrêter monsieur Andreas Saint-Loup, apothicaire, conformément à nos ordonnances et instructions. D'ailleurs, nous donnons l'ordre, par la teneur des présentes, à nos fidèles juges et sujets de vous obéir d'une manière effective et d'être attentifs relativement aux choses qui précèdent, ensemble ou séparément, et à celles qui s'y rapportent.

Donné à Paris, le dixième jour du mois de mars de l'an du Seigneur mil trois cent treize. »

L'Apothicaire frissonna. Beaucoup de gens dans le quartier connaissaient sa figure, et il portait encore sa robe d'apothicaire dont le bleu se distinguait de loin.

— Entre ! insista le sellier, et Andreas le suivit à l'intérieur.

Maître Bernard, sans dire un mot de plus, partit chercher un manteau qu'il tendit à son voisin. Celui-ci ôta sa cape et enfila le vêtement de laine rouge.

— Tu ne peux pas rester ici. Les sergents te cherchent de tous côtés. Fuis, et que Dieu te garde ! Mon cœur sait que tu ne peux pas avoir commis le plus petit crime.

Andreas lui serra obligeamment les mains puis, sans attendre, il retourna dans la rue, passa la capuche sur son crâne chauve et fila vers le sud.

D'un pas preste – mais sans courir tout de même, pour ne pas attirer l'attention – il descendit tout droit jusqu'à la Seine, en prenant soin d'éviter le quartier du Châtelet, traversa le fleuve et, la tête rentrée dans les épaules, se fondant à la foule des marchands, il quitta Paris par la grande voie Saint-Jacques, que les pèlerins de Compostelle empruntaient pour aller vers Orléans.

Sur cette route se trouvait la ville d'Artenay, où Andreas Saint-Loup, dès lors, décida de se rendre puisqu'il ne pouvait plus se risquer à rester entre les murs de Paris, et que là-bas, selon maître Eckhart, se cachait ce mystérieux moine défroqué auquel il voulait tant parler.

Et c'est ainsi que, en ce matin du 10 mars de l'an 1313, au moment où, au sud du pays, la jeune Aalis quittait Béziers pour Bayonne, maître Saint-Loup, tel Ulysse s'éloignant d'Ithaque, prit cette route de légende que, dix-huit ans plus tôt, il avait suivie pour la première fois.

Livre II

Où l'on suit Andreas Saint-Loup
sur la route qui mène
au royaume de Navarre et la jeune Aalis
sur celle qui conduit à Bayonne,
et où l'on voit comment l'un
et l'autre doivent faire face
à moult péripéties.

52

Comme l'ordonnance royale datait du matin même, Andreas estima que, s'il marchait vite et tout le jour, il pourrait parcourir plus de vingt milles et arriverait au soir dans un village où, avec un peu de chance, on ne l'aurait pas encore affichée. Il aurait alors le loisir de dormir dans une auberge sans être inquiété, à condition, certes, que le roi n'ait pas déjà envoyé ses messagers porter la nouvelle à cheval à travers tout le royaume.

Ainsi, il marcha sans discontinuer vers le sud. S'extirpant d'abord des faubourgs qui s'étendaient autour des remparts de la capitale, il longea le prieuré bénédictin de Notre-Dame-des-Champs et s'enfonça dans la campagne jusqu'à ce que Paris, merveilleuse et menaçante à la fois, disparût enfin dans son dos.

Comme c'était la voie pour se rendre à Orléans, il y avait sur cette route bien d'autres voyageurs, à pied, à cheval ou en charrette, si bien qu'il ne détonna guère parmi eux, et que personne ne lui prêta attention. Les nombreux commerçants qui montaient vers la grande ville avec toute leur marchandise le saluaient en passant et il se contentait de leur retourner un petit signe de la main sans ôter sa capuche qui, il l'espérait, éviterait qu'on se souvînt plus tard de son visage et qu'on le reconnût.

Sans s'arrêter un seul instant, l'Apothicaire traversa le village de Longjumeau où, en apercevant l'une de ces anciennes commanderies que les Templiers avaient semées dans le pays tout entier, il ne put s'empêcher d'avoir une pensée pour Jacques de Molay, encore reclus dans la prison du Temple. Puis il dépassa Brétigny et Saint-Germain-lès-Arpajon.

La nature, autour de lui, était en train de reprendre ses droits et l'on pouvait admirer, là où la terre n'était pas cultivée par l'homme, la richesse de la flore qu'offrait en ce temps la vallée de l'Essonne : ses charmes aux feuilles finement dentelées, ses harmonieux érables, ses bouleaux verruqueux à la blanche écorce, ses aulnes, ses frênes, ses châtaigniers, ses hauts peupliers dont les branches semblaient trembler de honte, ses rosiers des champs, ses groseilliers rouges... Plus on avançait vers le sud et plus les traces de la présence humaine se faisaient rares, laissant la place aux arbres, aux bêtes, à la terre et au ciel, ainsi qu'à la méditation.

Avec lui, Andreas ne portait que quelques herbes et épices, sa fiole de diacode, une bourse pleine de trois livres tournois tout au plus et sa petite balance d'apothicaire ; il n'ignorait pas que cette pauvre somme d'objets ne l'emmènerait pas bien loin et qu'il n'aurait pas assez de son looch pour tenir plus que deux jours. Certes, il avait à sa ceinture tous les ingrédients nécessaires pour en fabriquer de nouveau, mais il fallait pour cela passer une journée entière dans un laboratoire, ce dont il n'aurait sans doute pas le loisir. Pour l'heure, toutefois, ce n'était pas sa véritable préoccupation : le plus important restait de fuir, et il le faisait avec d'autant plus d'ire qu'il ignorait encore les véritables motifs de son accusation, encore qu'en ce temps il ne fût pas toujours nécessaire d'en avoir pour mettre un homme aux fers.

Guillaume de Nogaret devait être à l'origine de tout cela, fâché, certainement, que Marigny eût libéré l'Apothicaire. L'ordonnance, toutefois, était signée de la main même du roi, ce qui signifiait que l'affaire était à présent remontée jusqu'à lui. Mais en quoi Andreas pouvait-il intéresser Philippe le Bel ? Cela avait-il vraiment un rapport avec la pièce vide, le tableau ? Avec ses origines, au sujet desquelles Nogaret prétendait savoir quelque chose ? Ou bien avec cette mystérieuse *schola gnosticos* dont il ignorait encore tout, sinon que la seule évocation de son nom faisait pâlir maître Eckhart ? Et toutes ces questions n'étaient pas les seules qui, comme il marchait, hantaient l'esprit de notre apothicaire. L'homme, confus et tourmenté, se demandait aussi qui avait pu mettre le feu à sa maison et, ce faisant, mettre un odieux terme à la vie de Lambert et Marguerite.

Notre docte maître Saint-Loup resta tout le jour si profondément aspiré par ces sombres pensées qu'il n'éprouva ni la fatigue ni la faim et, à la tombée du jour, sans avoir eu le sentiment de marcher tant, il arriva en vue du village d'Étréchy, enfoncé dans un bassin aux coteaux plantés de vignes.

Mais alors qu'il approchait de ce petit bourg, dans l'espoir d'y trouver un lieu où dormir, un nouvel événement fâcheux l'en empêcha.

53

Les premières heures de marche, pour Aalis, furent bien plus pénibles encore que celles de maître Saint-Loup : les chausses qu'elle portait n'étaient pas à sa taille et elle souffrait toujours des nombreuses blessures que son père, en la battant, lui avait faites.

Comme elle ne voulait rencontrer personne, la jeune Occitane décida de marcher en pleine campagne plutôt que de suivre la route, ce qui ne facilita pas sa tâche, et elle se fia donc au soleil pour se diriger vers l'ouest, bien qu'elle ne fût en aucun cas certaine que cela suffirait pour, un jour, atteindre Bayonne. Elle qui n'avait jamais vraiment voyagé ignorait tout de la façon dont on se repère en pleine nature. Sans doute eût-elle mieux fait de s'en soucier un peu plus tôt, au lieu de partir ainsi sans s'être préparée, mais les événements ne lui en avaient pas laissé le temps ni la liberté, et peut-être pouvait-elle s'en remettre à la Providence, laquelle lui avait trop rarement souri pour ne pas, cette fois au moins, lui être plus clémente.

Plutôt que de traverser l'Orb par le vieux pont, où on eût pu la voir, elle passa de l'autre côté du fleuve plus au nord, en empruntant une petite embarcation abandonnée, puis elle s'engagea péniblement dans les terres viticoles qui s'étendaient à perte de vue tout autour de la grande ville.

Comme l'hiver avait été rude, pour éviter les gelées, les paysans venaient seulement de commencer la taille des vignes, afin de limiter leur encombrement et de favoriser le développement des fruits. Plus on réduisait le nombre de grappes, plus cela permettait d'enrichir celles-ci en sucres, et il fallait donc un savant dosage que seuls des siècles de tradition viticole avaient permis de mettre au point. Ainsi dénudée, la vigne ressemblait à autant de longs doigts grêles et crochus sortis de terre, comme si des milliers de sorcières avaient été enterrées là et tentassent en vain de s'extraire du sol pour revenir dans le monde des vivants. Aalis posa un dernier regard sur ce décor qui avait accompagné toute son enfance et se remit en route vers l'ouest.

La marche provoquait en elle de vives douleurs, qui tiraient à son visage d'horribles grimaces, et sans doute toute autre jeune fille se fût arrêtée depuis longtemps, mais il y avait dans le cœur de celle-là plus de force et de détermination qu'en celui de bien des hommes. Les joues tachées de larmes séchées, le regard dur et droit, elle continuait, courageusement, car chacun de ses pas l'éloignait de Béziers et de tout ce qu'elle voulait oublier.

Au milieu de la journée, comme elle avait passé, par le nord, le petit village de Maureilhan, ses pas la menèrent sur des terres rouges, cuivrées et rocailleuses, plus arides, qui entouraient, au loin, une chaîne de rochers escarpés : elle entrait dans la garrigue.

À l'aide de son couteau, elle se confectionna alors un solide bâton de marche dans du bois de chêne vert, puis elle commença sa lente progression à travers les buissons et arbustes dont les branches dures et griffues lui lacéraient les jambes.

À cette époque de l'année, certains arbres précoces de la garrigue étaient déjà en fleurs : les hauts amandiers et leurs boutons d'un blanc rosé, les antiques merisiers, les buissons noirs des prunelliers, les genévriers cades et leurs myriades d'aiguilles acérées... Et ce retour de la flore à la vie était accueilli par une multitude de petits papillons qui, volant d'orchidées en orchidées, faisaient paraître le plateau comme un lac scintillant : aurores, cléopâtres, mégères...

Ici et là, Aalis devait traverser des fossés creusés par les ruisseaux et parsemés de pierres. Parfois, elle s'arrêtait au bord de l'un d'eux pour manger un bout de galette ou pour se reposer, simplement, et puis, s'appuyant de toutes ses forces sur son bâton, elle repartait. Plusieurs de ses blessures saignaient encore et, tant bien que mal, elle devait s'efforcer régulièrement de réarranger les nombreux pansements que le médecin lui avait faits pour qu'ils ne tombent pas.

Si elle en avait eu l'envie, le silence et la beauté de la garrigue lui eussent offert tout le loisir de penser, de méditer, mais comme son esprit était encore plein des terribles images de la veille et son cœur des douleurs accumulées, elle préféra faire le vide dans sa tête, se concentrer sur le bruit de ses pas, qui martelaient le temps, et se laisser réconforter par les effluves du romarin, du thym et de la lavande qui ne disparaissaient jamais tout à fait.

Et ainsi, le soir, ayant gravi une dernière colline coiffée d'une pinède, la jeune fille arriva au-dessus d'une plaine où les pieds de vignes tapissaient la terre rouge et au-delà de laquelle se nichait le village de Puisserguier.

54

En marchant vers Étréchy, comme il était précisément sur l'*Iter francorum*, Andreas ne fut guère étonné de voir trois jacquets, selon la manière dont on désignait à l'époque les pèlerins qui se rendaient à Saint-Jacques-de-Compostelle. Figurez-vous trois hommes portant cotte et surcot gris, escarcelle à la ceinture, sur le chef un chapeau au bord rabattu et sur lequel ils avaient cousu une coquille galicienne, emblème du pèlerinage. Dans leurs mains ils tenaient le bourdon, un grand bâton avec embout ferré à la base et pommeau au sommet, qui aidait à la marche, servait à se défendre contre le chien et le loup et dotait le marcheur d'un troisième pied, symbolisant sa foi en la Sainte-Trinité. À l'épaule ils portaient la besace, qui devait être petite en signe de pauvreté et contenir, en plus d'une maigre pitance, une lettre de recommandation pour celui qui partait, ou ses billets de confession pour qui s'en revenait ; elle était faite de la peau d'un animal mort pour rappeler au pèlerin qu'il devait mortifier sa chair sujette aux vices et au désir, et restait toujours ouverte afin de témoigner de l'esprit de partage qui devait l'animer. Tout cela, Andreas se le rappelait, qui, on le sait, avait voyagé parmi les jacquets l'année de ses vingt et un ans, mais un détail, soudain, le frappa, qui concernait l'heure avancée.

Il était trop tard quand l'Apothicaire comprit que, la nuit tombée, ces hommes ne pouvaient être de véritables pèlerins mais plus probablement trois méchants coquillards, ces brigands sans scrupules qui, déguisés en fidèles, pullulaient en ce temps sur les routes de Saint-Jacques pour détrousser les voyageurs. Il en eut la certitude en les voyant se jeter vers lui, et la douloureuse confirmation en recevant en pleine poitrine un vilain coup de bâton qui le projeta à terre.

En aparté, nous signalerons au lecteur que ce pays, en ce temps-là, était souvent désigné sous le sobriquet irrévérencieux d'Étréchy-le-Larron, car on raconte qu'y cantonnait toujours une bande de voleurs, dont ceux-là étaient peut-être, et qui se cachait dans les bois voisins, au pied d'un rocher dit la Fontaine Livault.

Andreas, qui n'était pas tout à fait un homme de main, mais plutôt d'esprit, se releva malgré tout et ancra fermement ses deux pieds sur le sol, prêt à en découdre. Comme on l'a dit plus tôt, il n'avait pas grand-chose sur lui, mais ce qu'il portait, il en avait besoin. Toutefois, homme d'esprit justement, il n'aurait pas dû avoir à réfléchir beaucoup pour savoir que, à un contre trois, ses chances de s'en sortir étaient sinon nulles, au moins aussi faibles que celles d'un chameau que l'on somme de passer par le trou d'une aiguille. On lui pardonnera toutefois ce péché d'orgueil, qui le fit se battre pour quelques biens qui ne méritaient pas qu'on perdît la vie pour eux, en se souvenant qu'il était, et à raison, de fort méchante humeur. Peut-être même avait-il besoin de recevoir quelques coups pour chasser de son esprit la mort de Lambert et Marguerite et la douleur qu'elle causait encore en son cœur. On cherche parfois à s'infliger de moindres maux pour oublier les plus grands.

Armés de leurs bourdons, les trois coquillards encerclèrent l'Apothicaire, et le plus grand des trois, avec un mauvais sourire, le toisa vertement.

— Mais c'est qu'il veut goûter du bâton ! cracha-t-il en faisant sauter son arme dans le creux de ses mains.

Andreas, dont on connaît maintenant l'inclination à la provocation, ne put s'empêcher de répondre.

— C'est-à-dire que j'aurais préféré goûter de vos coquilles, mais elles m'ont l'air aussi vides que vos simiesques boîtes crâniennes...

Il n'en fallut pas plus aux trois marauds pour se jeter de concert sur leur proie, et le pauvre Apothicaire, qui n'avait que ses mains pour se défendre, reçut une cruelle volée de coups de bâton, dont le dernier l'atteignit à la tempe et lui fit voir un grand éclair blanc.

Mais alors qu'il tombait pour la seconde fois à la renverse, Andreas entendit un hurlement frénétique sur sa droite et, quand, étourdi, il tourna les yeux pour voir d'où venait ce tintamarre, il découvrit avec une extraordinaire stupéfaction que ce n'était nul autre que Robin, son rouquin d'apprenti, courant vers eux comme un sauvage, les yeux écarquillés, agitant ses bras et ses jambes d'une curieuse manière – sans doute pour se donner un peu de consistance – et faisant tournoyer autour de sa tête hirsute ce qui se révéla être une grande serviette de tissu armée d'un caillou, à la manière d'une fronde. Plus grand encore fut l'ébahissement d'Andreas quand ledit caillou, s'extirpant soudain de l'étoffe en rotation, atteignit au front, et violemment, le plus grand des coquillards, lequel s'écroula sur le sol comme un mannequin de paille.

Les deux autres brigands, médusés, restèrent immobiles un instant avant de se décider enfin à charger ce nouvel arrivant, mais celui-ci avait eu le temps d'armer de nouveau sa fronde de fortune et, sans cesser ses cris barbares, la faisait déjà virevolter pardessus son chef avec un air menaçant.

Andreas, débarrassé pour l'heure de ses assaillants, s'empressa de se relever et ramassa le bourdon du coquillard évanoui, de telle sorte que, à présent, les deux derniers bandits se trouvaient encerclés à leur tour.

Robin décocha sa deuxième pierre et, de nouveau, tel David terrassant Goliath, il fit mouche, ce qui fit penser à Andreas que le jeune homme avait soit beaucoup de chance, soit beaucoup d'entraînement.

Voyant son deuxième larron à terre, et dans un triste état, le dernier debout prit ses jambes à son cou et disparut dans la nuit noire avant que de recevoir son compte.

Robin, qui n'avait pas cessé de crier pendant toute la bataille, se tut enfin et s'approcha d'Andreas.

— Vous allez bien, maître ?

Du sang coulait sur le front de l'Apothicaire, mais quelque chose comme un sourire crispait ses joues et ses lèvres.

— Par la barbe d'Horace ! Mais que fais-tu là ?

Robin haussa les épaules.

— J'ai deviné que vous iriez vers Artenay pour trouver cet ancien moine dont nous a parlé maître Eckhart, alors je vous ai suivi.

— Tu m'as suivi ? répéta Andreas, qui n'en croyait pas ses oreilles.

— Oui...

— Et peux-tu me dire où tu as appris à te servir ainsi d'une fronde ?

— C'est ainsi qu'on chassait les corbeaux à la ferme...

— Pour sûr, ces deux corbeaux-là ne voleront pas de sitôt, dit l'Apothicaire en désignant les deux hommes étendus par terre. Allons, je peux le dire, je suis bien heureux que tu te sois trouvé là.

Robin esquissa un sourire.

— Je ne suis pas venu tout seul, dit-il en se retournant.

L'instant d'après, la silhouette d'une femme aux longs cheveux noirs apparut en haut du talus, qui traînait derrière elle, par la jambe, le corps du troisième coquillard.

— Magdala ! s'exclama Andreas, perplexe.

— Mes hommages, mon bijou ! répondit la prostituée avec ce sourire qui faisait de si jolies rides au bord de ses grands yeux de lapis-lazuli.

Elle porta l'homme évanoui jusqu'à eux puis embrassa chaleureusement l'Apothicaire.

— J'aurais dû me douter que tu étais de la partie, dit Andreas. Mais tes *fillettes* ? Tu les as laissées seules ?

— Bah... Elles se débrouillent très bien sans ce cul-là, affirma-t-elle en désignant son postérieur.

— Et maintenant, qu'allons-nous faire, maître ? demanda Robin, inquiet.

Andreas hésita.

— Par pitié, ne me demandez pas de rentrer chez moi ! implora le jeune homme. J'ai pleuré tout le jour pour Lambert et Marguerite ! Il n'y a qu'auprès de vous que je veuille être. Il n'y a que vous qui puissiez comprendre.

L'Apothicaire secoua la tête d'un air agacé.

— Pleurer ne les ramènera pas.

— Vous n'avez pas pleuré, vous, maître ?

— Bien sûr que non ! mentit Andreas. Et donc tu veux venir avec moi jusqu'en Artenay ?

— Oui !

— Mais ici, Robin, je ne suis plus un apothicaire. Je n'ai plus rien. Je ne sais même pas si je pourrai te nourrir.

— Vous êtes toujours mon maître.

— Quel nicodème tu fais, parfois !

— Un nicodème qui vient de vous sauver la vie ! rétorqua Robin.

— N'exagérons rien, jeune homme. Allons, je veux bien t'emmener avec moi, mais cela ne sera pas compté sur le temps d'apprentissage que tu me dois !

Le jeune homme hocha la tête d'un air satisfait, et à la rougeur de ses yeux on voyait que, en effet, il avait beaucoup pleuré.

— Et toi, la Ponante ? Tu rentres à Paris ?

— Que je le voudrais que je pourrais pas, mon bibi. Mon cul est mis à prix autant que le tien, et j'ai idée que c'est pas pour lui faire honneur.

— Alors tu es des nôtres ? demanda Andreas, qui ne masquait pas sa satisfaction.

— Je suis des vôtres.

— Bien. D'abord, parer au plus urgent.

Andreas s'approcha alors du bord de la route et se mit à farfouiller dans les herbes en marmonnant, jusqu'à trouver une plante dont il arracha quelques feuilles.

— Tu connais cette plante, Robin ?

— Millepertuis, répondit docilement l'apprenti.

— *Hypericum perforatum*, plus précisément. C'est une plante qui n'aime pas l'ombre, et on la trouve facilement à la lisière des forêts ou sur les bords des chemins, comme ici. On peut faire une huile de ses fleurs, qu'il convient de cueillir à la Saint-Jean, mais ses feuilles aussi ont quelque vertu médicinale, que Dioscoride indiquait déjà, et dont nous nous contenterons aujourd'hui.

L'Apothicaire porta les feuilles à son front et frotta doucement la plaie sanglante, puis pressa dessus pour arrêter l'hémorragie.

— Et maintenant, que diriez-vous d'aller dormir dans un bon lit ? demanda Andreas en jetant les feuilles par terre.

— Et les trois brigands, on les laisse ici ?

— Tu ne voudrais tout de même pas que je leur paye une chambre ?

Andreas inspecta les blessures des trois hommes et prit leur pouls.

— Rien de grave. Ils se réveilleront bientôt. Et sans habits.

— Pardon ?

— Il m'est avis que nous passerons plus inaperçus en adoptant le costume des pèlerins, expliqua Andreas tout sourire.

— Mais ce ne sont pas de vrais pèlerins ! protesta Robin.

— Justement ! Nous non plus !

— C'est vrai.

— Et je vois que celui-là a une bourse pleine de quelques sous et deniers...

— Ah ça ! vider les bourses, c'est ma besogne, intervint Magdala.

— Maître ! s'indigna le jeune homme.

— Mais tais-toi donc ! Il n'y a rien qui m'agace autant que l'excès de probité. Ces quelques pièces vont mettre de la nourriture dans nos assiettes pendant plusieurs jours, ces imbéciles n'avaient qu'à choisir un meilleur chemin ! À malin, malin et demi. Tiens, toi qui es si pieux, tu n'as qu'à y voir la main de Dieu qui a eu la diligence de bien vouloir mettre sur notre route un peu d'argent pour nous nourrir.

Ainsi, maître, apprenti et catin dépouillèrent les trois brigands sans vergogne.

— Oh ! Ça ! s'exclama soudain Andreas après avoir vidé les poches de l'un des coquillards. Tiens, Magdala, viens donc par ici !

— Qu'est-ce que t'as trouvé, mon loup ?

Et comme elle s'approchait, il lui prit la main et glissa sur son annulaire une magnifique bague en argent, sertie d'une verte émeraude.

— Par la pine de saint Valentin ! Me demanderais-tu en mariage, mon mignon ?

— Rassure-toi, non, ma belle. De servante n'ai pas besoin.

Magdala, singeant les manières d'une jeune fiancée émoustillée, déposa un baiser sur le front de l'Apothicaire.

Puis tous trois se défirent de leurs manteaux et, déshabillant les brigands, se déguisèrent en jacquets à leur tour. Équipés de besaces et bourdons, ils se remirent en marche, entrèrent dans le riant vallon d'Étréchy où ils trouvèrent une abbaye bénédictine qui accueillait les pèlerins en échange d'un *donativo*. Andreas et Magdala se présentèrent comme mari et femme, et Robin fit leur enfant. Avec un peu d'imagination, ces trois singuliers voyageurs passaient bien pour une dévote famille en route pour Compostelle.

55

Aalis resta un long moment à observer le village sous le manteau de la nuit tombante. De là où elle était, elle pouvait en admirer la construction en circulade. L'enceinte, ouverte par trois portes, ne comptait, contrairement à celle de la plupart des villages environnants, aucune tour, et seul le donjon du château, à l'intérieur des murs, dominait l'ensemble. Sur le flanc est de celui-ci, dans la pénombre, on devinait seulement les premiers murs d'une église en pleine construction.

La jeune fille avait faim, elle avait froid, elle était à bout de forces, mais elle n'était pas certaine qu'il fût prudent de s'aventurer parmi ses pairs, si près de Béziers. Et si la nouvelle de ce qu'elle avait fait là-bas était parvenue jusqu'ici ? Toutefois, l'état de ses blessures s'était aggravé pendant cette journée de marche, partant, elle craignait de ne pas pouvoir survivre en passant la nuit dehors. Elle décida donc de s'approcher prudemment de la ville. Son baluchon sur le dos, sa main droite crispée sur son bâton de marche, elle descendit le flanc ouest de la colline, longea la route qui menait à la porte de la Font mais ne s'y montra pas, comme ses vêtements et les taches de sang qu'elle avait sur le corps eussent sans nul doute attiré l'attention.

Quand elle ne fut plus qu'à quelques pas de l'enceinte, elle jura : il était tard, plus tard qu'elle ne l'avait estimé, et la haute porte était déjà fermée, gardée par deux soldats du guet qui n'étaient pas seulement là pour défendre le bourg mais aussi pour faire payer le tonlieu aux commerçants tardifs qui souhaitaient encore y entrer. Impossible de pénétrer dans Puisserguier sans se faire connaître.

La jeune fille, abattue, se laissa tomber sur un rocher et sentit des larmes familières couler de nouveau sur ses joues. Elle avait tant pleuré depuis la mort de Zacharias qu'elle se demandait comment son corps pouvait encore produire tant de larmes.

Entre ses paupières humides elle observa, allongée sur la pierre, les nombreuses étoiles qui émaillaient le ciel. Elle songea alors que, si elle voyageait assez loin, peut-être finirait-elle une nuit par voir un autre ciel, et l'idée lui plaisait... L'idée lui plaisait beaucoup. Elle en était encore à songer à ces choses quand, soudain, elle fut alarmée par le chahut d'une charrette qui arrivait de l'est et qui roulait bruyamment sur la route de cailloux. Aussitôt, la jeune fille attrapa son baluchon et passa derrière le rocher pour s'y cacher.

Elle vit alors avancer un couple de marchands qui, une torche à la main, conduisait deux chevaux tirant une voiture pleine de malles et de caisses. Le convoi s'arrêta devant la porte de la Font et les marchands s'approchèrent des deux soldats. Aalis, sans un bruit, fit quelques pas dans l'obscurité et s'allongea derrière un talus pour espionner leur conversation.

— On dirait que vous apportez chaque semaine un peu plus de marchandise ! s'exclama l'un des soldats sur le ton de la plaisanterie. Si ça continue, je vais devoir vous faire payer le double de taxes !

— Eh bien, capitaine, vous êtes un véritable champion de l'impôt ! répliqua le marchand tout en lui tendant les quelques pièces habituelles. Voilà qui ferait de vous un remarquable seigneur !

— Que Dieu vous entende !

— Mais dites-moi, que se passe-t-il donc aujourd'hui ? Nous avons été doublés tout à l'heure par deux troupes de soldats qui semblaient fort pressés et qui ne nous ont même pas salués !

— Vous n'étiez pas à Béziers ce matin ?

— Non, nous étions au marché de Cazouls.

— Il y a eu deux incendies cette nuit, à Béziers, expliqua le soldat d'un air grave. Le prévôt a lancé un avis de recherche et promet une belle récompense.

— Et qui recherche-t-il donc ? Une bande de malandrins ?

— Pas du tout ! Une jeune fille. Vous n'en avez pas vu sur la route ?

À ces mots, Aalis, tapie dans l'ombre, sentit un frisson lui parcourir l'échine.

— Une jeune fille qui a mis le feu à Béziers ? s'étonna le marchand.

— C'est ce que dit le prévôt Ardignac.

— Et comment est-elle, cette jeune fille ?

— Elle n'a pas quinze ans, elle a de grands yeux verts, les cheveux châtains, et elle est blessée.

— Une jeune fille qui n'a pas quinze ans et qui brûle une ville ! Quelle époque ! Nous n'avons vu aucune fille qui réponde à ces critères, affirma, presque à regret, le marchand, et alors les soldats les laissèrent, lui, sa femme et leurs chevaux, entrer dans la ville.

Sans un bruit, Aalis se leva, fit demi-tour et retourna dans la garrigue. Cette fois, il n'y avait plus le moindre espoir : elle allait passer la nuit dehors, dans le froid, au milieu des crapauds accoucheurs dont les cris faisaient croire à la présence d'une armée de hiboux.

56

— J'espère, Ploiebauch, que ce que vous avez à me dire est aussi urgent que confidentiel, suffisamment, en tout cas, pour que je dusse prendre la peine de sortir du Palais. Aussi, je vous en conjure, monsieur le prévôt, parlez rapidement. En des heures aussi troubles, le roi a besoin de moi à ses côtés, et je n'ai pas de temps à perdre.

Enguerran de Marigny n'était pas un homme qu'on dérangeait sans un excellent motif. Au cours des dernières années, le chambellan était probablement devenu la deuxième personne la plus importante du royaume, et il avait fallu courage et adresse au prévôt de Paris pour obtenir cet entretien en un lieu aussi protégé que la cathédrale Notre-Dame, où les deux hommes chuchotaient en ce moment à l'abri des regards. Ploiebauch – cela n'était un mystère pour personne – avait été fidèle au clan Nogaret tout au long de sa carrière parisienne, et donc, était plutôt un ennemi de Marigny, mais à présent que le chancelier avait péri, ce conflit n'avait, sans doute, plus lieu d'être.

— Certainement, monsieur le chambellan, et je vous sais gré d'avoir accepté de me voir aussi vite, répondit le prévôt à l'ombre de l'un des immenses piliers à quatre colonnes engagées qui, à une hauteur extraordinaire, soutenaient la sublime voûte.

La cathédrale, dont les travaux, encore inachevés, avaient commencé exactement cent cinquante ans plus tôt, était certainement l'un des plus beaux édifices de toute la chrétienté, et son caractère sacré se prêtait parfaitement aux précautions qu'exigeait une telle entrevue.

— Parlez.

— C'est au sujet de Nogaret.

— Je l'avais deviné, dit le chambellan d'un air las. Eh bien ?

— Avant que de mourir, le chancelier s'est confié à moi, monsieur, quelques instants même avant que le chirurgien du roi ne constate son décès.

— Il s'est confié à vous ?

— Oui. Plus précisément, il m'a confié un secret qu'il voulait que je vous communique, comme il se savait condamné.

— Au nom de Dieu, parlez !

Et ces mots furent suivis d'un regard rapide que le prévôt promena autour de lui, comme s'il eût redouté qu'on les entende.

— Le chambellan se souvient sans doute d'Andreas Saint-Loup ?

— Sans doute, je m'en souviens !

— Ce que j'ai à vous dire, monsieur, concerne ce mystérieux apothicaire, au sujet duquel le chancelier m'avait demandé d'enquêter pendant de nombreuses semaines, puis qu'il avait fait arrêter avant que, par votre commandement, il ne fût libéré.

— Et alors ? le pressa le chambellan, qui n'aimait pas le reproche caché dans ces dernières paroles.

— Et alors cette chose que je dois vous dire, M. de Nogaret estimait qu'elle devait être connue de vous seul, et que vous seul seriez juge de ce qu'il convient d'en faire, et s'il est nécessaire ou non d'en avertir le roi.

— Cessez de tergiverser, Ploiebauch, et venez-en au fait.

Ainsi, d'un air des plus graves, le prévôt de Paris confia à Enguerran de Marigny ce que Nogaret soupçonnait au sujet d'Andreas Saint-Loup et, en effet, le chambellan, blafard, ne put que reconnaître l'importance et la gravité de la chose. Il comprit aussi pourquoi Nogaret la lui avait cachée, et pourquoi, se sachant condamné, il avait finalement décidé de lui transmettre ce secret par-delà son décès.

De même, Marigny découvrit d'emblée, et à son grand mécontentement, la profondeur de l'erreur qu'il avait commise – obéissant à son demi-frère archevêque de Sens – en faisant libérer ce maudit Apothicaire. Car à présent, une seule chose comptait : trouver cet homme et, certainement, l'éliminer.

— Je vous remercie, Ploiebauch. Malgré toutes les choses qui nous ont opposés par le passé, sachez que vous avez gagné à présent toute ma reconnaissance.

— Je ne fais que tenir la promesse que je fis à M. de Nogaret.

— Vous comprendrez, monsieur le prévôt, qu'en aucun cas vous ne devez répéter cela à quiconque.

— J'en ai aussi fait la promesse au chancelier.

— Tant mieux.

— Mais vous ? Le direz-vous au roi ? demanda Ploiebauch, estimant qu'en ayant respecté sa promesse il méritait au moins qu'on le tînt dans la confidence.

— La chose demande réflexion. Dans l'immédiat, je crois qu'il est préférable que nous gardions pour nous ce fâcheux secret. Ce très fâcheux secret.

— Si je puis me permettre, chambellan : s'il est une personne qui, plus que toute autre, ne doit jamais apprendre cette chose, c'est bien celle de Monsieur le frère du roi, Charles de Valois, qui est à la Cour votre plus grand ennemi, bien plus grand, malgré ce que vous sembliez croire, que ne l'était Nogaret. Et si Charles de Valois venait à apprendre cela, il ne fait aucun doute qu'il s'en servirait contre vous...

— Je le sais, Ploiebauch. Et nous allons y veiller. Encore une fois, monsieur le prévôt, je vous remercie de cette confidence, et sachez que je saurai vous témoigner ma reconnaissance.

57

Andreas, qui était réveillé depuis quelques moments déjà, admirait, appuyé contre la fenêtre de la chambre exiguë que leur avaient attribuée les bénédictins, les couleurs que prenait le ciel à mesure que le soleil se levait derrière le sombre rideau des arbres. Au nadir, il allait du rouge au blanc en passant par l'orangé, puis il devenait bleu vers le zénith, d'un bleu indigo, et à l'horizon on voyait encore un tout petit croissant de lune, qui brillait comme une lointaine bougie céleste. Il ferma les yeux et but une gorgée de son looch, qui bientôt serait fini. Il attendit de reconnaître, malgré sa grande accoutumance, les effets du diacode, puis il se retourna vers Robin et Magdala qui dormaient encore sur leurs couches respectives.

L'un après l'autre, il les secoua gentiment par l'épaule.

— Réveillez-vous. Plus vite nous nous éloignerons de Paris, plus grandes seront nos chances d'échapper à l'ordonnance royale.

Et ainsi ils furent bientôt tous les trois sur la route, dans leurs habits de jacquets, s'aidant de leur bourdon pour garder tout le matin un bon rythme de marche. Leur déguisement avait ceci d'avantageux que nul ne venait les déranger, car les pèlerins de Compostelle, tout accaparés qu'ils sont par cet admirable esprit de pénitence et de pauvreté, sont connus pour leur mutisme taciturne. En outre, le chapeau au bord rabattu qu'ils portaient sur le chef permettait à l'Apothicaire de cacher ce crâne chauve qui, si caractéristique, l'eût facilement fait reconnaître.

Ensemble, toutefois, et à voix basse, ils ne se privèrent pas de converser. Ainsi, comme Robin avait fait une remarque sur les odeurs de la campagne qu'ils traversaient, disant qu'elles lui rappelaient son enfance à la ferme et qu'elles lui avaient fort manqué dans les puanteurs parisiennes, Andreas, qui ne laissait jamais passer une occasion d'instruire son apprenti, en profita pour discourir sur les parfums.

— Sache, Robin, que les parfums de la médecine n'exhalent pas toujours de bonnes odeurs. Il en est de fort agréables et de fort désagréables, mais tous ne tendent qu'à apporter quelque soulagement aux malades. Les espèces de parfums sont d'une étendue considérable, mais pour les mieux connaître, il convient de les diviser en deux catégories : les parfums liquides, telles les eaux de senteur ou les cassolettes, et les parfums secs, comme les pastilles, les baies ou les bois de genièvre que l'on fait brûler dans les chambres des malades pour corriger le mauvais air.

— Ah ouais ? s'étonna Magdala qui écoutait Andreas avec autant d'attention que son apprenti. Tu parfumes les chambres des malades, toi ?

— Bien sûr ! Mais seulement des malades fortunés.

— Parce que cela coûte cher ? demanda Robin.

— Non. Parce que cela ne sert à rien.

Andreas éclata soudain de rire, tout seul, sous le regard perplexe de son apprenti et de la prostituée.

— On fait cela avec de l'eau de fleur d'orange, reprit-il, que l'on fait chauffer sur un petit feu dans une fiole d'étroite embouchure afin que la vapeur sorte et se répande doucement. Et sais-tu comment l'on prépare une cassolette ?

— Non, maître, avoua Robin d'un air penaud.

— On mélange le benjoin, la résine d'aliboufier...

— D'aliboufier ?

— C'est un arbrisseau d'Orient, qui possède de jolies fleurs blanches, et dont on obtient la résine en incisant le tronc. Benjoin, résine d'aliboufier, disais-je donc, iris, et autres drogues aromatiques en poudres grossières. On les humecte avec de l'eau de fleur d'orange, ce qui produit une pâte liquide que l'on met alors dans de petits vaisseaux de cuivre étamés en dedans. Voilà, jeune homme, ce qu'on appelle cassolette.

— Et cela sert à quelque chose ?

— Bien sûr ! À en vendre.

Et de nouveau, l'Apothicaire se mit à rire, et cette fois la Ponante rit de bon cœur avec lui. Robin n'était pas certain, quant à lui, de savoir comment interpréter les farces de son maître, mais au vrai il était heureux de l'écouter, non pas seulement parce que ainsi il enrichissait ses connaissances, mais aussi parce que ces instructions facétieuses lui donnaient matière à oublier l'affliction que provoquait encore en lui le souvenir de Lambert et Marguerite.

— En somme, tous ces parfums ne servent à rien ? résuma l'apprenti d'un air circonspect.

— Mais si, mais si, bien sûr... L'usage des parfums est grand dans notre métier, Robin, mais il faut reconnaître que ce ne sont pas de grands remèdes. Simplement, tu découvriras avec le temps que le pouvoir curatif de l'esprit est parfois plus grand que celui des médicaments, à condition de l'y aider un peu par la conviction. Par exemple, on utilise un mélange d'esprit-de-vin et de soufre dans un poêlon de fer pour en faire recevoir la vapeur aux pulmoniques. On fait brûler des poudres céphaliques pour fortifier le cerveau, des poudres astringentes pour le rhume, des poudres cordiales pour réconforter le cœur, du papier à l'odeur puante pour apaiser les vapeurs, des poudres mercurielles pour exciter le flux de bouche, et pour les mélancoliques on fait des sachets de senteurs dont on parfume leurs habits.

— Et pour les bordels, hein, tu n'as pas de quoi parfumer les bordels ? demanda Magdala.

— Un bordel qui ne sentirait pas le bordel ne serait pas un bordel, répliqua l'Apothicaire.

— On voit que c'est pas ta gueule qui dort dans l'odeur de…

— Merci, Magdala, merci… Nous nous passerons des détails. Ainsi, comme tu le vois, Robin, il est important pour un apothicaire de posséder un bon nez, et je suis heureux de voir que le tien n'est pas mauvais.

— Merci, maître.

— Tiens, par exemple, dit Andreas en attrapant une bourse en cuir à sa ceinture et en la tendant au jeune rouquin. Saurais-tu, sans l'ouvrir, me dire ce qu'il y a dans cette bourse ?

L'apprenti, sans cesser de marcher, porta le petit sac de peau sous ses narines.

— C'est du coquelicot, affirma-t-il rapidement.

Andreas hocha la tête avec un sourire.

— Le coquelicot est essentiel pour le looch pectoral, qui sert à soigner toutes les maladies de poitrine et de poumons, tu sais pourquoi ?

— Il atténue les flegmes et excite le crachat.

— Parfait. Tu fais de jolis progrès, Robin.

— Vous voyez que je fais bien de vous accompagner, et que même ici, sur la route, vous faites le meilleur des maîtres.

— Un bon maître n'aime pas qu'on le flatte, Robin. La flagornerie ne contente que les incapables.

— Mais, vous-même, vous venez de me flatter !

— C'est que tu n'es pas encore tout à fait capable, mon garçon, répondit Andreas avec malice.

Le jeune homme secoua la tête, et ils marchèrent ainsi tous trois jusqu'au milieu de la journée, et Andreas et Robin, côte à côte, étaient la figure même du maître et de l'apprenti sur le chemin initiatique, et, comme fort souvent dans pareille disposition, l'un apportait autant à l'autre que l'autre à l'un. Quant à la Ponante, d'aucuns diront qu'elle était, avec sa belle poitrine, figure maternelle ou matricielle, telle Gaïa ou Déméter, le plus harmonieux symbole de l'amour même.

58

Au petit matin, Aalis, qui n'avait pourtant pas beaucoup dormi, à l'abri d'un rocher où, avec des herbes elle s'était fait une couche, fut réveillée par la mauvaise conjugaison de la douleur, de la faim et du froid.

En contrebas, elle pouvait voir les colonnes de fumée qui s'échappaient des cheminées de Puisserguier, et elle pensa jalousement à tous ces gens qui mangeaient au chaud dans leurs petites maisons de pierre.

Les doigts tremblants, elle ouvrit son baluchon, dans lequel elle ne trouva, pour tout repas, que quelques miettes de galette. Son corps tout entier était si perclus qu'elle ne distinguait plus si c'était ses blessures ou la faim qui, ainsi, lui labouraient le ventre. Toutefois, elle décida de se remettre en route sur-le-champ, en escomptant qu'elle trouverait dans la garrigue de quoi se nourrir un peu, et, à l'instar du soleil dans son dos, elle se dirigea tout droit vers l'ouest.

Sur son chemin, elle ne trouva pour nourriture qu'un peu de dent-de-lion, de laiteron et de saint-joseph, quelques carottes sauvages et du fenouil, bien peu de chose, en somme, mais assez pour trouver encore la force de marcher.

Au milieu de l'après-midi, le terrain se mit à monter beaucoup et la marche devint de plus en plus pénible. Ses chausses trop grandes glissaient sur la terre, la garrigue était de plus en plus dense et Aalis devait se servir de son bâton pour se frayer un chemin parmi les broussailles, ce qui la ralentissait et l'épuisait grandement, d'autant qu'elle devait prendre garde à ne pas marcher sur une couleuvre, ou pis, une vipère aspic.

Sa seule consolation, sans doute, était dans la splendeur des paysages de plantes et de pierres qu'elle traversait. Lavande bleue, verts oliviers se disputant les sols au milieu des roches grises, parterres de buissons contre terrains d'un rouge cuivré, comme si Mère Nature avait irrigué ce sol aride en lui livrant tout son sang maternel, laissant derrière elle de grands lacs vermillon.

Un peu avant le soir, la jeune fille, dont le visage était aussi blanc que celui d'un défunt, arriva au sommet d'une colline où s'étendaient de grands carrés de vignes. Elle était si fourbue et ses blessures lui faisaient si mal qu'elle crut qu'elle allait tomber et s'éteindre ici, seule, loin de tout. Et aussi bien, peut-être devait-il en être ainsi. Certainement la Providence l'avait, à jamais, abandonnée. Le visage tordu par la douleur, la gorge en feu, elle abandonna son bâton de marche, se laissa tomber sur les genoux et planta son regard dans la terre rouge à ses pieds.

Ce n'est qu'à cet instant précis qu'Aalis prit conscience de la gravité de son acte, comme si la chose lui apparaissait seulement maintenant dans toute sa vérité.

Elle avait tué ses parents.

Tué ses parents, sa chair, son sang. À ceux qui lui avaient donné la vie, elle avait donné la mort. Soudain, les remords et la honte l'envahirent avec une violence inouïe. Elle fut hantée par le visage de sa mère, par son sourire, et les seuls moments qui lui revinrent en mémoire furent non pas les pires, mais les meilleurs, et ainsi elle sut qu'elle ne pourrait jamais se pardonner, que rien ne pourrait expier cette faute, que son âme serait maudite et qu'elle brûlerait en enfer jusqu'à la fin des temps.

Ses yeux toujours rivés au sol, elle poussa un râle de désolation.

Mais soudain, au milieu de son tourment, elle entendit, comme venue des entrailles de cette terre écarlate, la voix du vieux Juif. Et cette voix disait : *Je sais que tu trouveras ton chemin.* Elle reconnut les mots qui l'avaient tant touchée, les mots auxquels elle avait tant cru et qui faisaient partie, sans doute, des raisons pour lesquelles elle avait eu envie de partir. *Je sais que tu trouveras ton chemin.*

Elle ferma les yeux et, comme prise de folie, elle se mit à répondre à cette voix venue du passé.

— Mais je ne le trouve pas, Zacharias. Je ne le trouve pas. Je me suis perdue.

Pour toute réponse, elle n'entendit que le bruit du vent qui glissait dans les feuilles des oliviers.

Elle resta un long moment ainsi, éprouvant la plus grande des solitudes.

Et puis quand, enfin, elle rouvrit les yeux, il lui sembla, l'espace d'un instant, apercevoir une lueur au loin. Une petite lueur vacillante. Aalis, qui avait tellement envie d'y voir un signe, ramassa son bâton et se releva péniblement.

Le soir épaississait l'ombre des arbres, au loin les montagnes, comme une famille de géants, se doraient sous les rayons du soleil couchant alors que, sur le long voile bleuâtre de la voûte céleste, les étoiles s'allumaient une à une.

La petite fit quelques pas de plus et, bientôt, la lueur lui apparut plus clairement. Fébrile, elle avança encore dans cette direction et, enfin, dans la pénombre, elle put distinguer les toits rouges d'un petit hameau où, à travers une fenêtre, brillait la lumière d'un feu.

59

— Votre Majesté conviendra certainement que la concomitance du décès de Nogaret avec la disparition de Saint-Loup nous oblige à penser que, peut-être, cet Apothicaire n'est pas étranger à la mort de notre bon et regretté Guillaume.

Philippe le Bel, assis sur le haut siège de la Grand-Chambre du palais de la Cité, avait la mine grave, et en disant cela de cet homme de fer nous touchons à l'euphémisme. Dans quelques instants allait commencer l'audience du Parlement, la salle se remplirait de tous ses conseillers, et le roi n'avait pas eu assez de temps pour préparer avec Enguerran de Marigny ce qu'il devrait leur dire au sujet de la mort subite du chancelier. Les rumeurs d'assassinat, déjà, allaient bon train, et d'aucuns affirmaient que c'était le Temple, voire Molay en personne, qui s'était vengé de sa destitution ; d'autres y voyaient la main de Dieu punissant l'homme qui avait giflé le pape...

— Que Nogaret soit regretté de moi est une évidence, Enguerran. Qu'il le soit de vous me semble plus incertain. Mais peu importe, à présent... Avec lui s'éteint ce conflit insensé qui vous opposait tous les deux. Et pour ce qui est de ce Saint-Loup, malheureusement, j'ai bien peur qu'il ne soit un personnage plus sinistre encore que ne me l'avait laissé entendre Nogaret. Imaginez un peu : l'homme, pour échapper aux sergents, a mis le feu à sa propre maison, tuant sans remords ses deux valets !

— Sans doute aussi a-t-il voulu faire disparaître quelque indice qui eût pu l'incriminer davantage.

— Dans la mort de Nogaret ?

— Nous ne pouvons écarter l'hypothèse, Votre Altesse.

Le roi hocha la tête, pensif.

— Quand mon chirurgien a trouvé le chancelier, il avait la langue gonflée et qui sortait atrocement de la bouche, comme celle d'un pendu. M. de Mondeville dit que cela pourrait être le signe d'un empoisonnement.

Le lecteur aura compris, bien sûr, qu'il n'en était rien, et que si, en effet, la mort de Nogaret reste dans les livres d'histoire jusqu'à ce jour un grand mystère et que nul n'a jamais su expliquer ce qui fit ainsi gonfler sa langue, nous conviendrons que l'hypothèse d'un anévrisme, avancée par Andreas lors de son entretien avec le chancelier, semble la plus juste. En se rompant, l'anévrisme déclenche une hémorragie dans le cerveau, laquelle peut entraîner une asphyxie. Mais cela, le chirurgien du roi, Henri de Mondeville, se garda bien de le préciser, qui craignait peut-être qu'on l'accusât de ne l'avoir point diagnostiqué auparavant.

— S'il est mort empoisonné, affirma Marigny, la chose ne serait pas étonnante de la part d'un pharmacien. *Pharmakôn*, en grec, ne désigne-t-il pas à la fois le remède et le poison ?

— Ou bien alors il s'agit de sorcellerie, répliqua le roi. Nogaret soupçonnait Saint-Loup d'être un hérétique...

Marigny hocha lentement la tête.

— Quoi qu'il en soit, dit-il, l'homme doit être arrêté au plus vite.

Philippe le Bel acquiesça et, au même moment, les premiers conseillers entrèrent dans la Chambre du Parlement, prenant place les uns après les autres après avoir salué pompeusement le roi.

— J'ai demandé que l'ordonnance d'arrestation soit diffusée dans tout le pays, murmura le souverain en se penchant vers son interlocuteur. Mais ce maudit Saint-Loup est une véritable anguille, et je crois que nous devons faire bien plus pour le trouver. Nogaret avait confié son arrestation à Ploiebauch, peut-être devrions-nous laisser celui-ci s'en charger de nouveau.

— Le prévôt a déjà beaucoup à faire, Majesté, et il est circonscrit à Paris. Or il y a de fortes chances que l'Apothicaire ait quitté la capitale. Il nous faut quelqu'un de plus grande envergure, et de plus opiniâtre.

— Je pourrais nommer un chevalier enquêteur royal.

— Certes, Votre Altesse, mais il serait préférable de trouver quelqu'un en qui Votre Majesté ait toute confiance et qui ait l'habitude de ce genre de choses.

La salle se remplissait lentement, et entre ses hauts murs de pierre grandissait le murmure de tous ces gens de loi, conseillers, légistes, notaires, huissiers... Sur les visages se lisait une inquiétude, et sur certains seulement une réelle tristesse. La mort du chancelier, à l'évidence, allait bousculer beaucoup de choses à la Cour, et chacun des réseaux, qui des Normands, qui des Méridionaux comme Nogaret lui-même, qui des Champenois comme Marigny, se demandait si cela serait en sa faveur ou en sa défaveur. À mesure que Philippe le Bel prenait de l'âge, les mouvements de mécontentement se multipliaient ici et là, motivés par le despotisme du chambellan, par la fiscalité et par l'accroissement des pouvoirs que le Roi de fer, en unissant le royaume, avait accaparés.

C'était surtout, au reste, au sein de sa propre famille capétienne que Philippe voyait se lever les plus grandes rancœurs et protestations : tous étaient aux aguets, prêts à tirer profit de la moindre situation susceptible de le déstabiliser, et le plus dangereux d'entre ceux-là était sans doute son propre frère, Charles de Valois, ennemi juré de Marigny et prompt à mener la révolte des barons.

— Peut-être devrions-nous laisser le successeur de Nogaret reprendre l'enquête, suggéra Marigny. Qui Votre Majesté a-t-elle prévu de nommer à la chancellerie pour le remplacer ?

L'habileté de la question n'échappa point au roi, qui ouvrit un léger sourire.

— Je me demandais combien de temps vous pourriez tenir avant de me poser la question... J'ai choisi Pierre de Latilly, mon cher Enguerran, il succédera bien à Nogaret, mais c'est un fiscaliste, et il ne sera pas capable pour notre affaire.

— En effet, répliqua Marigny qui, en réalité, avait déjà une idée en tête. Il faudrait à Votre Majesté quelqu'un qui ait l'habitude de traquer les gens. Un obstiné, un vautour, un prédateur.

Le roi, qui commençait à comprendre où son conseiller voulait en venir, fronça les sourcils.

— Suggérez-vous, chambellan, que nous demandions à Guillaume Humbert ?

— L'Inquisiteur n'a-t-il pas été redoutable avec les Templiers, avec les Juifs ou avec cette diablesse de Marguerite Porete ?

— Certes, certes, mais justement, l'affaire ne lui paraîtra sans doute pas digne d'intérêt...

— Guillaume a longtemps été confesseur de Votre Majesté, il est de notre côté. De plus, il était très proche de Nogaret, avec lequel il a conduit le procès des Templiers. Enfin, il est à présent coadjuteur à Sens de Mgr de Marigny, mon demi-frère... lequel saura sans doute le convaincre.

Le roi inclina la tête en signe de consentement.

— Soit.

— Je m'en vais de ce pas transmettre la volonté de Votre Majesté à Guillaume Humbert, conclut Marigny, mais en réalité, c'était bien de sa volonté propre dont il était question.

60

— Quand tu marches ainsi dans la nature, Robin, il n'est pas une plante sur laquelle ton regard puisse se poser que tu ne doives lier à la pharmacopée, car toutes, ou presque, te serviront un jour dans ta carrière d'apothicaire.

Le soir commençait à tomber, et au loin se profilait la belle ville fortifiée d'Étampes, où Andreas avait prévu qu'ils dormiraient, puisque c'était une étape importante du pèlerinage de Compostelle et qu'il y avait là de nombreuses auberges pour accueillir les marcheurs.

— Je sais, maître, et je puis vous assurer que je le fais.

— Comme il est mignon, ton arpète ! s'extasia la Ponante.

— Ainsi, poursuivit Andreas, tu dois distinguer les herbes vulnéraires comme l'aigremoine, le pied de lion ou la pervenche, les cinq racines apéritives qui sont celles de petit houx, d'asperge, de fenouil, de persil et d'ail, les cinq capillaires qui sont l'adiantum noir, l'adiantum blanc, le polytric, la scolopendre et la *ruta muraria*, les fleurs cordiales comme la bourrache ou la violette, les carminatives comme la camomille ou l'aneth, les herbes émollientes comme la guimauve, le violier, la mercuriale ou le lis, les semences froides comme celles de courge, de citrouille ou de melon, les semences chaudes comme celles d'anis ou de cumin...

Et Andreas continua ainsi pendant bien plus de temps que la patience du lecteur ne saurait sans doute le souffrir, plus de temps d'ailleurs que celle de Magdala l'eût voulu, mais celle de Robin était grande et il écouta pieusement son maître jusqu'à ce qu'ils fussent arrivés, au-delà des bouquets de verdure, devant les remparts de la ville d'Étampes, du côté de la porte Saint-Jacques.

La veille au soir, l'Apothicaire avait emprunté aux bénédictins d'Étréchy plumes et parchemins pour fabriquer dans le secret de leur chambre des lettres de recommandation pour le pèlerinage de Compostelle, bien mieux falsifiées que celles qu'ils avaient trouvées dans la besace des coquillards. Pour ce faire, il avait lui-même teinté l'encre de différentes manières en y ajoutant un peu de suie ou de vinaigre, et imité plusieurs écritures avec une habileté qui avait ébloui Robin, quoique celui-ci fût quelque peu gêné par le procédé. Ainsi, on les laissa entrer tous les trois dans la ville fortifiée sans leur poser la moindre question. Ils gardèrent néanmoins leurs chapeaux bien enfoncés sur la tête, de telle sorte que leur visage, dans l'ombre, ne se voyait point trop.

Une fois passé l'enceinte, en plus de la commanderie d'hospitaliers de Saint-Jacques-de-l'Épée, où se rendaient la plupart des marcheurs, les auberges ne manquaient pas, signe que la ville était une étape importante. De chaque côté de la rue qui menait à l'église Saint-Gilles – où allaient prier les pèlerins – on pouvait en dénombrer plus de dix : *La Fontaine, Les Trois-Rois, Le Lion-d'Or, Le Cygne, Le Lion-d'Argent, La Tête-Noire, L'Aigle-d'Or, Le Chêne-Vert, Le Grand-Courrier*...

— Allons-nous séjourner dans l'une de ces auberges, maître ?

— Non.

— Pourquoi ? demanda le jeune apprenti d'un air déçu.

— Parce que je voudrais retrouver l'hôpital Saint-Antoine.

— Qu'est-ce donc ?

— C'est le lieu où, il y a dix-huit ans, j'ai séjourné une première fois lors de mon voyage vers Compostelle, puis une seconde fois neuf ans plus tard sur le trajet du retour. J'aimerais revoir l'endroit.

— Et où se trouve-t-il ?

— Je… je ne me souviens plus, avoua l'Apothicaire.

Et comme il disait cela, ils passèrent devant une rue étroite et obscure où travaillaient des *fillettes*.

— Attendez-moi ici, je vais aller me renseigner, annonça Magdala en se dirigeant aussitôt vers le passage où œuvraient ses consœurs étampoises.

Plutôt que de s'adresser à l'une des jeunes catins qui racolaient le chaland sur les hauts du pavé, elle s'approcha d'une vieille femme au teint hâlé, assise sur un tabouret à l'huis d'une maisonnette, et qui était, à l'évidence, ce que l'on appelait alors la Mère du quartier, entendu une ancienne prostituée qui ne travaillait plus mais qui, installée là tout le jour, surveillait les affaires de ses cadettes et réglait les nombreux conflits qu'occasionnait immanquablement le métier.

La vieille femme fronça les sourcils en la voyant arriver.

— Si tu cherches du travail, ma mignonne, tu n'es pas venue au bon endroit. La rue est déjà bien servie, tu peux décaniller.

Magdala répondit avec un petit sourire. Ainsi, malgré son habit de pèlerin, on l'avait reconnue pour ce qu'elle était : une putain. Entre elles, il faut croire que les *fillettes* se remettaient aisément. Quelque chose dans le regard, sans doute.

— Flanchez pas, la Mère, je cherche pas une place dans votre rue.

D'ordinaire, les prostituées se tutoyaient. La seule exception survenait lorsqu'on s'adressait à une Mère, et alors, par respect, il convenait d'employer le vous-soiement.

— Tu veux me faire croire que tu vas vraiment en pèlerinage ? demanda la vieille femme, suspicieuse.

— En quelque sorte, oui.

La Parisienne tendit poliment la main à son aînée.

— Magdala. On m'appelle la Ponante.

— Ici, les filles m'appellent Mère, mais pour toi, ce sera Izia.

— Bonsoir, Izia, et que saint Nicolas vous protège, vous et vos *fillettes*.

— Alors qu'est-ce que tu veux, si c'est pas du travail ?

— Mes compagnons et moi, on cherche l'hôpital Saint-Antoine, mais comme on est tricards, on préfère pas demander à n'importe qui.

La vieille prostituée dévisagea Magdala un long moment, se demandant sans doute si elle se moquait d'elle, puis, voyant qu'elle était sérieuse, elle finit par lui donner le chemin à suivre.

— Merci, Izia.

— De rien, c'est normal, entre ponifles. Si tes amunches et toi on vous cherche des noises, tu peux venir me voir. Mais si j'apprends que tu as travaillé dans la ville, alors ça sera une autre histoire. Compris ?

Magdala acquiesça et retourna auprès d'Andreas et Robin, qu'elle conduisit fièrement jusqu'à l'hôpital Saint-Antoine.

Le bâtiment, constitué d'une chapelle et d'une aumônerie, permettait de recevoir de nombreux pèlerins, non pas seulement ceux de Saint-Jacques, mais aussi ceux qui se rendaient à Rome ou à Jérusalem. Tenue par un prêtre et quelques frères, cette maison-Dieu était un lieu paisible et spirituel, où les voyageurs ne se parlaient presque pas, car on y priait beaucoup.

Andreas, Magdala et Robin, tels de parfaits pèlerins, furent donc accueillis à l'entrée de la maison par le père Gineste en personne, qui apposa sa signature sur leur lettre de recommandation et les invita, s'ils le souhaitaient, à signer à leur tour le registre de l'hôpital, où ils pouvaient inscrire leur nom, leur date d'arrivée et leur date de départ. L'Apothicaire accepta volontiers. Laisser son nom sur un registre, quand il était recherché par le roi, n'était certainement pas la plus lumineuse des idées, mais décliner l'invitation eût sans doute éveillé la suspicion, car à sa façon de parler et à sa tenue on devinait qu'il était un homme érudit, et donc capable de signer. En outre, Andreas avait inventé un faux nom de famille sur la lettre de recommandation pour lui, Magdala et leur supposé fils – Roquesec, référence que seuls les grands lecteurs de Thomas d'Aquin pouvaient saisir – et il était fort simple de l'utiliser pour l'occasion.

Prenant la plume, il imita donc une belle signature.

— Ce registre est magnifique, vous le conservez depuis longtemps, mon père ? demanda-t-il avant de le refermer.

Le prêtre, prenant la chose pour un compliment, ne put retenir un petit sourire de fierté.

— Il est tenu depuis que l'hôpital a été confié au chapitre de Notre-Dame par l'archevêque de Sens.

— C'est-à-dire ?

— Depuis 1210, monsieur.

— Doux Jésus ! s'exclama Andreas, sans que le prêtre pût deviner l'ironie sous-jacente, laquelle n'échappa point, en revanche, à Robin et Magdala, qui connaissaient leur Apothicaire. Quel splendide ouvrage ! Vous permettez que je jette un œil ? Cent ans d'histoire rassemblés en un seul volume ! C'est prodigieux !

— Mais je vous en prie, mon fils, je vous en prie ! Vous verrez que, malgré la modestie de notre maison, nous avons reçu ici des hôtes fort illustres !

— Mais je n'en doute pas un seul instant, mon père !

Et alors Andreas, qui savait exactement ce qu'il cherchait, se mit à tourner les pages en arrière en poussant des « Oh ! » et des « Ah ! » d'admiration simulée, jusqu'à ce qu'il arrivât à l'année 1295, année où, du haut de ses vingt et un ans, il s'était arrêté ici la première fois.

Approchant son visage du registre, il fit glisser son doigt sur les noms et les dates qui se succédaient, puis un sourire se dessina sur ses lèvres quand il reconnut la signature qu'il avait faite dix-huit ans plus tôt. Son écriture n'avait pas beaucoup changé, quoique, plus élancée, elle portât à l'époque les traces de sa jeunesse. Il se remit à tourner les pages, dans l'autre sens cette fois, pour revenir vers une période plus récente, et il trouva rapidement l'année 1304, qui était celle de son retour, et donc de son second passage. De nouveau, son doigt effleura délicatement le parchemin, et soudain, il s'arrêta.

Aussitôt, Robin vit que le visage de son maître avait blêmi. L'Apothicaire, comme pétrifié, resta un instant immobile, la mâchoire serrée, puis il referma le volume, se fabriqua une espèce de sourire et rendit sa plume au bienheureux prêtre.

— Je vous remercie, mon père.

— Vous voudrez une chambre ? Le *donativo* vous donne droit au souper et au dortoir, mais pour une chambre privée, l'hôpital demande six deniers.

— Alors mon épouse, notre fils et moi-même prendrons une chambre.

— Très bien, très bien. Je vous conduis. Une cloche annoncera tout à l'heure que le souper est servi et sachez que la chapelle reste ouverte à toute heure pour les prières.

— À la bonne heure ! répliqua Magdala avec une imperceptible grimace.

Ils suivirent le prêtre jusqu'à leur chambre, qui était petite et spartiate, mais bien isolée, et ils n'en demandaient pas plus.

Magdala, épuisée par cette longue journée de marche, se laissa tomber sur la couche aussitôt que le père Gineste fut parti.

— Eh bien, mes bichons, j'ai beau faire les cent pas tous les jours dans la rue Saint-Denis depuis des longes, ça faisait longtemps que j'avais pas eu aussi mal aux guibes, parole d'ambulante !

— Qu'y avait-il sur le registre ? s'empressa de demander Robin.

L'Apothicaire, l'air soucieux, tomba plutôt qu'il ne s'assit sur un banc posé près de la fenêtre.

— Ah ! s'exclama-t-il, si seulement mon *oculus corpuscula* n'avait pas brûlé et que j'eusse pu l'emporter !

— Mais qu'y avait-il donc ? répéta l'apprenti, impatient. Votre nom n'y était pas ?

— Si. Il y était. Deux fois.

— Mais alors ? N'est-ce pas normal ?

— En 1295, pour mon premier passage, tout est dans l'ordre des choses. On peut lire distinctement ma signature, la date d'arrivée et celle de départ. Mais pour 1304, l'année de mon retour, juste au-dessus de ma signature, il y a une ligne blanche, Robin. La seule ligne blanche de tout le registre. Comme si on avait effacé un nom !

— Peut-être que monsieur l'Apothicaire aura sauté une ligne pour se donner un peu d'importance ? railla Robin dans un accès d'impertinence.

— Ne dis pas de sottise ! Tu ne vois pas qu'il y a un lien entre cela et les deux autres mystères qui nous ont amenés ici aujourd'hui ? La pièce vide et le tableau effacé ?

Le sourire s'effaça du visage de l'apprenti.

— Vous pensez vraiment que quelqu'un a effacé un nom au-dessus du vôtre ?

— Je n'ai pour l'instant pas le droit de l'affirmer, Robin. Tout ce que je puis dire, c'est qu'il y a chez moi une pièce vide qui ne devrait pas l'être, qu'un personnage a disparu de la surface de mon tableau, et qu'une ligne a aussi disparu de ce registre, juste au-dessus de mon nom, et qu'il y a de fortes chances que ces trois singularités soient liées !

— Dites donc, les oiseaux, intervint Magdala, vous voudriez pas la fermer un peu, y en a qui essaient de battre la couverte, ici.

Robin se prit le menton dans la main droite d'un air songeur.

— Il y a une autre singularité, maître, murmura-t-il.

— Laquelle ? demanda Andreas en relevant la tête.

— Les dates. Vous êtes passé trois fois ici, et chacun de vos passages est espacé de neuf ans.

L'Apothicaire secoua la tête.

— Pure coïncidence.

— Tout de même ! se rebella Robin. Le chiffre trois et le chiffre neuf ! Tout de même ! Le trois est le symbole de la Trinité, et donc du principe divin – le Père, le Fils, et le Saint-Esprit – il est le signe de l'accomplissement, de la finition, que l'on retrouve aussi dans la structure des métiers : apprenti, compagnon, maître. Le trois est le chiffre de la perfection ! En outre, le triangle est le symbole de Jéhovah, le dieu de l'Ancien Testament, peut-être le démiurge dont parlait votre ami Eckhart, et d'ailleurs, la coquille Saint-Jacques, symbole du pèlerinage que vous avez accompli, est un triangle inversé ! Et le neuf… Eh bien, le neuf, c'est trois fois le trois !

L'Apothicaire se leva, attrapa son apprenti à l'épaule et, face à lui, le dévisagea longuement de ses yeux plissés, avant de déclarer, solennel :

— Robin, tu es un imbécile.

61

Quand Aalis arriva en bas d'un petit chemin qui menait au hameau, comme elle passait devant un puits, elle fut soudain surprise par un immense vacarme dans son dos et se précipita aussitôt derrière le puits pour se cacher.

Tout en haut du sentier, dans la pénombre, elle vit arriver, avec force bruits, un frénétique troupeau de chèvres et de moutons mélangés, accompagné par les aboiements furieux de trois ou quatre chiens. Et tout ce bétail affolé galopait dans sa direction, suivant précisément le chemin qu'elle avait emprunté. Au-delà des bêtes se dessina alors, sur fond obscur, une inquiétante silhouette, vêtue d'un long manteau à capuche et qui tenait un fouet.

Aalis, assaillie par la peur d'être découverte – et probablement par les chiens – s'enfonça plus profondément encore dans la garrigue et se coucha derrière un petit rocher en hauteur pour laisser passer ce tonitruant convoi.

Les moutons, les agneaux, les brebis et les chèvres se bousculaient sur le chemin, encadrés par les chiens échauffés, et attrapaient au passage quelques herbes à grignoter. Aalis se redressa pour mieux observer la scène et, à la suite du troupeau, elle vit que la silhouette qui marchait était celle d'une femme. La bergère ramenait ses bêtes de la gardée ; d'une main, elle tenait un fouet, et de l'autre elle soutenait un bébé enveloppé dans un drap et dont la petite tête dépassait à peine de la lourde cape de sa mère. C'était une femme d'une trentaine d'années, dont le visage amène apparut soudain sous sa capuche. Elle marchait vite et lançait par moments des petits cris pour guider son troupeau ou rappeler un chien à l'ordre.

Aalis, émerveillée, regarda le troupeau s'éloigner vers le hameau, puis entrer dans une bergerie à sa périphérie.

De là où elle était, la jeune fille put mieux observer ce village perché sur la pente rocailleuse d'un petit mont. Il n'y avait guère plus d'une dizaine de bâtiments, maisons et corps de ferme, entre lesquels serpentaient de petites ruelles faites de roche et de terre. Les chances pour que la nouvelle de son forfait fût arrivée jusqu'à ce petit village reculé étaient faibles, mais elle préféra ne pas prendre le moindre risque en s'y présentant. Peut-être pourrait-elle, le lendemain, trouver ici ou là de quoi se nourrir. Du lait, des œufs… Au point où elle en était, ce n'était pas ce genre de petit larcin qui ferait la différence au jour de son jugement. Mais pour l'heure, elle était épuisée, et elle devait se reposer. Malgré sa grande faim, elle n'avait même plus la force de chercher la moindre nourriture.

En contrebas, Aalis aperçut une grange, à demi ouverte, suffisamment à l'écart du hameau, et elle décida que ce serait un bon endroit pour passer la nuit. Elle se releva, ramassa son bâton de marche et, en prenant garde à ne pas faire de bruit, elle alla en boitant se réfugier dans la paille, à l'abri du vent et du froid.

Au loin, elle entendit encore pendant quelque moment les aboiements des chiens, mais bientôt, à bout de forces, elle trouva un sommeil bien plus profond que celui de la veille, si profond même qu'elle dormit d'une traite jusqu'au petit jour.

62

— Je vais aller me coucher, annonça Andreas à la fin du souper, laissant comprendre à Magdala et Robin qu'il voulait monter avant eux pour profiter d'un peu de solitude.

— C'est ça, va te coucher, mon lapin, on te rejoint dans quelques instants avec le petit, ironisa la Ponante, et l'Apothicaire s'en alla vers l'étage en secouant la tête.

— Je suis inquiet pour mon maître, murmura Robin sur le ton de la confidence, quand celui-ci eut disparu.

— Allons, ne t'en fais pas, mon crapaud, tu sais ce qu'il est monté faire, hein ?

— Oui. Prendre son looch. Encore que je ne sois pas sûr de savoir pourquoi il prend chaque soir et chaque matin cette médication. Depuis le temps qu'il la prend, il devrait être guéri…

— Tu parles ! Andreas fait partie de ces gens que rien n'inquiéterait plus que la guérison.

— Pourquoi dites-vous cela ?

— Dis donc, le chiard, tu vas me voussoyer encore longtemps ?

— Pardon, répliqua Robin en jetant des coups d'œil alentour, affolé à l'idée que les pèlerins encore à table ne surprennent leur conversation, qui détonnait quelque peu avec leurs déguisements de jacquets et leur statut supposé de mère et fils…

— Tu sais, c'est parfois plus facile de s'inventer une douleur physique, histoire d'en oublier une autre, qui est dans la tête, expliqua la prostituée, et elle semblait parler en connaissance.

— Mais quelle est-elle, cette douleur qu'il veut oublier ?

— À ton avis, cabèce ?

— Son histoire d'amour ?

Elle sourit.

— Qu'est-ce qu'il y a d'autre pour faire autant souffrir un bonhomme ?

— Il vous... Il *t'en* a déjà parlé ? se corrigea le jeune apprenti, qui voulait tant connaître son maître.

— Pas vraiment. Mais on ne la fait pas à une vieille ponifle. Les hommes, moi, c'est ma besogne, je les connais aussi bien que lui connaît les drogues. Il s'est fait briser le cœur, le Saint-Loup, et il s'en est jamais recollé, voilà tout.

Robin hocha la tête.

— De toute façon, ce n'est pas de ça dont je voulais parler. Je voulais dire que je suis inquiet pour lui, là, depuis quelques jours.

— Forcément, mon rouquin ! Ses valets ont cané sous ses yeux, sa cambuse a cramé et il a tous les diables du royaume qui lui courent aux fesses ! Tu voudrais pas qu'il rigole, quand même ? Mais t'en fais pas pour lui, gamin. Il est solide, l'Apothicaire.

— J'espère. Je... je l'aime beaucoup.

La Ponante ricana en serrant chaleureusement la joue du jeune homme entre ses doigts comme on le fait à un enfant.

— Eh ! Tu n'es pas seul, mon lapin !

Malgré le sourire sur les lèvres de Magdala, Robin crut lire dans sa voix une pointe de tristesse. Du bout des doigts, elle jouait avec l'émeraude qu'Andreas avait dérobée aux coquillards d'Étréchy, la faisant lentement tourner autour de son annulaire.

— Vous… Tu… tu l'aimes beaucoup, toi aussi ? demanda le jeune homme, mais ce n'était pas vraiment une question.

— Tu crois que je serais là, si…

Robin sourit tristement à son tour.

— Pourquoi tu ne lui dis pas ?

— Je lui dis pas quoi ? Eh, il sait très bien !

— Mais alors…

— Mais alors quoi ? Tu crois qu'un pharmacien va s'acoquiner avec une pute ? Le joli spectacle !

— Je ne pense pas que c'est le genre de détail qui dérangerait mon maître.

— Et moi, là-dedans ? Tu crois quand même pas que j'ai tapiné pendant vingt-cinq ans pour finir par me faire entretenir par un bourgeois ? Je suis une femme indépendante, j'ai ma fierté !

— Mais tu… tu ne vas… je veux dire, tu ne vas peut-être pas faire ça toute ta vie, si ?

La Ponante frotta affectueusement la tête du jeune homme.

— Je pourrais être heurtée par ce que tu viens de dire, mon garçon. Mais au fond, tu as raison. Un jour, peut-être, quand mon cul ne vaudra plus lourd sur le marché, et si je ne finis pas Mère comme la dame Izia que j'ai vue tout à l'heure, j'irai peut-être terminer ma vie chez ce vieil ours…

— Je te le souhaite, Magdala. Et je le lui souhaite à lui aussi.

— Tu es mignon, mon loup, murmura la prostituée avec une douceur attendrie. Mais les choses sont bien comme elles sont. Allons nous coucher, il a dû finir son affaire, le potard.

63

Le soleil était déjà couché quand Guillaume Humbert, Grand Inquisiteur de France, entra dans l'abbaye Saint-Magloire accompagné de deux sous-diacres, de son greffier et de trois geôliers, ainsi que l'on nommait pudiquement ses bourreaux.

L'office des complies n'avait pas encore commencé, bien qu'il fût déjà tard, et tout le monde était là pour voir arriver ce cortège inquiétant. La réputation de l'Inquisiteur était terrible, et quand les frères de l'abbaye le virent entrer, nombre coururent se cacher, qui dans les chambres, qui dans l'église ou le *scriptorium* et certains, plus constructifs, s'en allèrent alerter le père abbé.

Nul n'ignorait à Paris, et certainement pas les membres des ordres monastiques, ce qui avait rendu Guillaume Humbert aussi tristement célèbre. Après avoir, conformément aux ordres de Philippe le Bel, fait procéder à l'arrestation de plusieurs milliers de templiers dans tout le pays, l'Inquisiteur avait conduit personnellement la question de cent trente-huit d'entre eux à Paris. Sur ces cent trente-huit moines soldats, trente-six étaient morts des suites des tortures qu'ils avaient subies, et tous les autres passèrent aux « aveux », non sans avoir découvert les méthodes de l'homme qui, sans sourciller, faisait écraser les os, arracher les dents ou écarteler les membres des accusés avec quelque chose comme de la jubilation. Les cinquante autres templiers qui furent ensuite conduits au bûcher le furent sous la supervision de Philippe de Marigny, archevêque de Sens, qui était devenu le plus fidèle ami de ce sinistre Humbert, et qui l'avait donc convaincu, au nom du roi, de s'occuper à présent du cas d'Andreas Saint-Loup.

« Nous le voulons mort, avait insisté l'archevêque. Vous en avez l'autorité, et vous n'aurez aucune peine à justifier la chose par un court procès. »

Quand il menait une enquête particulière, et qu'il était itinérant, Guillaume Humbert ne portait ni la livrée violette, ni la crosse, ni la mitre propres à son titre d'évêque, mais un simple scapulaire noir de moine et, sur son torse, une croix pectorale pendue à une chaîne en or. Toutefois, il était difficile de ne pas reconnaître cet homme immense, mince, au regard sombre, au visage creusé et portant une longue barbe gris et noir.

Sans même demander à ce qu'on le fît annoncer, le Grand Inquisiteur se dirigea tout droit vers le parloir de l'abbé où il entra sans frapper.

Boucel, qui avait été prévenu par ses frères affolés, s'approcha aussitôt de l'évêque et s'agenouilla respectueusement pour baiser l'anneau pastoral qu'il portait au doigt.

— Monseigneur, soyez le bienvenu en notre humble maison.

— Levez-vous, père abbé, levez-vous et oublions le protocole, c'est une visite de courtoisie.

— C'est un insigne honneur pour nous, Votre Excellence.

— Certains de vos frères m'ont paru plus effrayés qu'honorés, ironisa l'évêque en allant prendre place dans l'une des chaises de l'abbé. Aurait-on peur ici d'être accusé d'hérésie ?

— Non, non, bien sûr, mais les plus jeunes d'entre eux n'ont pas l'habitude de voir en nos murs un hôte aussi illustre ; ils sont impressionnés, voilà tout.

L'Inquisiteur hocha la tête, amusé, puis il se tourna vers ses suivants et ceux des frères bénédictins qui étaient restés dans le parloir.

— Laissez-nous seuls, ordonna-t-il avec un vague geste de la main, et tout le monde sortit promptement.

L'abbé Boucel, qui s'efforçait de paraître à son aise, retourna s'asseoir sur sa chaise, face à son visiteur.

— Que me vaut, à cette heure, l'honneur de votre visite, Monseigneur ?

— Il est un peu tard, en effet, et je vous prie de m'en excuser. Mais je suis pressé, et j'ai tout de même voulu venir avant les complies afin de ne pas vous obliger ensuite à rompre le silence.

Dans la règle de saint Benoît, les moines devaient respecter un silence absolu entre les prières de complies, le soir, et celles de laudes, au petit matin.

— Nous apprécions à sa juste valeur la délicatesse de Votre Excellence.

— C'est que j'ai grand respect pour vos vœux. Nous autres frères prêcheurs sommes, par essence, de grands bavards, vous le savez bien !

— Je me réjouis toujours de converser avec un dominicain...

— Tant mieux, tant mieux, car je suis venu m'entretenir avec vous d'un sujet délicat. J'espère que vous pourrez me parler en toute franchise, père abbé, et je vous promets que tout ce que vous pourrez me dire restera confidentiel. J'ai longtemps été confesseur du roi, vous ne l'ignorez pas, et j'ai donc une grande pratique du secret.

— Aurais-je quelque faute à confesser ? demanda Boucel, qui, bien sûr, avait déjà deviné ce qui avait amené Humbert près de lui.

— Oh ! je suis certain que non, père abbé !

— *Nemo sine vitio est*[1].

---

1. *Nul n'est sans faute*. (Sénèque l'Ancien.)

— Allons, si vous le voulez bien, plutôt que d'une confession, nous parlerons de confidence.

— Et que puis-je vous confier ? pressa l'abbé, qui voulait en finir.

— Vous ne devinez pas ?

Boucel hésita. Feindre l'innocence, avec un homme de la trempe d'Humbert, n'était pas du meilleur calcul. L'Inquisiteur n'était pas dupe, et il n'était pas ici par hasard. En outre, c'était un homme qui, à terme, finissait toujours par repartir avec les réponses qu'il voulait, et l'abbé n'avait pas la moindre envie de savoir par quelle manière il réussissait cette prouesse. Il décida donc d'opter pour la sincérité.

— Je suppose que vous venez au sujet d'Andreas.

— J'ai appris qu'il était votre filleul ?

— C'est moi qui l'ai trouvé et élevé, en effet. Ici même, il y a de cela presque quarante ans.

— Soit. Alors j'irai droit au but, Boucel, car le temps est précieux pour des gens comme nous. Je voulais savoir si – et la chose serait naturelle – l'homme ne se serait pas caché chez vous ?

De nouveau, l'abbé ne tergiversa pas longtemps et se résolut à dire la vérité.

— Monseigneur, je dois admettre que je lui ai permis de se réfugier dans notre église, la nuit où sa maison a brûlé. Il m'a semblé que c'était de mon devoir de chrétien, autant que de parrain. Toutefois, il m'a promis de partir le lendemain même. Au petit matin, deux hommes sont venus le chercher, mais il n'était déjà plus là. J'ai pensé que c'était des envoyés de Philippe le Bel, mais votre présence aujourd'hui me laisse penser que ce n'était pas le cas.

— Deux hommes ?

— Oui. Des hommes d'épée.

— Je vois, dit l'Inquisiteur, qui semblait véritablement surpris par cette nouvelle. Mais pour en revenir à votre filleul, avez-vous reçu sa confession, ce soir-là ?

— Non. Andreas m'a seulement dit qu'il était innocent.

— Innocent de quoi ?

— Il m'a dit ne pas savoir de quoi on l'accusait.

— Et vous l'avez cru ?

Boucel poussa un long soupir embarrassé.

— Mon filleul est un homme empli de défauts, je ne puis pas le nier. C'est un grand provocateur et un odieux casse-pieds. Mais, au fond, c'est un honnête homme, je l'ai élevé dans le respect d'autrui, et je ne le vois pas commettre quelque crime véritable.

— Vous ne le pensez pas capable d'hérésie ?

L'abbé, malgré lui, poussa un ricanement.

— Andreas ? Hérétique ? Oh non !... Ce n'est certes pas, malgré son éducation, un homme d'une grande piété, mais l'hérésie ? Non... La théologie ne l'intéresse pas.

— Le jour où sa maison a brûlé, il s'en revenait pourtant d'un long entretien avec maître Eckhart. J'ai peine à penser qu'ils se voyaient pour parler de cuisine...

— Sans doute ont-ils débattu de philosophie, Monseigneur. L'un et l'autre sont fort érudits en la matière et raffolent de ces disputes que l'on fait dans les universités.

Le Grand Inquisiteur s'avança sur son siège, posa les coudes sur les bras de celui-ci et son menton sur ses poings liés, puis il dévisagea longuement son interlocuteur, comme s'il essayait de lire à travers lui.

— Mais dites-moi, Baudouin, depuis son retour de Compostelle, il y a neuf ans, combien de fois avez-vous vu votre filleul ?

Le visage de l'abbé se referma, comme heurté par la question.

— Je ne sais pas. Guère plus d'une dizaine de fois.

— Une dizaine de fois en neuf ans ?

— Oui.

— Vous êtes brouillés ?

— On peut dire cela.

— Peut-être, alors, ne le connaissez-vous plus aussi bien que jadis…

— Je sais assez de lui pour affirmer qu'il n'est pas un hérétique, si c'est ce que vous voulez dire.

— Et je sais, moi, assez de choses à votre sujet pour deviner ce qui pourrait vous inciter à le défendre. La culpabilité nous fait parfois commettre des choses fort stupides.

Boucel ne put masquer son agacement.

— Je ne le défends pas, Guillaume ! Je vous parle avec le cœur. Ce garçon m'a beaucoup déçu, je lui ai d'ailleurs dit que je ne voulais plus jamais le voir, mais ce n'est pas pour autant que je le laisserais accuser d'hérésie quand je sais qu'il ne peut en être coupable.

— C'est lui qui vous a déçu ? Ou bien est-ce vous qui l'avez blessé, profondément, dans sa jeunesse ? demanda l'Inquisiteur, d'un air sarcastique.

Boucel, livide, ne répondit pas.

— Allons, n'ayez crainte, reprit Humbert tout sourire. Je ne suis pas là pour parler des erreurs que vous fîtes dans le passé. Je voudrais, toutefois, vous poser une dernière question, père abbé.

— Je vous écoute, répondit Boucel, dont le visage était de plus en plus blanc, comme il voyait le piège se refermer lentement sur lui.

— Le soir où Saint-Loup s'est réfugié dans votre église, vous a-t-il dit où il voulait se rendre ?

Cette fois, l'abbé hésita longuement. À vrai dire, rien de ce qu'il avait dit jusqu'à présent ne pouvait confondre son filleul, mais cette information-là, sans doute, conduirait à son arrestation. Et malgré toute la rancœur, malgré tous leurs différends, malgré l'envie, même, d'être débarrassé à jamais de ce garçon dont les reproches l'incommodaient tant, il ne pouvait simplement pas le livrer à une créature aussi abjecte que Guillaume Humbert. L'abbé était capable de se pardonner à lui-même bien des choses, bien des péchés, et non des moindres, mais cette trahison-là, il ne pouvait pas la commettre.

— Je ne m'en souviens pas, mentit Boucel.

À ces mots, l'Inquisiteur ferma les yeux et fit une grimace déçue, presque catastrophée.

— Boucel, Boucel ! se lamenta-t-il. Non ! Ne prenez pas ce chemin, je vous en conjure ! Je vous promets que vous ne voulez pas en arriver là. Faisons en sorte que cette visite reste de courtoisie, mon ami ! *Veritas vos liberabit*[1]. Aussi, j'oublierai votre première réponse, et vous repose une deuxième fois la question : Andreas Saint-Loup vous a-t-il dit où il voulait se rendre ?

L'abbé sentit aussitôt la sueur ruisseler dans son dos et sur son front, puis il éprouva la moiteur de ses mains et les battements affolés de son cœur. C'était un homme vieux, qui était arrivé au sommet de sa carrière ecclésiastique et qui n'avait plus beaucoup à attendre de la vie, sinon un peu de paix et de tranquillité. Et cette paix, il était prêt à la payer fort cher. Mais pas au prix de la vie de l'enfant qu'il avait élevé. Car malgré tout, il l'aimait encore tendrement. Bien plus, sans doute, qu'il n'eût été avouable.

— Je ne m'en souviens pas, répéta-t-il.

— Je sais ce que vous pensez, Baudouin. Vous pensez que nous sommes tous deux amis de Philippe de Marigny, archevêque de Sens, et qu'en l'honneur de cette amitié, je n'oserais pas vous soumettre céans à la question. Mais vous vous trompez, père abbé. Vous vous trompez grandement. Sachez que, parmi les templiers que j'interrogeai, certains étaient liés à ma personne par quelque noble amitié. Le manuel de l'Inquisiteur est formel à ce sujet : il n'est aucune considération personnelle qui puisse faire hésiter l'interrogateur sur les moyens qu'il utilise. Dans une charge comme celle qui m'a été donnée, une seule

1. *La vérité vous libérera.*

chose compte : obtenir la vérité. Aujourd'hui, mon travail consiste à retrouver Andreas Saint-Loup, et pour y parvenir, je ne reculerai devant rien. Absolument rien. Aussi, pour la dernière fois, je vous le demande, Très Révérend Père, l'homme vous a-t-il dit où il comptait se rendre ?

Mais Boucel resta muet, et ce faisant, il savait qu'il donnait lui-même un blanc-seing pour son acte de torture.

Le Grand Inquisiteur hocha tristement la tête, écarta les bras en signe d'impuissance désolée, puis il se leva brusquement. Sans un mot de plus, il tourna le dos à l'abbé et partit vers la porte du parloir.

Les moines assemblés dehors qui, anxieux, attendaient encore le père abbé dans la pénombre pour les prières des complies, virent alors sortir le grand Guillaume Humbert, la main fermée sur sa croix pectorale et les yeux plus noirs que le cœur de la nuit. L'Inquisiteur promena des regards froids sur le cloître, puis il fit un signe à ses hommes qui le rejoignirent et entrèrent derechef avec lui dans le parloir de l'abbé, équipés de tout leur terrible attirail, sous le regard épouvanté des frères de l'abbaye, pour qui la suite des événements ne faisait plus grand doute, et tous se mirent à prier.

Et en effet, jusque très tard, s'élevèrent du parloir des cris horribles et inhumains, espacés d'abord, puis de plus en plus forts et rapprochés, avant que de perdre en intensité et ne plus ressembler qu'aux râles et aux sanglots ultimes d'un mourant.

Quand, enfin, au milieu de la nuit, les moines virent sortir Guillaume Humbert du parloir, il était couvert de sang, du chef jusques aux pieds. Et son visage semblait satisfait. Boucel avait parlé.

64

Quand Andreas se leva pour boire son looch de diacode, il vit que le flacon serait fini après cette dernière gorgée, et il décida d'aller en chercher sur-le-champ chez un apothicaire d'Étampes, avant même que de réveiller Robin et Magdala. Il se souvenait de l'état dans lequel l'avait mis le manque de diacode lors de son enfermement à la prison du Temple, et il n'avait pas envie, pour l'heure, de traverser une seconde fois ce grand tourment.

En descendant les escaliers, il croisa le père Gineste, qu'il complimenta sur la chambre qu'il leur avait donnée, puis il sortit de l'hôpital Saint-Antoine, remonta vers le château qui dominait la ville et trouva, dans le quartier commerçant, la rue des épiciers et des apothicaires. Examinant les ouvroirs les uns après les autres, il repéra facilement lequel de ses trois confrères était le plus digne de confiance, et il entra aussitôt dans l'officine pour acheter son looch.

— C'est un médecin qui vous l'a prescrit ? demanda le pharmacien, suspicieux.

— Oui, bien sûr, je souffre d'horribles âcretés de la gorge, mentit Andreas qui préférait ne pas révéler sa profession.

— Et vous avez cette prescription avec vous ?

— Malheureusement, la loi de Dieu exige que les pèlerins n'emmènent dans leur besace que le strict nécessaire, s'excusa Andreas d'un air innocent. Et je suis de ces hommes qui respectent scrupuleusement la loi de Dieu...

Le pharmacien hocha la tête, puis il alla chercher le looch et le tendit à son client avec un air réprobateur, sans savoir, bien sûr, qu'il s'adressait à l'un de ses plus illustres confrères parisiens.

— Sachez qu'il ne faut pas en abuser, monsieur, et qu'il convient de n'en prendre que de petites doses, car le pavot est fort accoutumant.

— Bien sûr, bien sûr !

— N'allez pas vous empoisonner comme ce pauvre Nogaret !

— Pardon ? demanda Andreas, les yeux écarquillés.

— Vous n'êtes pas au courant ?

Andreas, le front soucieux, fit non de la tête.

— Le chancelier est mort. On murmure qu'il a été empoisonné.

— Empoisonné ? Il... il paraît qu'il était malade, balbutia le Parisien, en regrettant aussitôt cette stupide intervention.

— Bah... L'homme comptait tellement d'ennemis que la thèse de l'empoisonnement semble plus probable, vous ne pensez pas ?

— Sans doute, sans doute...

Andreas paya, peinant à masquer son trouble, et s'en retourna au plus vite vers l'hôpital Saint-Antoine. La nouvelle de la mort de Nogaret était des plus préoccupantes, car il y avait fort à parier que, si la thèse de l'empoisonnement était privilégiée, l'Apothicaire ferait partie des principaux suspects, une charge supplémentaire dont il se fût passé volontiers. En outre, il ne pouvait s'empêcher de penser à ce que Nogaret avait prétendu savoir des origines d'Andreas : le nom de sa mère. Si le chancelier avait dit vrai, ce secret venait peut-être de disparaître avec lui. L'Apothicaire serra les poings et chassa ces pensées hors de son esprit. Mais alors qu'il approchait de l'hôpital, il dut s'arrêter brusquement et se précipiter dans une ruelle adjacente où il se dissimula derrière un auvent.

Devant lui passèrent deux grands chevaux, l'un blanc et l'autre brun, et sur ces chevaux il reconnut les deux hommes qui étaient entrés, le matin de sa fuite, dans l'abbaye Saint-Magloire. Entièrement vêtus de noir, ils portaient sous leur manteau un pourpoint à col haut et, à la ceinture, une large épée de chevalier. Leur visage était plongé dans l'ombre d'une ample capuche qui leur faisait un aspect véritablement inquiétant.

Le cœur battant, Andreas attendit que les deux hommes se fussent éloignés, puis il retourna dans la rue et se pressa vers l'hôpital, grimpa à l'étage et réveilla promptement Robin et Magdala.

— Dépêchez-vous ! Nous devons fuir ! Ils sont sur nos traces !

— Qui donc ? demanda l'apprenti, perplexe. Les gens du roi ? Déjà ?

— Je ne suis pas sûr. Peut-être. Deux hommes à cheval.

Quelques instants plus tard, besace sur le dos et bourdon sur le bras, tous trois quittaient la chambre dans l'urgence. Sans même prendre de repas, ils payèrent le prêtre, le saluèrent et partirent au-dehors dans la direction opposée à celle des deux mystérieux cavaliers, c'est-à-dire qu'ils revinrent sur leurs pas de la veille.

Tête baissée, ils descendaient la grande rue d'un pas preste quand, soudain, Andreas entendit des bruits de sabots résonner dans leur dos. Il tourna discrètement la tête et blêmit en reconnaissant, par-delà la foule, les deux cavaliers qui avançaient vers eux, fouillant la multitude du regard.

— Ce sont eux ! s'exclama-t-il, livide, au moment même où les deux hommes mettaient leur cheval au galop. Ils nous ont repérés ! Vite !

Il poussa Magdala et Robin devant lui et ils se précipitèrent vers le bas de la rue.

— Andreas ! Ce sont les deux lascars qui ont mis le feu à ta maison ! affirma la Ponante tout en le précédant, puis elle se jeta à sénestre et fit signe à ses compagnons de la suivre dans la ruelle où travaillaient les prostituées d'Étampes.

Ils coururent tous les trois au milieu des badauds et des *fillettes*, et Andreas estima que l'affluence empêcherait les chevaux de galoper, mais il se trompait : les deux cavaliers, opiniâtres, venaient de se lancer dans la ruelle et leurs montures renversaient sans vergogne les gens sur leur passage. Des cris d'horreur s'élevèrent entre les façades des maisons, des étals s'effondrèrent, et bientôt la panique gagna le quartier tout entier, à mesure que s'approchaient les deux sinistres chevaliers.

— En face ! s'écria une voix sur leur passage.

Izia, la Mère du quartier (que nous retrouvons ici pour la deuxième fois et dont nous aurons l'occasion de reparler beaucoup plus tard dans notre récit, car elle y est bien plus fortement impliquée qu'on ne pourrait le croire), la Mère du quartier, disons-nous, s'était levée de son tabouret et leur désigna, de l'autre côté de la rue, une venelle si étroite que, cette fois, certainement, les chevaux ne pourraient s'y engager.

Robin y fut en quelques foulées, et Andreas et Magdala suivirent le jeune apprenti au pas de course. Ils n'étaient plus qu'à quelques pas du passage quand l'Apothicaire entendit, juste derrière eux, au milieu des claquements de sabots, le bruit aigu d'une épée que l'on dégainait de son fourreau, et ce bruit lui glaça le sang.

Andreas tendit la main à Magdala pour l'aider à aller plus vite, mais à ce même moment, le premier des deux cavaliers se jeta sur eux, son épée dressée au-dessus de lui.

L'instant d'après, la lame étincelante s'abattit sur l'Apothicaire, mais avant que celui-ci ne fût touché, la Ponante s'était mise en travers et reçut, à sa place, le fil de l'arme en pleine épaule. Le métal s'enfonça dans la peau, déchirant la chair et tranchant une artère carotide qui projeta dans l'air une grande gerbe de sang.

La femme s'écroula sous la violence du coup et Andreas poussa un hurlement d'épouvante en se lançant à ses côtés pour la prendre dans ses bras. Les badauds qui emplissaient encore la rue s'enfuirent dans toutes les directions, hormis quelques catins qui, elles, se mirent devant l'Apothicaire pour lui donner un court instant de répit.

Le chevalier, au-dessus d'eux, leva son épée une seconde fois, mais, profitant du barrage qu'avaient fait les *fillettes*, Andreas porta rapidement Magdala vers la petite ruelle. Alors qu'il s'apprêtait à les suivre, le guerrier fut heurté de plein fouet par une pierre qui l'atteignit au visage.

— Vite ! s'exclama Robin depuis la ruelle, tout en armant de nouveau sa fronde de fortune.

Andreas, soutenant la Ponante par la taille, se glissa dans le passage au moment même où le deuxième cavalier arrivait à son tour. Le sang de Magdala coulait de sa plaie avec un débit alarmant. Robin poussa son maître devant lui et les deux chevaux s'arrêtèrent nerveusement à l'entrée de la ruelle, incapables d'y passer.

— Suis-moi ! appela Andreas en tournant à droite dans une autre allée étroite.

L'apprenti le rejoignit et l'aida à porter la prostituée à travers le labyrinthe insalubre du vieil Étampes. Quand ils furent certains d'avoir – pour l'heure en tout cas – semé leurs poursuivants, Andreas fit un signe à Robin pour qu'ils s'arrêtent. Lors ils déposèrent Magdala au pied d'un mur, et l'Apothicaire, les doigts tremblants, dégagea sa blessure pour l'inspecter. Il découvrit alors avec horreur une terrible bouillie de chair et de sang noir.

Le visage de la prostituée était d'un blanc macabre, et ses yeux ne semblaient plus pouvoir s'ouvrir. Le souffle court, elle balbutia péniblement quelques mots et Andreas dut se pencher pour les entendre.

— Laisse-moi, Andreas. Ne me touche pas...

— Tais-toi ! s'exclama l'Apothicaire en lui soutenant la tête. Je vais te soigner, idiote !

La prostituée se mit à tousser, expulsant de sa bouche un épais flot de sang.

— Tu sais bien que non, Andreas. Je la sens qui vient. Occupe-toi du gamin. C'est un bon petit. Fuyez.

Elle toussa encore une fois, puis sa tête bascula en arrière, et Andreas sentit sous ses doigts que le pouls ne battait plus. Envahi par l'effroi, il se laissa tomber auprès d'elle et, les yeux emplis de larmes, il poussa un râle de désespoir et de colère.

Robin, qui était resté debout derrière lui, comprit aussitôt et ne put, à son tour, retenir ses larmes.

Mais à cet instant des bruits de pas résonnèrent une ou deux rues plus loin, et qui s'approchaient.

— Maître ! sanglota le jeune apprenti en saisissant l'Apothicaire à l'épaule. Nous devons fuir ! Ils reviennent !

Andreas ne répondit pas. Assis à côté du corps immobile de Magdala, le regard dans le vide, il semblait pétrifié.

— Maître ! insista Robin.

Le bruit des pas était de plus en plus fort.

— Maître...

Andreas, avec les gestes lents de l'accablement, se tourna enfin vers la Ponante et déposa sur ses lèvres ensanglantées un dernier baiser où se nichait bien plus d'émotion qu'aucun discours n'eût su le dire. Puis, les joues trempées de pleurs et de sang, il se releva, posa une main sur la nuque de Robin et, ainsi, maître et apprenti se remirent en route, abandonnant derrière eux, à jamais, le cadavre de la prostituée.

65

En se réveillant au milieu de la paille, Aalis découvrit, à la lumière du jour, la grange où elle avait si profondément dormi. Et quelle ne fut pas sa surprise, alors, de trouver, juste à côté d'elle, disposés sur une petite planche, un pot de lait, du pain et du miel, comme des offrandes tombées du ciel au milieu de la nuit !

La jeune fille, abasourdie, se redressa et regarda de tous côtés autour d'elle ; mais il n'y avait personne, seulement de grands ballots de paille et quelques outils alignés sur un mur. Elle resta un moment immobile, certaine que la personne qui avait déposé ces vivres auprès d'elle l'espionnait encore, cachée quelque part, mais la faim finit par l'emporter sur la méfiance, et elle se mit à boire et à manger avec appétit.

Quand elle eut terminé tout le lait et le morceau de pain, qu'elle avait abondamment trempé dans le miel, la jeune fille se leva péniblement, encore empêchée par ses nombreuses blessures et par la fatigue qu'avait occasionnée la marche à travers la garrigue.

Lentement, elle s'approcha de la partie de la grange qui était ouverte sur l'extérieur et, à quelques pas de là, elle reconnut la bergère qu'elle avait vue la veille et qui, son bébé toujours coincé contre elle, était en train de faire descendre un seau dans le puits. Aalis eut aussitôt un geste de recul pour se cacher à l'intérieur, mais c'était peine perdue : la femme l'avait entendue et, sans même se retourner, la salua.

— Bonjour, mademoiselle ! Tu as bien dormi ?

Aalis, tétanisée, n'osa pas répondre et resta blottie dans la grange, se demandant de quel côté fuir.

— Dis donc, tu ne voudrais pas venir m'aider à remonter ce seau, au lieu de faire ta timide ?

La jeune fille oscilla encore un instant, puis elle se résolut à sortir au grand jour, comprenant qu'il était devenu inutile et ridicule de se cacher. Elle s'approcha de la bergère et l'aida à remonter le seau.

— Ah merci, mademoiselle.

— C'est... c'est vous qui avez mis de la nourriture à côté de moi ? balbutia Aalis sans même oser regarder la bergère dans les yeux.

— Et qui d'autre ? s'amusa la femme en lui caressant la joue. *È ! Pécaïre !* Tu as mauvaise mine, ma *paureta* !

La bergère, qui tenait la tête de son enfant dans sa paume, fronça les sourcils en découvrant les nombreuses blessures d'Aalis que, sans doute, elle n'avait pas vues plus tôt dans l'ombre de la grange.

— Comment as-tu fait ton compte pour te trouver dans un pareil état ?

La jeune fille ne sut que répondre, puis il lui sembla que la vérité n'était peut-être pas un si mauvais choix.

— C'est mon père qui m'a battue.

— Eh bien ! Tu devais en avoir fait de belles ! Et c'est pour ça que tu es ici ? Tu t'es enfuie ?

Aalis ne répondit que d'un haussement d'épaules.

— Je vois : tu n'es pas une grande bavarde ! Ou peut-être n'aimes-tu pas parler avec les étrangers ? Moi, c'est Marie, et toi ? dit-elle en ramassant le seau.

Les traits doux, elle avait un sourire lumineux, et à sa manière de regarder Aalis on voyait qu'elle débordait d'une tendresse toute maternelle.

— Aalis, répondit la jeune fille en essayant de prendre le seau des mains de la bergère pour l'aider.

— Allons, allons, je suis bien capable de porter ce seau toute seule, et je n'en dirais pas autant de toi.

— Mais, votre bébé...

— Oh ! j'ai l'habitude, tu sais ! Deux jours après sa naissance, je gardais déjà le troupeau. Sois la bienvenue à Cazo, mademoiselle Aalis. Lui, c'est Nicolas ; il a un mois.

— Il est mignon.

— Quand il dort, oui. Dis-moi, Aalis, tu as de bien vilaines blessures, tu ne veux pas aller te reposer un peu chez moi pour aujourd'hui ? Ma mère est là qui s'occupera de te soigner.

— Non, non... Je... je dois m'en aller.

— Ne dis pas de bêtises ! la coupa la bergère. Tu n'es pas en état d'aller où que ce soit. Allez, viens !

Aalis suivit docilement la fermière vers le hameau désert, jusqu'à une petite maison en pierre brute devant laquelle se mirent à aboyer deux beaucerons au poil court, noir et feu. Marie invita la jeune fille à l'intérieur, où une vieille femme, assise sur un banc, était en train de confectionner ce qui ressemblait à un petit collier en bois. La pièce, au plafond très bas, avait le sol couvert de paille et respirait l'odeur du bétail.

— Mère, je vous présente Aalis.

Au ton soudain plus élevé qu'avait adopté la bergère pour se faire entendre, on devinait que la vieille femme entendait mal.

— *È !* Qui c'est, *aquela* ? Elle n'a pas l'air en forme, la *gojata* !

— Aalis, je te présente Janine, ma mère. Elle reste avec nous tous les hivers, pendant que mon père est dans les montagnes.

— Viens *m'embraçar, pichòta*.

La femme avait un fort accent de vieille Occitane, elle parlait rudement, et comme elle n'avait presque plus de dents elle prononçait les mots d'une drôle de manière, si bien qu'Aalis peinait à la comprendre. La tête coiffée d'un foulard, elle avait les yeux injectés de sang, le visage ridé, le dos courbé, mais on devinait dans son regard la même chaleur que dans celui de sa fille.

Aalis traversa la pièce et embrassa craintivement la vieille femme.

— *È ! Perdeu !* Elle est toute *abridolada*, la pauvrette...

— C'est pour ça que je l'amène, expliqua Marie en souriant. On va la coucher et vous allez vous occuper d'elle pendant que je retourne soigner les bêtes, n'est-ce pas, mère ?

— Qué ?

— Vous allez vous occuper d'elle pendant que je retourne soigner les bêtes ! répéta-t-elle plus fort.

— *Atrasajadament*, qu'on va s'en occuper, de la *pichòta* ! Et ton *marit, qué fa, ce godal* ? Il dort encore ?

— *È !* Maman ! Il retire les cailloux des parcelles pour faire les murs ! Allez, à tout à l'heure, Aalis, il faut que j'aille donner à boire et à manger aux animaux. On a des petits agneaux de trois semaines, je te les montrerai ce soir, si tu vas mieux.

— Merci, madame...

— Marie.

— Merci, Marie.

La bergère sortit de la petite maison, et alors la vieille femme se leva péniblement.

— *È !* Elle est partie, ma fille, et avec ses bêtes ! *Se n'es anada al paradís, ambe sas cabras*, comme dit la chanson.

Aalis, plantée au milieu de la pièce, gênée, ne savait que faire de ses mains. Soudain, elle commençait à regretter de s'être laissé entraîner jusqu'ici tellement elle était intimidée, mais Janine ne lui laissa pas le temps d'y penser davantage.

— Allez, viens, la *pichòta*, dit-elle d'un ton caressant en lui attrapant la main et en la conduisant à petits pas dans la pièce voisine, où elle la fit s'allonger sur une couche épaisse, près de la cheminée. Tu restes ici, la *meuna paparèla*, m'en vais chercher des herbes pour te *percurar un pauc*.

Et en effet, la vieille femme revint quelques instants plus tard avec des herbes et des huiles, s'assit à côté d'Aalis et lui prodigua des soins tout en lui disant des mots qu'elle ne comprenait pas.

Sur le visage de la jeune fille, éblouie par autant de bienveillance, un sourire se dessina lentement qui l'avait depuis trop longtemps déserté, et alors Janine se mit à chanter tout bas, et sa voix se révéla étonnamment douce, si douce, même, qu'Aalis – qu'une nuit de sommeil n'avait certes pas suffi à rétablir – ne tarda pas à s'endormir.

Quand lo boièr ven de laurar
Quand lo boièr ven de laurar
Planta son agulhada
A, e, i, ò, u !
Planta son agulhada.
Tròba sa femna al pè del fuòc
Tròba sa femna al pè del fuòc
Trista e desconsolada…
Se sias malauta digas-o
Se sias malauta digas-o
Te farai un potatge
Amb una raba, amb un caulet
Amb una raba, amb un caulet
Una lauseta magra.
Quand serai mòrta enterratz-me
Al pus fons de la cava
Los pés virats a la paret
La tèsta a la rajada
Los pelegrins que passarán
Prendrán d'aiga senhada.
E dirán « Qual es mòrt aicí ? »
Aquò es la paura Joana.
Se n'es anada al paradís
Se n'es anada al paradís
Al cèl ambe sas cabras.

66

Le lecteur se souvient sans doute que nous avons plusieurs fois évoqué la personne de Monsieur le frère du roi, Charles de Valois, et nous arrivons maintenant à un point du récit où il est nécessaire d'en dresser furtivement le portrait.

D'emblée, il ne nous semblerait point faire part de partialité en disant que ce Capétien-là, plus que tout autre, était un homme aigri. Comme il était fils et frère de rois, la frustration de n'avoir jamais pu obtenir lui-même ce titre qu'il désirait tant en fit un prince acrimonieux, belliqueux et conspirateur. En tant que seul frère germain de Philippe le Bel, Charles de Valois avait une place de choix au Conseil – il lui arrivait même de diriger le parlement de Paris en l'absence du Capétien – mais il n'avait pas sur le roi la même influence qu'un Nogaret ou qu'un Marigny, et il nourrissait d'ailleurs à l'égard de ce dernier une haine profonde, laquelle, il faut bien le reconnaître, ne manquait pas de réciprocité.

Si, comte de Valois, d'Alençon, de Chartres, du Perche, d'Anjou et du Maine, Charles multipliait les principautés, il n'avait jamais pu accéder à quelque trône que ce fût, bien qu'il eût, par ses nombreux mariages successifs, cherché moult moyens d'y parvenir. Aussi, depuis quelque temps, on le voyait se rapprocher de son neveu Louis, roi de Navarre, fils de Philippe le Bel et dont tout le monde affirmait qu'il serait le prochain souverain de France. Partant, Charles de Valois s'opposait de plus en plus souvent à son frère et n'aurait point de cesse qu'il ne fît tomber Enguerran de Marigny en état de disgrâce.

Nous retrouvons maintenant cet homme au large nez et aux cheveux frisés au sortir de son célèbre hôtel de Nesle, à Paris, vaste résidence flanquée de quatre tours qui lui fut offerte par son frère – lequel l'avait achetée en 1308 à Amauri de Nesle moyennant la somme de cinq mille livres – en récompense des nombreux faits d'armes accomplis par ce comte batailleur. Le voilà donc qui se dirige, accompagné de sa suite, vers le palais de la Cité, où il demande à être reçu par Enguerran de Marigny, auprès duquel on le conduit prestement.

— Que me vaut, Monsieur le Prince, le plaisir de cette visite, inattendue mais de courtoisie certainement ? l'accueillit le chambellan sans masquer l'ironie dans le ton de sa voix.

Assis derrière le large bureau de l'office où il gérait la plupart des affaires personnelles du roi, Marigny n'avait pas pris la peine de se lever pour saluer le nouvel arrivant, ce qui, entendu que celui-là était de la famille royale, était un affront d'une extraordinaire impudence. La querelle qui opposait les deux hommes depuis l'affaire de Flandre avait atteint une intensité telle que ni l'un ni l'autre ne cachait plus son inimitié.

— Si vraiment ma visite vous procure quelque plaisir, savourez-le sur l'instant, car je crains qu'il ne dure guère, railla de Valois.

— Que Monsieur le Prince se rassure, j'en savoure chaque instant.

— Je suis heureux de voir que la mort de Nogaret ne vous aura donc point trop affecté.

— Les grandes douleurs sont silencieuses, répliqua Marigny avec une lueur de sarcasme dans les yeux.

— Sans doute la charge dont vous avez hérité du fait de ce décès vous console-t-elle ?

— Détrompez-vous, votre frère a nommé Pierre de Latilly pour succéder au garde du Sceau. Je n'en retire aucun bénéfice.

— Je ne parlais pas de son poste, mais du cas de ce mystérieux Apothicaire… Je me suis laissé dire que vous vous en étiez soudain emparé ?

Le visage de Marigny resta figé sur son sourire factice. Sans doute ne s'était-il pas attendu à ce que le comte fût déjà au courant.

— Vous conviendrez que la chose est étonnante pour quiconque sait que, quelques jours plus tôt, c'est vous et votre demi-frère Philippe qui faisiez libérer l'homme de la prison du Temple.

— Monsieur le Prince est renseigné, à l'évidence, mais il l'est mal.

— Niez-vous avoir fait libérer ce Saint-Loup contre l'avis de Nogaret ?

— Non. Mais je ne possédais pas à l'époque les informations nécessaires, Nogaret ne nous les ayant point encore confiées.

— Ah ! c'est donc cela ! s'amusa Charles de Valois en prenant place sur l'un des luxueux fauteuils de l'office. Mais quelles sont ces fameuses informations qui vous auront fait changer d'avis ?

— Si le roi ne vous les a point confiées, peut-être veut-il les garder confidentielles…

— Philippe n'a pas de secret pour son frère, s'indigna le comte de Valois.

— Vraiment ? se moqua Marigny.

— Suggérez-vous que j'aille voir mon frère pour lui dire que son chambellan refuse de me dire ce qui a justifié l'ordonnance royale appelant à l'arrestation d'un simple apothicaire ?

— Il vous suffirait de lire ladite ordonnance pour voir que l'homme est recherché pour hérésie.

— Ce qui explique que vous ayez poussé le roi à envoyer Guillaume Humbert ?

— Votre frère l'a souhaité.

— Sur votre suggestion, n'est-ce pas ?

— Où voulez-vous en venir, monsieur de Valois ? demanda Marigny, qui commençait à perdre patience.

— Je me permets seulement de remarquer que, soudain, il vous a paru opportun d'envoyer le Grand Inquisiteur de France à la poursuite d'un homme que, quelques jours plus tôt, vous faisiez libérer et que, en envoyant ledit Humbert, il semble que vous ayez davantage envie de voir cet Apothicaire mort plutôt qu'arrêté. Aussi, je me demande ce qui peut avoir motivé ce soudain revirement de votre part... Et j'ai peine à croire que cela soit pour quelque soupçon d'hérésie. À moins que vous ne vous soyez soudain découvert une âme de justicier divin ? Il me semblait que vous étiez un homme de pouvoir, Enguerran, pas un homme d'Église...

— Auriez-vous oublié que mon demi-frère est archevêque de Sens ? répondit le chambellan un peu précipitamment, montrant des signes d'agacement qui ne firent qu'accroître la satisfaction de son interlocuteur. Monsieur le Prince, poursuivit-il, vous faites fausse route. Comme je vous l'ai dit, c'est votre frère le roi qui a demandé l'arrestation de l'Apothicaire, sans doute parce qu'il lui a semblé que ce dernier pouvait avoir un rapport avec la mort de Nogaret et qu'il agissait comme un hérétique. À présent, si vous n'avez pas d'autre question à me poser, j'aimerais pouvoir retourner à mon travail, car voyez-vous, j'ai, moi, fort à faire.

— Bien sûr, bien sûr, monsieur le chambellan. Je ne voudrais pas vous ennuyer davantage. Je crois, en effet, que j'ai appris ici ce que je voulais savoir, conclut Charles de Valois avec un sourire entendu.

67

Ayant attendu ensemble un long moment pour s'assurer que les deux cavaliers n'étaient pas alentour, Andreas et Robin sortirent d'une ruelle sombre et se dirigèrent vers un relais de chevaux que l'Apothicaire avait repéré la veille, près de la porte Saint-Jacques.

Le réseau des relais, qui avait été si développé à l'époque romaine, était quelque peu tombé en désuétude en ce temps, mais il en subsistait encore un certain nombre sur la route des grands pèlerinages, en raison des nombreux soldats qui les parcouraient.

Andreas, les yeux encore rougis par les larmes qu'il avait versées, demanda un cheval sous le regard suspicieux du maître de relais : non seulement le pèlerinage, d'ordinaire, se faisait à pied, mais en outre le manteau d'Andreas était couvert de sang.

— Que vous est-il arrivé ? demanda l'homme avec méfiance.

— Nous avons été attaqués par des coquillards, répliqua l'Apothicaire avec dans la voix une irritation qui incita le maître de relais à ne pas en demander davantage.

— Vous faut-il une mule, un roncin ou un coursier ? demanda l'homme d'une voix peu aimable.

— Un coursier, répondit Andreas tout en jetant des coups d'œil autour d'eux, s'attendant à voir surgir à tout moment les deux terribles assassins.

— Voulez-vous l'acheter ou le louer ?

— Quels sont les prochains relais où nous pourrions le restituer ?

— Monnerville, Toury, Artenay et Orléans.

— Alors nous le louerons jusqu'en Artenay.

Le maître partit chercher un animal et le mena vers eux. C'était un beau et fort cheval islandais, plutôt petit, mais de cette race qui était alors réputée pour son endurance, son allure et sa capacité à supporter de grosses charges, et Andreas fut contraint de donner tout l'argent qui lui restait pour s'acquitter du prix exorbitant. Après cela, Robin et lui n'auraient plus de quoi se loger ou se nourrir, mais pour l'heure, le plus important était de fuir et il n'hésita pas un seul instant à faire cette dépense.

— Je vais chercher votre monnaie, annonça le maître de relais.

— Non, gardez tout, répliqua Andreas qui ne voulait pas perdre un seul instant.

Ainsi, avant peu, l'Apothicaire et son apprenti furent sortis de la ville par la porte Saint-Jacques puis, montés tous deux sur le même cheval, comme on raconte que faisaient jadis les Templiers en signe de pauvreté, ils contournèrent Étampes par l'est pour rejoindre, au sud, la route d'Artenay, sur laquelle ils galopèrent aussi longtemps et aussi vite que le permit leur monture et, tout au long de cette chevauchée, l'un et l'autre pleurèrent beaucoup plus qu'ils n'eussent voulu le reconnaître.

Dans l'intimité de son cœur, alors, Andreas fit la promesse de revenir un jour à Étampes pour donner à Magdala la sépulture qu'elle méritait.

68

En arrivant à Étréchy en début d'après-midi, comme il avait galopé toute la matinée avec ses geôliers, Guillaume Humbert ne fut pas long à obtenir quelques précieux renseignements.

D'abord, des gens du village – fort impressionnés par la présence du terrible évêque – il apprit que, deux jours plus tôt, on avait trouvé non loin de là trois brigands blessés et qui avaient été dépouillés de leurs habits de coquillards. Ensuite, dans l'abbaye bénédictine, on lui affirma que trois pèlerins avaient séjourné là le même soir, l'un d'une quarantaine d'années, qui était chauve et avait le teint hâlé, l'autre une femme du même âge, et le troisième un rouquin qui n'avait pas vingt ans. Il n'en fallut pas plus à l'Inquisiteur pour savoir qu'il était sur la bonne piste et pour décider de continuer sa course sans tarder. La diligence avec laquelle il entendait mener cette affaire était à la mesure des demandes de Marigny, et l'attitude de plus en plus suspecte d'Andreas Saint-Loup ne faisait que confirmer l'urgence qu'il y avait à questionner l'homme. Chaque jour, les preuves de ses méfaits ne faisaient que s'ajouter les unes aux autres, et il serait aisé de le confondre comme d'ordonner son exécution.

Ainsi, Humbert fit soigner ses chevaux à l'abbaye, exigea que l'on nourrît ses hommes, puis cette sinistre troupe se remit en route à une infernale cadence.

69

Andreas et Robin, enfermés l'un et l'autre dans le mutisme du deuil, parcoururent à pied les dernières lieues qui les séparaient d'Artenay, conduisant leur cheval à côté d'eux afin qu'il pût se reposer d'une journée de galop et récupérer des forces dans le cas où ils devraient fuir à nouveau. Une seule chose était sûre au sujet de leurs criminels poursuivants : ils avançaient eux aussi à cheval, et s'ils étaient sur leurs traces, ils ne tarderaient pas à arriver à leur tour.

Tout au long de l'après-midi, les giboulées de mars s'étaient succédé avec une désespérante véhémence, si bien qu'hommes et cheval étaient trempés et abattus, piétinant ce plat pays dans une boue infâme et sous un ciel bien sombre, et que la délivrance fut grande quand se profila enfin, au milieu de ces vastes champs de blé hérissés de moulins à vent, ce petit village du Loiret pour lequel ils avaient quitté Paris !

C'était un bourg d'agriculteurs, sans fortification, construit autour de son église absidale, mais où le passage fréquent des pèlerins avait favorisé l'apparition d'auberges et de commerces. Les rues, malgré tout, étaient calmes et silencieuses, même en cette fin d'après-midi, et cela n'arrangeait guère Andreas qui eût préféré l'anonymat des grandes artères parisiennes.

Les deux voyageurs amenèrent leur cheval au relais, comme il avait été convenu, en expliquant toutefois qu'ils le reprendraient peut-être le lendemain.

— Savez-vous où nous pourrions trouver un homme du nom d'Arnaud de Roulay ? demanda Andreas au maître de relais.

— Et qu'est-ce que vous lui voulez ? répliqua l'homme d'un air soudain méfiant, mais en disant cela, l'imprudent apportait déjà la confirmation que ledit Roulay était bien là.

— J'ai étudié avec lui il y a fort longtemps, mentit l'Apothicaire, et j'aimerais beaucoup le revoir. Or, je me suis laissé dire que ce bon vieil Arnaud habitait ici, à présent qu'il a quitté les ordres.

Le maître sembla se satisfaire de l'explication.

— Quitté les ordres, quitté les ordres... Ce sont plutôt les ordres qui l'ont quitté.

— Hélas ! répondit Andreas en feignant la compassion.

— Il n'habite pas dans le village même. Vous le trouverez dans une petite maison au bout du sentier qui part du lavoir, affirma l'homme en pointant du doigt vers l'est. Mais je vous préviens, il n'aime pas trop les visiteurs... Il n'a plus toute sa tête, l'Arnaud, il n'est pas dit qu'il vous reconnaisse.

— Merci, maître, répondit l'Apothicaire avec un sourire entendu. Mais je suis sûr qu'il se souviendra de moi...

Andreas et Robin, s'appuyant sur leur bourdon comme d'authentiques pèlerins, s'acheminèrent d'un pas rapide dans la direction indiquée.

Il ne pleuvait plus, mais la terre était encore trempée, exhalant ces parfums qui suivent les grandes averses. Leurs vêtements étaient lourds et froids, et Robin, déjà anéanti par la tristesse, commençait à éprouver en sus les effets d'une grande fatigue.

— Maître, j'ai grand-faim ! soupira-t-il en traînant des pieds.

— Nous n'avons pas de temps à perdre, Robin, les deux cavaliers ne sont sûrement pas loin. Et de toute façon, je n'ai plus de quoi nous payer à manger.

— Mais comment allons-nous faire ?

— Peut-être ce vieux moine défroqué nous offrira-t-il à souper.

— Et sinon ? J'ai si faim, maître !

— Mais tais-toi donc ! *Audi, vide, tace, si tu vis vivere*[1].

Robin fit une moue vexée et suivit nonchalamment son maître à travers le village jusqu'à ce qu'ils trouvent le lavoir. Là, ils suivirent tant bien que mal un chemin qui s'enfonçait dans un petit bois. La nuit était tombée et le monde avait plongé dans une lugubre atmosphère, si bien que Robin ne sut dire si c'était le froid ou l'appréhension qui le faisait ainsi frissonner. Quand ils aperçurent enfin la modeste demeure derrière le rideau des arbres, un feu brûlait à l'intérieur.

L'Apothicaire se tourna vers son apprenti et posa sur son épaule une main qui se voulait sans doute rassurante.

— Mon garçon, réjouissons-nous : si Molay ne m'a pas menti, nous allons peut-être enfin trouver quelque réponse à ces mystérieuses énigmes.

— Et à manger aussi, peut-être, glissa Robin.

Andreas secoua la tête d'un air dépité, puis ils s'approchèrent de la porte et frappèrent trois fois, comme cela se fait. Mais ils n'obtinrent aucune réponse, et donc ils essayèrent de nouveau, toujours en vain.

— Monsieur de Roulay ! Nous venons vous voir de la part de Jacques de Molay ! s'écria Andreas, ce qui n'était pas rigoureusement exact, puisque c'était maître Eckhart qui avait parlé du moine défroqué, mais il sembla à l'Apothicaire que cette légère déformation de la vérité était plus appropriée.

Et de fait, il y eut enfin un bruit de pas à l'intérieur. Quelqu'un approcha de la porte.

1. *Écoute, observe et tais-toi, si tu veux vivre.*

— Qui êtes-vous ? demanda la voix d'un vieil homme.

Andreas hésita à livrer son vrai nom : c'était autant d'indices qu'il laissait à ses poursuivants. Mais s'il espérait obtenir de cet homme de sincères réponses, comment lui mentir ?

— Je suis Andreas Saint-Loup, maître apothicaire de Paris. Le jeune homme qui m'accompagne est mon apprenti, et il se nomme Robin Meissonnier. C'est le maître souverain de l'ordre du Temple qui m'a dit de venir vous voir.

— L'ordre du Temple n'existe plus !

— En effet. Mais Molay est bien vivant, lui, et la semaine dernière nous partagions encore la même geôle.

Fort du savoir que l'homme avait été exclu de son ordre monastique, il parut à l'Apothicaire qu'il serait astucieux de miser sur la miséricorde que celui-ci pourrait éprouver à l'endroit d'un autre opprimé.

— Mmmh. Peut-être, peut-être, mais que voulez-vous ?

Andreas décida de parler sans détour.

— Je… je voudrais que vous me parliez de la *schola gnosticos*.

Il y eut un long silence, pendant lequel maître et apprenti eurent le temps d'échanger des regards inquiets, puis la porte s'ouvrit lentement, et ils découvrirent alors ce petit homme d'une soixantaine d'années, qui avait gardé sa tonsure de moine et qui avait la figure d'une personne qui ne sort jamais de chez elle, c'est-à-dire qu'il était mal arrangé, mal rasé, qu'il avait les yeux tirés et le teint pâle, en somme, qu'il n'était guère amène. Il inspecta durement la silhouette de ces deux importuns, puis jeta des coups d'œil alentour, comme s'il suspectait qu'on les espionnât.

— Que savez-vous de la *schola gnosticos* ? demanda-t-il sans se retirer de l'ouverture.

— Eh bien, justement, pas grand-chose, monsieur, et c'est pour cela que nous avons besoin de vos doctes lumières.

L'ancien moine eut l'air de plus en plus agité ; pour tout dire il n'avait pas l'air d'être en pleine possession de sa raison, comme l'avait laissé entendre le maître de relais. Son visage était secoué de spasmes et il semblait incapable de fixer longuement un même point.

— Vous n'êtes pas seuls ! s'exclama-t-il soudain curieusement. Laissez-moi !

Il commença à refermer la porte, mais Andreas, qui ne voulait pas avoir fait une si grande distance pour si peu, glissa son pied dans le passage pour l'en empêcher.

— Je vous en conjure, monsieur de Roulay ! J'ai besoin...

— Vous n'êtes pas seuls ! répéta l'ancien moine d'une voix qui était maintenant devenue véritablement frénétique. Il y a quelqu'un avec vous, là, je le sens, je le vois ! Laissez-moi ! Je ne sais rien ! Je n'ai plus rien à voir avec tout ça !

Andreas, qui s'était approché pour bloquer la porte, aperçut l'intérieur de la petite maison, et il fut alors saisi d'une impression troublante qui lui glaça le sang, peut-être autant que l'avait fait la découverte soudaine de la pièce vide dans sa propre demeure : il reconnaissait les lieux.

Ou du moins, il avait le sentiment de les reconnaître, et pourtant il n'avait pas le moindre souvenir d'être venu ici. La pièce qui se dessinait derrière le vieil homme acariâtre était un véritable temple dédié à la chose écrite. Il y avait là autant de livres et de parchemins, peut-être, que dans un riche *scriptorium*, mais dans un désordre qui n'aurait convenu à aucune abbaye. Andreas, qui n'en voyait pourtant qu'une petite partie, eût pu décrire la pièce tout entière, en puisant dans une mémoire dont il ne comprenait pas l'origine.

Le trouble sur son visage sembla ne pas échapper à Arnaud de Roulay, qui écarquilla les yeux plus grands encore qu'ils ne l'étaient déjà et reprit ses hystériques vociférations.

— Allez-vous-en ! Vous n'êtes pas seuls !

— J'ai besoin de savoir ! répliqua Andreas, dont la prime perplexité se transformait maintenant en courroux.

— Je ne sais rien ! Je ne veux pas savoir ! Ce n'est pas moi !

— J'ai besoin que vous me donniez des réponses !

— Pas moi ! Je ne sais rien !

— Mais qui alors ? Qui peut me répondre ?

— Personne. Partez !

— Qui peut me répondre ? répéta Andreas, de plus en plus menaçant.

Et comme le moine ne répondait toujours pas, l'Apothicaire lâcha la porte qu'il avait maintenue de la main droite et le saisit par le col, de ses deux poings serrés.

— Qui peut me répondre ? dit-il d'une voix qui laissait entendre que toute absence de réponse entraînerait de violentes représailles, et même Robin, en retrait, fut impressionné par la bravade de son maître.

Arnaud de Roulay, qui tremblait de tout son pauvre corps, semblait quant à lui aussi effrayé que s'il avait vu un fantôme. Ses lèvres s'agitèrent, firent toute une série d'étonnantes mimiques, puis, dans un souffle, il se décida enfin à parler.

— De Tourville ! Denis de Tourville, à Saintes ! Il sait lui ! Il sait ! Et moi je ne sais rien !

Aussitôt après, le vieil homme donna un violent coup de pied dans le tibia d'Andreas et profita que celui-ci avait reculé pour claquer la porte, qu'il verrouilla brusquement.

— Maudit moine ! s'écria l'Apothicaire en se tenant le bas de la jambe.

— Maître ! Maître, calmez-vous ! implora Robin, embarrassé. Vous voyez bien qu'il n'a pas toute sa tête...

— Saleté de moine ! répéta Andreas avant de donner un coup de poing sur la porte, puis, sans un mot de plus, il fit volte-face et se remit en route vers le village.

Robin, comme traumatisé par la scène à laquelle il venait d'assister, mit quelque temps à rejoindre son maître.

— Qu'allons-nous faire, maintenant ? demanda-t-il d'une voix apeurée.

— Partir, répliqua Andreas d'une voix contrariée.

— À l'instant même ?

— Tu l'as entendu ? Il a dit que nous n'étions pas seuls.

— Vous pensez qu'il parlait des deux cavaliers ?

— C'est possible. Je ne sais pas.

— Et où voulez-vous aller ?

— À Saintes.

— Là ? Maintenant ? À pied ?

— À cheval.

— Mais comment allons-nous payer le cheval puisque vous n'avez même pas de quoi nous acheter à manger ? demanda Robin, qui peinait à suivre le rythme de son maître.

Andreas s'immobilisa, se tourna vers son apprenti et le dévisagea longuement avant de déclarer :

— Certaines situations, parfois, justifient que l'on oublie les convenances.

— Vous allez le voler ? s'exclama le rouquin, choqué.

— L'emprunter.

— Mais... mais c'est hors la loi !

— *Necessitas non habet legem, sed ipsa sibi facit legem*[1].

---

1. *La nécessité n'a pas de loi, mais elle se fait loi elle-même.*

70

— *È !* Qui c'est, celle-là, *pécaïre* ?

Aalis fut réveillée en sursaut par cette forte et soudaine exclamation, se redressa sur sa couche et aperçut celui dont elle comprit aussitôt qu'il était l'époux de la bergère. C'était un solide gaillard d'une trentaine d'années, point trop grand mais bien bâti, avec de courts cheveux châtains, presque roux, de grands yeux malicieux et un air assuré.

— C'est une *pichòta* que Marie a ramenée ! expliqua Janine qui, assise à une table, était en train de préparer à souper.

— *Òu* ! C'est tout votre fille, ça, de ramener des petits moineaux blessés à la maison ! Et qu'est-ce qu'on va faire de ça, nous ? Tu m'as pas l'air bien vaillante, la gamine !

— Je... je ne veux pas vous déranger...

— *È !* Dans ce cas-là, lève ton cul de la paille, et va aider ma femme à la bergerie ! Allez ! *Vía-fòra !*

— *Oï !* Luc ! intervint la vieille femme qui, néanmoins, semblait amusée par la rustauderie de son gendre. Elle est *plagada,* la *pichòta* ! Laisse-la donc !

— Poh, poh, poh ! Allez, gamine, lève ton cul et va aider la Marie ! Rien de tel qu'un peu d'exercice pour se remettre sur *pè* ! La bergerie est en bas du hameau, tu entendras bêler les chèvres et les moutons.

Aalis, qui à vrai dire n'était pas mécontente de sortir de là, se leva et se dirigea vers la sortie en boitant.

Quand elle passa devant le berger, celui-ci l'attrapa par l'épaule.

— Et dis-y de ramener du fromage de chèvre, à la Marie.

Aalis hocha timidement la tête.

— Tiens, prends mon bâton, tu marches encore plus mal que ma *belamaire*, bondieu !

La jeune fille attrapa la haute canne que lui tendait le berger et sortit aussi rapidement de la maison que le lui permettaient ses blessures. À peine eut-elle posé un pied dehors que déjà les chiens lui tournaient autour en aboyant, enjoués, toujours prêts à aller courir la garrigue. Aalis, dans la pénombre de la nuit tombante, descendit la petite rue qui passait entre les maisons inoccupées du hameau ; c'était à croire que Marie, son mari et sa mère vivaient seuls dans ce village, qui comptait en tout cas certainement bien plus de bétail que d'habitants.

Sur le chemin, la jeune fille fut prise d'une soudaine hésitation. Malgré l'accueil chaleureux de la bergère et de sa mère, elle se demanda s'il était vraiment judicieux de rester ici plus longtemps. Si ces gens découvraient ce qu'elle avait fait à Béziers, ne risquaient-ils pas de la livrer au prévôt ? Le berger n'avait pas l'air commode. Toutefois, elle était encore mal en point et la promesse d'un bon souper ne l'incitait guère à partir. Elle décida finalement de s'en livrer à la Providence, puisque celle-ci lui avait enfin souri, et de son pas maladroit elle entra dans la bergerie où, à la lueur d'une lampe à huile, Marie était en train de soigner les bêtes.

— Bonsoir, murmura timidement la jeune fille.

— Bonsoir, Aalis ! Tu as repris des couleurs, ma petite ! Voilà qui fait plaisir.

— Je peux vous aider ?

— Tu peux commencer par me tutoyer, déjà.

— Pardon.

— Luc est rentré ?

— Oui, à l'instant. Il m'a dit de vous dire... de *te* dire de ramener du fromage de chèvre.

— Sûr. Il ne t'a pas trop bousculée, j'espère ?

— Non, non...

— C'est un drôle, mon mari, tu sais ! Un *malassòrt* ! Un jour, on l'a vu arriver à Cazo, un peu comme toi, dans un vilain état. Il était sale, il puait et il était maigre comme un coucou au printemps. Il n'avait pas un sou et il cherchait du travail ; c'était en plein hiver. J'ai vite compris qu'il avait fait des bêtises par le passé et qu'il voulait se donner une nouvelle chance, loin de la ville.

Aalis sourit en notant qu'en effet, leurs situations présentaient quelque similitude.

— Il voulait m'acheter des moutons pour faire son propre élevage, mais comme il n'avait pas d'argent, il a commencé par travailler pour moi. Et puis, d'affaire en affaire, on a fini par se marier. La vie est étonnante, parfois. Il était venu chercher des moutons, finalement il a trouvé une femme. Et puis c'est devenu un bon berger. *È !* Il est un peu rustre, mais c'est un grand travailleur et il a un cœur en or, le *grigon* !

— J'en suis sûre, acquiesça Aalis.

— Tiens, regarde les agneaux qui tètent leur mère ! Je suis en train de préparer leur sevrage, c'est pour ça que je commence à leur donner à manger et à boire, du sainfoin, de l'herbe et de la farine d'orge, pour qu'ils s'habituent petit à petit à ne plus téter. Dans quelques semaines, ils sortiront de la bergerie pour aller en pâturage.

Aalis s'approcha pour regarder ces petites bêtes rousses, encore malhabiles, qui se disputaient les pis de leur mère.

— Ils sont mignons !

— Oui... Et tu vois celui-là, qui est tout seul avec l'autre brebis là-bas ?

— Oui.

— C'est un miraculé ! Sa mère est morte à l'agnelage, parce qu'il est venu mal, les pieds devant. Nous avons donné de l'antimoine à la brebis pour faciliter la délivrance, mais ça n'a pas suffi. Alors nous avons fait adopter son petit par une autre brebis qui avait mis bas elle aussi, ce qui nous a évité de l'élever au lait de vache…

— Adopter ?

— *È* oui ! Quand il est né, nous avons amené l'autre brebis dans la case d'agnelage avec lui. Nous avons frotté l'agneau dans le placenta d'un des petits de la mère adoptive, et elle a fini par l'accepter au bout de quelques jours. Au début, il refusait de téter, alors nous lui avons frotté les lèvres avec du lait et du saindoux, et nous l'avons porté jusqu'au pis de sa mère adoptive. Il a eu de la chance, cet *anhèl*.

— Je ne savais pas qu'on pouvait faire ça.

— Si. On peut même, s'il le faut, faire adopter un agneau par une chèvre. Le lait de chèvre est très bon, pour eux. Tiens, tu veux bien leur remettre un peu d'eau ?

— Bien sûr, répondit la jeune fille.

Elle prit le seau d'eau et en versa dans les auges disposées dans la case des agneaux.

Ainsi, Aalis passa le reste de la soirée à aider Marie, jusqu'à ce que fût venue l'heure du souper, et alors elle revint dans la petite maison avec elle, mangea un délicieux repas au milieu de cette accueillante famille de bergers, et à table on s'amusa beaucoup, et on la traita comme une parente.

Quand, plus tard, la jeune fille partit se coucher sur la paillasse qu'on lui avait préparée, elle se sentait beaucoup mieux et ses mauvaises pensées avaient, enfin, quitté son esprit. Pour l'heure, en tout cas. Et le lecteur, peut-être, aura noté la troublante coïncidence qui relie le sort de cette enfant à celui que connut Œdipe, lui qui, comme elle, avait tué son père et fut recueilli par un couple de bergers, mais c'est peut-être le propre des anciens mythes que de s'incarner encore et encore, et jusqu'à la fin des temps, à travers nos misérables vies.

71

Andreas et Robin, qui avaient profité de l'obscurité pour pénétrer sans bruit dans le relais d'Artenay et en extraire discrètement leur cheval, avaient galopé jusque tard dans la nuit afin, ils l'espéraient, de distancer leurs poursuivants, puis ils avaient dormi dans les ruines d'une ferme abandonnée, où ils avaient eu fort froid. Au petit matin, Robin avait fait une nouvelle fois la démonstration de son agilité avec une fronde en chassant une grosse perdrix qu'ils avaient ensuite plumée, vidée et fait cuire sur un petit feu de fortune.

Rassasiés, ils s'étaient remis en route, soutenant pendant toute la matinée un rythme élevé malgré les averses de pluie qui, comme la veille, se succédaient impitoyablement. Toujours bouleversés l'un et l'autre par la mort de Magdala, ils avaient parlé peu.

Au milieu de la journée enfin, le soleil apparut au milieu des nuages et, au loin, ils virent ses rayons frapper le cœur d'Orléans comme une gloire divine. Ils s'arrêtèrent pour admirer le spectacle étonnant que donnaient ces jeux d'ombre et de lumière sur l'une des plus belles cités du royaume et profitèrent de ce répit antédiluvien pour faire un nouveau feu et trouver de quoi se nourrir. Robin chassa un lapin et Andreas trouva quelques légumes dans les champs environnants. Tout en savourant ce repas finalement moins frugal que celui qu'on leur avait servi dans l'hôpital, ils échangèrent leurs premières paroles de la journée.

— Le cheval est épuisé, nous finirons à pied. Orléans n'est plus très loin, nous y serons avant le soir.

— Vous ne pensez pas que nous devrions éviter Orléans, maître ? Voyez ce qu'il nous est arrivé la dernière fois que nous nous sommes arrêtés dans une ville.

— Nous n'avons pas le choix. J'espère trouver un moyen d'y gagner un peu d'argent pour la suite de notre voyage. Mais rassure-toi, c'est une grande ville, il sera plus facile d'y passer inaperçus.

— Vous êtes déjà venu à Orléans ?

— Bien sûr, Robin, puisque c'est sur le chemin de Compostelle. Et d'ailleurs, plus nous avançons plus il m'apparaît que cette coïncidence n'en est pas une.

— Que voulez-vous dire ?

— D'abord, maître Eckhart nous envoie à Artenay. Là, l'homme que nous devions voir, Arnaud de Roulay, quoique peu affable, nous envoie vers Saintes, et ce faisant, nous suivons précisément l'*Iter francorum*, celui-là même que je pris il y a dix-huit ans dans un sens, et il y a neuf ans dans l'autre. Paris, Artenay, Saintes... Toutes sont de grandes étapes du pèlerinage à Compostelle.

— Et qu'en concluez-vous ?

— Pour l'instant, rien de précis, mais je me permets de faire des rapprochements. D'abord, c'est Jacques de Molay qui me met sur la piste de cette mystérieuse *schola gnosticos*, dont les maîtres supposés semblent se situer sur la route de Compostelle. Or, tu n'ignores pas, Robin, que l'ordre du Temple, à son origine, a été créé, justement, pour défendre les pèlerins qui voulaient se rendre en Terre sainte. Ainsi, la plupart des commanderies templières sont implantées sur le chemin des grands pèlerinages chrétiens. Cela ne constitue pas une preuve, mais cela pourrait indiquer qu'il existe un lien entre la *schola gnosticos* et l'ordre du Temple, n'est-ce pas ?

— En effet. Toutefois, maître, si je puis me permettre, ce n'est peut-être qu'une simple coïncidence. Eckhart nous a également dit que le gnosticisme s'était beaucoup développé sur la péninsule Ibérique, où se croisent toutes les grandes religions et leurs mysticismes respectifs. Or, le chemin que nous empruntons n'est pas seulement celui de Compostelle, il est aussi, de façon plus large, celui qui mène vers les royaumes de Navarre, de Castille et d'Aragon, soit vers ladite péninsule.

— C'est exact, Robin, c'est exact. Peut-être pourrons-nous répondre à cette question à Saintes en parlant avec ce fameux Denis de Tourville ; à condition que celui-là soit plus bavard que ce maudit moine défroqué !

— Et s'il ne parle pas, lui non plus ?

— Alors nous continuerons de chercher, mon garçon. La réaction de maître Eckhart et le mutisme apeuré de l'ancien moine n'ont fait qu'aiguiser ma curiosité quant à cette énigmatique école gnostique. Et le mystère de la pièce vide et du tableau effacé s'est encore agrandi avec celui de la ligne blanche sur le registre de l'hôpital...

— Qu'espérez-vous trouver, maître ?

Andreas, qui avait terminé son repas, se leva et, tout en regardant l'horizon, le dos tourné, répondit à son apprenti par une autre question.

— Comment expliquerais-tu, toi, ces trois mystères ?

— Je ne sais pas... Il semble que l'on s'acharne à faire disparaître quelque chose dans votre vie...

— Quelque chose, ou quelqu'un ?

— Quelqu'un, en effet. Quelqu'un qui habitait chez vous dans cette pièce, quelqu'un qui était sur ce tableau à vos côtés, et quelqu'un qui était avec vous sur le chemin du retour de Compostelle.

— Les indices vont dans ce sens, mais alors comment se fait-il que, moi-même, je ne me souvienne ni d'avoir voyagé avec une personne, ni de l'avoir logée ou fait peindre sur ce tableau ? Il faudrait, pour cela, qu'on ait aussi effacé ma mémoire, Robin, et tu sais que je ne crois pas à la sorcellerie.

— Et que vous avez une excellente mémoire, oui, je le sais. Mais cela y ressemble beaucoup, n'est-ce pas ?

L'Apothicaire ne répondit pas. Qu'il eût une mémoire exceptionnelle ne faisait aucun doute, mais il ne pouvait ignorer toutefois ce sentiment étrange qui l'avait habité devant la petite maison d'Arnaud de Roulay : la certitude d'avoir déjà vu les lieux sans pourtant pouvoir s'en souvenir.

Renonçant à répondre aux questions qui les hantaient l'un et l'autre, maître et apprenti se remirent finalement en route, attachant leurs besaces sur le dos du cheval qu'ils tirèrent derrière eux.

Ils n'étaient plus très loin d'Orléans quand, au milieu de l'après-midi, ils passèrent près d'une carrière de calcaire – comme on en voyait de plus en plus souvent en ce temps où les hommes étaient de grands bâtisseurs – dans laquelle travaillait une vingtaine d'ouvriers. Andreas s'arrêta un instant et observa les carriers qui creusaient la terre pour atteindre, en profondeur, la matière recherchée.

Soudain, son visage se transforma.

— *Luru vopo vir can utriet,* murmura-t-il avec un sourire.

— Pardon ? demanda Robin, perplexe. Je sais que mes notions de latin sont encore sommaires, maître, mais il me semble que ce que vous venez de dire n'a aucun sens, sauf votre respect.

— Aucun sens ? Ce n'est pas parce que tu ne comprends pas une phrase qu'elle n'a pas de sens, mon garçon. C'est une anagramme. On la doit à Roger

Bacon, et elle pourrait, je crois, résoudre nos problèmes financiers.

— Comment cela ?

— Tais-toi, mon garçon. Tais-toi, et observe.

Andreas attacha le cheval à un arbre et se dirigea vers la carrière, suivi de près par un Robin fort excité par la curiosité. Sans hésiter, l'Apothicaire se dirigea tout droit vers le maître de carrière, qui avait un air soucieux et embarrassé.

— Bonjour, maître.

— Bonjour, répondit l'homme, quelque peu étonné que deux pèlerins vinssent ainsi jusque sur son chantier. Que puis-je pour vous ?

— C'est une belle carrière que vous avez ici.

— Il en est de plus belles, et nous n'en sommes qu'à la foration, laquelle nous donne bien du souci. Nous avons du retard pour fournir les tailleurs de pierre de la cathédrale d'Orléans, aussi, je vous prie de m'excuser, mais je n'ai guère de temps à vous accorder.

— Et pourquoi forez-vous ?

— Eh bien, pour abattre une grande fraction de roche homogène, monsieur. Mais je vous le répète…

— Et combien de temps vous faudra-t-il pour l'abattre ? le coupa Andreas.

— Au moins une semaine, et encore plus si vous ne me laissez pas travailler, soupira le carrier.

— Et si je vous donnais, moi, le moyen d'achever cet abattage avant la tombée du jour ?

L'homme eut un geste de surprise.

— Pardon ?

— Voyez-vous, nous avons chacun un problème. Moi, j'ai été volé par des brigands, et je n'ai plus un sou en poche pour finir ce pèlerinage avec mon fils. Et vous… Vous, vous devez abattre cette roche au plus vite. Or, il se peut que nous soyons chacun la solution au problème de l'autre.

— Et par quel miracle pourriez-vous achever l'abattage de cette roche avant la tombée du jour ? demanda le carrier en secouant la tête. Seriez-vous en mesure de faire tomber une foudre divine sur ma carrière ?

— Oh non, je ne prétends pas cela... En outre, il serait erroné de croire que la foudre est un phénomène divin, mais ce n'est pas le sujet. Non, je puis plutôt vous apprendre une technique qui vous permettra non seulement de gagner du temps sur cette carrière, mais pour toutes les futures carrières qu'il vous sera donné d'exploiter, monsieur.

— Eh bien ! Je suis pressé de connaître cette miraculeuse technique ! railla le maître, incrédule.

— Vous dites qu'il vous faudrait au bas mot une semaine pour y parvenir. Seriez-vous disposé, quand je vous aurai fait la démonstration de cette technique, à me donner la somme correspondant au salaire de tous vos ouvriers sur ladite période ?

Le carrier ricana.

— Si vous parvenez, avant la tombée du jour, à effectuer à vous tout seul le travail que tous mes hommes effectueraient en une seule semaine, par Dieu, oui, je vous donnerai cette somme les yeux fermés, monsieur !

— L'affaire est entendue, répliqua Andreas, tout sourire. Il va me falloir, toutefois, quelques ingrédients, mais je suppose qu'un homme de votre métier n'aura aucune peine à les trouver rapidement.

— Et quels sont-ils ? demanda l'homme, qui commençait à croire que, peut-être, cet étrange pèlerin était parfaitement sérieux.

— Du charbon, du soufre et du salpêtre.

— Du salpêtre, nous en avons près d'ici, sur les murs de l'une de nos excavations. Le soufre et le charbon, je peux envoyer l'un de mes hommes en chercher en moins de temps qu'il ne faut pour le dire.

— À la bonne heure ! Mais, attention, il nous faut un charbon de bonne qualité, de bois de peuplier, d'aulne ou de tilleul par exemple. Et il me faudra aussi pilon et mortier.

— Nous devrions pouvoir trouver cela, répondit le maître de carrière, qui ne ricanait plus du tout.

— Parfait.

L'homme dévisagea Andreas un moment, comme s'il tentait d'estimer la crédibilité de ses paroles, puis il haussa les épaules et s'en alla donner les ordres à deux de ses ouvriers.

— Pouvez-vous m'expliquer ce que vous comptez faire, maître ? demanda Robin à voix basse.

— Ah ! Mon garçon ! Si tu avais lu toute l'œuvre de ce cher Roger Bacon, tu ne poserais pas la question…

— Mais je ne l'ai point fait, et donc je vous la pose, soupira l'apprenti.

— Ce bon moine franciscain a caché dans son livre *De nullitate magiæ* une formule que d'aucuns, qui ne connaissent point les grands pouvoirs de la science, qualifieraient de magique, et que lui-même disait tenir des grands sages d'Orient, encore qu'Albert le Grand, professeur de notre ami Eckhart, revendiquât lui aussi la paternité de la chose dans son *De mirabilibus mundi*. Les deux hommes étant contemporains, je veux bien croire à la simultanéité de leurs illuminations. Il n'est pas rare qu'un même fait soit découvert, dans le même temps et en deux endroits différents, par deux scientifiques distincts.

— Et quelle est donc cette formule ?

— Comme je te le disais tout à l'heure : *Luru vopo vir can utriet*. Il serait trop long de t'expliquer ici cette fabuleuse anagramme, Robin, car c'est un code complexe que le Docteur Admirable dut mettre au point pour se préserver des foudres de l'Inquisition.

— Et que dit-elle, cette formule ?

— Elle dit : trois doses de charbon, trois de soufre, et quatre de salpêtre.

— Ce qui donne ?

— De la poudre noire, mon garçon. De la poudre noire.

Les ouvriers apportèrent à Andreas ce qu'il avait demandé plus rapidement encore qu'il ne l'avait espéré. Le soir n'était donc pas encore tombé quand, accompagné de Robin et du maître de carrière, l'Apothicaire se mit à l'écart du chantier et commença sa préparation sous leur regard médusé.

— Cher ami, si vous voulez reproduire par la suite ce que je suis en train de faire, je vous invite à prêter beaucoup d'attention à chacun de mes gestes. Les trois composants que vous m'avez apportés doivent être moulus en poudre très fine et dans ces proportions. Notez bien que le salpêtre doit être moulu en dernier. Comme vous pouvez le voir, il convient de le faire avec une grande précaution, car la chose est fort dangereuse. L'idéal est de ne pas faire cela en lieu clos, et de s'éloigner de la foule.

Tout en livrant ses instructions, l'Apothicaire moulut le charbon, le soufre et le salpêtre avec les gestes précis d'un homme de sa profession.

— Puis-je me permettre de vous demander comment vous connaissez ces choses, monsieur ? glissa le maître carrier qui commençait à se demander à qui il avait affaire.

— Non, vous ne pouvez pas, répondit simplement Andreas. En revanche, vous devrez vous souvenir qu'il convient de mélanger ces trois poudres de façon très homogène, comme je le fais maintenant devant vous. Il faut ensuite conserver une petite quantité de poudre pour faire la mèche.

— La mèche ? Quelle mèche ?

— Vous verrez tout à l'heure, répondit Andreas d'une voix agacée. Pour terminer la préparation, il faut ajouter une très petite dose d'eau, qui va permettre de lier la poudre et de la comprimer pour lui donner une forme cylindrique. Cette opération est la plus délicate. Il est préférable de le faire avec du vin ou de l'eau-de-vie, mais ici nous nous contenterons d'un peu d'eau ; je ne voudrais pas priver vos ouvriers.

Quand il eut terminé, Andreas emporta précautionneusement le cylindre de poudre comprimée et alla le placer au creux d'une foration que les ouvriers venaient de commencer le matin même.

— Vous obtiendrez un résultat encore meilleur en bourrant la poudre noire dans un pot en fonte, mais la chose est fort dangereuse et je vous inviterai à maîtriser le mélange avant que de vous lancer dans cette aventure-là.

Quand il eut terminé, Andreas se retourna vers le carrier avec un air grave.

— Dites à vos hommes de s'éloigner.

D'un geste de la main, le maître fit reculer les ouvriers.

— Plus loin encore, insista Andreas, beaucoup plus loin.

Ils s'exécutèrent.

— Maintenant, la mèche...

L'Apothicaire coupa un bout de corde, qu'il imbiba de la poudre qui lui restait, et inséra l'une de ses extrémités dans le mélange.

— Voilà. Vous pensez que vous serez capable de refaire ça tout seul ?

Le maître carrier hocha la tête.

— Maintenant, il ne reste plus qu'à enflammer la mèche en battant briquet. Préparez-vous à courir le plus loin possible quand elle aura pris feu.

Andreas tira son briquet à amadou de l'une des bourses à sa ceinture et frappa plusieurs fois sur le silex jusqu'à ce que la mèche s'embrase.

— Courez ! cria-t-il soudain en se relevant.

Robin et le carrier le suivirent jusque derrière un arbre, où ils s'abritèrent tous trois. Ils restèrent là un instant, puis comme rien ne se passait, le maître s'impatienta.

— Vous vous êtes moqué de moi, monsieur ?

— Patience.

Mais il ne se passait toujours rien, et Robin murmura à l'oreille de son maître :

— Vous êtes sûr que cela va marcher ?

— Aucune idée, mon garçon. C'est la première fois que je fais cela.

À peine ces paroles prononcées, il y eut une soudaine et violente déflagration, si forte même qu'ils eurent le sentiment que la terre tremblait sous leurs pieds. L'explosion projeta dans les airs des morceaux de pierre, plus haut que la cime des plus grands arbres, puis, comme l'avait espéré l'Apothicaire, un bloc entier de roche se détacha dans un immense nuage de fumée.

72

C'est précisément en ce moment que Guillaume Humbert entra dans le bourg d'Artenay accompagné de ses hommes, et ainsi, donc, ils avaient déjà grandement rattrapé leur retard, puisqu'ils étaient à moins d'une journée de leur proie.

Très vite, le Grand Inquisiteur de France apprit du maître de relais que deux coquillards lui avaient volé un cheval, et quand Humbert le questionna sur ces deux brigands, l'homme livra une parfaite description d'Andreas Saint-Loup et de son apprenti, puis il précisa que, avant que de le déposséder de ce magnifique coursier islandais, ils étaient allés voir Arnaud de Roulay.

— Il n'y avait pas une femme avec eux ? avait demandé Humbert.

— Non. Seulement ces deux marauds.

L'instant d'après, l'Inquisiteur frappait à la porte du moine défroqué, qu'il connaissait de réputation, car la destitution du franciscain, cinq ans auparavant, avait fait grand bruit dans tout le royaume. Pour ce que l'Inquisiteur s'en souvenait, Arnaud de Roulay avait été renvoyé de l'ordre des Frères mineurs car on lui reprochait de s'acoquiner avec les spirituels, qui prêchaient un retour strict à l'esprit de pauvreté de saint François d'Assise, s'opposant ainsi aux conventuels, lesquels maîtrisaient la confrérie à présent. Pis, on le soupçonnait d'entretenir quelque lien avec les fraticelles, ces anciens franciscains devenus hérétiques, et de défendre avec eux des thèses gnostiques. En somme, pour Guillaume Humbert, ce moine défroqué était un client de choix : l'Inquisiteur avait déjà confondu nombreux renégats de son acabit.

Comme personne ne se présentait, Humbert fit signe à ses deux hommes d'enfoncer la porte. Ils pénétrèrent prestement dans la petite maison emplie de livres, et surprirent Arnaud de Roulay qui s'apprêtait à s'enfuir par une petite fenêtre. Les geôliers l'interceptèrent sans peine et le ligotèrent à une chaise pendant que l'évêque parcourait la pièce du regard avec une apparente désinvolture, lissant les poils de sa longue barbe gris et noir, qui descendait jusqu'à son scapulaire de moine. Déambulant au milieu des livres, l'Inquisiteur tourna ici quelques pages, d'autres là, souleva un volume et le laissa tomber avec bruit, et ce faisant il avait sur le visage une sorte de répugnance désabusée.

— Je vois, Arnaud, que vous avez ici de nombreux livres bannis par l'Église. Le *Prophetia anglicana* d'Alain de Lille, le *De secretis mulierum et virorum* d'Albertus Magnus, des textes d'Anacréon, d'Arius ou de Marcion, la traduction que donna Philippe de Tripoli du *Secretum secretorum* et, bien sûr, le *Speculum simplicium animarum* de la sinistre Porete, que je fis moi-même conduire au bûcher de Paris, il y a trois ans de cela. Et je ne compte pas les ouvrages gnostiques, qui semblent avoir votre plus grande faveur ; une traduction latine - douteuse d'ailleurs - de l'*Évangile de Judas*, nombreux textes de Platon, et je constate que vous avez même une copie du *Pistis Sophia*, dont je croyais qu'il n'existait qu'un seul exemplaire de par le monde... Arnaud, Arnaud ! Que voilà de bien vilaines lectures !

Le moine défroqué, les mains liées, s'agitait sur sa chaise, et sur les traits tirés de son visage se lisait une grande terreur.

— Être renvoyé de votre ordre ne vous a-t-il point suffi ? Il faut maintenant que vous continuiez ici vos pratiques hérétiques ?

— Non ! Non ! se défendit le pauvre homme. Monseigneur ! Je ne les lis plus, ces livres, je le jure devant Dieu !

— Et que font-ils là, alors ?

— Mais je ne peux les jeter ! Ce sont de si précieux ouvrages !

— Précieux ? Précieux ? répéta l'Inquisiteur d'un air menaçant. Impies, voulez-vous dire !

Il ramassa sur la table la copie du *Secretum secretorum*, s'approcha de la cheminée et, sans la moindre hésitation, jeta le volume dans les flammes, ce qui fit pousser un cri abominable au moine défroqué.

L'Inquisiteur fit volte-face, s'avança vers Arnaud de Roulay, et, le dominant de toute sa redoutable figure, il cria :

— N'avez-vous point renoncé à l'hérésie il y a cinq ans de cela, Arnaud ?

— Si, monseigneur ! Si, j'y ai renoncé !

— Alors, seriez-vous relaps ?

— Non, non ! jura l'homme, qui tremblait comme une pauvre bête entourée par une meute de chiens de chasse.

— Il y a ici plus de preuves qu'il n'en faut pour vous conduire au bûcher ! Je pourrais vous brûler sur place, Arnaud !

Les larmes coulèrent sur les joues du moine défroqué.

— Je vous en supplie, Votre Excellence… J'ai abandonné tout cela. Je ne suis qu'un vieil homme solitaire, qui n'a plus de lien avec le monde profane. Je vis seul, ici, seul avec Dieu, dont j'attends le Jugement dernier.

— Et pourquoi ne prononcerais-je pas moi-même ce jugement, ici et maintenant, puisque j'en ai le pouvoir ?

— De grâce, monseigneur ! Dites ce que vous attendez de moi, et je me plierai à votre volonté !

Un sourire se dessina alors sur le visage de l'Inquisiteur, qui s'approcha encore du vieil homme, le saisit délicatement par la nuque et murmura à son oreille :

— Deux hommes sont venus vous voir, hier, vêtus comme des pèlerins.

— Oui, monseigneur ! Oui ! s'exclama le moine, le visage soudain illuminé. C'était un apothicaire parisien, et son apprenti ! Saint-Loup ! Il s'appelait Saint-Loup !

— Et que voulait-il, ce Saint-Loup ?

Roulay hésita. Ses paupières battaient nerveusement et son regard ne se fixait nulle part, à la manière d'un dément.

— Que voulait-il ? répéta l'évêque d'une voix plus douce encore.

— Il voulait des renseignements sur la *schola gnosticos*, monseigneur. Mais je lui ai dit que je ne savais rien de cela, que je n'ai plus rien à voir avec les gnostiques, que je me suis repenti, comme je vous le dis à vous. Et comme il m'a menacé, je lui ai dit d'aller à Saintes, voir un homme qui connaît ces choses-là.

— Quel homme ?

— Denis de Tourville, Votre Excellence.

— Et Saint-Loup est parti le voir ?

— Je le crois, monseigneur, je le crois !

Humbert caressa les cheveux du vieux moine défroqué, comme il l'eût fait avec ceux d'un enfant, puis il se redressa, avisa la pièce une dernière fois et ordonna à ses geôliers :

— Jetez ce vieux fou dehors, et mettez le feu à cette maison hérétique.

— Non ! s'exclama Roulay. Non ! Ne brûlez pas mes livres ! Je vous en supplie !

— Estimez-vous heureux, Arnaud, que cela ne soit point vous que l'on brûle.

Et sur ces mots, l'Inquisiteur sortit.

On raconte que, tant amoureux de ses livres, et bien qu'on l'eût jeté dehors, le moine retourna aussitôt au milieu des flammes et se laissa brûler vif parmi les milliers de pages embrasées, et il est de l'avis du narrateur attristé que la somme de savoir qui disparut ce jour-là par le feu fut au moins aussi grande que celle des plus grandes bibliothèques.

73

Charles de Valois entra dans le cloître de l'abbaye Saint-Magloire au terme de cette après-midi pluvieuse et put constater par lui-même la mine terrible des bénédictins qu'il y croisa, tout comme l'atmosphère funeste qui pesait sur ces murs. Il avait demandé à ses suivants de l'attendre à l'extérieur de l'abbaye et s'avançait seul parmi les moines, ce qui eut pour effet d'inquiéter ceux-là, que la récente multiplication des visites illustres et impromptues effrayait de plus en plus.

— Menez-moi auprès du père abbé, demanda-t-il en trouvant au parloir le frère Jean-Baptiste, son jeune secrétaire.

— Prince... Le Très Révérend Père est fort souffrant, il ne peut recevoir personne.

— Je sais cela, moine. Pourtant je suis venu ici et je vous demande de me mener auprès de lui.

Craignant de désobéir au frère du roi lui-même, le bénédictin conduisit à contrecœur le comte jusqu'aux appartements de l'abbé Boucel.

Le vieil homme, alité, avait le visage boursouflé, les paupières noires et gonflées, et le corps couvert de bandages. Deux moines étaient là jour et nuit qui lui portaient des soins, le faisaient boire et manger, mais à la pâleur de son visage il semblait que le Très Révérend Père n'eût plus longtemps à vivre. Sans quelque miracle, il n'en avait guère plus que pour quelques heures.

— Laissez-nous, ordonna de Valois en s'approchant du mourant.

Les deux servants échangèrent des regards agités, puis se retirèrent en silence, recouvrant leur crâne de leur capuche noire comme pour masquer leur tourment.

— Boucel, mon pauvre Boucel, chuchota le comte en prenant le bras du vieil homme entre ses mains. J'ai été épouvanté en apprenant la terrible nouvelle, et je suis venu vous témoigner ma plus profonde amitié.

L'abbé tourna péniblement la tête vers son visiteur. Ses paupières étaient si abîmées qu'on voyait à peine ses pupilles.

— Quelle désolation ! Quelle ignominie ! Traiter un serviteur de Dieu comme un vulgaire hérétique ! La chose est impardonnable, Très Révérend Père, et je puis vous assurer que, au nom de mon frère le roi, je ferai punir les coupables de ce crime odieux.

Le moine ne manifesta aucune émotion en retour. Soit il était trop épuisé pour manifester la moindre réaction, soit il n'était pas dupe quant à l'authenticité de cette très soudaine et zélée compassion.

— Avant toute chose, je veux vous dire, père abbé, que mon frère le roi n'est en rien responsable de ce qui vous est arrivé, et que les véritables instigateurs de votre malheur devront payer.

Les traits du visage de l'abbé se raidirent comme il cherchait douloureusement son souffle.

— Humbert, murmura-t-il avec un courroux étouffé, comme si c'était le seul mot qu'il pouvait prononcer.

— Certes. Certes, en premier lieu, il s'agira de châtier l'Inquisiteur, mais au-delà, il importe de condamner ceux sous les ordres desquels il a agi et, je vous le répète, il ne s'agissait pas du roi qui, en fin de compte, est tout comme vous la victime de cette ignoble machination.

— Qui ? balbutia Boucel.

— Allons, Très Révérend Père, ne l'avez-vous point deviné ? Pour qui Humbert œuvre-t-il à présent ?

— Marigny...

— Qui d'autre, en effet ?

Les lèvres de l'abbé se mirent à trembler.

— Allons, allons, intervint le comte en passant une main sur le front ruisselant du vieil homme. Je sais ce que vous pensez. Vous vous demandez pourquoi les frères Marigny, qui ont toujours prétendu être de vos amis, pourraient avoir autorisé une chose pareille... Pourtant, il en est ainsi. Et c'est bien la question à laquelle nous devons répondre si nous voulons sanctionner les coupables : pourquoi un tel revirement ? Pourquoi les Marigny ont-ils soudain estimé qu'il était acceptable de faire torturer un abbé qui leur était pourtant si fidèle ?

— Saint... Saint-Loup, bégaya Boucel. Ils veulent... Ils veulent savoir quelque chose sur Saint-Loup.

— On pourrait le croire, en effet, Très Révérend Père, mais je pense que ce n'est pas exactement cela.

L'abbé fronça les sourcils.

— J'ai mené ma petite enquête, voyez-vous, et je crois, moi, que les frères Marigny savaient déjà quelque chose au sujet de votre filleul, et que c'est à cause de cette chose qu'ils veulent non pas le faire parler, mais le faire taire. Et pour s'assurer, même, de son silence, ils ont choisi de le faire tuer. Alors ils ont inventé cette fallacieuse histoire d'hérésie afin de justifier qu'Humbert condamne et exécute votre pauvre Apothicaire... J'en ai l'intime conviction, père abbé, et je suis sûr que vous pensez comme moi. Mais pour pouvoir les confondre, à présent, nous devons découvrir quelle est cette chose au sujet de Saint-Loup qui peut ainsi les inquiéter.

Boucel ferma les yeux et poussa un long soupir, lequel signifiait peut-être qu'il partageait en effet les suspicions de Charles de Valois. Mais sans doute restait-il également circonspect quant aux véritables motivations de son visiteur.

— Je me trompe peut-être, père abbé, mais je crois même pouvoir dire que cette chose était connue de Nogaret, et qu'en mourant, le chancelier, volontairement ou non, a légué son secret aux frères Marigny, ce qui expliquerait leur soudaine volte-face.

Le frère du roi s'approcha encore davantage du visage de l'abbé, pour lui parler à l'oreille.

— Je sais que vous êtes épuisé, Baudouin, et je devine la colère qui vous habite. Mais peut-être, sans le savoir, possédez-vous en votre mémoire tout ou partie de cette information, vous qui, mieux que quiconque, connaissez la vie de votre filleul. Aussi, si nous parvenions à découvrir ce qui, au sujet de Saint-Loup, préoccupe autant les frères Marigny, nous pourrions assurément en informer le roi et les confondre. Il faut que vous réfléchissiez, Très Révérend Père. Je suis convaincu qu'il y a, quelque part dans vos souvenirs, une information qui pourrait vous offrir la vengeance à laquelle vous avez droit.

L'abbé Boucel, livide, dévisagea son interlocuteur.

— Et vous, monsieur le comte ? Qu'avez-vous... Qu'avez-vous à y gagner ?

Charles de Valois se redressa et resta silencieux un instant, comme s'il hésitait à dire la vérité.

— Baudouin... Vous avez toujours été un habile politicien. On n'arrive pas au poste que vous occupez aujourd'hui sans avoir quelque intelligence en la matière. Alors je ne vais pas vous mentir : mon amitié à votre endroit, vous vous en doutez, n'est pas mon seul motif. Enguerran de Marigny est devenu, depuis l'affaire de Flandre, mon plus ardent adversaire. Il ne cesse de s'opposer à moi et cherche par tous les moyens d'affaiblir ma position au Conseil du roi. Si je pouvais prouver qu'il a manipulé mon frère pour servir quelque secret dessein, je serais certainement débarrassé de lui. Et vous seriez vengé. Nous avons tous deux à y gagner.

Malgré la douleur, l'abbé Boucel esquissa un début de sourire. La franchise du comte, visiblement, avait rempli son office.

— Allons ! insista le frère du roi. Réfléchissez ! À votre avis, quelle information secrète Nogaret possédait-il au sujet de votre filleul et qui est maintenant connue des frères Marigny ?

Le moine resta silencieux.

— Vous détenez peut-être la clef qui nous permettra de punir vos tortionnaires, Boucel. Réfléchissez !

— Humbert...

Le moine se mit à tousser péniblement, crachant du sang sur le drap qui recouvrait son corps, puis il reprit :

— Humbert cherchait à l'accuser d'hérésie...

— Non, s'impatienta de Valois. Cette accusation-là n'était qu'un prétexte, père abbé ! Je n'en crois pas un mot. Vous savez comme moi que les frères Marigny se moquent de l'hérésie. Tout ce que Humbert voulait obtenir de vous, c'était le moyen de retrouver Saint-Loup, n'est-ce pas ?

L'abbé cligna des yeux, et ce clignement était acquiescement.

— Que peut-il y avoir de si secret au sujet de votre filleul ? demanda le comte, et ce faisant il se posait la question à lui-même.

Et alors son regard s'illumina.

— Que peut-il y avoir de si secret au sujet d'un orphelin, sinon sa naissance ? N'est-ce pas, Baudouin ? Oui ! C'est sûrement cela ! Nogaret devait savoir quelque chose au sujet de la naissance de Saint-Loup. Et je ne peux pas croire qu'il sût quelque chose que vous ne sachiez pas. Alors, Très Révérend Père, que savez-vous des origines de cet Apothicaire ?

Boucel ne répondit pas et il sembla qu'il avait de plus en plus de mal à respirer.

— Allons ! Réfléchissez ! Vous savez sûrement quelque chose. Un indice, une piste... Ce bébé n'a peut-être pas été laissé devant votre église par hasard. Vous possédez sûrement une bribe d'information, Boucel. Même un tout petit rien.

Le père abbé ferma les yeux, et sa bouche, ouverte, se mit à trembler de nouveau. Soudain, une larme apparut au bord de sa paupière et coula lentement le long de sa joue tuméfiée.

Le comte approcha son oreille de la bouche du moine.

— Il y a... il y a eu cette femme, un jour.

— Quelle femme ?

La poitrine de Boucel se soulevait de façon irrégulière, à intervalles de plus en plus éloignés.

— Quelle femme ? insista de Valois en attrapant le vieil homme par les épaules. Au nom de Dieu, parlez !

La réponse de l'abbé ne fut qu'un murmure, et elle fut aussi, à jamais, sa dernière parole.

— La... la Nubienne.

74

Réveillée au petit matin par les pleurs du bébé de Marie, Aalis put constater que les soins et la nourriture offerts par les bergers avaient déjà grandement amélioré son état. Elle se leva sans peine, car marcher ne lui faisait plus aussi mal.

Le soleil resplendissait au-dehors quand elle partagea un copieux petit-déjeuner avec ses hôtes. Marie, qui était en train de donner le sein à son fils, lui adressa un sourire.

— Tu as meilleure mine, Aalis !

— Merci. Je me sens mieux. C'est grâce à vous.

— *È,* qu'est-ce que tu avais fait, comme *pirolada*, pour te retrouver comme ça ? demanda Luc, que la chose semblait amuser.

Les joues d'Aalis s'empourprèrent aussitôt ; elle n'avait aucune envie de parler de ce qui l'avait amenée ici, et elle fut sauvée par l'intervention de la vieille femme, de l'autre côté de la pièce.

— Tsss, tsss. À Cazo, on n'interroge pas les *convidades* sur les bêtises qu'ils ont faites dans leur passé, n'est-ce pas, mon *coquinèl* de gendre, *è* ?

Le berger retourna un sourire entendu à sa belle-mère.

— Bon, et qu'est-ce qu'elle va faire, la gamine, maintenant ?

— Je vais continuer ma route, répondit timidement Aalis. Je dois aller à Bayonne.

— Hors de question ! répliqua aussitôt Marie. Tu vas rester ici quelques jours avec nous, tu n'es pas encore en état de faire un long voyage. Tu nous aideras un peu, et en échange, nous te donnerons le feu et le lieu, n'est-ce pas, Luc ?

— Avec toi qui t'occupes du bébé, un peu d'aide ne fera pas de mal, tiens ! C'est d'accord. Mais tu feras bien de te bouger le cul, gamine, eh ?

— À la bonne heure ! surenchérit Janine.

Aalis écarquilla les yeux. La bienveillance que lui témoignaient les bergers depuis qu'elle était arrivée la troublait beaucoup. La chaleur avec laquelle ils lui parlaient lui rappelait celle de Zacharias et différait tellement de la façon dont les adultes la traitaient à Béziers qu'elle ne savait comment réagir. Elle n'avait pas l'habitude d'être au centre de tant d'attention, et elle se sentait un peu idiote.

— Vous êtes sûrs... Je ne vais pas vous déranger ?

— Mais non, puisqu'on te le dit, *piròla* ! Mais t'as intérêt à te démener. On n'est pas à la ville, ici !

— C'est des mains de travailleuse, ça, dit-elle en tournant, vexée, ses paumes vers le berger.

— Tant mieux ! Eh bien, tu vas commencer par amener les céréales, l'eau et le foin aux animaux avec la Marie. Et quand tu auras fini, tu me rejoindras sur le plateau pour m'aider à enlever les cailloux des parcelles.

— Doucement, Luc, elle n'est pas encore tout à fait guérie, la pauvre...

— Ça lui fera du bien. Allez ! *Bolegues !*

Et ainsi Aalis accompagna Marie dans la bergerie pour soigner et nourrir les animaux. Elle s'occupa tout particulièrement des agneaux, qu'elle était heureuse de retrouver, et auxquels elle commençait déjà à s'attacher. Quand les soins furent terminés, elle quitta la bergère et rejoignit Luc, tout en haut du plateau qui dominait le village. Ensemble, ils ramassèrent les cailloux qui s'étalaient sur les parcelles et Luc lui montra comment les disposer pour faire des petits murs de séparation.

— Tiens, regarde, *pichòta*, il faut mettre les plus gros cailloux en dessous, pour faire une fondation plus solide. Les plus petits, tu les conserves pour le calage, parce qu'il ne doit pas y avoir de vide, nulle part. Ensuite, sur les couches du dessus, tu dois faire des clefs avec les pierres.

— Des clefs ?

— *È*, oui, des clefs : tu alternes le sens des pierres. Une dans la longueur, une dans la largeur. Et surtout, il faut donner du fruit au mur, c'est-à-dire que les faces doivent être de biais, de telle sorte que le haut du mur soit plus étroit que sa base, tu comprends ?

— Oui, oui...

— Et comme ça, les murs peuvent tenir pendant plus longtemps que la vie d'un homme. Cela fait des siècles que les bergers font la même chose, tu sais. Le père de Marie le faisait, et le père de son père, et le père du père de son père avant lui... C'est à croire que ça ne se finira jamais, tant il y a de cailloux ! Tu vois ce gros tas là-bas ? C'est le grand-père de Marie qui l'a fait. Et pourtant, il en reste encore dans toutes les parcelles, de la caillasse... Cet endroit, on l'appelle Peyremale, parce qu'il est plein de mauvaises pierres. Avant, ici, tu ne pouvais pas marcher, c'était couvert d'arbres et de broussailles.

— Vous avez bien travaillé.

— *È*, c'est l'effort de plusieurs générations. Et moi, j'aime bien cette idée que les mauvaises pierres, elles ne sont pas si mauvaises que ça. On ne les jette pas, tu vois. On les ramasse, et on en fait des murs solides. Toutes peuvent trouver leur place.

Aalis sourit, saisissant sans peine la parabole.

— Et regarde, là-bas, on a laissé un arbre au milieu du plateau. Un seul. Comme ça, l'été, la Marie peut se mettre à l'abri du soleil, quand elle garde le troupeau. Et pour l'hiver, les anciens faisaient des capitelles. Il y en a une un peu plus bas, je te montrerai si tu veux.

Aalis acquiesça, mais son visage se rembrunit quelque peu.

— J'avais un ami, près de Béziers, expliqua-t-elle, qui vivait dans une capitelle.

— Toute l'année ?

La jeune fille hocha tristement la tête.

— C'est bien la peine d'habiter près d'une ville pour dormir dans une capitelle !

— Il était juif, alors il n'avait pas le droit d'entrer dans Béziers.

Luc secoua la tête.

— Elle est fada, la ville ! C'est pour ça que tu es partie, *è* ?

— Un peu.

Elle soupira.

— C'est... c'est mon père qui a tué le vieux Juif. Il l'a tapé si fort... Et quand je l'ai découvert, il m'a frappée, moi aussi. Alors je... je suis devenue folle et j'ai fait... j'ai fait quelque chose de mal. De très mal.

Luc resta silencieux tout en la regardant, obligeant la petite à terminer sa confession.

— J'ai mis le feu à la maison de mes parents... Et à celle du prévôt. Et je suis partie, et...

Elle s'arrêta pour essuyer une larme sur sa joue d'un revers de manche.

— Je... je ne sais pas quoi faire pour me faire pardonner. Pour corriger ma faute...

— *È, pichòta,* une chose pareille, on ne se la fait pas pardonner !

Aalis releva la tête et regarda, perplexe, le berger. Ce n'était pas, à l'évidence, la réponse à laquelle elle s'était attendue.

— Ce que tu as fait, c'est terrible, et tu en porteras le poids toute ta vie.

— Mais... mais je voudrais me faire pardonner...

— Non. Ça ne se pardonne pas, ça. C'est ainsi, Aalis. Moi aussi j'ai fait des choses qui ne se pardonnent pas. Et ton père, comme il t'a frappée, ça ne se pardonne pas non plus. Chercher le pardon, parfois, ce n'est pas la bonne solution. Ce serait trop facile. Alors tu vas devoir apprendre à vivre avec, et recommencer une vie nouvelle.

— Et comment ?

— *È, pichòta,* il va te falloir tout reconstruire. Tu vois ce mur qu'on fait ensemble ? Si on avait fait une erreur à sa base, en mettant mal une pierre, ça ne servirait à rien d'essayer de le rattraper plus tard avec d'autres pierres, de le raccommoder ; il finirait par s'écrouler. Le mieux, c'est de tout recommencer. Et pour toi, c'est pareil, gamine. Ici, maintenant, tu dois recommencer une nouvelle vie, un nouveau mur.

La jeune fille, les yeux embués de larmes, hocha la tête.

— Tu as bien fait de partir de la ville. Maintenant, c'est une autre vie qui t'attend, et c'est à toi d'en tirer le meilleur.

— C'est ce que me disait le vieux Juif, murmura Aalis.

Le berger frotta affectueusement la tête de la jeune fille.

— Allez, on travaille encore un peu et après tu iras sortir les bêtes avec la Marie.

Ainsi, ils se remirent à porter les cailloux, et Luc remarqua que la jeune fille avait quelque facilité à placer les pierres sur le mur de la meilleure façon : on eût dit qu'elle avait déjà fait cela auparavant. Avec des gestes habiles, elle disposait les blocs les uns après les autres avec beaucoup d'intelligence, faisant un mur non seulement solide mais harmonieux, comme si la chose lui fût venue naturellement.

75

L'après-midi touchait à sa fin quand Andreas, Robin et leur cheval atteignirent le coteau qui dominait la Loire et entrèrent dans la ville d'Orléans par la porte Parisie, flanquée de deux hautes tours de garde, et sous laquelle se pressait une foule immense de voyageurs et de marchands.

La cité, qui était déjà, après Paris et Rouen, la troisième plus riche du royaume, connaissait en ce temps un formidable essor, comme l'évêque Robert de Courtenay y avait ordonné, trente-cinq ans plus tôt, l'édification de l'une des plus belles cathédrales du pays, puis le pape Clément V, quelques années plus tard, celle d'une prestigieuse université de droit romain. Le pont des Tourelles qui, au sud de la ville, avait été bâti sur la Loire pendant le règne de Louis VII, en faisait aussi un point de passage stratégique vers la capitale. Ainsi, au milieu de ses remparts carrés, la ville comptait un grand nombre de bâtiments, d'habitants et de visiteurs, de telle sorte qu'il fut plus aisé à l'Apothicaire et son apprenti de se fondre dans la multitude.

— Tâchons tout de même de ne pas nous faire remarquer. Nul doute que l'ordonnance royale est affichée ici. Et je dois reconnaître que, si la chose nous a certes permis de remplir ma bourse, notre petite prouesse à la carrière n'était pas le meilleur moyen de passer inaperçus. Nous partirons demain dès l'aube avant que la rumeur ne se répande.

Tout de suite après la grande porte, ils longèrent ladite cathédrale Sainte-Croix, où les tailleurs de pierre travaillaient encore, avec force bruit, sur les chapelles latérales, puis, leur chapeau de pèlerin bien enfoncé sur le chef, Andreas et Robin se dirigèrent vers le cœur de la ville, où étaient les commerces et les auberges.

Si Orléans n'était pas aussi vaste et aussi splendide que la capitale, elle était toutefois une cité riche et vivante, pleine de clameurs, de parfums et de couleurs, et l'Apothicaire, à qui Paris manquait déjà, éprouva quelque satisfaction à retrouver l'agitation d'une grande ville, ce qui explique sans doute le risque qu'il prit à s'y montrer. L'approche du printemps redonnait aux habits des teintes plus joyeuses et un esprit festif accompagnait la fin de l'hiver, comme en témoignait le retour des jongleurs et des ménestrels sur la chaussée. En chemin, Andreas et Robin croisèrent de part et d'autre des rues étroites, où pullulaient hommes et animaux, une foule de commerçants et d'artisans qui s'activaient derrière leurs auvents, un tonnelier qui mettait un fût en perce, un tailleur qui ajustait et découpait des habits bariolés sur son étal, un boucher couvert de sang tranchant une belle cuisse de bœuf sous le regard de grosses bonnes femmes affamées, un mercier, un barbier rondouillard, un potier, un forgeron aux muscles trempés de sueur, un menuisier barbu, des marchands ambulants qui poussaient leurs charrettes en criant leurs prix, des enfants qui jouaient à la toupie au pied des maisons à colombages, des groupes d'étudiants hilares, livres sous le bras, des pèlerins épuisés et maussades, une procession religieuse priant pour repousser les démons hors de la ville, des porcs fouillant de leur groin dans les immondices, deux chariots qui s'étaient renversés en se croisant, des porteurs d'eau grands et maigres, quelques *fillettes* peu vêtues, et des mendiants, toute une faune, en somme, qui n'était pas sans rappeler la *Merveille* parisienne, une forêt humaine bruyante, puante et agitée.

C'est donc muni d'une bourse pleine de quelques lourdes livres qu'avec son apprenti Andreas entra, après avoir laissé le cheval à l'écurie, dans une auberge où séjournaient voyageurs et pèlerins, et qui portait le doux nom d'*Auberge du Petit Poney*. Ils prirent une chambre privée et, à la nuit tombée, descendirent dans la grand-salle pour souper.

Alors qu'ils cherchaient une table dans cette auberge achalandée, un homme saisit soudain Andreas à l'épaule et, son regard tout près du sien, le dévisagea.

— Vous n'êtes pas très discrets, murmura-t-il avec un drôle de sourire aux lèvres.

C'était un homme grand et fort, qui avait la carrure d'un soldat et portait une barbe fournie, grisonnante.

— Pardon ?

— Vous ne faites pas de remarquables coquillards, dit l'homme qui semblait amusé par la chose, et encore moins de crédibles pèlerins. Mais à en juger par l'odeur de safran, de camphre et de pavot qui entoure votre personne, j'en déduis que vous n'êtes pas de simples brigands. C'est pourquoi je vous laisserai tranquille, car si je n'ai aucune amitié pour les voleurs, il m'en reste un peu pour celui qui doit se cacher. Vous devriez, toutefois, le faire plus efficacement.

L'homme relâcha Andreas et disparut dans la foule aussi vite qu'il était apparu.

— Que voulait-il ? demanda Robin, qui n'avait pu entendre ses paroles dans le brouhaha.

— Rien. Allons nous asseoir, il y a une table juste derrière toi, chuchota Andreas en désignant un coin de l'auberge qui était plongé dans l'ombre.

Ils prirent place dans cette alcôve discrète et soupèrent d'une longe de porc rôtie aux épices. À mesure que le repas avançait, l'inquiétude sur le visage d'Andreas s'effaça peu à peu, et maître et apprenti conversèrent avec légèreté, oubliant pour l'heure leurs peines, heureux d'être enfin sous un bon toit de chaume et quelque peu enivrés, sans doute, par ce vin de la vallée de la Loire qu'on servait ici abondamment. Si abondamment, même, que Robin, qui n'était pas habitué à boire autant, annonça à la fin du repas qu'il se sentait mal, ce qui sembla grandement amuser l'Apothicaire.

— Ce n'est pas drôle. Vous... vous n'auriez pas quelque remède, maître ? balbutia le jeune homme dont le teint était devenu verdâtre.

— Contre ce mal il n'existe, hélas !, aucun remède, mon enfant, sinon boire beaucoup d'eau et prendre l'air.

— Je... je crois que je vais sortir, alors.

L'Apothicaire hocha la tête et, le regard réjoui, leva son verre pour saluer son apprenti.

Si la plupart des pèlerins étaient allés se coucher, les voyageurs et les étudiants, eux, étaient encore là qui buvaient, chantaient et parlaient fort. Il y avait toujours beaucoup de monde et de bruit à l'intérieur de l'auberge, et Andreas, sans cesser de savourer le nectar d'ici, se laissa bercer par ce vacarme délicieux, admirant à chacun de ses passages la croupe rebondie de la femme de l'aubergiste, qui était de toute évidence une figure du quartier, et qui semblait aussi forte de caractère qu'elle l'était de poitrine.

Il était sur le point de commander de nouveau un gobel de vin quand, soudain, il vit la porte de l'auberge s'ouvrir avec fracas, et Robin, terrorisé, y passer entouré de trois hommes qui le tenaient fermement. Andreas crut d'abord à des sergents de ville, mais comme ils avançaient dans la salle, il lui sembla reconnaître, stupéfait, le visage de l'un des trois hommes, et quand il vit la croix dorée à sa poitrine, il n'eut plus aucun doute.

C'était Guillaume Humbert, Grand Inquisiteur de France.

76

Il faut que nos lecteurs nous suivent à présent à travers les monts arborés de la garrigue où, fort impressionnée, Aalis admire l'agilité avec laquelle Marie conduit son troupeau, se servant tantôt de son grand bâton, tantôt de ses chiens, tantôt de sa voix, et cela en portant contre son sein son tout jeune bébé.

Il y avait là une trentaine de moutons, qu'on appelle rouges du Roussillon, et dont les béliers sont dépourvus de cornes, et une quinzaine de chèvres roves, que jadis l'on emmenait souvent en transhumance car elles fournissaient leur lait aux bergers mais aussi aux agneaux orphelins, et qu'elles offraient, enfin, une viande respectable.

— Tout à l'heure, j'ai vu dans ta besace un instrument de musique... Tu es musicienne, Aalis ? demanda la bergère comme toutes deux marchaient côte à côte sur l'étroit chemin de cailloux qui menait au plateau.

— Oh non ! Malheureusement, non. C'est un instrument qui appartenait à un ami. Mon meilleur ami. Il est mort et... j'ai fait la promesse d'amener cet instrument à son fils, à Bayonne. C'est pour ça que je me dirige là-bas.

— C'est un très bel instrument, en tout cas.

— Oui, et il est très ancien. Mais il est cassé...

En chemin, les bêtes arrachaient nerveusement au bord du sentier les pousses de thym et de romarin qui avaient été tailladées par Luc quelques jours plus tôt, et affectionnaient surtout la filante de Montpellier, une herbe grasse qui donnait parfois de petites fleurs mauves. Le sol retrouvait sa verdure de printemps et certains amandiers étaient déjà en fleur, qui donnaient de belles touches blanches à l'horizon d'azur.

— Mais dis-moi, tu comptes vraiment marcher toute seule comme ça jusqu'à Bayonne, ma petite ?

Aalis haussa les épaules.

— Je prendrai le temps qu'il faudra. J'ai promis.

— C'est une longue route, tu sais.

— Oui.

À cet instant, l'un des moutons poussa un bêlement strident : il s'était blessé à l'œil avec une épine. Marie s'approcha de la bête, et alors Aalis la vit faire une chose singulière. La bergère lui confia son bébé, puis sortit un couteau de son sac et se fit une entaille dans la main, avant de cracher dessus. Elle rangea son couteau et mélangea dans sa paume la salive avec le sang qui avait coulé. Ensuite, elle attrapa la tête du mouton blessé et fit couler dans l'œil de l'animal le sang et le crachat mélangés.

— Ça va l'aider à guérir plus vite, expliqua-t-elle en laissant filer la bête.

— Eh bien ! s'exclama Aalis, amusée. On peut dire que vous avez de drôles de coutumes, ici !

— Oh, répliqua la bergère en souriant. Ce n'est rien ! Tu n'as pas vu ce que Luc est obligé de faire parfois à l'agnelage ! Quand on descend à Sanch Inhan pour le marché, les gens qui nous voient arriver disent parfois : « Tiens, voilà les barbares ! »

Elles rirent de concert et continuèrent leur route derrière les bêtes. Aalis insista pour garder Nicolas dans ses bras. Le bébé se réveillait par moments et lui adressait des petits sourires attendrissants, habitué, sans doute, à faire ce long voyage quotidien. Elles arrivèrent bientôt sur le plateau où le troupeau pouvait s'éparpiller un peu et se nourrir. Marie invita alors la jeune fille à s'asseoir avec elle sur le petit banc qui était installé sous le seul arbre encore debout.

— Et quand tu seras arrivée à Bayonne et que tu auras tenu ta promesse, ma petite, sais-tu ce que tu feras ?

Aalis poussa un soupir. À vrai dire, non, elle n'avait pas encore pensé si loin.

— Peut-être que je resterai là-bas, si je trouve du travail.

— Eh bien, sache que si tu veux revenir ici, tu seras toujours la bienvenue, Aalis. Luc m'a dit que tu étais une bonne travailleuse.

— Merci... Je... Oui. Je reviendrai sûrement vous voir un jour.

— Que Dieu t'entende, la *pichòta*, que Dieu t'entende !

Jusqu'à leur retour, à la nuit tombée, dans le petit hameau de Cazo, Aalis garda le bébé dans ses bras, et pas une seule fois il ne pleura, car tout ce petit monde, en bien peu de temps, s'était déjà adopté.

77

L'Apothicaire, tout en se levant discrètement de sa table, analysa rapidement la situation. La présence de l'Inquisiteur, à la façon dont il tenait Robin, n'était pas un hasard : c'était bien eux qu'il cherchait. La mort de Nogaret, sans doute, avait aggravé leur cas et le roi avait décidé d'envoyer son plus terrible limier. Contre Humbert et ses deux hommes, Andreas n'avait aucune chance, il était inutile de lutter. Mais se rendre n'était pas une alternative non plus.

En somme, Andreas n'avait qu'un seul choix : fuir, fuir et espérer qu'il pourrait libérer Robin par la suite. Le désordre qui régnait dans l'auberge lui en laisserait peut-être la chance, mais il fallait faire vite. L'idée de devoir abandonner Robin aux mains de l'Inquisiteur plongeait l'Apothicaire dans une colère et une frustration profondes, mais il était homme de raison et c'était, à long terme, le meilleur calcul.

Sans précipitation, Andreas se retourna et, se faufilant entre les clients de l'auberge, marcha lentement vers les cuisines, où il y avait toujours une porte qui donnait sur l'extérieur. Il était sur le point de quitter la grand-salle quand il sentit qu'on le retenait par le bras.

— Pas par là, mon ami, murmura-t-on à son oreille.

Andreas reconnut aussitôt le grand gaillard à la barbe grisonnante qui lui avait curieusement parlé tout à l'heure.

— Vous ne pourrez pas sortir par la cour sans vous faire repérer, monsieur. Suivez-moi, plutôt.

L'Apothicaire hésita, qui n'aimait pas accorder sa confiance à un inconnu, et encore moins lui livrer son sort. Mais à vrai dire, le champ de ses possibilités n'était pas des plus vastes, et il opta pour suivre celui-là au moment même où les sbires d'Humbert poussèrent un cri en le pointant du doigt.

L'homme le fit passer par une petite porte, juste avant les cuisines, qui donnait sur un escalier descendant vers les caves.

— Dépêchez-vous ! lança-t-il tout en allumant une torche.

Andreas referma la porte derrière lui, la barra, puis se précipita sur les marches et ainsi ils s'enfoncèrent tous deux dans le ventre même de l'auberge alors que, plus haut, on essayait de forcer le passage à grands coups de pied. Au pas de course, ils traversèrent la cave où l'on gardait les vins et arrivèrent bientôt devant une nouvelle porte, qui était basse et étroite celle-là.

— Il y a tant de souterrains dans cette ville que très peu de personnes les connaissent tous, expliqua l'homme avec une sorte de fierté dans la voix, tout en ouvrant la petite porte. Celui-ci nous mènera assez loin.

Ils s'engagèrent alors dans un couloir obscur aux murs de pierre brute, gravés ici et là de messages hermétiques, et Andreas ne put s'empêcher de penser au passage qu'il avait emprunté à Paris pour s'enfuir de l'église Saint-Gilles, et de voir dans cette analogie le signe d'une certaine constante : quand tous les horizons sont bouchés, la solution, souvent, consiste à s'enfoncer dans les ténèbres.

— Puis-je savoir que me vaut l'honneur de votre secours ? demanda Andreas alors qu'ils avançaient encore sous la ville à la lueur de la torche.

— Je vous l'ai dit : j'ai une certaine sympathie pour les gens qui doivent se cacher. Surtout quand c'est de ce boucher de Guillaume Humbert que l'on se cache.

— Est-ce de la sympathie, ou de la fraternité ?

L'homme s'arrêta et adressa un coup d'œil entendu à l'Apothicaire.

— Vous avez raison. C'est plutôt de la fraternité.

— Mais alors, de qui ou de quoi vous cachez-vous, vous ?

— Je ne me cache plus, aujourd'hui, mais j'ai longtemps été contraint de le faire.

Andreas hocha la tête, certain d'avoir compris à demi-mot : cette barbe, cette musculature, cette peau tannée par le soleil, l'homme, quoique plus jeune, avait quelque chose d'un Jacques de Molay.

— Vous êtes templier ?

La probabilité pour qu'Andreas en croisât ainsi un second sur son chemin, finalement, n'était pas aussi faible qu'on eût pu le penser. L'Ordre, après sa destruction, avait laissé à travers tout le pays un grand nombre de frères isolés, abandonnés, dont tous n'avaient pas rejoint les rangs des Hospitaliers.

— Nul ne l'est plus aujourd'hui, répondit l'homme à regret. Désormais, ici, je ne suis qu'un charpentier.

— Il en fut d'illustres, s'amusa Andreas. Je suppose donc que c'est la raison pour laquelle Humbert vous est si antipathique. L'homme ne vous rappelle pas de fort bons souvenirs...

— En effet, mon ami. Savoir que c'est lui qui vous traque ne fait que renforcer mon désir de vous aider. Mais ne perdons pas de temps, il est peut-être sur nos traces, et ce maudit évêque est un acharné. Croyez-moi, il n'abandonne jamais.

Sans plus parler, ils reprirent leur marche forcée dans les entrailles de la terre, pour sortir, enfin, par l'ouverture d'une grotte qui donnait au milieu d'un bois : ils étaient hors des murs d'Orléans.

— Il y a près d'ici, un peu plus au nord, une ancienne église où l'on ne viendra pas vous chercher. Allez m'attendre là-bas, et essayez d'effacer vos traces.

— Mais vous, où allez-vous ?

— Je vais essayer d'obtenir l'information qui, j'en suis certain, vous importe plus que tout : ce qu'il est advenu de votre ami.

— Merci.

L'Apothicaire eût sans doute préféré aller chercher cette information lui-même et détestait l'idée de rester caché sans rien faire, mais il n'avait pas cette liberté, et ce templier avait certainement plus de chances que lui d'y parvenir. Pour l'instant, il devait s'en remettre à lui.

— Andreas Saint-Loup, se présenta le Parisien avec un sourire reconnaissant. Je suis apothicaire, et le pauvre Robin est mon apprenti.

— Colin Vachaud de Chotagne, enchanté, répondit l'ancien templier en serrant vigoureusement la main qu'on lui tendait avec cordialité. Allez, courez, et ne sortez pas de cette église que je ne sois revenu.

S'enfonçant à travers bois, et prenant garde à effacer ses traces à l'aide d'un branchage, Andreas trouva rapidement les ruines de l'ancienne église susdite, où il partit se terrer, l'esprit empli de bien sombres pensées.

Les décombres, les vieilles pierres et les statues atrophiées au milieu desquelles il devait attendre dans un silence pesant ne firent qu'empirer sa méchante humeur. Sous le regard accusateur de quelque christ agonisant sur sa croix, l'Apothicaire vociféra moult jurons qui seyaient mal aux lieux mais eurent l'avantage notable de conjurer quelque peu son ire, et l'envahissante végétation autour de lui sembla tressaillir à ce tintamarre inaccoutumé.

À mesure que le temps passait, son inquiétude ne faisait que grandir, et la culpabilité de n'avoir su défendre Robin le rongeait. Déambulant au milieu de la nef, Andreas tenta de retrouver la paix en examinant froidement les derniers événements.

Une chose en particulier l'intriguait : les deux hommes qui avaient paru aux côtés de Guillaume Humbert – ses geôliers sans doute – ne ressemblaient aucunement aux deux cavaliers qui avaient tué Magdala et qui, selon toute vraisemblance, étaient les mêmes qu'il avait vus dans le cloître de l'abbaye Saint-Magloire. Ainsi, Andreas avait non pas un, mais deux ennemis à ses trousses. Humbert d'un côté, et les cavaliers de l'autre. S'il faisait peu de doutes que l'Inquisiteur agissait sur ordre du roi, à la solde de quel mystérieux adversaire, en revanche, travaillaient donc ces deux obscurs assassins ?

L'Apothicaire en était encore à songer à ces choses-là quand, voyant la lune haut dans le ciel, il commença à estimer que l'absence du templier devenait anormalement longue. Écartant rapidement l'hypothèse d'un piège, Andreas envisagea la possibilité qu'il fût arrivé malheur audit Colin. Il attendit encore un temps certain, puis, n'y tenant plus, il décida qu'il devait agir et désobéir au templier en sortant enfin de sa cachette.

78

Robin, à qui l'on avait bandé les yeux, ignorait tout de l'endroit où il se trouvait quand, soudain, il entendit un bruit de chaîne, puis celui d'une porte qui s'ouvre et se ferme. Assis sur un sol de pierre froide, les mains liées dans le dos, il frissonna. Il avait été jeté là depuis un long moment, et maintenant il avait froid et faim, et la corde à ses poignets lui brûlait la peau.

À travers l'entrebâillement du bandeau, il devina la lueur d'une torche. Il entendit ensuite des pas qui s'approchaient de lui, et à l'écho qu'ils produisirent, il déduisit qu'il était dans une grande et haute pièce. Puis une main se posa sur son épaule, et le garçon sursauta.

— Ne bouge pas, je t'enlève ton bandeau.

Le corps tout tremblant, Robin se laissa faire, et alors il dut cligner des paupières pour accoutumer ses yeux à la faible lumière, et il découvrit le décor singulier qui l'entourait.

Il était dans une vaste salle heptagonale, voûtée, et tout autour de lui, le long des murs, se dressaient de grandes statues qui avaient la taille d'un grand homme, mais qu'il n'eut guère le temps d'observer en détail car déjà l'homme devant lui l'attrapait par le col et l'obligeait à se hisser sur une chaise qu'il avait amenée là.

— Que me voulez-vous ? s'écria Robin avec un accent de terreur.

L'homme ne répondit pas et attacha les mains déjà liées du garçon sur le dossier de la chaise, avant d'aller allumer d'autres torches disposées sur les murs.

L'instant d'après, un deuxième homme entra dans la pièce, et Robin reconnut le visage de celui qui l'avait arrêté, fin et barbu, ainsi que son habit de religieux et la croix dorée qu'il portait sur sa poitrine.

— Sais-tu qui je suis ? demanda celui-ci en s'approchant lentement du garçon.

Robin, qui était terrifié, ne trouva pas la force de répondre, mais de fait, il ignorait encore à qui il avait affaire.

— Je suis Guillaume Humbert, Grand Inquisiteur de France, et je suis ici sur ordre du roi Philippe.

La terreur de l'apprenti ne fut qu'accrue par cette nouvelle, et ses paupières s'ouvrirent si grand qu'on eût dit que ses yeux allaient en sortir.

— Tu n'es pas sans savoir, mon garçon, qu'une ordonnance royale demande l'arrestation de ton maître, Andreas Saint-Loup. Pour l'heure, elle ne concerne que lui, et ton nom n'y est guère évoqué. Aussi, si tu réponds à toutes les questions que je vais te poser, je te laisserai partir, sans le moindre jugement. Dans le cas contraire…

L'Inquisiteur fit une pause, pendant laquelle ses lèvres se pincèrent dans une grimace embarrassée.

— Eh bien, ne parlons pas de ce qui arriverait dans le cas contraire, et gageons que tu te comporteras en bon chrétien.

Humbert, qui s'était penché sur l'apprenti, se redressa alors et, croisant les mains dans son dos, se mit à marcher lentement autour de la chaise.

— Avant tout, reconnais-tu bien te nommer Robin Meissonnier ?

Robin hocha timidement la tête.

— Réponds de vive voix, mon garçon. Te nommes-tu Robin Meissonnier ?

— Oui.

— *Oui, monseigneur,* corrigea l'évêque avec mépris.

— Oui, monseigneur.

— Est-il exact que tu as été engagé comme apprenti au service d'Andreas Saint-Loup, maître apothicaire, le 14 janvier dernier, à savoir il y a deux mois, jour pour jour ?

— Oui, monseigneur. Je... je ne suis pas sûr de la date exacte, balbutia-t-il, mais il me semble que c'est cela.

— C'est cela, affirma Humbert, laissant entendre au jeune homme qu'il était bien informé. Est-il exact que, à l'instar de ton maître, tu ne t'es pas rendu à la célébration du mercredi des Cendres ?

Robin, que l'accusation peinait, ferma les yeux dans un soupir.

— Oui, monseigneur.

— Est-il exact que tu étais présent lors de l'arrestation de ton maître, arrestation ordonnée par la chancellerie, pour trouble à l'ordre public et manquement à une obligation municipale ?

— Oui, monseigneur, mais cette arrestation...

— Contente-toi de répondre à mes questions, le coupa l'Inquisiteur. Est-il exact qu'à la demande de ton maître, tu es allé demander à l'abbé Boucel d'intercéder en sa faveur auprès de l'archevêque de Sens ?

— Je... je lui ai seulement demandé de nous aider.

Humbert, les mains toujours croisées derrière lui, continuait de tourner lentement dans la lumière vacillante que les torches projetaient à travers la pièce.

— Bien. Est-il exact que, le lendemain même de sa libération, tu as accompagné ledit Andreas Saint-Loup lors d'une visite à maître Eckhart, professeur à l'université de Paris ?

— Oui, monseigneur.

— Quel était le motif de cet entretien ?

— Je... je ne sais pas, mentit Robin.

L'Inquisiteur interrompit aussitôt sa lente révolution. Il se tourna vers l'apprenti et pencha la tête d'un air faussement étonné.

— Vraiment ? Et comment peux-tu ignorer le motif de cet entretien puisque tu y as assisté ?

— Je... J'ai accompagné mon maître, mais je n'ai pas écouté la conversation.

Humbert s'approcha du jeune homme et posa une main sur l'épaule de celui-ci.

— Robin... Tu sais ce qu'est un inquisiteur, n'est-ce pas ?

— Oui...

— Si Saint-Loup t'a choisi comme apprenti, c'est que tu es, forcément, un garçon intelligent. L'homme, dit-on, est réputé pour son exigence en la matière. Alors dis-moi, mon garçon, à ton avis, depuis le temps que j'exerce cette fonction, combien de fois crois-tu qu'il m'a été donné d'entendre des mensonges ?

Robin, naturellement, ne répondit pas à cette question toute rhétorique.

— J'ai entendu tant de mensonges et tant d'aveux dans ma vie que je sais à présent reconnaître les uns et les autres avant même qu'ils ne soient prononcés. Un geste, un tremblement, une mimique discrète, le corps tout entier en dit souvent bien plus que les paroles. Et ainsi, je sais, là, précisément, que tu viens de me mentir.

Humbert se redressa à nouveau, puis reprit sa petite ronde autour de Robin.

— Je me permets, donc, de répéter ma question, et j'accepte d'oublier ta première réponse, car je sais que tu ne m'as menti que pour protéger ton maître, ce qui serait fort louable si la chose n'était pas aussi grave. Quel était le motif de l'entretien entre Andreas Saint-Loup et maître Eckhart ?

— Je ne sais pas, répéta Robin, et ce faisant, il versa une larme, car en effet il était un garçon intelligent, et il n'ignorait pas que ce mensonge ne serait jamais accepté par son interlocuteur, et qu'il s'exposait, à présent, à de terribles souffrances, dignes sans doute de celles que subissaient, au royaume d'Hadès et de Perséphone, ceux des anciens dieux qui s'étaient opposés aux Olympiens.

Mais au fond de son cœur et de son âme, le garçon avait fait un choix : il ne trahirait pas son maître. Toutefois, bien qu'il eût entendu bien des histoires au sujet des inquisiteurs, le pauvre enfant n'avait jamais vécu ce qu'il était sur le point de vivre, et la confiance qu'il portait à sa résistance ne s'appuyait que sur l'amour qu'il avait pour Andreas et l'espoir que cet amour serait plus fort que les douleurs de la torture.

Il se trompait peut-être.

79

Il ne fallut pas longtemps à Andreas pour comprendre qu'entrer dans Orléans par l'une de ses portes eût été pure folie : plus que jamais, sa description devait avoir été livrée aux gens d'armes, et l'ordonnance royale affichée sur tous les murs de la ville. Ainsi, s'il voulait retrouver Robin, ou même le templier, il allait devoir chercher un autre moyen de retourner à l'intérieur des remparts, ou bien mener son enquête depuis l'extérieur. Mais la nuit était déjà bien avancée, ce qui signifiait, d'une part, que le guet devait veiller partout autour des murs et, d'autre part, qu'il avait peu de chances de rencontrer, dans les faubourgs avoisinants, des âmes susceptibles de lui donner quelque information.

L'idée lui vint alors de retourner sur ses pas et d'aller quérir de l'aide auprès du maître de carrière. Certes, l'homme s'était acquitté de son dû en payant un bon prix les prouesses d'Andreas, mais il avait sûrement à son égard de bonnes dispositions, il était en outre hors de la cité et ignorait peut-être donc, à cette heure, qu'Andreas y était activement recherché.

Regrettant amèrement de ne plus avoir de cheval, Andreas se résolut à refaire le trajet à pied, mais il avait l'esprit si préoccupé qu'il ne vit point passer le temps et qu'il arriva devant la carrière peu avant l'aube sans s'être arrêté pour se reposer.

Il se dirigea aussitôt vers la cabane où, il en était certain, dormait encore le maître de carrière. Sans hésiter, et bien que le jour ne fût pas encore levé, il frappa à la porte plusieurs fois, jusqu'à ce que l'homme, hagard, vînt enfin lui ouvrir.

— Que… que se passe-t-il, ventrebleu ? demanda-t-il d'un air méfiant.

— Monsieur, je vous prie de bien vouloir excuser l'audace qu'il m'aura fallu pour venir vous tirer du lit de si bonne heure, mais j'ai besoin de secours, et je ne connais personne à Orléans qui puisse me le porter. J'ai reconnu chez vous un honnête homme, et si vous pouvez m'aider, je suis disposé à vous rendre l'argent que vous m'avez donné.

— Allons, allons, si je puis vous aider, je le ferai volontiers sans que nous parlions d'argent, monsieur. La somme que je vous ai donnée n'est rien en comparaison du service que vous m'avez rendu, je suis votre débiteur. Que puis-je faire pour vous ?

Andreas, pendant son trajet, avait pris le temps de réfléchir à ce qu'il voulait bien dire à cet homme. Il avait longuement pesé les risques d'une certaine franchise, mais s'il espérait obtenir une aide efficace, il ne pouvait se priver d'en dire bien plus que ce qu'il aurait aimé dire.

— J'ai besoin de trouver quelqu'un à Orléans, mais je ne peux me faire connaître, ni même me faire voir, car on me recherche ici pour un crime que je n'ai pas commis, et afin de prouver mon innocence, il me faut d'abord retrouver cet homme.

— Vous n'êtes donc pas un simple pèlerin ? demanda le maître de carrière avec un sourire entendu.

— Non pas. Je suppose que vous l'aviez déjà deviné tout à l'heure.

— De tous les pèlerins qu'il m'ait été donné de voir, vous me sembliez en effet l'un des plus singuliers.

— Acceptez-vous donc de m'aider, entendu que ce faisant vous vous rendrez coupable d'aider un supposé criminel ?

— Quel est cet homme que vous cherchez ?

— Un charpentier qui va du nom de Colin Vachaud de Chotagne.

— Le nom ne me dit rien, pourtant, il n'est pas commun pour un charpentier !

— C'est une longue histoire...

— Je peux demander à mes ouvriers.

— Mais pouvez-vous le faire sans leur parler de moi ? Je ne voudrais pas prendre le risque que, par mégarde bien sûr, l'un d'entre eux mentionne cette affaire à quelqu'un qui ne devrait pas l'entendre.

— Ils ne vont pas tarder à se réveiller. Entrez ici, vous y resterez caché jusqu'à ce que j'aie pu leur poser la question.

— Je ne sais comment vous remercier.

— Je vous le répète, je suis votre débiteur, monsieur.

80

Pendant que les deux geôliers s'affairaient à leur sinistre besogne, Guillaume Humbert se tenait à l'écart, les bras croisés sur la poitrine, et observait la scène avec une froide indifférence qui trahissait l'habitude.

Robin, qu'on avait mis le torse nu, avait les membres serrés dans des cordes que l'on tendait à présent si fort qu'il crut que ses os allaient se briser. Les bras et les jambes comprimés, il poussa ses premiers cris de douleur, qui résonnèrent longtemps sous la haute voûte.

L'un des deux hommes s'approcha alors avec un fouet et donna dix coups puissants et réguliers sur le dos du jeune homme, chacun d'eux laissant sur sa peau une trace d'un rouge vif et humide.

Le Grand Inquisiteur leva alors la main droite d'une manière qui voulait dire « Il suffit », puis s'avança vers Robin avec une terrible nonchalance.

— Parleras-tu, mon garçon ?

Mais tout ce qui sortit de la bouche de l'apprenti fut un peu de salive et de sang.

Humbert rabaissa la main et reprit sa place au pied de l'une des statues.

Le geôlier donna encore plusieurs coups de fouet, puis il fit volte-face et se dirigea vers un brasier dont il extirpa une longue pince au métal rougi par le feu.

L'apprenti, déjà éreinté, sentit son cœur s'arrêter en voyant l'homme revenir vers lui.

— Je... je vous en supplie, bégaya-t-il d'une voix implorante, mais l'Inquisiteur fit signe que l'on continue.

La pince brûlante fut portée à la hauteur de sa poitrine, et avant même qu'elle ne le touche, Robin en éprouva déjà la chaleur. Quand le fer écarlate se posa contre sa chair, le jeune homme hurla plus fort qu'il n'avait jamais hurlé. La peau brûla, soulevant un petit nuage de fumée.

Humbert s'approcha de nouveau.

— La prochaine étape, Robin, ne consiste plus seulement à poser la pince sur ta peau, mais à s'en servir pour t'arracher des bouts de chair. Alors je t'en conjure, au nom de Dieu, ne nous oblige pas à en arriver là, et dis-moi ce dont Saint-Loup et maître Eckhart ont conversé.

Le jeune apprenti ferma les yeux, mais son esprit s'emplit aussitôt d'une image aux contours nets et précis, et cette image était le visage de Magdala, son visage dans les derniers instants. Tout comme Lambert et Marguerite avant elle, la Ponante était morte en épousant une cause qui ne la concernait même pas : elle était morte en protégeant Andreas. Et, à présent, le jeune homme se demandait si cela en avait vraiment valu la peine. Le secret derrière lequel courait son maître méritait-il donc qu'on mourût pour lui ? Combien de morts pouvait-on tolérer dans une pareille quête de la vérité ? Robin n'était pas certain de pouvoir répondre à ces questions. Mais il ne voulait pas non plus, soudain, ôter tout sens à ces sacrifices en les rendant, lui, inutiles. Certes, il ne pouvait être sûr que la mort de Lambert, celle de Marguerite et celle de Magdala allaient servir à quelque chose. Mais en revanche, une chose était certaine : s'il parlait, elles n'auraient servi à rien.

Et ainsi, donc, Robin Meissonnier ne parla toujours pas.

Humbert le regarda avec un sentiment d'étonnement qui semblait indiquer qu'il n'avait pas d'ordinaire pour ses victimes une grande considération à l'endroit de leur résistance, et alors sa cruauté féroce put se donner libre cours.

81

Andreas entra dans le bourg à l'ouest d'Orléans sur le cheval que lui avait prêté le maître de carrière et, ayant troqué ses habits de pèlerin contre des vêtements plus ordinaires et dissimulé son crâne chauve sous un large couvre-chef, il espérait qu'on ne le reconnaîtrait pas. Il suivit avec attention les indications que lui avait données le carrier, traversa un premier groupement de maisons et arriva au milieu de la matinée devant la demeure qui, vraisemblablement, était celle de Colin, cet ancien templier devenu charpentier.

Après avoir attaché sa monture, il frappa à la porte principale de cette petite bâtisse qui, comme on le lui avait expliqué, abritait aussi l'atelier de l'artisan. Une femme vint alors ouvrir la porte et elle avait la mine sombre et soucieuse. Voyant qu'elle ne présentait aucune ressemblance avec l'homme qui l'avait sauvé, Andreas en déduisit qu'elle n'était pas sa sœur ni même une cousine, mais plus probablement son épouse. En quittant l'ordre du Temple, l'ancien moine avait donc pris femme.

— Bonjour, madame, excusez-moi de vous déranger, je voudrais savoir si Colin est ici…

— Qui êtes-vous ?

Andreas hésita.

— Un ami.

— Je connais les amis de mon mari, qui sont à présent peu nombreux, et vous, je ne vous connais pas.

Une voix grave et fatiguée s'éleva alors derrière la petite femme, de l'autre côté de la maison.

— Laisse-le rentrer ! C'est lui...

L'épouse du charpentier fit une mauvaise figure puis, comme à contrecœur, laissa passer l'Apothicaire et referma prestement la porte derrière lui. Sans dire un mot, elle désigna une couche au bout de la pièce où Andreas aperçut l'ancien templier, qui semblait au plus mal. Au teint de sa figure on voyait qu'il avait perdu beaucoup de sang, et son bras était entouré de linges rougis.

— Que s'est-il passé ? s'inquiéta l'Apothicaire en s'agenouillant près de lui.

— J'ai été attaqué par les hommes de Humbert... J'ai pris un vilain coup d'épée à l'épaule. Il faut croire que j'ai perdu l'habitude de me battre. Je n'ai pas eu la force de venir vous prévenir, je... je suis désolé. Je voulais envoyer quelqu'un vous chercher ce matin, mais...

— Allons, allons, ne parlons pas de moi, et laissez-moi inspecter votre blessure.

Andreas enleva les linges trempés avec des gestes délicats et découvrit l'ouverture béante dans la chair du pauvre homme. Puis, se retournant vers l'épouse :

— Madame, pouvez-vous m'apporter d'autres linges, une bassine d'eau et de l'alcool ?

La femme hésita.

— Fais ce qu'il te dit, Constance. Monsieur est apothicaire.

Elle s'exécuta et Andreas put commencer à nettoyer la plaie.

— Nous devons désinfecter si nous voulons vous prémunir de la gangrène. Donnez-moi un petit récipient pour mélanger l'alcool avec un peu d'eau. Le pouvoir désinfectant de l'alcool est plus grand quand il est dilué. Il faut sept doses d'alcool pour trois d'eau.

Ainsi, il effectua le mélange dans le bol qu'on lui apporta et commença à désinfecter la plaie profonde.

L'homme, que sa vie d'ancien templier avait sans doute habitué à la douleur, fit quelques grimaces mais ne se plaignit pas.

— Pour ce type de blessures, expliqua Andreas tout en opérant, contrairement à ce que font la plupart des chirurgiens – qui sont des imbéciles – il convient de ne pas élargir la plaie, de stopper l'hémorragie au plus vite et de ne surtout pas faire de saignée, laquelle est une abomination inventée par des ignorants. Il faut favoriser l'assèchement en n'utilisant aucun onguent suppuratif et n'imposer aucune diète. Votre mari devra manger autant que d'ordinaire dans les prochains jours, madame, et il devra boire beaucoup.

La femme hocha la tête d'un air reconnaissant.

— Bien. Il faut maintenant que je me débrouille avec ce que vous avez dans votre maison...

L'Apothicaire se frotta le front d'un air pensif.

— Je vois que vos habits à l'un et l'autre sont bien entretenus. Madame coud. Vous avez certainement du fil de lin et une aiguille ?

La femme acquiesça de nouveau et lui apporta ce qu'il demandait.

— Ah. J'aurais préféré une aiguille triangulaire, qui pénètre plus facilement dans la chair qu'une aiguille égale, mais nous nous débrouillerons avec cela. En revanche, votre fil a l'air fort, et c'est très bien. La suture sera meilleure et plus durable.

Sans perdre plus de temps, Andreas se mit à recoudre la longue blessure du charpentier qui, là encore, fit preuve d'un stoïque courage.

— Parfait. À présent, il me faudrait du pain, du lait, des œufs, de l'huile et du safran, expliqua l'Apothicaire tout en sortant son looch de sa ceinture.

— Vous... vous allez nous faire à manger ? railla le charpentier qui, malgré sa blessure, n'avait donc pas perdu son sens de l'humour.

— Je n'ai pas de safran, intervint son épouse, mais je peux aller en chercher dans le bourg chez l'herboriste… C'est à deux pas d'ici.

— Les herboristes sont des charlatans. On ne prononce pas ce mot devant un apothicaire, madame. Allez plutôt en demander à la cuisine de la prochaine auberge.

La femme disposa sur la table les premiers ingrédients qu'Andreas avait demandés et sortit de la maison pour aller chercher l'épice. Pendant ce temps-là, l'Apothicaire raviva le feu dans la cheminée, y fit chauffer le lait dans un pot, puis émietta prestement tout le pain. Il plongea alors la mie dans le lait chaud et la fit cuire en remuant incessamment, jusqu'à obtenir une bouillie épaisse qu'il retira du feu. Quand elle fut à demi refroidie, il y mêla l'huile et les jaunes d'œufs et ajouta quelques gouttes de son sirop de diacode.

Quand la petite femme revint avec le safran, Andreas ajouta l'épice à son mélange et en fit un cataplasme qu'il posa aussitôt sur la blessure du charpentier.

— N'attendez pas de miracle – lesquels, d'ailleurs, n'existent pas. Cela devrait seulement calmer la douleur et aider à la cicatrisation. Mais il conviendra de ne pas laisser le cataplasme trop longtemps, car il ne faut pas comprimer la plaie.

— Entendu.

— Voilà. Je suis désolé, pour l'instant, je ne peux rien faire de plus, mais au moins votre mari, s'il ne bouge pas pendant quelques jours, ne risque plus rien. Par chance, aucune artère n'a été touchée, ni les os.

— Je ne sais comment vous remercier, monsieur, dit la femme tout en tenant la main de son époux au creux des siennes.

— Madame, c'est moi qui dois remercier votre mari, qui m'a sauvé la vie hier soir, dit humblement Andreas.

Puis au charpentier :

— Dites-moi maintenant comment cela vous est arrivé.

— J'ai trouvé l'endroit où Humbert retient votre apprenti, monsieur Saint-Loup. J'ai voulu entrer à l'intérieur et ses hommes m'ont attaqué sans sommation.

— Et où est-ce donc ?

Le charpentier secoua la tête.

— On croirait une provocation : ils le retiennent à la commanderie Saint-Marc, qui est une ancienne maison templière, au milieu des bois à l'est de la ville !

— Décidément ! Cela devient une habitude ! maugréa Andreas.

— Que voulez-vous dire ?

— J'ai moi-même été enfermé à la prison du Temple, à Paris.

— Les biens de mon Ordre sont de plus en plus souvent détournés de leur fonction originelle, se lamenta Colin.

Andreas acquiesça, encore qu'il ne fût pas certain, au fond, d'avoir quelque sympathie pour ladite originelle fonction.

— Il faut que j'aille libérer Robin, affirma-t-il d'un air grave.

— L'entrée est trop bien gardée. Vous n'avez aucune chance.

— Et pourtant il faudra bien que je le fasse.

— Vous n'y parviendrez pas par la force.

— Non pas, mais par la ruse, peut-être.

— Il y aurait un moyen, murmura l'ancien templier.

— Lequel ?

— Je ne connais pas bien la commanderie Saint-Marc, car j'étais moi-même à la maison de Rouvray-Sainte-Croix, au nord d'ici, mais on raconte qu'il existe un souterrain qui relie la crypte Saint-Aignan à la commanderie.

— Et où débouche-t-il, ce souterrain ? Au cœur même de la commanderie ?

— Je n'en ai aucune idée. Mais en toute logique, il a été creusé pour permettre aux occupants des lieux de s'enfuir en cas de siège, s'ils étaient aculés, et donc, il devrait se trouver dans la pièce la plus éloignée de l'entrée principale.

— Vous pensez alors que j'aurais une chance d'entrer discrètement à l'intérieur des murs ? Je ne suis certes pas un homme aguerri, mais je sais être discret.

— Cela me paraît fort périlleux. Toutefois, Humbert n'est pas venu avec beaucoup d'hommes, et il est probable que ceux-là ne surveillent que l'entrée principale, ce qui serait en votre faveur. Néanmoins, comme vous le dites, vous n'êtes pas un homme aguerri, monsieur Saint-Loup... Vous devriez peut-être attendre que je sois rétabli pour venir vous prêter main-forte.

— Non. Vous connaissez Humbert. Vous devinez comme moi ce qu'il est en train de faire à mon apprenti. Je ne peux pas attendre.

Colin acquiesça d'un air désolé.

— La crypte Saint-Aignan est à l'intérieur des remparts, vous allez d'abord devoir trouver un moyen d'entrer dans la ville.

— Cela ne sera malheureusement pas le plus difficile.

Andreas se tourna alors vers l'épouse du charpentier.

— Madame, croyez-vous pouvoir me confectionner un habit de moine ?

— Mon mari a gardé la bure qu'il portait lors de son entrée au Temple. Je devrais pouvoir vous arranger quelque chose.

— Parfait.

— Que comptez-vous faire ?

— Avec mon crâne chauve, je ferai un excellent cénobite.

82

Ce jour-là les bergers proposèrent à Aalis de sortir les bêtes toute seule. N'osant point décevoir ses hôtes, la jeune fille accepta, mais en ouvrant la bergerie pour libérer chèvres et moutons, le bâton maintenu fermement dans son petit poing serré, elle n'en ramenait pas large.

Heureusement, les bêtes suivaient, par la force de l'habitude, le trajet qu'elles effectuaient chaque jour jusqu'au plateau. Imitant Marie, criant des « Derrière ! Derrière ! » aux chiens, levant son bâton de-ci, de-là, Aalis parvint tant bien que mal à guider le troupeau vers le point culminant de la colline de Cazo, où elle le laissa paître l'herbe verte et grasse qui, au mois de mars, colorait toute la garrigue.

Le ciel était d'un bleu sans fêlure et le soleil au zénith. Au cœur du plateau, chèvres et moutons se nourrissaient avec frénésie pendant que les chiens, étendus sur le flanc, langue pendante, les surveillaient de loin, prêts à bondir au moindre écart. Rassurée, Aalis partit s'asseoir au pied d'un olivier puis, sans vraiment y penser, elle ramassa une longue et solide branche et prit un couteau dans le sac de berger que Luc lui avait confié. Et alors, comme poussée par l'instinct, elle se mit à tailler le bois.

Le poignet souple, sa main droite se promena le long de la branche, imprimant des gestes précis, comme mille fois répétés, et petit à petit des formes apparurent sous les coups de lame. Certes, il ne s'agissait pas d'une sculpture réfléchie, de figures spécifiques, mais il y avait dans cet enchevêtrement de courbes, de feuillages et d'ornements une grâce naïve et harmonieuse à la fois, si bien que quand elle eut terminé, Aalis s'étonna elle-même du résultat, d'autant qu'elle n'avait jamais fait cela auparavant.

La jeune fille sourit. En sculptant le bois, elle avait éprouvé un plaisir inconnu, un plaisir qu'elle ne pouvait nommer mais que le lecteur aura reconnu comme étant celui de l'accomplissement. C'était comme si une voix céleste lui avait soufflé les gestes à exécuter et que, dès lors, ils lui avaient paru évidents.

Alors, lentement, elle reprit son ouvrage. En y réfléchissant cette fois, elle affina les entailles, assura les traits, termina ici une courbe, là une pointe, un creux, et ainsi elle resta un long moment à achever ce qui se révéla être un magnifique bâton de marche.

Le soleil avait fort descendu derrière la ligne des montagnes quand la jeune fille se leva enfin, satisfaite, glissa le bâton sous son bras et ordonna aux chiens de rassembler les bêtes.

Le chemin du retour fut un peu plus compliqué que l'aller, et il lui fallut courir plusieurs fois pour empêcher le troupeau de se disperser. Devant la bergerie, elle trouva Luc qui compta les bêtes et les fit rentrer.

— *È !* Tu t'es bien débrouillée, la *pichòta* ! Il n'en manque pas une seule !

— Ce sont tes chiens qui sont bien dressés, répondit humblement Aalis, mais il y avait sur son visage un sourire qui ne manquait pas de fierté.

Luc referma la bergerie et ensemble ils se mirent en route vers la petite maison où Marie et sa mère les attendaient pour souper.

— Tiens... C'est pour toi, expliqua la jeune fille en lui tendant le bâton qu'elle avait sculpté.

— *Perdeu !* Où est-ce que tu as trouvé ça ?

— Je ne l'ai pas trouvé ! Je l'ai fait là-haut, à Peyremal.

— Cet après-midi ? demanda le berger, qui peinait à y croire.

— Oui, en gardant les bêtes.

— Tu te moques ?

— Non.

Luc, sincèrement impressionné, inspecta l'œuvre d'Aalis, passant ses doigts sur les fins ornements qu'elle avait sculptés.

— Tu fais souvent cela ? demanda-t-il.

— Non. C'est la première fois.

— Alors, c'est que tu as un don, la *pichòta* !

La jeune fille haussa timidement les épaules.

— Ce serait dommage de ne pas l'exploiter, tu sais ! Tiens, ça me donne une idée. Viens avec moi, à mon tour de te faire un cadeau.

83

C'est à la tombée du soir que nous retrouvons Andreas Saint-Loup qui, vêtu comme un moine, entre dans la ville d'Orléans, le visage plongé dans l'ombre d'une ample capuche.

Ayant mémorisé, on se doute avec quelle aisance, le trajet qu'il devait accomplir pour rejoindre l'église Saint-Aignan, l'Apothicaire traversa la ville sans même relever la tête, les mains enfoncées dans les manches de sa bure à la manière d'un pénitent. En chemin il croisa trois soldats qui interrogeaient un commerçant et qui ne le virent point passer. Accélérant le pas, il s'engouffra dans les ruelles étroites qui menaient à la bâtisse religieuse, dont il fit le tour par le sud, pénétrant dans la crypte par l'un des corridors situés dans les bas-côtés de l'église supérieure.

La grotte, creusée dans la pierre blanche d'Orléans, était éclairée par la lueur orange de rangées de cierges. Il y avait là, bien sûr, quelques pèlerins venus se recueillir devant les reliques de saint Aignan, évêque et saint patron de la ville, qu'il défendit en l'an 451 contre les attaques d'Attila, roi des Huns.

Andreas, faisant mine de prier lui aussi, passa lentement devant le *martyrium* – que l'on pouvait contempler à travers quatre ouvertures dans un mur – puis gagna l'ombre des piliers du déambulatoire, dont les chapiteaux étaient décorés de peintures colorées. À l'abri des regards, il se faufila alors de l'autre côté de la chapelle souterraine.

La crypte Saint-Aignan, en ce temps-là, était un vrai dédale de piliers, d'arches et d'alcôves, héritage des nombreuses constructions et reconstructions successives qu'elle avait connues. Colin avait expliqué à l'Apothicaire dans quelle partie du souterrain devait, a priori, se trouver le passage qui menait à la commanderie templière, mais il n'avait pu être plus précis. Aussi, après avoir rapidement inspecté ce côté-là de la crypte et constaté qu'il n'y discernait aucune porte ou ouverture, Andreas revint sur ses pas, le front soucieux. Derrière lui, il entendait l'écho des prières et des génuflexions des fidèles.

Comment, sans véritable piste, trouver ce passage ? Et si Colin s'était trompé ? Si ce n'était qu'une vieille légende, et que de passage il n'y avait point ?

Cette partie de la crypte manquait cruellement de lumière, mais Andreas ne pouvait allumer une torche, de peur de se faire remarquer. Il avait déjà pris beaucoup de risques en s'isolant ici. Aussi, s'il ne pouvait fouiller davantage les lieux de ses propres mains, il lui fallait donc les fouiller par l'esprit, les passer au crible de la sagacité.

La sagacité, avons-nous dit ? La chose, sans doute, semblera bien vague au lecteur. Par quel miracle l'Apothicaire pouvait-il trouver un passage qu'il ne connaissait pas ?

C'est qu'Andreas n'était pas dépourvu, non plus, d'imagination, et ce soir-là il lui en fallut user plusieurs fois, comme nous allons le voir.

La commanderie Saint-Marc se trouvait au sud-est de la ville, il était ainsi fort probable que le passage se trouvât lui aussi dans cette direction. Dans un premier temps, Saint-Loup pouvait, de ce fait, limiter géographiquement ses recherches. Il se souvint alors de la phrase qu'il avait dite, lui-même, à Jacques de Molay qui, dans la prison du Temple, s'était demandé comment l'Apothicaire avait fait pour le voir quand leurs cellules étaient séparées par un mur : « Parfois, il suffit de monter un peu le niveau de son regard pour voir mieux ce qu'il se passe sur la terre. » En conséquence, il leva les yeux vers le plafond de la crypte et y chercha un indice qui pût révéler l'existence d'un passage au sud-est : une variation dans les voûtes, une asymétrie... Mais, après une longue inspection, il ne trouva rien. Il grimaça et se remit à tourner en rond, jusqu'à ce que, soudain, un sourire déformât les traits de son long visage.

Une maxime d'Anaxagore venait de résonner dans sa tête : *Le visible ouvre nos regards sur l'invisible*.

Alors Andreas retourna parmi les pèlerins, devant le *martyrium*, et s'agenouilla près des reliques du saint, avec force mimiques pieuses, tout en murmurant une prière dont le sarcasme, certainement, échappa bien plus à ses voisins qu'il n'échappera au lecteur : « Ô vous, vénérables reliques de saint Aignan, messagères d'espérance, par le saint ombilic de Marie, par la sainte tunique du Christ et Son saint prépuce, conduisez dans la divine lumière le misérable pèlerin plongé dans les ténèbres. » Puis, se relevant, il se saisit discrètement de l'un des nombreux cierges allumés là par les voyageurs pénitents et, d'un pas exagérément solennel, retourna vers le sud-est de la crypte comme s'il se fût trouvé dans une procession, tenant entre ses mains la petite bougie. Les yeux rivés sur icelle, il refit alors le trajet qu'il avait effectué plus tôt, mais avec une grande lenteur, cette fois, et beaucoup de précaution.

Soudain, le « miracle » qu'il avait appelé de ses vœux se produisit : la flamme se mit à vaciller, soufflée par un invisible courant d'air.

L'Apothicaire pinça la mèche du cierge entre ses doigts avec un air satisfait et se dirigea tout droit vers l'alcôve devant lui. Camouflé par la pénombre, il se retourna pour s'assurer que personne ne regardait dans cette direction, puis se glissa à l'intérieur de l'abri creusé dans la pierre. Tout au fond, dissimulée par une haute stalle, il découvrit enfin une ouverture, dans laquelle il se faufila sans faire de bruit.

Béni sois-tu, Anaxagore.

Tout en songeant que son sort, ces derniers jours, semblait étroitement lié au monde souterrain, et y trouvant, immanquablement, quelque analogie avec l'allégorie de la caverne de la *République* de Platon, il avança dans l'obscurité et attendit d'être suffisamment loin de la crypte pour rallumer sa bougie, car ici la lumière était connaissance.

Certes, il était bienheureux d'avoir su trouver ce secret passage, mais il ne voulait pas se réjouir trop vite : après tout, sinon cette ancienne rumeur colportée par Colin, rien ne prouvait que ce corridor menât bien à la commanderie Saint-Marc, et quand bien même ce serait le cas, encore faudrait-il y entrer et délivrer Robin ; le plus dur restait à faire.

Toutefois, après une longue marche, des inscriptions sur les murs vinrent appuyer la thèse du charpentier. En premier – ou en dernier si l'on considérait que le point de départ était l'autre bout du tunnel – on avait gravé sur le mur le début d'un psaume biblique, *Non nobis Domine, non nobis, sed Nomini Tuo da Gloriam*, qu'Andreas reconnut pour être la devise des Templiers. Plus loin, le dessin de deux chevaliers partageant un même cheval et portant sur leur tunique la longue croix pattée. Plus loin encore, un texte avait été inscrit dans la pierre, et qui commençait ainsi : « *Nos parlons primierement a tous ceaus qui mesprient segre lor propres uolentes et desirent o pur coraige seruir de cheualerie au souuuerain roy....* » En bas de cet incipit avait été tracé l'abraxas panthée, sceau de l'ordre du Temple.

L'Apothicaire reprit sa marche avec enthousiasme ; il était bien sur la bonne voie. Le couloir qui, de plus en plus obscur et froid, s'était enfoncé sous la terre, commençait enfin à remonter.

Soudain, alors qu'il avançait péniblement à la seule lueur de sa fragile bougie, Andreas entendit au loin un cri étouffé. Puis un autre. Aussitôt, il tressaillit, puis resta comme pétrifié. Quelqu'un hurlait sous des coups de fouet, et il fut presque certain d'avoir reconnu la voix de Robin. Alors, le cœur empli de colère et d'effroi, il se mit à courir.

La flamme de la bougie s'éteignit dès les premiers pas de sa course, mais Andreas ne s'arrêta pas pour autant. Les mains collées aux parois pour se guider dans l'obscurité, il continua de fouler la terre humide du souterrain, et ce faisant il s'approcha des cris, dont la force et l'intensité étaient de plus en plus odieuses.

Bientôt, il lui sembla apercevoir un filet de lumière devant lui, et dès lors il s'arrêta. Le souffle court, les mains tremblantes, il chercha le briquet à sa ceinture et ralluma la petite bougie. Il porta la flamme au-dessus de sa tête et découvrit, à quelques pas à peine, que le passage souterrain se terminait par un mur : une porte sans poignée, sans gond, taillée dans un seul bloc de granit sur les bords duquel passait un tout petit trait de lumière. À première vue, c'était une voie sans issue. Peut-être avait-on définitivement muré le passage.

De l'autre côté, il entendait à présent clairement les claquements du fouet, suivis chacun d'un nouveau cri strident. Andreas serra la mâchoire. Il aurait voulu hurler, demander grâce pour son apprenti, mais c'eût été un mauvais calcul : il ne devait pas se faire repérer. Enfin, les coups s'arrêtèrent. Il y eut un moment de silence, puis un nouveau cri, beaucoup plus fort celui-là, et qui se termina en un râle. Et le silence à nouveau.

Du bout des doigts, Andreas éprouva le bloc de granit devant lui. Frénétiquement, il chercha un moyen de l'ouvrir. Il essaya de le pousser, de le faire glisser, mais c'était une tentative ridicule, la chose était bien trop lourde pour être mue par un seul homme et il abandonna rapidement.

S'efforçant de retrouver le flegme qu'on lui connaît, il inspira profondément et analysa la situation. Se pouvait-il que Robin se trouvât juste de l'autre côté de ce mur ? La proximité des cris semblait l'indiquer. Mais quelle probabilité y avait-il pour que le souterrain, comme par hasard, débouchât précisément sur la pièce où l'on avait enfermé son apprenti ? Andreas se souvint alors de l'hypothèse de Colin : le passage, ultime sortie de secours pour les templiers de cette commanderie, devait se trouver dans la salle la plus éloignée de la porte principale. Que Guillaume Humbert eût choisi d'y retenir Robin n'était donc pas si étonnant que cela. Andreas eût volontiers parlé d'un formidable coup de chance si la possibilité d'ouvrir cette lourde porte lui avait paru crédible.

Mais il ne pouvait abandonner. Après tout, le bloc n'était pas scellé : aucun ciment sur ses arêtes. Peut-être le couloir n'avait-il point été muré, mais seulement fermé à l'aide d'un mécanisme secret, invisible, pour en garantir la discrétion. L'Apothicaire promena méticuleusement la flamme de sa bougie tout autour du bloc de granit, dans l'espoir d'y trouver quelque indice, mais son œil chercha en vain autre chose que la seule surface lisse de la pierre. Il n'y avait rien là. Cet examen infructueux achevé, Andreas songea que, en toute logique, puisque ce couloir servait à fuir, le mécanisme d'ouverture devait se trouver de l'autre côté. Du côté de Robin, où, au reste, il n'y avait plus eu aucun bruit depuis ce dernier cri terrible.

L'Apothicaire s'approcha du mur et colla son oreille contre la pierre. Il attendit un long moment mais n'entendit rien, sinon peut-être un souffle léger qui eût pu être celui d'un courant d'air, celui-là même qui avait fait vaciller sa bougie dans la crypte Saint-Aignan. Et puis soudain, il perçut un petit bruit métallique, distant. Celui d'une chaîne que l'on traîne un peu par terre. Les doigts d'Andreas se crispèrent sur la pierre.

— Robin ? murmura-t-il en approchant sa bouche de l'étroite fente qui longeait le bloc de granit.

Rien. Alors, plus fort :

— Robin, tu m'entends ?

Mais aucune réponse ne vint rompre ce silence inquiétant.

— C'est Andreas ! dit l'Apothicaire, tout haut cette fois, surpris lui-même par le déraillement qu'avait occasionné dans sa voix, sans doute, une sorte d'inavouable sanglot, inavouable en tout cas pour un homme de cette composition.

Mais alors qu'il n'y croyait plus, il lui sembla entendre un râle de l'autre côté de la paroi.

— Robin ? répéta-t-il, fébrile.

— Maître ? lui adressa en retour la voix de l'apprenti, chétive et néanmoins pleine d'un soudain réconfort.

Andreas, retrouvant lui aussi tout son espoir, se redressa d'un coup, puis, la bouche collée à la pierre :

— Oui ! Je suis là, mon garçon ! Tu es seul ?

— Oui, répondit Robin, dont la faiblesse dans le ton n'était probablement pas due à la seule épaisseur du mur, mais plus certainement à son état. Ils sont partis. Où êtes-vous ?

— Je suis là, derrière le mur ! répliqua Andreas en frappant trois petits coups sur la pierre. Il y a un passage secret !

Un nouveau bruit de chaîne retentit de l'autre côté, puis des coups contre le mur.

— Ici ? demanda l'apprenti en sondant la paroi à son tour.

— Non. Par ici ! répondit l'Apothicaire en cognant de nouveau, et alors Robin trouva exactement l'endroit du mur derrière lequel il se tenait et, tels deux enfants qui, d'une pièce à l'autre, se parlent tout bas pendant la nuit, maître et apprenti purent converser, émus, à travers le mur.

— Comment... comment m'avez-vous trouvé ? balbutia le jeune homme, dont la voix était plus proche à présent et qui, de toute évidence, pleurait.

— C'est une longue histoire ! Je te la raconterai quand je t'aurai sorti de là, mon garçon. Est-ce que tu vois une poignée de ton côté ? Une serrure ? Un levier ? Quelque chose pour ouvrir ?

— Non, maître, répondit le rouquin. Il n'y a rien, sinon ce mur.

— Et pourtant il y a sûrement un moyen de l'ouvrir !

— Ouvrir un mur ?

— Oui ! Il doit y avoir un mécanisme caché quelque part ! Cherche !

Et Robin chercha, mais en vain.

— Peut-être ailleurs dans la pièce ! insista Andreas. Regarde autour de...

Mais il fut interrompu par la soudaine alerte de son apprenti :

— Ils reviennent ! Oh ! maître ! Ils reviennent !

— N'aie crainte, je reste là !

— J'ai si peur, maître ! J'ai si peur de parler ! Je ne peux plus endurer ces...

Il ne termina point sa phrase.

84

Luc guida la jeune Occitane de l'autre côté de Cazo, là où, au milieu des monts, serpentait la route qui menait à Sanch Inhan, et ils entrèrent ensemble dans un bâtiment de pierre sèche près duquel étaient rangés la plupart des ustensiles qui servaient à travailler la vigne. À l'intérieur, le berger alluma une lampe à huile attachée à l'un des murs, et Aalis découvrit alors dans la lumière ocre ce qui se révéla être un petit atelier.

Il y avait là réunis autant d'outils peut-être, que dans la boutique d'un artisan, et ils avaient la beauté simple des outils de jadis : marteaux plats ou pointus, maillets, planes, rabots navette ou à feuillure, scies à cadre ou à guichet, serpettes, tenailles, tarières et vilebrequins, rangées de ciseaux et de limes de toutes tailles, jabloir de tonnelier, équerre et compas, tous soigneusement ordonnés au-dessus d'un établi en chêne à casiers, et sur celui-là, Aalis, perplexe, aperçut son psantêr.

La jeune fille écarquilla les yeux et s'approcha du vieil instrument de Zacharias. La table d'harmonie était plus belle encore qu'elle ne l'avait été avant d'être cassée par son père ; la fêlure avait disparu et on ne pouvait remarquer la réparation tant elle était bien faite.

— C'est… c'est toi qui l'as réparé ? demanda-t-elle, incrédule.

— *È ! Perdeu !* Qui d'autre ? s'amusa le berger. Je voulais te faire la surprise, *pichòta*. J'espère que tu ne m'en veux pas de l'avoir pris dans tes affaires...

— Non ! Pas du tout, murmura-t-elle en caressant le psantêr alors que des larmes montaient à ses yeux.

Le souvenir de Zacharias emplissait tout son esprit, et avec lui celui de la promesse qu'elle avait faite d'apporter le psantêr à son fils. Un jour, elle allait donc devoir partir d'ici pour tenir parole, et ce geste, sans doute, lui permettrait de couper le dernier fil qui la reliait à son passé.

— Je ne connais rien à la musique, s'excusa Luc, alors je ne sais pas s'il fonctionne bien, mais à la menuiserie, j'y connais quelque chose.

— C'est... c'est très gentil, Luc. Je ne sais pas comment te remercier. Cet instrument est très important pour moi, tu sais...

— *È !* Oui, j'ai cru comprendre. Mais ce n'est rien, je l'ai fait avec plaisir. Et ce n'est pas là le cadeau que je veux te faire, *pichòta*.

Le berger se dirigea alors vers l'établi et fouilla en dessous, dans les casiers, parmi une foule d'objets, de boîtes et de planches. Il en sortit un sac en tissu qui était enroulé et noué à l'aide d'une ficelle.

— Qu'est-ce que c'est ? demanda Aalis.

Luc ne répondit pas, mais ses yeux étaient un sourire. Il posa la pochette sur l'établi, tira sur la ficelle et déroula délicatement l'ensemble, comme s'il se fût agi d'un trésor, et de fait on eût pu dire que c'en était un. Aalis put alors admirer une douzaine de vieux ciseaux à bois à la belle facture, un assortiment de lames droites ou obliques, de gouges contre-coudées, de cuillères et de burins.

— Ce sont les outils de mon père, expliqua Luc avec dans la voix une tonalité nouvelle qu'Aalis reconnut comme étant de la nostalgie. Mon père, comme toi, était très doué pour sculpter le bois. Quand j'étais petit, je passais des heures caché dans son atelier à le regarder travailler. Quand il est mort, j'ai voulu garder cette trousse, parce que c'était finalement le seul bon souvenir que j'avais de lui. Et c'est aussi tout ce que j'avais sur moi, quand je suis arrivé à Cazo. Et maintenant, je veux te le donner, Aalis.

— Oh non ! s'exclama la jeune fille, embarrassée. Je ne peux pas... Si c'est tout ce qu'il te reste de ton père, je ne peux pas le prendre !

— *È !* Puisque je te le donne ! Ne fais pas de manières, Aalis. Ces vieux outils se meurent, oubliés ici. Je ne m'en sers jamais. En te les confiant, je sais que tu vas leur redonner vie, toi, et c'est plus important pour moi que de les garder. Un peu comme nous avons redonné vie à l'instrument de musique de ton ami. Allez. Prends-les, et fais-en bon usage.

Aalis, encore plus émue qu'elle ne l'était déjà, effleura les outils du bout des doigts. À l'évidence, il s'agissait d'objets anciens et de grande valeur ; les manches en bois étaient somptueux, taillés dans un assemblage de plusieurs essences différentes.

— Tu sais, Aalis, tout ce qui n'est pas donné est perdu.

85

Les poings d'Andreas se crispèrent et sa mâchoire se serra comme une presse de plomb. L'idée que son apprenti pût se retrouver de nouveau seul face à ses bourreaux était parfaitement insupportable, si bien qu'il eût voulu détruire d'un seul coup de pied le mur qui les séparait et lui venir en aide sur-le-champ. Mais il était là, dans l'ombre, immobile et impuissant, contraint au silence et à l'attente.

Une oreille posée contre la surface froide du granit, il essaya de deviner, à travers les bruits qu'il pouvait entendre, ce qu'il se passait de l'autre côté.

Le grincement d'une porte ; des pas, de moins en moins distants ; un tintement sur le sol, sans doute une écuelle qu'on avait posée à terre ; des paroles, graves et indéchiffrables... Puis les pas s'éloignèrent et la porte claqua, et ce claquement fut suivi du bruit sec que rend une serrure qui se ferme.

La poitrine d'Andreas se soulevait au rythme de sa nerveuse respiration. Il attendit encore. Pourquoi diable Robin ne lui parlait-il pas ? Y avait-il toujours quelqu'un avec lui ? Après un long moment, enfin, la voix de Robin, libératrice, lui parvint de nouveau.

— Maître ! Ils sont partis...

Andreas respira plus librement.

— Je... je n'en peux plus, murmura alors le jeune homme.

— Je vais te sortir de là, Robin ! Je te le promets ! Mais pour ce faire, il faut que tu fouilles cette pièce. Il y a sûrement un mécanisme quelque part. Quelque chose comme une serrure, ou comme un levier.

— Et si ce mécanisme était dans une autre pièce ? répondit le jeune homme d'une voix qui masquait mal son angoisse.

Andreas, bien sûr, avait envisagé cette embarrassante éventualité. Mais pour l'instant, il était inutile de perdre courage, et surtout de le faire perdre à son apprenti.

— Je ne pense pas, affirma-t-il. Il doit être là...

— Je vais regarder, maître.

L'Apothicaire perçut le bruit des chaînes qui traînaient sur le sol. Robin avait les pieds entravés mais, visiblement, il pouvait se déplacer librement à travers la pièce. Le cliquetis continua longuement avant de revenir de ce côté-ci.

— Je ne vois rien, maître, qui puisse ressembler à un levier ou un mécanisme.

— Décris-moi la pièce où tu te trouves, Robin. Tu as peut-être raté quelque chose.

— C'est... c'est une grande salle heptagonale, qui est tout au bout de la commanderie. Le plafond est une haute voûte en encorbellement, de pierres maçonnées. Devant les murs, il y a des statues hautes comme un homme. Des chandeliers sont scellés dans les parois. Le sol est en pierre, lui aussi... Il n'y a qu'une seule porte, celle par laquelle on m'a fait entrer, et elle est solidement fermée. Aucune ouverture, aucune fenêtre, et aucune trappe au sol. Pas de meuble, hormis le fauteuil et... et une croix de Saint-André.

Andreas frissonna. Une croix de Saint-André... Humbert avait donc amené de quoi torturer Robin selon les odieux usages de l'Inquisition. Il chassa cette pénible pensée et revint sur l'image que, par l'esprit, il pouvait se faire de la pièce.

— Tu n'as vu aucun coffre caché dans les murs, aucune ouverture, aucune alcôve ?

— Non, maître.

— Sur le sol… Les pierres, au pied du mur derrière lequel je me trouve, sont-elles toutes scellées ?

— Oui.

Andreas grimaça. Il y avait forcément une solution. Il essaya donc de se mettre à la place des templiers qui avaient fait construire cette commanderie. Comment auraient-ils procédé pour cacher un passage ? Les moines soldats avaient un penchant certain pour les choses secrètes et pour l'occultisme, et l'architecture templière, confiée aux maîtres maçons, était pleine de symboles… Peut-être fallait-il chercher de ce côté-là. Même si, homme de science et de raison, il avait très peu de goût pour le symbolisme mystique, l'Apothicaire, comme on l'a de nombreuses fois démontré au lecteur, possédait une érudition si vaste et si syncrétique qu'il était parfois en mesure de comprendre les mystères ésotériques bien mieux que la plupart de ses prétendus spécialistes. Robin avait dit que la pièce était heptagonale et Andreas n'ignorait pas l'importance du chiffre sept dans le symbolisme templier. C'était peut-être une piste…

— Tu dis qu'il y a une statue devant les murs, et que la pièce est heptagonale. Il y a donc sept statues ?

— Non, maître, car il n'y en a pas sur le mur de la porte, ni sur celui-ci, derrière lequel vous êtes.

— Il y en a donc cinq. Peux-tu me les décrire ?

— Eh bien, ce sont cinq personnages… Cinq chevaliers qui, chacun, tiennent un objet dans leurs mains. Le premier tient un soleil, le second un bouclier, le troisième un fouet, le quatrième un serpent, et le cinquième tient ce qui ressemble à un drap ou un vêtement.

— Cinq symboles, murmura Andreas. Cinq symboles dans une pièce à sept côtés…

Ces allégories, assurément, lui faisaient penser à quelque chose, mais pour l'heure il ne savait à quoi. On eût dit les attributs d'une divinité...

— Maître ! Je viens de voir quelque chose d'autre ! intervint soudain l'apprenti.

— Quoi ?

— Sur ce mur-ci, le vôtre, tout en haut, il y a une inscription.

— Et que dit-elle ?

— Je ne sais pas. Ce ne sont pas des lettres. On dirait une écriture chiffrée, faite de formes géométriques et de points.

La figure de l'Apothicaire se rasséréna. Un message codé ! Il y avait toutes les chances qu'il concernât le passage secret.

— Combien y a-t-il de formes ?

L'apprenti compta.

— Quinze, maître.

— Peux-tu me les décrire précisément ? demanda Andreas tout en ramassant au sol un petit caillou.

— Eh bien... D'abord, un triangle, sans base, tête vers le bas, et avec un point en son centre.

L'Apothicaire, avec la pointe de son caillou, traça la forme décrite sur l'une des parois du souterrain.

— Ensuite ?

— À nouveau un triangle sans sa base et avec un point en son centre, mais dirigé vers la droite cette fois. Puis le même, sans point...

L'apprenti continua ainsi à décrire, figure par figure, l'étrange écriture qu'Andreas reproduisit soigneusement de son côté, et quand ils eurent fini, l'Apothicaire contempla, non sans une certaine jubilation, le résultat obtenu.

— Vous savez ce que cela signifie, maître ?

— Non, mais il n'y a aucun code qui ne puisse être décodé. Laisse-moi un peu de temps.

Et en effet, il fallut un certain temps à notre docte pharmacien pour extraire quelque logique à cette suite de symboles, mais il convient d'ajouter qu'il y trouva, malgré les circonstances, une sorte de divertissement pour l'esprit qui n'étonnera guère le lecteur.

Chaque figure, à l'évidence, remplaçait une lettre, selon la méthode dite de substitution. Il s'agissait donc de trouver avec quelle logique. D'abord – n'ignorant pas que la paresse pouvait parfois être le moteur d'une déduction rapide – il se pencha sur la récurrence des formes pour tenter d'effectuer une analyse dite fréquentielle.

En effet, la fréquence d'apparition de telle ou telle lettre dans un message codé pouvait permettre, à tâtons, de décrypter celui-ci, mais encore fallait-il savoir dans quelle langue il était écrit ! En français, Andreas savait que les lettres les plus fréquentes étaient « e », « s », « a » et « i ». Mais rien ne permettait d'affirmer que le message fût bien en français et, en outre, la phrase n'était pas assez longue pour déduire, à l'aveugle, quelle figure remplaçait quelle lettre. L'Apothicaire abandonna cette méthode intuitive, ne pouvant se passer d'un véritable décryptage.

Ainsi, il se résolut à analyser les figures. Certaines existaient sous deux versions différentes, selon qu'elles étaient dirigées dans telle ou telle direction, vers le haut ou le bas, vers la droite ou la gauche. Il en déduisit que chaque symbole – en dehors de cette croix qui apparaissait deux fois dans le texte – permettait de remplacer quatre lettres, selon le sens dans lequel il était dessiné.

À genoux, l'Apothicaire traça plusieurs formes dans la terre, puis les effaça, recommença, jusqu'à ce qu'il puisse établir un second constat : chacun des symboles utilisés pouvait s'inscrire dans la croix pattée que les templiers portaient sur leur tunique blanche.

La plupart étaient des triangles, ou des formes triangulaires, auxquelles on pouvait ajouter ou non un point, et qui pouvaient être assimilées à l'une des branches de ladite croix... Ainsi, il put en déduire l'existence de six séries de symboles, chacun se déclinant dans quatre directions, et il y ajouta la croix, ce qui donnait un total de vingt-cinq symboles. Ce chiffre correspondait bien à l'alphabet, puisqu'en ce temps on ne différenciait point le « i » et le « j ».

Classant, a priori, les six séries de symboles de la plus simple à la plus compliquée, il dut s'y reprendre à plusieurs fois pour établir la bonne correspondance. Chaque fois qu'il avançait une hypothèse, il essayait de voir si elle permettait de traduire le message crypté. La chose fut fort longue, et nous épargnerons au lecteur les moult étapes successives que dut franchir notre savant Apothicaire pour, enfin, trouver la juste concordance, qu'il inscrivit alors fièrement sur le mur à l'aide de son caillou, juste en dessous de la phrase cryptée.

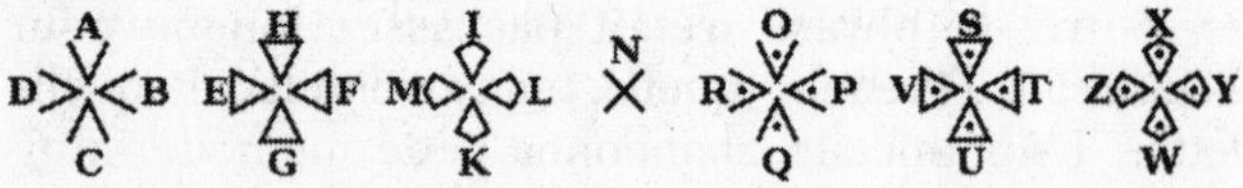

Et en effet, cette disposition lui avait permis de traduire le texte sculpté dans le mur : *Ordinata quinque*, et il confia aussitôt sa découverte à son apprenti.

— Comment avez-vous fait, maître ? s'extasia Robin, de l'autre côté de la paroi.

— Par l'opération de la sainte logique, répondit Andreas. Tu aurais pu le faire toi-même. Mais peu importe, le temps presse. La phrase semble nous inviter à ordonner cinq éléments... qui sont probablement les cinq symboles portés par les statues.

— Les ordonner ? Mais comment ?

— C'est bien là tout le problème. Peut-être faut-il les écrire quelque part. Ou bien... Crois-tu que les symboles portés par les statues soient amovibles ? Peut-être peux-tu les enlever et les amener à un autre endroit...

Robin, ranimé sans doute par cette lueur d'espoir, s'activa dans son immense cellule. Après quelques déambulations, Andreas l'entendit revenir vers lui d'un pas vif.

— Maître ! Les symboles sur les statues ! Je ne peux pas les enlever, mais ils bougent !

— Ils bougent ? Et comment donc ?

— Eh bien, dans tous les sens, maître ! Vers l'avant, vers l'arrière, le haut, le bas, les côtés...

— Prodigieux ! murmura Andreas comme pour lui-même. Il faut reconnaître que, malgré leur austérité et leur piété dévastatrice, les templiers ne manquaient pas d'humour et de panache ! Bien. Il nous faut maintenant trouver dans quelle position ils doivent être ordonnés, et alors je pense que ce mur s'ouvrira, telle la mer rouge devant les bras de Moïse !

— Mais comment les ordonner ? Au hasard ?

— Certainement pas ! s'indigna Andreas. Je ne sais pas encore, Robin, mais à nouveau il faut que tu me laisses un peu de temps. Je crois que j'ai ma petite idée...

L'Apothicaire resta un court instant devant le mur, comme s'il éprouvait quelque remords à devoir s'éloigner de son apprenti, puis il fit volte-face et retourna sur ses pas, alors que la bougie, dans sa main, était bientôt terminée. Il comprit alors qu'il lui restait peu de temps et il accéléra sa course jusqu'à retrouver, sur le mur du souterrain, le texte qu'il avait vu plus tôt, et au bas duquel figurait l'abraxas panthée, sceau de l'ordre du Temple.

Comme il trouva la confirmation de son pressentiment, Andreas ouvrit un large sourire.

Autour de ce sceau était inscrite la formule *Secretum Templi*, à l'intérieur de laquelle apparaissait un médaillon. Sur la droite de celui-ci brillaient sept étoiles, et en son centre se tenait la figure de l'Abraxas, démon de l'Antiquité, que les basilidiens, hérétiques du second siècle, vénéraient comme le suprême démiurge ayant envoyé le Christ sur terre. Andreas ne put s'empêcher de penser, brièvement, aux rapports que ce symbole de la connaissance entretenait avec le gnosticisme, mais pour l'heure il se contenta de mémoriser la posture du démon. Car en effet, la tête de celui-ci figurait un coq, symbolisant le soleil, ses jambes deux serpents, dans la main droite il tenait un bouclier, dans la gauche un fouet, et à la taille il portait un tablier... Ainsi, en un seul dessin étaient rassemblés les cinq symboles portés par les statues de la pièce où Robin était enfermé, et tout, enfin, prenait sens.

Alors qu'il venait de se remettre en route vers le bout du couloir, la bougie d'Andreas s'éteignit, et elle était à présent trop petite pour qu'il pût la rallumer sans se brûler les doigts. Il continua néanmoins son chemin et rejoignit prestement Robin tout au bout du tunnel.

— Tu es là, mon garçon ? demanda l'Apothicaire en cherchant, dans la plus totale obscurité, la petite ouverture dans le bloc de granit.

— Oui, maître ! Dites-moi que vous avez trouvé !

— Lève-toi, Robin, va à la statue qui porte un soleil, et mets celui-ci dans la position la plus haute qui soit.

L'apprenti s'exécuta, et l'Apothicaire l'entendit revenir. Ainsi, l'obligeant à faire moult allers et retours, il donna ses instructions au jeune homme afin qu'il mît le bouclier à dextre, le fouet à senestre et le serpent vers le bas.

— Parfait ! Il ne reste plus que le tablier, mon garçon ! Un tablier se porte devant... J'en déduis qu'il faut que tu le tires vers l'avant.

— J'y vais !

Et en effet, Robin tira sur le linge que portait la cinquième statue, et celui-ci glissa vers l'avant.

Andreas, le corps tendu dans l'obscurité, resta immobile, aux aguets, certain que la magie allait opérer. Mais il ne se passa rien. Et quand le silence eut duré trop longtemps, Robin revint près du mur.

— Il ne se passe rien, maître.

— Je vois bien ! répliqua Andreas, agacé. J'ai dû me tromper quelque part. Pourtant, c'est bien ainsi que les cinq symboles sont disposés sur l'abraxas. À moins que...

— Quoi ?

— Tout dépend de si l'on se met à la place de l'abraxas lui-même ou d'un observateur, car alors, la droite devient la gauche, et la gauche devient la droite. Intervertis, mon garçon ! Va mettre le bouclier à senestre et le fouet à dextre !

— Oui, maître !

Le bruit de la chaîne s'éloigna, puis Andreas perçut le son que faisaient les statues quand on les déplaçait.

L'Apothicaire sentit les battements de son cœur s'accélérer. Cette fois-ci, il fallait absolument que cela fonctionne ! Il n'avait plus de bougie, Robin était sans doute en fort mauvais état, et si cette option n'était pas la bonne, il ne savait plus dans quelle direction chercher.

Comme il ne se passait toujours rien, Andreas sentit, un instant, une vague de désespoir profond l'envahir. Il crut qu'il allait s'effondrer quand, soudain, un craquement se fit entendre, puis un autre, suivi par un lourd bruit de chaîne. Lentement, le mur se mit à glisser vers la droite, laissant la lumière de la pièce voisine se glisser dans le souterrain, et l'Apothicaire se précipita dans l'ouverture pour prendre dans ses bras Robin, qu'il trouva le corps couvert d'horribles blessures et la mine bien pâle.

86

Le lecteur se souvient peut-être d'un personnage que nous avons eu l'occasion de présenter brièvement au début de ce récit, cet échevin du nom d'Étienne Bourdon qui avait tenté d'expulser Magdala et les *fillettes* qui travaillaient avec elle dans sa petite maison de la rue Saint-Denis. Il se souvient sans doute aussi que l'homme n'était pas des plus accommodants et qu'il nourrissait à l'égard d'Andreas quelque ancienne inimitié. Or, ce fameux Bourdon va de nouveau jouer quelque rôle dans l'histoire que nous nous efforçons de relater ici fidèlement, car en effet ce soir-là – le soir où Andreas délivra Robin de la commanderie Saint-Marc – c'est à ce sinistre échevin que Charles de Valois rendit visite.

À la nuit tombante, le comte entra seul au Parloir aux bourgeois – qui était en ce temps situé entre l'église Saint-Leufroy et le Grand Châtelet – et demanda à être reçu non pas par le prévôt des marchands, mais bien par l'un de ses échevins, en la personne d'Étienne Bourdon, ce qui permit à certains de deviner qu'il se tramait quelque chose, mais nul n'eût su dire quoi.

— J'ai besoin, Étienne, que vous me rendiez un petit service.

L'échevin, fort impressionné par la visite du frère du roi, s'inclina révérencieusement, se sentant comme s'il ne mesurait pas plus de deux pieds de haut.

— Monsieur le Prince, je suis votre serviteur.

— Je me suis laissé dire que vous aviez en charge le quartier Saint-Denis, où se trouve l'abbaye Saint-Magloire.

Le visage de Bourdon se rembrunit. La nouvelle de la mort de l'abbé Boucel avait fait grand bruit le matin même, et l'échevin s'en était trouvé fort ému, qui avait souvent eu l'occasion de travailler pour le Très Révérend Père.

— En effet, dit-il, tête basse.

— Fort bien. Pouvez-vous me dire, Étienne, si vous avez déjà entendu parler d'une femme que l'on appelle la Nubienne, et qui pourrait vivre ou avoir vécu dans cette partie de la ville ?

Bourdon haussa les sourcils, prit cette attitude de l'homme qui fouille dans sa mémoire, puis remua négativement la tête.

— Non, cela ne me dit rien, Prince.

— Cela remonte peut-être à plusieurs années...

— Non, vraiment, je ne vois pas. Mais ce surnom fait penser à une *fillette*. Je pourrais aller poser la question dans la rue Saint-Denis.

— Oui. Faites cela, s'il vous plaît, répondit de Valois avec dans la posture une sorte de détestable condescendance.

— Cela a-t-il un rapport avec la mort de l'abbé Boucel ? demanda l'échevin.

Charles de Valois hocha lentement la tête. Intérieurement, il était rassuré de voir qu'il avait choisi la bonne personne : Étienne Bourdon était donc bien un proche de l'abbé Boucel, lequel avait probablement dû lui verser quelques jolis pots-de-vin pour l'aider dans la tenue de sa censive. Si le comte laissait entendre que cette enquête était menée dans l'espoir de venger la mort de l'abbé, l'échevin y mettrait sûrement plus de zèle que quiconque. Il était, en somme, l'homme de la situation.

— Cela se pourrait bien, mon ami. Cela se pourrait bien.

— Alors je ferai mon possible pour trouver votre réponse, Monsieur le Prince.

87

Andreas et Robin, après qu'ils se furent débarrassés, à l'aide d'une pierre, des entraves que l'apprenti portait aux chevilles, avaient traversé ensemble ce long souterrain dans la plus grande obscurité, tel Orphée s'échappant des Enfers. Ils sortirent de la crypte Saint-Aignan au beau milieu de la nuit.

À peine eurent-ils mis un pied sur le parvis de l'église qu'une silhouette jaillit de l'ombre, qui les fit sursauter. L'Apothicaire, aussitôt, se plaça devant son apprenti dans un geste protecteur, mais très vite il fut rassuré en reconnaissant le visage de la femme du templier.

— Que faites-vous là ? demanda Andreas d'une voix basse mais pressante.

— Colin m'a demandé de vous attendre toute la nuit s'il le fallait. Vous ne pourrez sortir d'Orléans sans mon aide.

Elle fouilla dans un baluchon qu'elle avait à l'épaule et en tira une couverture qu'elle tendit à Robin.

— Tenez, jeune homme.

Le rouquin, les bras tremblants, s'enveloppa à l'intérieur.

— Il y a des gardes à toutes les portes, et il vous serait aussi difficile de sortir de la ville qu'il vous a été aisé d'y entrer. Nous allons passer par un souterrain.

— Encore un !

— La ville en compte bien plus que les gardes ne pourraient en surveiller. Suivez-moi.

Et ainsi, maître et apprenti lui emboîtèrent le pas. La petite femme les fit entrer dans un chai, qui menait à une cave, qui donnait sur une porte, qui s'ouvrait sur un escalier, qui descendait vers un tunnel, et ce tunnel les fit sortir de la ville sans encombre.

— Vous pouvez venir chez nous pour soigner votre ami, proposa l'épouse de Colin.

— Non, madame. Nous vous remercions de cette aimable proposition, mais nous devons fuir, au plus vite, profiter de la nuit pour nous éloigner d'Orléans. Il nous faudrait seulement, si cela est possible, recouvrer le cheval que j'ai laissé chez vous.

— Je vais aller le chercher, monsieur. Occupez-vous de votre compagnon pendant ce temps-là.

L'Apothicaire lui adressa un regard plein de gratitude.

— Remerciez Colin pour moi. Il nous a sauvé la vie.

— Et vous avez sauvé la sienne.

La petite femme s'éloigna, et Andreas apporta à Robin tous les soins qu'il pouvait, avec le peu d'ingrédients dont il disposait ici, mais avec tout son docte et dévoué savoir-faire.

L'épouse du templier revint bientôt avec le cheval, et sur celui-ci elle avait attaché un sac empli de vivres, de vêtements et de couvertures.

— Que Dieu vous garde ! lança-t-elle, et ils disparurent au galop dans le ventre ténébreux de la nuit.

88

— Aalis ! *Zo !* Cache-toi dans le grenier !

La jeune fille, réveillée en sursaut par les cris de Marie, mit un peu de temps à réagir, si bien que la bergère l'attrapa par les épaules et l'obligea à se lever de sa couche.

— *Zo !* Il y a quatre hommes qui te cherchent dans le hameau ! Monte te cacher !

— Le prévôt ? balbutia Aalis, mais ce n'était pas vraiment une question.

Dehors, des voix masculines s'élevèrent, parmi lesquelles la jeune fille reconnut celle de Luc. Elle se précipita vers la petite échelle au fond de la pièce, grimpa les barreaux un à un et se faufila dans le grenier, où régnaient paisiblement poussière et toiles d'araignées.

L'instant d'après, elle entendit un grand chahut, puis la porte de la maison s'ouvrit brutalement. Aalis rampa sur le sol et trouva une ouverture entre deux lattes du plancher par laquelle elle put observer la scène qui se déroulait en bas.

Deux gardes avaient immobilisé Luc et le tenaient fermement sur le pas de la porte, et le prévôt Ardignac – car c'était bien lui – venait d'entrer dans la maison des bergers où, menaçant, il faisait face à Marie et sa mère.

— Si vous ne voulez pas me laisser entrer, c'est que vous avez quelque chose à cacher ! grogna le prévôt en fouillant la pièce du regard.

— *È ! Diablàs !* s'exclama la vieille femme en s'approchant de l'intrus. Qui c'est, *aquel*, qui rentre dans ma *casa* comme un *trabuc* ?

— C'est le prévôt de Béziers ! répliqua l'homme d'un air agressif. Où est-elle, la gamine ?

— *È ! Quala* gamine ?

Soudain, le regard de M. Ardignac s'immobilisa, et Aalis, en suivant sa direction, vit que l'homme avait repéré sa couche, et à côté d'elle son petit sac.

— Elle est ici ! cria le prévôt dans un élan de fureur, et il poussa violemment la vieille femme, qui s'écroula sur le sol.

Marie, les yeux rouges de colère, se précipita auprès de sa mère pendant que, dehors, Luc se débattait en vain avec ses deux tortionnaires.

Aalis sentit s'affoler les battements de son cœur. Elle jeta un coup d'œil alentour. De l'autre côté du grenier, elle aperçut une ouverture dans le toit.

— Là-haut ! s'écria Ardignac.

Puis, presque aussitôt :

— Cette peste a dû se réfugier dans le grenier. Venez avec moi !

La jeune fille n'attendit pas un instant de plus. Sans se soucier du bruit qu'elle risquait de faire, elle traversa les combles en courant et se hissa dans la brèche jusque sur le toit. Les bras tendus à l'horizontale pour ne pas perdre l'équilibre, elle descendit le long du faîtage, en direction du nord-ouest. Le mistral lui fouettait le visage et ses pieds glissaient sur les tuiles, si bien qu'elle manqua tomber plusieurs fois. Quand elle arriva au bout de la maison, elle sauta sur la suivante, puis sur la suivante encore, jusqu'à ce qu'elle fût de l'autre côté du village, au-dessus de la route de Sanch Inhan. Là, elle se laissa tomber sur une botte de foin, se releva et courut aussi vite qu'elle put en direction de la garrigue. Mais avant que d'avoir traversé la route, du coin de l'œil, elle aperçut la petite bâtisse en pierre sèche où se nichait l'atelier de Luc.

Elle hésita un instant, puis obliqua dans cette direction, ouvrit la porte, prit le psantêr et la trousse à outils que le berger lui avait offerte, les glissa dans un sac de toile qu'elle jeta sur son épaule, et enfin elle se précipita au-dehors.

Au loin, entre les maisons derrière elle, elle entendit résonner les cris des gardes et du prévôt qui approchaient rapidement. Elle se retourna une dernière fois vers Cazo, et l'évidence de ce qu'il lui restait à faire fit monter à ses paupières de lourdes larmes.

Alors, la jeune Aalis s'en alla vers les collines à l'ouest du hameau, car c'était bien vers l'ouest que se trouvait Bayonne, où elle était décidée à se rendre à présent.

89

Quand, au petit matin, Guillaume Humbert trouva que la pièce où il avait enfermé Robin Meissonnier était vide, et que la serrure n'avait pas été forcée, il fut saisi d'une telle stupeur qu'il dut se tenir à la porte pour ne pas s'effondrer.

Bien que l'homme eût passé la plus grande partie de sa vie à confondre sorcières et hérétiques, et l'on sait de quelle manière, en réalité – et nous convenons que c'est un comble à la glaçante ironie – il ne croyait point lui-même en la sorcellerie. Pourtant, la disparition subite de Robin dans une pièce qui n'avait nulle fenêtre et dont la seule porte était solidement verrouillée ne trouvait point à ses yeux quelque explication rationnelle, et alors il se mit à trembler et à perdre beaucoup de cette superbe dont, d'ordinaire, il ne se départait jamais.

Quand les geôliers, alertés par ses cris de rage, arrivèrent à leur tour dans la pièce, il leur adressa des regards brûlant d'une fureur accusatrice et leur ordonna de rassembler leurs affaires *ex abrupto*. Et alors il jura devant Dieu que, tant que ce diabolique Apothicaire ne serait point écartelé vivant sous ses yeux, il n'aurait ni repos ni cesse qu'il ne fût retrouvé, car à présent, le Grand Inquisiteur de France, humilié, en faisait une affaire personnelle.

90

La similitude que nous faisions remarquer plus tôt entre le sort d'Aalis et celui d'Andreas et Robin se prolongea encore d'une troublante manière pendant les six jours qui suivirent, car l'une et l'autre partie, suivies de près par leur prédateur respectif, s'efforcèrent de parcourir chaque jour autant de lieues que le leur permettaient qui ses jambes et qui leur monture.

Ainsi, lors de ces six longues journées, nous voyons Aalis passer aux abords des villes de Mazamet, Puylaurens, Lombez et Lielan, sans jamais y entrer de peur d'être retrouvée par le prévôt, dont elle sait qu'il la suit de près. La jeune fille, revigorée par son séjour auprès des bergers, fait preuve d'une belle ingéniosité pour se nourrir, ici de fruits, ici de plantes, là d'un petit animal, et si cette marche forcée l'épuise, elle ne se décourage point, tout animée qu'elle est à l'idée de tenir sa promesse. Comme le printemps se présente déjà, les nuits qu'elle passe sous la voûte étoilée sont moins dures que celles d'avant, et s'il lui arrive, le soir, de songer avec mélancolie à ses amis bergers, qui déjà lui manquent, son âme trouve quelque repos en sculptant, avec les outils de Luc, des bouts de bois qu'elle ramasse. Et quand, en chemin, la fatigue la frappe ou les vivres viennent à manquer, elle se nourrit des paysages qu'elle traverse, tout pleins de splendeurs, de cette terre gorgée de soleil et des ruisseaux qui lui font des veines bleues, et son regard se perd alors vers les sommets des Pyrénées, qui, comme elle, s'étendent vers l'ouest, de vallées en vallées, semblent marcher vers l'océan comme si rien ne pouvait les arrêter, et de fait, l'inébranlable détermination de notre jeune Occitane vaut bien celle de cette chaîne de fières montagnes.

Plus au nord, c'est à cheval que l'on voit Andreas et Robin descendre le beau pays de France, et puisque, se dirigeant vers Saintes pour y trouver Denis de Tourville, ils vont de Blois à Tours, de Tours à Châtellerault, et à Poitiers, et à Melle, suivant peu ou prou la route de Compostelle, ce sont des forêts, des champs et des vignes qu'ils traversent, obligeant leur pauvre cheval à maintenir un rythme effréné, poursuivis qu'ils sont, eux aussi, par un homme qui les veut morts.

Et c'est à quelques lieues de Melle, comme nous l'avons dit, que nous les retrouvons, au soir du 21 mars – qui est la porte du printemps – cherchant une clairière pour y passer la nuit, dans ces bois de légende où l'on raconte que jaillit de la Fontaine de Soif une eau belle et pure, figure de l'amour et nourriture de l'âme.

Quand ils trouvèrent un endroit qui leur convenait, comme chaque soir, ils s'affairèrent chacun de leur côté, se partageant les tâches avec l'habitude de deux vieux compagnons de route. L'apprenti, qui avait déjà bien guéri de ses atroces tortures, partit avec sa fronde chercher quelque animal pendant que son maître allumait un feu, lequel ne devait pas être trop grand pour ne point les faire repérer, mais tout de même assez pour y faire cuire leur repas.

La nuit était tombée depuis longtemps quand, assis sur un tronc mort, ils soupèrent ensemble d'un lièvre bien gras ; Robin en avait chassé deux, ils en auraient encore pour le lendemain.

— Connais-tu l'histoire de Mélusine, Robin ?

— Non, maître.

Andreas secoua la tête.

— Mais que connais-tu, bon sang ?

— Eh bien, maître, je suis votre apprenti. Partant, je connais tout ce que vous voulez bien m'apprendre.

— À l'évidence, cela ne suffit pas. Crois-tu vraiment qu'un homme complet ne puisse être que science et pharmacie ?

Robin soupira.

— Je vous en prie, maître, contez-moi l'histoire de Mélusine.

— Sans doute, je vais te la conter ! Car vois-tu, jeune ignorant, les légendes peuvent parfois nous instruire tout autant que la science, or justement, nous nous trouvons ce soir dans la forêt même où se passe l'histoire de ladite Mélusine.

— Si vous ne commencez pas tout de suite, j'ai bien peur de m'endormir avant la fin, maître.

— Tais-toi donc !

Andreas, se redressant sur le tronc, prit l'allure noble du grand conteur tandis que son apprenti s'allongeait en croisant les bras derrière la tête, prêt à écouter. Les craquements du feu et sa lumière dorée donnaient à la scène une solennité qui se prêtait idéalement au discours.

— Cette légende remonte au temps où régnait sur Poitiers un comte qui allait du nom d'Aimery, et dont nous pourrions parler longuement…

— Cela ne sera pas nécessaire, maître, le coupa Robin, sarcastique, qui se préparait déjà à un récit fort long.

— Soit. Quand le temps de la chasse au sanglier fut venu, le comte se partit de la ville, et avec lui grande foison de barons et de chevaliers, au nombre desquels était son neveu Raymondin, monté sur un grand coursier, l'épée ceinte et le pieu sur le col. Bientôt, dans la forêt même où nous nous trouvons ce soir, donc, tous ensemble ils discernèrent un animal, qui était fier et orgueilleux, et qui dévora plusieurs lévriers avant que de prendre son cours parmi ladite forêt, car il était fort échauffé. On commença à le suivre, mais le sanglier se mouvait en tel état qu'il n'y avait si hardi chien qui pût l'atteindre, ni si hardi veneur qui sût le coincer.

En entendant le sérieux avec lequel Andreas prenait son rôle de conteur, y mettant la forme et le ton, Robin ne put s'empêcher de sourire, mais il le fit en cachette pour ne point heurter son maître qui, assurément, y prenait grand plaisir.

— Adoncques vinrent chevaliers et écuyers, mais il n'y avait non plus parmi eux si hardi qui sût le compromettre. Adoncques vint le comte, qui cria à haute voix : « Et comment, ce fils de truie nous ébahira-t-il, tant que nous sommes ? » Lors, quand Raymondin ouït ainsi parler son oncle, il eut grande vergogne et descendit de dessus le coursier à terre, l'épée au poing, et s'en alla vitement vers le sanglier pour le ferrer d'un coup, par grande haine. Mais le porc se tira sous lui et le fit choir à genoux avant que de s'enfuir de nouveau. Résigné, le comte s'écria : « Beau neveu, laisse cette chasse ! » Mais Raymondin, qui était échauffé à son tour, se mit à suivre la bête âprement, et alors le comte le rejoignit, et tant chassèrent ensemble qu'il fut obscure nuit, plus obscure encore que celle-ci.

— Et comment une nuit peut-elle être plus obscure que celle-ci ? demanda Robin, moqueur.

— Mais tais-toi donc ! Elle peut l'être pour l'intérêt de l'histoire, et puis c'est tout. Ainsi donc, étaient le comte Aimery et son neveu Raymondin, épée au poing, quand ils virent à nouveau ce sanglier, merveilleux et horrible, moult agité, venir tout droit à eux. « Monseigneur, montez sur quelque arbre, que ce sanglier ne vous fasse mal, et m'en laissez convenir ! », s'exclama Raymondin. « Par ma foi, dit le comte, ne plaise à Notre-Seigneur que je te laisse à telle aventure ! », répliqua l'autre, et quand le neveu entendit cela, il s'en alla se mettre au-devant de la bête, par bonne volonté de la tuer, mais celle-ci se détourna de lui et alla vers le comte. Aimery, qui connaissait la chasse, s'apprêta à enferrer l'animal de la pointe d'un épieu qui tant fut aiguë, mais le sanglier esquiva et vira le comte à terre, à genoux. Aussitôt vint Raymondin, courant par-derrière, qui frappa le sanglier du tranchant de sa lame, laquelle s'échappa par-dessus le dos du porc et atteignit le comte – qui était à genoux, tu t'en souviens – et le perça de part en part.

— Eh bien ! Il n'est pas doué, votre Raymondin ! ironisa l'apprenti.

— C'est que le cuir de l'animal était fort raide, imbécile ! Ce fait, Raymondin frappa le porc à nouveau, tellement qu'il le mit mort à terre, et puis il vint au comte pour le prendre dans ses bras. Mais cela fut pour néant, car le comte était déjà mort.

— Mon Dieu !

— Quand Raymondin aperçut la plaie et le sang en saillir, il fut moult merveilleusement courroucé, et commença à crier en pleurant et gémissant fort, en faisant les plus grandes lamentations : « Ah ! Fausse fortune ! Comment es-tu perverse que tu m'as fait occire celui qui parfaitement m'aimait et qui tant de bien m'avait fait ? Eh ! Dieu, père tout-puissant » – car oui, comme tous les imbéciles de ton acabit, Raymondin pensait que Dieu était pour quelque chose dans les malheurs des hommes – « où sera le pays où ce pécheur se pourra tenir, car tous ceux qui entendront parler de cette méprise me jugeront et alors je mourrai de honteuse mort ? Ah ! Terre ! Ouvre-toi et m'engloutis, et me mets avec le plus obscur ange des enfers ! »

— Il aurait vraiment dit tout cela ? demanda Robin non sans une certaine moquerie.

— C'est ce que dit la légende. Mais cesse de m'interrompre, pauvre sot. Nonobstant, le jeune Raymondin, tout à sa douleur, décida de se détourner de ce pays, mit le pied à l'étrier, monta sur son cheval et se partit au travers de la forêt, bien déconforté, chevauchant fort, et non sachant vers où. Menant tel deuil que c'était piteuse chose à voir, et même à raconter, laissant sa monture aller à son bon plaisir, il chevaucha tant parmi la haute forêt qu'il s'approcha, environ la minuit, d'une fontaine nommée la Fontaine de Soif.

— Ah ! La fameuse !

— D'aucuns la nomment aussi la Fontaine de Fée, pour ce que plusieurs merveilles y furent plusieurs fois advenues au temps passé.

— Et où est-elle, cette fontaine ? Près d'ici ? Elle existe vraiment ?

— Nous n'en savons rien, Robin, nous n'en savons rien. Mais puisque l'histoire dit qu'elle est, alors elle est. Comme le dit Socrate dans le *Phèdre* de Platon au sujet du mythe de Borée, nous n'avons guère le temps de chercher la véracité des légendes, et pour en saisir le sens, contentons-nous de croire à ce que croit le vulgaire. Mais pour lors, revenons-en à notre récit. Sur la fontaine étaient trois dames qui là s'ébattaient, entre lesquelles en avait une qui avait plus grande autorité que les autres, car elle était leur dame, et c'est de cette dame que je veux te parler.

— Très bien, maître, mais... je m'endors. Alors de grâce, abrégez ! Êtes-vous vraiment obligé de faire toutes ces belles phrases ?

Andreas, vexé, poussa un long soupir.

— Robin, tu ne connais rien à la beauté des choses ! Aristote – toujours lui – dit dans sa *Poétique* que ce qui est beau doit non seulement avoir des éléments placés dans un certain ordre, mais aussi posséder une étendue qui ne soit pas le fruit du hasard. Et justement, l'étendue de mon récit n'était point le fruit du hasard. Mais soit ! Puisque tu ne savoures guère les détails et la langue, voici, en quelques mots, la fin de cette histoire ; mais je dois dire que c'est un grand gâchis que de la dire trop vite.

— Le gâchis serait plus grand encore si, m'endormant, je n'entendais pas la fin, maître.

— Admettons. Ainsi, la plus belle des trois dames, qui était Mélusine – tu l'auras compris – saisit la bride du cheval de Raymondin et l'arrête. Celui-là, elle l'étonne grandement en révélant qu'elle sait son nom ainsi que le crime dont, involontairement, il s'est rendu coupable. Il prend peur, mais elle lui promet alors de faire de lui le plus grand seigneur qui soit s'il l'épouse, à condition qu'il ne cherche jamais à la voir le samedi.

— Pardon ? le coupa le jeune rouquin. Et pourquoi donc le samedi ?

— Tu es insupportable, Robin ! Écoute donc, et tu sauras ! Ainsi, Raymondin épouse cette fort mystérieuse dame et, grâce à elle, de fait, il devient seigneur de Lusignan, qui est une ville toute proche d'ici. Notons, au passage, que le nom de Mélusine, figure maternelle, est très probablement issu de ce toponyme, car elle est, d'une certaine façon, la Mère de Lusignan. Bref... Les amoureux vivent heureux, et ont beaucoup d'enfants – dix, si ma mémoire est bonne – lesquels font de Lusignan un comté fort peuplé. Longtemps, Raymondin tient sa promesse de ne pas chercher à voir son épouse le samedi, jusqu'à ce jour où son frère, qui est le comte de Forez, vient lui rendre visite. Raymondin organise alors une belle réception, mais comme on est samedi, ledit frère s'enquiert de savoir où se trouve Mélusine, et colporte la rumeur selon laquelle celle-ci se cacherait pour pratiquer quelque sorcellerie. Raymondin, que la rumeur inquiète, ceint son épée et court vers cette pièce du château où Mélusine se cache tous les samedis. Là, comme il trouve porte close, il dégaine son épée, qui est fort belle et bien acérée, et creuse dedans la porte jusqu'à y faire un trou.

— Quel imbécile ! Il va tout gâcher !

Andreas leva les yeux au ciel.

— Qu'y a-t-il derrière la porte ? le relança Robin.

— Tu vois bien que, toi aussi, tu aimerais savoir !

— Qu'y a-t-il, donc ?

Andreas fit un sourire narquois.

— Derrière la porte, il y a Mélusine, qui se baigne dans un grand bassin de marbre et se peigne les cheveux. Et alors Raymondin, qui regarde toujours à travers le trou, découvre, stupéfait, que le bas du corps de son épouse est une queue de serpent, terriblement longue !

— Mon Dieu, quelle horreur !

— Pris de remords, furieux d'avoir trahi sa parole sur les mauvais conseils de son frère, Raymondin bouche le trou qu'il a fait dans la porte à l'aide d'un morceau de cire, puis il chasse son frère de chez lui. Mais c'est trop tard, Mélusine, dont la nature est dévoilée, doit quitter le château, accablée par la trahison de son époux. Après de fort émouvants adieux, elle s'envole par la fenêtre en poussant des cris déchirants et disparaît à jamais.

— Comme c'est triste !

— La légende raconte qu'elle erre encore dans cette forêt, mais que la nuit elle vient en cachette à Lusignan pour caresser la tête de ses descendants, et qu'elle se présente à eux trois jours avant leur trépas.

Le récit de l'Apothicaire fut suivi d'un long silence que seul le vent venait rompre en secouant gentiment la cime des arbres.

— C'est tout ? dit finalement Robin, quelque peu déçu.

— Eh bien oui, puisque tu voulais que je résume !

— Ah. Mais que faut-il retenir de cette légende, alors, puisque vous disiez que les histoires ont beaucoup à nous apprendre ?

— Eh bien, cela te regarde, mon garçon ! Chacun en retire la leçon qui lui sied.

— Je ne vois pas.

Andreas fit une moue accablée.

— Eh bien… Tu peux y voir une allégorie de la connaissance, puisque le serpent en est le symbole. Et d'ailleurs, pour ce qui nous concerne, il est difficile de ne pas penser à l'abraxas des templiers, n'est-ce pas, lui qui, comme Mélusine, avait des jambes en forme de serpents ?

— Mais alors cela signifie que la connaissance est dangereuse ? Je ne comprends pas. Cela ne ressemble guère à votre philosophie !

— Justement. C'est sans doute pour cela que cette légende m'est restée en mémoire, mon garçon, moi qui, tel un Raymondin regardant par le trou de la porte, cherche à percer les mystères du monde physique au travers de mon *oculus corpuscula*.

— Et donc vous n'avez pas retenu la leçon ?

— J'en retiens que la soif de connaissance a un prix.

— Lequel ?

— Eh bien, pour Raymondin, celui de l'amour, enfin !

— Et pour vous ?

Andreas soupira.

— Allons, Robin, je ne t'ai point raconté cette histoire pour que tu en tires quelque renseignement à mon sujet, mais bien pour que tu y réfléchisses, toi.

— Je ne suis pas doué pour ces choses-là.

— On peut pourtant tirer bien des morales de cette histoire, mon garçon. Par exemple, elle nous dit combien il est important de respecter l'intimité de la personne qu'on aime.

— C'est-à-dire ?

— Il est du plus profond droit de chaque être que de garder un jardin secret, même à son amant. À vrai dire, je pense qu'il n'y a même rien de plus triste qu'une âme sans secret. Tant que Raymondin n'avait pas percé le mystère de Mélusine, leur amour était le plus pur qui fût, et ce à quoi elle se livrait le samedi – tant que cela restait caché – ne mettait pas leur idylle en péril.

— Mais le secret de Mélusine était terrible, maître ! Elle cachait à son époux sa nature monstrueuse !

— Il y a un monstre en chacun de nous, mon garçon. La trahison n'est pas celle de Mélusine, qui cachait sciemment sa nature véritable, mais bien celle de Raymondin, qui ne lui accorda guère le droit de dissimuler ce qui devait l'être pour sauver leur amour.

— C'est une morale douteuse, maître. Je crois, moi, qu'on ne doit rien cacher à la personne qu'on aime !

— Et je crois, moi, que nul n'appartient à personne, et que l'amour ne saurait être une prison.

— Maître ! s'exclama soudain Robin en se redressant. Vous avez entendu ?

Andreas fronça les sourcils.

— Quoi donc ?

Le jeune homme s'appuya sur le tronc pour s'approcher de l'Apothicaire.

— Là... Derrière les arbres. J'ai entendu un bruit !

Andreas ricana.

— Allons donc ! Tu penses que c'est un sanglier ? Ou mieux : Mélusine en personne !

— Ne vous moquez pas ! Regardez ! Là ! Il y a... il y a quelque chose qui bouge !

91

Cela faisait plusieurs soirs de suite qu'Aalis n'avait plus vu ses poursuivants quand elle arriva devant la ville de Pau, écrin de beauté entre mer et montagnes, place forte dominée par son château et contrôlant le gué du Gave, et comme elle avait grand-faim et qu'elle était à présent bien loin de Béziers, elle décida de prendre le risque de passer les murs pour entrer à l'intérieur du bourg.

Elle n'avait pas mis les pieds dans une ville depuis longtemps, et même si Pau n'était pas aussi grande que Béziers, elle dut admettre, pour elle-même, qu'elle éprouvait quelque plaisir à fouler ses rues encore animées en cette fin de journée. Les commerçants fermaient boutique, rangeaient les ouvroirs, et les gens rentraient chez eux, mais Aalis continua sa promenade à travers la ville, comme pour se gorger de civilisation.

Quand elle arriva devant l'échoppe d'un boulanger, elle s'immobilisa, les yeux écarquillés par la gourmandise. Il y avait là de belles galettes dorées au beurre, et elle eût donné n'importe quoi pour croquer dedans à pleine bouche.

— Combien elles coûtent, vos galettes ? demanda la jeune fille au boulanger alors qu'il commençait à les ranger.

— Un denier la pièce. Et si tu en veux une, dépêche-toi, car je vais fermer.

La poitrine d'Aalis se souleva.

— C'est que… je n'ai pas d'argent, dit-elle timidement.

— Pourquoi me demandes-tu le prix, alors, si tu n'as pas d'argent ?

— Je me suis dit que, peut-être, vous voudriez bien en échanger une ou deux…

— Et contre quoi ?

— Contre une petite sculpture, répondit Aalis en fouillant dans son sac.

Elle montra à l'artisan l'une de ses œuvres, qu'elle avait réalisée en chemin, et qui représentait une bergère avec un bébé dans les bras.

— C'est toi qui as fait ça ? demanda le boulanger, étonné sans doute par la beauté de l'ouvrage.

— Oui.

— C'est… c'est très beau, mais que veux-tu que j'en fasse ?

— Eh bien, je ne sais pas… Pour décorer votre maison !

— Et tu crois que cela va me faire vivre, de décorer ma maison ?

Le visage d'Aalis se rembrunit. Elle s'apprêtait à repartir quand une main se posa sur son épaule. La jeune fille sursauta et, se retournant, découvrit un homme, de vingt à vingt-cinq ans, qui avait fière allure et des habits de seigneur.

— Elle est très belle, ta sculpture, dit-il.

— Merci.

— Et tu dis que c'est toi qui l'as faite ?

Aalis acquiesça.

— Tu es très douée. Je t'en donne, moi, cinq deniers.

La jeune fille fronça les sourcils.

— Qui êtes-vous ?

L'homme lui adressa un sourire, alors que le boulanger, derrière eux, se raclait la gorge, visiblement embarrassé par la scène qui se jouait à son huis.

— Pourquoi me demandes-tu cela ? Tu étais sur le point d'échanger cette sculpture contre une galette avec un homme que tu ne connais pas non plus, non ?

— Oui, mais lui, je sais qu'il est boulanger. Alors que vous, je ne sais pas.

— Cela a-t-il vraiment quelque importance ?

— Je ne vends pas mes sculptures à n'importe qui ! répliqua Aalis.

Cette fois-ci, l'homme éclata véritablement de rire.

— Eh bien ! On peut dire que tu as du tempérament, ma petite ! Je suis Gaston Ier de Foix, vicomte de Béarn. Et toi, qui es-tu ?

Prise à son propre piège, la jeune fille inventa rapidement un mensonge.

— Je m'appelle Janine, dit-elle, car le prénom de la mère de Marie fut le premier qui lui vint à l'esprit.

— À en juger à ton accent, tu n'es pas d'ici.

Aalis sentit le rouge monter à ses joues.

— Non. Je suis en voyage. Pour aller voir mes cousins. À Bayonne.

— Eh bien, maintenant que nous nous connaissons, acceptes-tu de me la vendre, cette sculpture ?

La jeune fille regarda la statuette, hésita, puis la tendit au vicomte, qui chercha cinq deniers dans une bourse.

— Merci, mademoiselle.

— C'est moi qui vous remercie.

Le vicomte glissa la sculpture sous son bras.

— Mais dis-moi, où donc vas-tu loger ce soir ?

Aalis haussa les épaules.

— Je... je ne sais pas. Dans une auberge.

— Toute seule ? À ton âge ? Et avec cinq deniers tu crois vraiment que tu pourras te loger et te nourrir ? insista-t-il d'un air moqueur.

La jeune fille ne répondit pas. Elle était à la fois gênée par le mensonge dans lequel elle s'enlisait et troublée par cet homme élégant et assuré. Il était grand, les cheveux foncés, ras, mais ce qui donnait à son fin visage une troublante singularité, c'était ses yeux, d'un bleu plus bleu que celui du ciel même.

— Tiens. Je te propose quelque chose : en échange d'une autre de tes sculptures, tu peux venir dormir au château, si tu le souhaites. Tu seras bien reçue par mes serviteurs, et bien nourrie.

Aalis s'en trouva comme pétrifiée. Au château ? C'était beaucoup trop beau pour être vrai ! Elle commença à se demander si ce n'était pas un piège. Et si ce vicomte l'avait reconnue ? Et s'il la livrait au prévôt de Béziers ? Mais dans ce cas, pourquoi ne l'aurait-il pas fait arrêter sur-le-champ ? Peut-être, tout simplement, se moquait-il d'elle. Les nobles, disait-on, avaient cette fâcheuse habitude de se rire des manants.

— Je n'ai pas ma place dans un château, finit-elle par dire d'une voix qui trahissait sa grande gêne.

— Tu y as ta place puisque je t'y invite.

Aalis resta muette, incapable de juger la vraisemblance de cette proposition.

— Soit. Je n'insiste pas. Si tu changes d'avis, présente-toi tout à l'heure au château avec une autre statuette, et je promets que tu seras dignement reçue.

Le vicomte lui adressa un petit geste amusé de la tête, fit volte-face et retourna vers ses gens, qui l'attendaient plus bas dans la rue.

Aalis resta un instant bouche bée au milieu de la chaussée, jusqu'à ce que le boulanger la tire de sa perplexité.

— Alors, tu en veux une, de galette ?

La jeune fille, encore tout à sa stupeur, mit quelque temps à répondre.

— Euh... oui, dit-elle en lui tendant l'un des deniers qu'elle venait de gagner. Mais, dites-moi, cet homme... C'était vraiment...

— Le vicomte de Béarn, oui, et à ta place, je ne refuserais pas son invitation. Ce n'est pas le genre de miracle qui arrive tous les jours. Je donnerais cher, moi, pour aller passer une nuit au château !

— C'est bien ce qui me fait peur, répliqua Aalis. Quel prix vais-je devoir payer, moi ?

Le boulanger poussa un petit rire sournois.

— Eh bien, il te l'a dit : une autre statuette, non ?

Et sur ces mots il ferma boutique en souriant, abandonnant la jeune fille à son indécision.

Aalis finit par se remettre en route ; se délectant néanmoins de sa galette, elle passa le reste de la soirée à se promener dans les rues de Pau dans une drôle de perplexité. Où que ses pas la menassent, elle ne pouvait s'empêcher de jeter des coups d'œil au château d'un blanc immaculé qui, perché sur une colline au centre même de la ville, dominait celle-ci de ses trois fières tours quadrangulaires, si bien qu'il ne se dérobait jamais à la vue. Son esprit vagabondait, faisait des allers et retours entre deux conjectures, tantôt « c'est un piège », tantôt « oui, mais c'est un joli garçon », car après tout, Aalis avait bien le droit d'être une jeune fille comme les autres.

Quand la nuit fut tombée, après moult hésitations, cédant à l'appel de la Providence, ou au goût du risque, peut-être, elle se dirigea tout droit vers la place forte, monta le long de la colline et se présenta à l'entrée de la tour dite du Moulin. Timidement, elle montra l'une de ses petites sculptures en bois aux gardes qui se tenaient devant la porte.

— Je suis venue apporter ça à monsieur le vicomte, balbutia-t-elle maladroitement.

Les deux soldats échangèrent des regards interdits.

— Pardon ?

— Je... Le vicomte m'a demandé de lui apporter ceci.

— Mais qui êtes-vous ?

— Je... je me prénomme Janine.

Le garde qui avait posé la question poussa un soupir, puis il lui fit signe d'attendre et partit à l'intérieur du château.

Debout, les bras croisés devant la gigantesque bâtisse, Aalis se sentit soudain complètement ridicule et se mit à regretter d'être venue, mais il était trop tard pour faire demi-tour, ou du moins était-ce ce dont elle essayait de se convaincre afin d'avoir quelque raison de rester. Car pour parfaire équitablement le dessin de ses sentiments, il convient d'ajouter qu'elle était toujours fort aiguisée par une sorte de coupable curiosité.

— Suivez-moi, dit le garde en revenant, et il la conduisit dans la cour intérieure du château.

Éblouie par la beauté des façades sculptées et par l'élégante rigueur de ces hauts murs blancs, la jeune fille se laissa guider jusqu'à l'aile nord où une petite femme rondelette l'accueillit sans grande amabilité.

— Votre chambre est à l'étage.

Aalis lui emboîta le pas sans mot dire. Elles montèrent un magnifique escalier en bois ouvragé puis, en haut des marches, on lui ouvrit une porte qui donnait sur une petite pièce aux murs tapissés et au fond de laquelle se trouvait un lit. Un véritable lit à baldaquin, avec ses courtines, ses draps et coussins. Aalis sourit. Si, chez ses parents, elle avait eu maintes fois l'occasion de participer à la fabrication de luxueux draps, jamais elle n'aurait imaginé dormir un jour dedans.

— Je vous apporterai votre repas ici tout à l'heure. Vous aurez la discrétion de bien vouloir rester dans votre chambre, mademoiselle. Il y a un bassin près du lit où vous pourrez vous laver.

— Merci. Et... M. le vicomte ? Je ne vais pas le voir ?

— Non, répondit sèchement la petite femme.

— Mais... j'ai cette sculpture à lui donner.

— Je la lui donnerai pour vous, répliqua-t-elle en prenant la statuette en bois.

À l'évidence, cette femme, qui devait être l'intendante, n'était guère enchantée de devoir loger une jeune paysanne en guenilles en pareil endroit. Sans doute exprimait-elle la jalousie provoquée par cette drôle d'injustice. Elle referma la porte assez brutalement, et alors Aalis ne put s'empêcher de rire. La situation, il fallait bien le reconnaître, ne manquait pas de cocasserie.

Lentement, elle se promena dans sa petite chambre, admirant les tentures murales aux motifs raffinés, les soieries, les bibelots, verreries, porcelaines, elle s'attarda sur les boiseries, bien sûr, étudiant leur sculpture comme pour en tirer quelque enseignement, puis elle se laissa tomber de tout son long sur l'immense lit, et elle rit de nouveau, car de toute sa vie, elle ne s'était jamais couchée ailleurs que sur un sac de toile empli de paille.

92

C'est dans le bleu noir de la nuit qu'étaient apparus soudain, au milieu des formes obscures que dessinaient les arbres, deux grands yeux jaunes, comme deux quartiers de lune dorés venus hanter la forêt, et il faut reconnaître que le tableau était inquiétant.

— Qu'est-ce... qu'est-ce que c'est ? balbutia Robin en cherchant à sa ceinture sa fronde de fortune.

Aussitôt, Andreas lui retint le bras.

— C'est un loup, chuchota-t-il.

— Eh bien... Eh bien, justement ! répliqua Robin, tout tremblant. Laissez-moi défourailler !

L'Apothicaire ne parvint à retenir un ricanement.

— Tu défourailleras plus tard, mon garçon. Quant à cette pauvre bête, laisse-la tranquille, elle ne t'a rien fait.

— Mais... mais... C'est un loup, maître !

— Et alors ? dit doucement Andreas en se levant sans faire de bruit.

— Mais... mais... Il va nous tuer ! Il va nous manger !

— Tais-toi donc, panouille ! Les loups n'attaquent les hommes que dans les contes pour enfants. À part les hommes blessés. Ou les rouquins.

Andreas essaya de s'approcher de la bête sans faire de bruit. Le loup – car c'en était bien un – apeuré, déguerpit aussitôt.

Andreas soupira.

— Maugrébleu ! Voilà, il est parti.

— Personnellement, je n'en suis pas fâché, maître. Et pour tout dire, je ne vais pas dormir tranquille...

— Robin, je te le répète, les loups n'attaquent pas les hommes. En général, c'est le contraire. Ces pauvres bêtes ont peur de nous, et nous avons eu bien de la chance d'en voir une qui ait daigné s'aventurer aussi près. Peut-être sommes-nous sur son territoire, et elle aura voulu voir qui est venu ainsi la déranger. Mais attends, laisse-moi réfléchir... Quel jour sommes-nous ?

— Nous sommes le 21 mars, maître. Le jour du printemps.

— Mais bien sûr !

— Quoi ?

— Les loups se reproduisent au milieu de l'hiver, expliqua Andreas avec une sorte d'excitation. Nous sommes en plein dans la période des naissances. Cela devait être une louve qui vient de mettre bas et qui est inquiète pour ses petits ! Oui ! Cela expliquerait qu'elle se soit tant approchée de nous. Robin, il doit y avoir une tanière pas loin d'ici ! Allons voir !

— Vous êtes fou, maître ? Qu'est-ce qui vous prend ? C'est à cause de votre patronyme que la bête vous fascine à ce point ?

— Ne sois pas ridicule. Il n'y a point de plus beau spectacle qu'une louve et ses petits. Suis-moi.

Andreas prit dans son sac celui des deux lièvres qu'ils n'avaient pas fait cuire, ramassa un bâton d'une jolie taille et s'engouffra dans la forêt, écartant les branchages avec le bout de bois. Robin resta un instant comme pétrifié devant le petit feu de camp, qui commençait à s'éteindre, puis il rejoignit son maître ; sans doute l'idée de rester seul au milieu de la clairière lui faisait-elle plus peur encore que de s'aventurer avec Andreas.

L'Apothicaire avançait avec prudence – oserions-nous dire à pas de loup – et de temps en temps il se baissait pour inspecter le sol à la lumière de sa torche.

— Il y a un ruisseau qui coule ici, murmura Andreas.

— Et alors ?

— Et alors c'est un indice supplémentaire. Pour mettre bas, les louves choisissent toujours une tanière qui soit proche d'un point d'eau.

Ils se remirent en route, et après avoir beaucoup tourné en rond dans la zone où le loup était apparu, l'Apothicaire interpella soudain son apprenti.

— Regarde ! dit-il en désignant une empreinte allongée dans la terre humide. Quatre coussinets, des griffes... Le coussinet du talon est triangulaire, et là, tu vois, l'empreinte des pattes postérieures est plus petite. C'est bien la trace d'un loup.

— Maître, je n'aime pas ça.

— Et là, tout droit, les herbes couchées, les branchages cassés... Elle est passée par là.

— « Elle » ? Vous êtes donc certain qu'il s'agit d'une femelle ?

— Ne sens-tu point cette odeur caractéristique, depuis tout à l'heure ? Ne t'ai-je pas dit que le nez est un attribut essentiel pour un apothicaire ?

— Si, mais je ne savais pas que pister un animal faisait partie des fonctions du pharmacien...

— C'est une odeur d'urine, Robin. Et elle est très forte et il y en a beaucoup. Les femelles, dans les derniers jours de leur grossesse, ont la vessie comprimée et sont contraintes d'uriner souvent. Elles en profitent pour marquer leur territoire.

— Comme c'est intéressant !

— Suis-moi et ne fais pas de bruit, sombre idiot.

Ils se mirent en route, tels deux chasseurs nocturnes, et bientôt Andreas arrêta son apprenti et lui fit signe de s'accroupir. Devant eux, à quelques pas, une sublime louve se tenait debout sur un rocher et grognait en regardant dans leur direction, son pelage éclairé par les rayons argentés de la lune.

— Vous voyez… Elle… elle grogne. Elle va nous attaquer !

— Pas du tout. Si elle avait voulu nous attaquer, elle l'aurait fait depuis longtemps. Les loups ont bien meilleure ouïe que les hommes ; elle savait que nous étions là bien avant que nous ne la voyions nous-mêmes. Si elle grogne, c'est seulement qu'elle protège ses petits et nous demande de ne pas approcher davantage.

— Vous parlez couramment le loup, maître ?

— Observons-la.

C'était une louve grise, à la large tête triangulaire et au cou épais, qui avait encore sa belle fourrure d'hiver. La queue recourbée vers le haut, elle fronçait le museau par intermittence et retroussait les babines, laissant alors apparaître ses crocs acérés.

— Elle est belle, n'est-ce pas ? chuchota Andreas, comme illuminé.

Robin dévisagea son maître, se demandant s'il n'avait pas perdu la raison.

— Elle est terrifiante, vous voulez dire !

— C'est nous qui sommes terrifiants, niquedouille !

Une ombre sous le rocher laissait deviner qu'ici se trouvait bien une tanière, et la louve, de plus en plus agitée, se mit à faire des allers et retours, à tourner autour de cet abri, tantôt gémissant, tantôt grondant. Sans doute était-elle inquiétée de se retrouver seule face à la menace que représentaient ces deux êtres verticaux pour elle et ses petits.

Les loups vivent en meute, mais – surtout lors de la période des naissances – il n'est pas rare que tous les membres du clan partent en chasse pendant de longues heures, parfois plusieurs jours même, abandonnant ainsi un moment la louve dominante et ses petits, avant que de revenir enfin pour régurgiter des morceaux de viande devant la tanière, afin de nourrir la mère, épuisée par l'allaitement. Pendant les trois premières semaines de leur vie, les louveteaux ne quittent jamais le nid moelleux que la louve a confectionné pour eux avec de la mousse, des herbes et, dit-on, ses propres poils.

— Maintenant taisons-nous. Laissons-lui le temps de s'habituer à notre présence.

Ainsi, maître et apprenti restèrent un long moment sans bouger, à observer ce magnifique et fier animal, et de fait l'agitation de la louve finit par décroître et ses grognements se distancer, jusqu'à ce qu'enfin elle se couche devant la tanière, non pas sur le flanc comme elle l'eût sans doute fait si elle avait été suffisamment rassurée, mais sur le ventre, ses deux pattes antérieures tendues vers l'avant. Sans jamais quitter des yeux les deux intrus – dont elle devinait indubitablement les formes à travers les branchages – elle posait par moments la tête sur le sol, entre ses grosses pattes, puis la relevait brusquement, toujours aux aguets.

Quand il estima que la louve était assez calme, Andreas fit, avec moult précautions, quelques pas en avant. Aussitôt, l'animal se releva et, de nouveau, retroussa les babines en grognant. Toutefois, l'Apothicaire ne prit pas peur, il avança encore un peu, attrapa le lièvre dans son sac et le déposa sur le sol devant lui avant de retourner auprès de Robin.

— Vous croyez vraiment que ça va marcher ? murmura Robin d'un air presque moqueur.

— Si, comme je le crois, ses congénères sont partis depuis longtemps à la chasse – ce qui expliquerait qu'elle soit seule en pleine nuit – je présume qu'elle a grand-faim. Mais dois-je te rappeler que je t'ai demandé de te taire ?

Il leur fallut attendre un long moment encore pour que la louve, poussée sans doute par la curiosité autant que par la faim, fît quelques timides pas vers le lièvre, avant de se raviser en gémissant, puis de s'y essayer de nouveau, luttant contre la crainte qui, à l'évidence, la retenait encore. Ce fut une longue parade d'hésitations, d'avancées timides, et le pauvre animal semblait humilié lui-même que de devoir céder ainsi à l'appel de la nourriture. Et puis soudain, la louve, qui était presque à plat ventre, attrapa la petite bête morte d'un brusque coup de gueule et la ramena vers la tanière. Se couchant de nouveau, elle coinça le lièvre entre ses pattes et commença à lui déchiqueter la peau frénétiquement. Par moments, la pitance échappait à sa mâchoire et volait dans les airs, rattrapée aussitôt par la louve bondissante, dont on ne savait plus vraiment d'ailleurs si elle voulait manger le lièvre ou simplement jouer avec.

Soudain, Andreas attrapa Robin par le bras.

— Regarde !

Tout ce raffut avait dû réveiller les louveteaux car, dans la pénombre, une petite silhouette pleine de poils était apparue à l'entrée de la tanière, qui avançait maladroitement, si maladroitement même qu'elle ne devait pas savoir marcher depuis longtemps. Le louveteau poussa de tout petits cris cocasses en s'approchant de sa mère, tout pataud, et bientôt ce fut une deuxième, puis une troisième silhouette qui sortirent de l'ombre. Ils étaient si petits que le bout de leurs pattes semblait disproportionné, et c'était un spectacle plein de poésie que de voir ces trois nouveau-nés trébucher autour de leur génitrice, tels trois ivrognes avinés au sortir d'une taverne. La louve, encore occupée à déchiqueter son lièvre, sembla d'abord ne pas prêter attention à ses trois petits, puis, devant leur insistance, se laissa tomber sur le flanc pour les faire téter.

Andreas tourna lentement la tête vers son apprenti et trouva dans ses yeux la lumière qu'il y avait attendue.

— Ne t'avais-je point dit ?

Robin acquiesça doucement, le sourire aux lèvres.

— Comment savez-vous tant de choses sur les loups, maître ?

— Il y en a beaucoup sur la péninsule Ibérique. J'ai eu l'occasion de les observer longuement quand… quand j'y ai séjourné.

Ils restèrent encore un long temps debout au milieu des arbres à regarder vivre cette louve et ses petits, enchantés l'un et l'autre par ce spectacle attendrissant qui venait rompre la monotonie de leur voyage, quand soudain l'animal se redressa et reprit cette posture agressive qu'il avait eue plus tôt.

Mais cette fois, ce n'était plus dans leur direction que, les poils hérissés, la louve regardait, mais vers le nord. Après plusieurs grognements, elle attrapa ses louveteaux un par un en leur mordant la nuque et les jeta dans la tanière, puis elle monta sur le haut du rocher où elle prit une position de défense menaçante.

— Que se passe-t-il ?

— Je dirais bien qu'un prédateur approche… Mais je ne connais pas, en cette région, de prédateur au loup. Et donc…

— Et donc ?

— Ce doit être des hommes. Quelqu'un vient ! Suis-moi !

Andreas éteignit sa torche, fit volte-face et, ensemble, ils retournèrent d'un pas preste vers leur campement… où ils découvrirent, stupéfaits, trois chevaux qu'on avait attachés à quelques pas du leur.

Harnaché sur le dos de ces splendides montures il y avait tout un équipement qu'Andreas et Robin, à leur grand regret, n'eurent aucune peine à reconnaître.

— Humbert ! maugréa l'Apothicaire.

93

Elle était encore si étonnée par cette drôle de situation qu'Aalis, bien qu'elle fût dans le plus confortable des lits, ne parvenait pas à s'endormir.

Il devait être fort tard quand, soudain, elle entendit qu'on frappait à sa porte. Et avant même qu'elle n'ait eu le temps de réfléchir à ce qu'elle devait faire, le vicomte de Béarn entra dans sa chambre. La jeune fille se redressa sur le lit, quelque peu décontenancée par cette irruption tardive.

— Bonsoir... Janine.

— Bonsoir, répondit-elle alors que le rouge montait à ses joues.

Gaston Ier de Foix s'approcha lentement, les bras croisés dans le dos. Il y avait dans sa démarche une imprécision et dans ses yeux une brillance qui trahissaient qu'il avait bu.

— Janine, répéta-t-il. Janine... Tu es bien sûre que c'est ton nom ?

Aalis ne répondit pas et serra les poings sous ses draps. Le vicomte avait-il découvert la vérité ?

— C'est amusant... Tu ressembles tellement à cette jeune fille dont on m'a parlé.

Cette fois, il n'y avait plus la moindre ambiguïté dans ses propos, et Aalis regretta aussitôt d'avoir été si stupide. Comment avait-elle pu croire un seul instant que cette invitation ne cachait pas un sombre traquenard ? Sans doute s'était-elle laissé abuser par les charmes indéniables de ce jeune vicomte, mais cela n'était pas une excuse à ses yeux. C'était peut-être pire.

— Une jeune fille qui a mis le feu à la ville de Béziers, continua son hôte en s'asseyant au bord du lit. Il y a un homme, pas loin d'ici, à quelques maisons d'ici, même, qui paierait très cher pour savoir où se trouve cette jeune fille.

Avec un horrible sourire aux lèvres, le vicomte posa délicatement une main sur les draps, à l'endroit même où se trouvait la jambe d'Aalis.

La jeune fille se décala aussitôt sur le côté.

— Que voulez-vous ? demanda-t-elle, mais elle savait déjà parfaitement ce qu'attendait l'homme.

— Ce que je veux ? répondit-il en s'approchant encore un peu. Mais ce qu'une jeune fille a à offrir, bien sûr. Tu me dois bien ça, n'est-ce pas ?

Cet homme qui, quelques heures plus tôt, lui avait semblé si plaisant, troublant même, lui paraissait maintenant comme une bête odieuse.

— Laissez-moi !

Avec une brusquerie inattendue, le vicomte attrapa Aalis par la gorge et, remontant vers elle de tout son poids, la fit s'étendre sur le lit, puis il l'enjamba et approcha lentement son visage du sien.

— Tu as beaucoup de chance d'être ici, tu sais, dit-il, alors que sa bouche, respirant l'odeur de l'alcool, effleurait sa peau. Et si tu ne veux pas que je te livre à ton petit prévôt, tu ferais bien de ne pas jouer les vierges effarouchées…

De nouveau, un sourire narquois apparut sur son visage.

— À moins… À moins que… Non ? Serais-tu encore pucelle ? Une petite paysanne comme toi ?

Il éclata de rire.

Aalis, coincée par le drap qui entourait tout son corps, la gorge serrée par les mains du vicomte, resta silencieuse, et tout ce qu'elle put faire fut de retenir les larmes qui montaient à ses paupières.

— C'est encore mieux, murmura-t-il. Une petite pucelle.

Tout en maintenant son cou d'une main, de l'autre, le vicomte dénuda lentement l'épaule de la jeune fille, la frôla de la paume, puis il descendit encore et caressa sa poitrine, pressa avidement ses petits seins alors que dans ses yeux s'allumait la lueur de la concupiscence.

— Laissez-moi ! cria de nouveau Aalis en se débattant, mais elle était trop faible et mal disposée pour renverser l'homme qui la paralysait.

Le vicomte plongea sa tête dans le cou de la jeune fille et se mit à l'embrasser, la lécher, et ce faisant il grognait comme un animal.

Aalis donna plusieurs coups de reins pour tenter de se débarrasser de lui, mais elle parvenait à peine à le faire bouger et, plutôt que de le repousser, la chose semblait l'exciter encore davantage. La main qu'il avait encore sur sa poitrine descendit vers son ventre, de plus en plus ferme, de plus en plus brutale, puis, à travers les draps, glissa entre ses jambes. Aussitôt, Aalis releva la tête et, telle une bête à son tour, elle lui mordit férocement la joue.

Le vicomte poussa un petit cri de douleur et se dégagea de la morsure. Du sang coulait à présent vers son menton. Il se redressa, leva la main au-dessus d'elle et lui administra une gifle, qui était presque un coup de poing. Puis avec une hargne et une vitesse bestiales il se recula, enleva le drap, retourna sur le ventre la jeune fille qui se débattait et lui croisa les deux bras dans le dos, tout en la maintenant fermement à l'aide de son coude.

Aalis, paralysée, éreintée, peinait à respirer, le visage enfoncé dans le lit, puis elle entendit dans son dos l'homme enlever ses derniers vêtements. Elle essaya de hurler plus fort, mais sa position l'en empêchait et elle ne parvint à pousser que quelques cris de désespoir étouffés. Et alors, dans un instant d'horreur, la jeune fille sentit le contact de la peau de son bourreau qui se pressait contre elle, cherchant à la pénétrer.

Dans un ultime effort, elle releva la tête en arrière et poussa un hurlement terrifié.

Au même moment, la porte de la chambre s'ouvrit brusquement, et tout devint confus. Du coin de l'œil, Aalis vit une silhouette s'approcher. Une femme. L'intendante. Un bâton dans les mains. Le regard rouge de rage. Le bâton s'éleva. S'abattit d'un coup. Il y eut un terrible bruit de craquement. Sec et sonore. Le corps du vicomte s'écroula sur le lit, par-dessus elle. Lourd. Inerte.

Pétrifiée, Aalis eut l'impression qu'elle allait s'évanouir. Le sang battait dans ses veines. Puis elle sentit qu'on l'attrapait par le poignet. Qu'on la tirait du lit. Elle essaya de se tenir debout. Tituba. La pièce tournait autour d'elle.

— Va-t'en, petite. Va-t'en, dit la voix de l'intendante, comme un écho distant.

Les gestes que fit alors Aalis ne furent pas de volonté mais d'instinct, comme dictés par un esprit qui n'était plus le sien. Un commandement de survie. Elle enfila ses vêtements qui traînaient au sol, attrapa son sac et sortit de la chambre sans même en avoir pleine conscience. Et si, quand elle s'échappa du château sous le mutisme froid des gardes, et de la ville même, son regard resta fixe et droit, les paupières grandes ouvertes, c'est qu'elle ne voyait plus vraiment, car elle vivait l'un de ces moments où l'âme rejette ce que le corps reçoit.

La longue course qu'Aalis dut accomplir au cœur même de la nuit pour s'éloigner de Pau lui rappela alors de bien mauvais souvenirs et fit revenir à sa mémoire toutes ces images qu'elle aurait aimé oublier. Pendant les quelques jours passés chez les bergers de

Cazo elle avait cru enfin en la possibilité du bonheur, mais à nouveau le monde se drapait de ses plus sombres atours. Il était mort d'un vieux Juif, incendies à Béziers, fureur d'un prévôt et ignominie d'un vicomte.

Quand, à bout de forces, elle alla se coucher près de la souche d'un arbre, la jeune fille serra son sac contre elle comme un enfant serre sa poupée, car il contenait les deux seules choses qui donnaient encore un sens à sa vie, le psantêr de Zacharias et les outils de Luc, et quand elle s'endormit elle pleurait encore.

94

— Ne fais pas de bruit, murmura l'Apothicaire. Ils doivent être tout près. Ils auront vu la lumière de ma torche tout à l'heure et nous cherchent sûrement près de la tanière. Sans l'alerte que nous a donnée la louve, ils nous auraient sans doute surpris. Brave animal.

Il y avait autour du feu de camp de nombreuses traces de pas qui n'étaient pas les leurs.

— Viens, il faut faire vite.

Maître et apprenti contournèrent la clairière pour ne pas se mettre à découvert et ils s'approchèrent des quatre chevaux attachés ensemble. Au même moment, Andreas aperçut une lueur de l'autre côté du bois.

— Ils arrivent !

Le jeune rouquin monta sur celui des chevaux qui était le leur tandis que l'Apothicaire détachait les trois autres. Aux deux premiers il donna une grande tape sur la croupe afin de les faire déguerpir à travers bois, et il grimpa sur le troisième.

— Va ! cria-t-il à son apprenti à l'instant même où Humbert et ses deux suivants les avaient repérés et couraient vers eux en poussant des cris.

Les deux chevaux se lancèrent au galop dans la forêt obscure, et l'Apothicaire – comme ils passaient à quelques pas de l'Inquisiteur – éprouva une bien compréhensible satisfaction, qu'il accompagna d'un « adieu » moqueur et revanchard.

La joie d'avoir joué un vilain tour au sinistre Humbert donna à nos deux compagnons l'énergie pour galoper jusque tard dans la nuit, et quand ils décidèrent de s'arrêter enfin, la ville de Saintes se profilait déjà à l'horizon. Ils éprouvèrent un plus grand amusement encore en découvrant que sur le cheval qu'ils avaient dérobé se trouvaient un sac de vivres bien rempli ainsi qu'une bourse fort lourde. Sans prendre cette fois le risque d'allumer un feu, ils choisirent de dormir en retrait du sentier pendant quelques heures seulement, car dès que le soleil se fut levé, l'un et l'autre n'eurent d'autre envie que de trouver, au plus vite, le fameux Denis de Tourville.

Andreas et Robin étant toujours activement recherchés dans tout le pays, ils présumèrent que leur description était affichée sur la plupart des murs de l'antique cité.

— Nous ne pouvons pas prendre le risque d'entrer dans Saintes et demander au premier venu de nous conduire auprès de notre homme, affirma Andreas alors qu'ils attachaient leurs chevaux près d'une petite ferme en ruine, non loin de la ville.

— Mais comment le trouver, alors ?

— Je ne sais pas, Robin. Nous n'allons sûrement pas avoir une nouvelle fois la chance de tomber sur un bon Samaritain, un templier déchu ou un maître de carrière reconnaissant. Il va falloir user de ruse, ce dont l'un de nous deux au moins ne manque pas d'ordinaire, mais pour l'heure, celui-là n'a pas encore d'idée.

— Que voulez-vous faire, alors ?

— Eh bien, réfléchir. Et de même que l'on prétend que l'appétit vient en mangeant – ce qui est parfaitement ridicule, car chacun sait qu'il vient en ne mangeant pas – il se peut que les idées viennent en marchant. Partant, marchons.

Adoncques ils déambulèrent le long de la très vieille enceinte, vers l'ouest de cette ville nichée dans une boucle du fleuve Charente. Par-delà la muraille on pouvait apercevoir la cime du palais épiscopal et de la cathédrale, ainsi que le château fort, dominant l'ensemble depuis le sommet de la colline du Capitole. Et c'est en observant celui-là qu'Andreas fut frappé par une évidence qui lui tira un beau sourire.

— Comment ai-je pu être aussi bête ? chuchota-t-il pour lui-même.

— C'est sans doute que je suis d'une néfaste influence, répondit Robin sur le ton de la plaisanterie.

— Regarde le château.

— Je le regarde.

— Que vois-tu flotter à son sommet ?

— Un drapeau, maître.

— Et que représente-t-il, ce drapeau ?

— Eh bien, trois lions dorés sur fond rouge.

— Oui. Nous dirons plutôt *de gueules aux trois léopards d'or*, selon l'usage en héraldique. Et sais-tu à qui appartient ce blason ?

— Maître... Non. Je n'ai pas cette éducation-là, vous le savez bien.

— Et je ne t'en tiens pas rigueur, car moi-même je n'ai pas songé à cette évidence, distrait que j'étais, sans doute, par le souvenir de cette louve et de ses petits... À quelques pas d'ici commence le duché de Guyenne, Robin. Nous venons d'entrer en territoire anglais, et le drapeau que tu vois est celui du roi Édouard II d'Angleterre, prince de Galles et fervent défenseur des magnifiques universités d'Oxford et de Cambridge.

— Ce qui signifie ?

— Ce qui signifie que c'est un brave homme et que les Anglais excellent dans l'étude des philosophes grecs.

— Mais non, maître, ce n'est pas ce que je vous demande ! Quelle importance tout cela a-t-il pour nous, aujourd'hui ?

— Eh bien, réfléchis, Robin ! Si nous sommes en territoire anglais, l'ordonnance de Philippe le Bel nous concernant n'a ici aucun effet, et ces bons bourgeois de Saintes ignorent très probablement que nous sommes recherchés.

— En somme, nous sommes tranquilles ?

— J'ai bien peur que nous ne le soyons jamais, mon garçon, mais au moins, nous pouvons entrer dans la ville sans devoir nous cacher. Avant que Guillaume Humbert ne nous rattrape, tel que nous l'avons laissé, sans monture, nous avons, je crois, la journée devant nous. Mais ne traînons pas pour autant.

Ergo, le jeune rouquin et le moins jeune chauve s'en allèrent reprendre leurs chevaux et entrèrent, temporairement apaisés, dans la belle ville de Saintes, où ils trouvèrent une écurie pour y laisser leurs montures. Là, comme on se souvient qu'ils le firent en Artenay, ils demandèrent au maître si l'on connaissait Denis de Tourville, et on leur dit que non, lors ils demandèrent à un passant, qui leur dit que non, lors à un boucher, qui leur dit que non, puis à une vieille dame, qui n'en savait pas plus, et c'est au patron d'une auberge qu'il leur fallut s'adresser pour trouver enfin leur renseignement.

— Vous ne le trouverez pas dans la ville, puisqu'il est le gardien de l'amphithéâtre, et que celui-ci est extra-muros, non loin de la basilique Saint-Eutrope.

— Et pouvez-vous nous indiquer où celle-ci se trouve ?

— Rien de plus aisé : il vous suffit de suivre les pèlerins de Saint-Jacques qui, tous, vont s'y recueillir devant les reliques du martyr.

Alors ils durent à nouveau sortir de Saintes et en faire le tour par l'ouest pour rejoindre cet incroyable vestige de l'époque romaine qui, encastré dans un vallon, semblait appartenir à la nature même. On eût dit que les flancs de la colline avaient été creusés pour lui faire place – et il se pouvait bien que cela fût le cas – ce qui donnait à l'ensemble une étonnante harmonie. Ce que l'on pouvait voir des anciens gradins couvrait la verdure du mont en arcs de cercle, et ici et là les vieilles pierres taillées paraissaient sortir de la terre et avec elle ne faire qu'un.

Andreas et Robin, ébahis par la majesté ancestrale des lieux, avançaient lentement vers le centre de l'arène, dévorant le décor du regard quand la silhouette extraordinaire d'un homme apparut de derrière un mur de grand appareil.

— Il n'est nul édifice qui ait autant à nous dire sur le monde que celui qui est en ruine, n'est-ce pas ?

Les deux compagnons se tournèrent vers cet étrange philosophe, dont la parole avait été portée jusqu'à eux par la parfaite acoustique de l'amphithéâtre.

C'était un colosse approchant les soixante ans peut-être, une sorte de sauvage des mers du Nord, corpulent, aux cheveux épais, mi-longs et mal coiffés, qui avaient encore quelques derniers reflets blonds. Il avait des mains de forgeron, une démarche herculéenne et le bleu de ses yeux venait parfaire son allure de guerrier normand.

— Je me suis battu pour que l'on cesse d'utiliser cet endroit comme une simple carrière de pierres, voyez-vous ? Saccager un lieu tellement chargé d'histoire !

— Vanité du monde moderne...

— *Vanitas vanitatum et omnia vanitas*[1]. Cet amphithéâtre remonte à l'époque du Christ lui-même, vous comprenez ?

— Je vois l'importance de la chose, répondit Andreas. L'histoire est lumière de vérité.

— Vous voyez, ici, les différents niveaux des gradins ? Chacun était réservé à une classe différente. Les hommes riches et importants occupaient les premiers rangs, et plus on s'élevait, plus les spectateurs étaient pauvres. Il faut croire que ces choses-là ne changeront jamais.

— Et quel spectacle venait-on voir ici ? demanda Robin.

1. *Vanité des vanités, et tout est vanité.* (Livre de l'Ecclésiaste.)

— Pour contenter ceux qui vivaient dans la misère, Rome donnait aux peuples qu'elle avait envahis de la farine pour se nourrir et des jeux pour se divertir. *Panem et circenses*, disait-on. Ici se battaient les gladiateurs. Des hommes contre des hommes, ou des hommes contre des bêtes, et pour seule issue la mort. Il y a derrière ces murs une nécropole où l'on jetait les vaincus. Et vaincu, on finissait toujours par l'être. Plus le sang coulait, plus le peuple applaudissait.

— C'est horrible, s'indigna l'apprenti.

— Crois-tu que le pilori soit un plus beau spectacle ? intervint Andreas. N'as-tu jamais vu à Paris les foules qui se pressent devant le gibet de Montfaucon ?

— Mais l'on n'y met que les criminels…

— Le plaisir que l'on retire à voir pourrir le corps d'un criminel n'est-il point criminel, lui aussi ? Et toi qui as vu – et de fort près – les méthodes de l'Inquisition, ne penses-tu pas que parmi les corps déchiquetés qui se balancent au bout de ces cordes se comptent aussi quelques innocents ?

Robin baissa le front.

— Ici se croise ce que l'homme a fait de pire et de meilleur, reprit le grand colosse. Voyez le savoir-faire de nos anciens dans ces arcs et ces voûtes en berceau… De grands bourreaux, mais aussi de fins bâtisseurs, ne pensez-vous pas ?

— Si fait, répondit Andreas en soupirant. Mais dites-moi, monsieur, vous qui semblez savoir tant de choses sur ces lieux, seriez-vous ce Denis de Tourville dont on nous a parlé ?

Le géant posa les mains sur les hanches dans une posture qui ressemblait au défi.

— C'est le nom que l'on me donne ici.

Andreas adressa à son apprenti un clin d'œil satisfait, puis il leva la tête vers leur interlocuteur.

— Alors vous êtes l'homme que nous sommes venus voir.

95

— Messieurs, le Conseil est terminé, vous pouvez disposer. Enguerran, et vous, Charles, restez à mes côtés.

Un par un, tous les hommes sortirent de la Grand-Salle en saluant révérencieusement le roi. Il y avait là ses fils, Louis Ier de Navarre et Philippe le Long, mais aussi Louis d'Évreux, demi-frère cadet du roi, Pierre de Latilly, garde du Sceau fraîchement nommé après la mort de Nogaret, le comte de Saint-Pol, le prélat Gilles Aycelin de Montaigut, l'archevêque de Sens, ainsi que moult banquiers, lombards et légistes qui avaient l'honneur, parfois, de participer au Conseil.

Quand la salle se fut vidée, le roi, sans quitter son trône, demanda à son frère et au chambellan de venir plus près de lui.

— Mon frère, et vous, Marigny… Le conflit qui vous oppose l'un à l'autre nuit au gouvernement de la France, il ne peut plus durer. Nous avons beaucoup à faire pour ce pays, des réformes à mener qui ne sauraient souffrir la discorde et la mésintelligence en mon Conseil. Aussi je veux que vous mettiez un terme à votre querelle séance tenante.

Charles de Valois, comme son rang le lui permettait, parla le premier, et il parla fort.

— Je ne vois point de quel conflit Votre Majesté veut parler, et si mes opinions divergent parfois de celle de M. de Marigny, il me semble que c'est une chose bien naturelle en politique, et qu'au contraire, les débats qui en résultent n'ont d'autre dessein que de servir la France.

— Mon frère, de grâce, ne me prenez pas pour un sot. Il y a entre vous deux quelque chose de bien plus personnel qu'un seul différend politique. Enguerran, que dites-vous ?

Le chambellan exprima la même candeur que le comte.

— Je veux assurer Votre Majesté qu'il n'en est rien, ou, tout au moins, qu'il n'est rien qui m'oppose à monsieur le comte de Valois que Votre Altesse ne sache déjà.

Philippe le Bel, poussant un profond soupir de lassitude, posa son menton sur son poing fermé et avisa les deux hommes l'un après l'autre, comme il eût regardé deux jeunes chenapans pris sur le fait d'une dispute infantile.

— Je sais que vous n'avez jamais eu de grande inclination l'un pour l'autre, mais la chose a pris depuis quelques jours des proportions qui dépassent l'entendement. Serait-ce au sujet de cet Apothicaire ?

Les deux hommes restèrent silencieux, car ils avaient l'un et l'autre de bonnes raisons de ne rien dire.

— Plus le temps passe et plus je me demande ce qu'il se trame autour de cet homme ! s'emporta le roi. D'abord Nogaret me parle d'une étrange disparition à laquelle le pharmacien serait lié, et qui, je le cite, « éveille des curiosités jusqu'au-delà des frontières de notre royaume »... Ensuite, le chancelier meurt, et tout laisse à penser que c'est l'Apothicaire qui l'empoisonne. Sur vos conseils, Enguerran, j'envoie Humbert à ses trousses, mais celui-là torture l'abbé qui était parrain dudit Apothicaire. L'abbé meurt à son tour, et j'apprends, mon frère, que l'on vous a vu, vous, à ses côtés, au moment même de son trépas ! Reconnaissez que tout cela respire le secret, si ce n'est le complot, et j'aimerais que vous me disiez ce que vous savez de cette affaire, laquelle semble vous opposer l'un à l'autre.

— Pour ma part, Votre Majesté mon frère, je ne me suis rendu au chevet de l'abbé Boucel que mû par l'indignation. Ayant appris la façon dont ce serviteur de Dieu avait été traité, et ayant appris qu'il était mourant, j'ai voulu l'assurer que Votre Altesse n'était en rien responsable de cette infamie.

— Et depuis quand prenez-vous, mon frère, la défense d'un abbé dont, la veille, sans doute, vous n'aviez jamais entendu parler ?

— Depuis que l'on traite un homme d'Église comme un hérétique. Et puisque Votre Majesté cherche des causes à mon inimitié pour le chambellan, je dois peut-être reconnaître, oui, que l'empressement de celui-ci à envoyer Humbert accomplir cette ignoble besogne y est sûrement pour quelque chose.

Le roi fit une moue sceptique.

— Et que vous aura dit l'abbé Boucel ?

— Le pauvre homme est mort dans mes bras, et je n'ai entendu de lui que la tristesse et le désarroi d'un homme trahi par les siens.

— En somme, rien ne vous oppose à Marigny ?

— Rien de plus que d'ordinaire, Votre Majesté.

— Et vous, Marigny, tenez-vous contre mon frère quelque grief ?

— Aucun que Votre Altesse ne connaisse déjà.

Philippe le Bel secoua la tête, fâché sans doute de n'avoir obtenu le moindre aveu.

— Charles, Enguerran, je ne veux plus entendre parler de cette affaire. Serrez-vous la main devant moi et promettez de mettre fin à vos chamailleries.

Les deux hommes s'exécutèrent docilement, puis Charles de Valois se tourna vers son frère.

— Si Votre Majesté n'a plus besoin de moi, je suis attendu.

— Vous pouvez disposer, Charles, et que Dieu vous bénisse.

Le comte de Valois tira sa révérence, salua poliment Marigny et sortit prestement de la salle.

Le roi et le chambellan restèrent muets quelques instants, échangeant un regard entendu, puis Philippe rompit le silence.

— Qu'en pensez-vous, Enguerran ?

— Notre plan n'a pas fonctionné, Votre Majesté.

— Je crois que mon frère eût parlé s'il avait su quelque chose.

— Peut-être en sait-il plus que nous ne le voudrions, mais cherche-t-il encore quelque preuve.

Le roi hocha la tête d'un air soucieux.

En ce moment même, hors les murs du palais, Charles de Valois retrouvait l'échevin Étienne Bourdon, à l'abri des regards.

— Auriez-vous enfin trouvé quelque chose ?

— Nous avons le début d'une piste, monsieur le comte.

— Dites-moi.

— Après les avoir interrogées toutes, j'ai enfin trouvé une vieille putain du quartier Saint-Denis à qui le nom de la Nubienne disait quelque chose. Ainsi, comme on eût pu le supposer, ce serait une prostituée qui officiait rue Quincampoix il y a fort longtemps, mais que l'on n'a pas vue depuis des années.

— Sait-on si elle est encore en vie ?

— Malheureusement, je n'ai pu m'en assurer.

— Trouvez-la, Bourdon. Si cette femme vit toujours, je dois l'interroger au plus vite. Au plus vite.

96

— Seriez-vous donc venus chercher quelque renseignement sur ce magnifique amphithéâtre, messieurs ? demanda le colosse avec une espèce de sourire qui laissait deviner qu'il n'était pas si dupe que cela quant à la raison de leur présence.

— Non. Ce n'est pas le gardien de ces lieux que nous sommes venus rencontrer, avoua Andreas d'une voix solennelle, mais bien un maître de la *schola gnosticos*.

Denis de Tourville ne parut pas étonné à l'évocation de ce nom qui, comme on se le rappelle, en avait pourtant fait trembler plus d'un, et ne se départit guère de son sourire. C'était comme s'il s'était attendu à cette réponse. Il y avait quelque chose dans son allure qui suggérait d'ailleurs que l'homme n'était pas de ceux qui se laissent facilement surprendre.

— Puis-je savoir qui vous a donné mon nom ?

— D'abord, c'est Jacques de Molay, passé maître souverain de l'ordre du Temple, qui m'a parlé de votre... confrérie. Partant, comme je cherchais à me renseigner sur icelle, on m'a dirigé vers Arnaud de Roulay, qui, je dois le dire, n'a pas été des plus bavards, mais a fini tout de même par m'envoyer vers vous.

— Je vois. Et puis-je savoir comment vous vous nommez vous-mêmes ?

À cet instant, Andreas, sans pouvoir se l'expliquer, eut l'étrange conviction qu'en réalité l'homme connaissait la réponse à cette question. Il y avait dans sa quiétude assurée le signe qu'il savait déjà à qui il avait affaire, et même qu'il en savait beaucoup à leur sujet. Sans doute lui demandait-il leur nom pour voir si l'Apothicaire choisirait ou non la voie de la franchise.

— Andreas Saint-Loup, maître apothicaire à Paris, et ce jeune homme est Robin Meissonnier, mon apprenti.

— Enchanté. Je crois, messieurs, qu'il serait préférable que nous allions discuter chez moi, si vous le voulez bien.

— Nous en serions honorés.

— Suivez-moi, c'est à deux pas d'ici.

Ils sortirent tous trois de l'enceinte de l'amphithéâtre et suivirent le vallon vers le sud-est jusqu'à entrer dans une petite maison isolée, depuis l'entrée de laquelle on voyait se dresser la fameuse basilique Saint-Eutrope, envahie par les pieux pèlerins.

— Voyez comme ma maison est à mi-chemin entre une église chrétienne et un monument païen, s'amusa de Tourville en voyant Andreas admirer l'édifice religieux.

— Le choix est pertinent, pour un gnostique, répliqua l'Apothicaire avec sagacité.

— Entrez, je vous en prie.

C'était une modeste maison à colombages, d'un étage seulement, et qui semblait n'avoir que deux pièces. Ils passèrent rapidement à travers la première, qui était celle à vivre, chichement meublée, et pénétrèrent dans la seconde, plus petite, dont les murs couverts de bibliothèques rappelaient singulièrement la maison d'Arnaud de Roulay. À n'en pas douter, on entrait ici chez un autre érudit polyglotte, amoureux des livres et de la sapience.

— Puis-je vous offrir une boisson ? proposa de Tourville en s'avançant vers un petit cabinet. J'ai ici une herbe chinoise que me vend un marchand portugais et qui, j'en suis sûr, saura ravir par ses saveurs les gosiers d'un apothicaire et de son apprenti.

— Serait-ce du *cha* ? demanda Andreas avec un pétillement dans les pupilles.

Le colosse acquiesça, admiratif.

— Vous connaissez ?

— De nom seulement. Je n'y ai jamais goûté.

— Alors je suis heureux de vous faire découvrir cette infusion d'un extrême raffinement, dit-il en sortant un amas de feuilles rouges séchées d'une petite boîte en bois sculptée. La légende raconte qu'elle a été inventée, plus de deux mille ans avant la naissance du Christ, par l'empereur Shen Nung, lequel aurait fait bouillir de l'eau sous un arbre pour la purifier. Quelques feuilles, soufflées par le vent, seraient alors tombées dans le récipient, et le breuvage s'en trouva si délicieusement parfumé que l'empereur en fit sa boisson favorite.

— La légende est déjà délicieuse.

— Asseyez-vous, mes amis, et dites-moi donc, à présent que nous sommes dans le secret de ma petite maison, ce qui vous a amenés de Paris jusqu'à moi.

— Monsieur de Tourville, je crois que vous avez déjà quelque idée à ce sujet, aussi, j'irai droit au but.

Et de fait, Andreas raconta sans détour toute son histoire.

— Vous êtes à ce jour mon seul espoir de comprendre enfin ces curieux événements, conclut-il sur le ton de la supplique. Avec mon fidèle apprenti, j'ai traversé le pays pour trouver des réponses à mes questions.

Denis de Tourville, après cette exhaustive exposition des faits, dévisagea longuement l'Apothicaire, et il y avait dans son regard une intensité qui ressemblait à une évaluation. Puis, enfin, avec une espèce d'enjouement :

— N'est-ce pas le propre des quêtes initiatiques que de nous faire voyager, monsieur l'apothicaire ? Je tiens à vous dire tout de suite, pour ne point vous décevoir, que je ne vous donnerai aucune réponse véritable, car je n'en aurai aucune pour vous satisfaire pleinement. Tout ce que je puis faire, c'est vous confirmer que vous êtes sur le bon chemin et vous y apporter quelque modeste éclairage. La gnose – puisque c'est bien d'elle qu'il est question – n'est pas une chose qui se transmet ou qui se donne. C'est une vérité que l'on découvre par soi-même, car elle ne se comprend que quand on la vit.

— Je ne suis pas ici pour comprendre la gnose, mais pour comprendre pourquoi se trouvait chez moi une pièce vide dont j'avais oublié l'existence, et un tableau dont l'une des deux figures semble avoir été effacée.

Denis de Tourville esquissa un sourire.

— Et moi je vous dis qu'il y a bien un lien entre ces deux mystères et celui de la gnose, mon ami, sinon, pourquoi seriez-vous ici ?

— Jacques de Molay m'a dit que vous auriez peut-être quelque explication à nous donner.

— Une explication n'est pas une réponse, monsieur Saint-Loup, dit l'homme tout en apportant à ses deux invités les infusions dont il avait terminé la préparation. Du moins ce n'est sans doute pas la réponse que vous cherchez.

C'était chose singulière que de voir ce grand et large Viking porter avec délicatesse ses deux petites tasses fumantes comme s'il se fût agi d'un trésor fragile, mais le contraste entre l'apparence sauvage de l'homme et la finesse de son érudition était déjà l'illustration même de ce proverbe qui dit que la barbe ne fait pas le philosophe.

— Je m'en contenterai pour l'heure, répliqua Andreas.

— Votre soif de comprendre et de connaître vous honore, même si je puis déjà dire, monsieur Saint-Loup, que vous n'êtes pas des nôtres.

— Que voulez-vous dire ?

— N'ayez crainte, ce n'est pas un reproche, tout juste une observation. Je vois, ou je sens, devrais-je dire, que vous n'avez pas la foi, et que c'est dans la physique que vous cherchez vos réponses, quand nous autres, gnostiques, les cherchons plutôt dans la métaphysique. Mais il se peut que, si nous divergeons sur le chemin, nous finissions un jour toutefois par nous rejoindre dans la destination.

— Je crois, pour ma part, que tout ce qui a été un jour métaphysique finira par perdre son préfixe et ne plus être que physique.

— Vous ne faites là qu'un jeu de sémantique, Saint-Loup. Vous ne distinguez pas ce que les mathématiques peuvent comporter de divin. Là où je vois le vrai Dieu, vous voyez Pythagore. Mais qu'importe ? On raconte que vous cherchez à percer les mystères du monde physique, et en cela au moins nous nous retrouvons...

— Nous pourrions en disputer longuement, maître. Mais pour l'heure, je serais davantage curieux de savoir ce que votre mystérieuse confrérie peut apporter comme éclairage aux mystères que je vous ai exposés.

— Comme son nom l'indique, la *schola gnosticos* est davantage une école qu'une confrérie. Elle est un chemin, non pas un but ; elle ne livre aucun dogme et n'exige aucun mode de vie particulier mais réunit seulement des hommes qui cherchent, comme vous, à percer les mystères du monde physique, et derrière ces mystères, la vérité, l'ultime explication, que nous appelons gnose.

— Et cette gnose aurait un rapport avec ces choses qui me sont arrivées ?

Denis de Tourville s'installa enfin face à ses interlocuteurs, dans un beau fauteuil en bois au milieu de ses livres, et il croisa les mains devant lui comme on le fait avant un cérémonieux discours.

— Pour tenter de vous éclairer, il faut que je vous parle d'un livre, maître Saint-Loup, car vous le savez sans doute, tout finit toujours par se rapporter à un livre.

— Nous vous écoutons.

— Voyez-vous, mes amis, la tradition gnostique parle d'un livre, ou devrais-je dire d'un registre, et il se pourrait bien que ce livre, en effet, ait quelque rapport avec votre histoire. Il s'agit d'un livre très ancien, peut-être même le plus ancien de tous, car, à ma connaissance, aucun ne lui est antérieur, mais on peut imaginer qu'un jour quelqu'un en trouverait de plus anciens...

— Sans compter tous ceux qu'on ne trouvera jamais, qui ont été terrassés par la bêtise humaine, intervint Andreas. Entre la destruction des bibliothèques de Thèbes, deux mille ans avant notre ère, et les brûlements des bibliothèques des Juifs auxquels nous assistons encore de nos jours à Paris même, l'histoire regorge de terribles autodafés.

— Vous avez raison, malheureusement, répliqua le gnostique, qui semblait ravi d'avoir trouvé un interlocuteur tel que celui-là. Comme la bibliothèque d'Akhetaton, par exemple...

— Ou les livres de Protagoras, brûlés sur l'*agora* d'Athènes.

— Les bibliothèques de Carthage et d'Alexandrie...

— Les livres détruits par l'éruption du Vésuve...

— Oui. Ou encore l'empereur Jovien qui fait incendier la bibliothèque d'Antioche, les Perses qui détruisent celle de Jérusalem, celle de Saint-Martin-de-Tours qui prend feu, celles de Bagdad, de Tripoli... Fort heureusement, la plus belle de toutes, qui est au monastère Sainte-Catherine, en la péninsule du Sinaï, a encore survécu... Sur ce sujet aussi nous pourrions continuer longtemps, et nous lamenter ensemble, maître Saint-Loup, et je me console de voir que, comme moi, vous semblez penser que tout livre qui disparaît, c'est un peu d'humanité qui s'en va.

— Parfois, le contre-pied est tout aussi vrai : un savant qui meurt, c'est une bibliothèque qui brûle.

— Certes. Mais l'histoire de ce livre, donc, pour en revenir à notre sujet, est un peu différente. Il aurait été écrit plus de trois mille ans avant Jésus-Christ, dans une langue très ancienne, qui était la langue des premiers forgerons, et dont dérivent l'hébreu, le phénicien et l'arabe. Et ce livre s'appelle le *Shatirum lâ-mi'umma*.

— Ce qui signifie ?

Le colosse attrapa une plume et un parchemin sur le casier derrière lui, approcha son fauteuil de ceux d'Andreas et Robin et leur traduisit le titre tout en griffonnant avec enthousiasme des notes explicatives, comme si cela faisait longtemps qu'il n'avait pas rencontré âme qui fût intéressée par ce qu'il avait à dire et que la chose lui donnât des ailes.

— *Shatiru*, c'est le livre, ou plus exactement le registre, qui a donné *shotêr* en hébreu. Il faut savoir qu'aux époques les plus reculées, on n'utilisait pas encore le verbe *katab*, « écrire », pour former le nom commun « livre ». Quant à *mi'umma*, c'est le rien, qui a donné *me'ûma* en hébreu. En somme, nous pouvons traduire *Shatirum lâ-mi'umma* par *Le Livre qui n'est rien*, ou, pour utiliser une formulation plus propre à notre langue, *Le Livre qui n'existe pas*.

— Voyez-vous cela ! s'exclama Andreas. Mais alors, existe-t-il ?

— C'est bien toute la question ! répliqua de Tourville, qui semblait amusé. De nombreux indices le signalent. La première mention de ce livre qui me soit connue remonte au troisième millénaire avant Jésus-Christ, et figurait sur une tablette d'argile, recouverte d'une écriture cunéiforme apparentée à l'éblaïte.

— Apparentée à quoi ? intervint Robin, que l'évocation de toutes ces langues inconnues commençait à dérouter.

— La langue d'Ébla était une langue proche de l'hébreu et de l'akkadien, qui, comme votre maître le sait peut-être, jeune homme, est une langue sémitique que l'on parlait en Mésopotamie, entre le Tigre et l'Euphrate. Toujours est-il que cette tablette fut un jour exhumée dans la vallée de l'Araba, au sud de la mer Morte, dans les restes d'une ancienne forge. Et cette tablette, donc, mentionnait *Le Livre qui n'existe pas*. Il y a eu par la suite d'autres références à ce mystérieux registre, mais celle-ci est la plus ancienne que je connaisse.

— Tout cela est fort intéressant, mais en quoi ce livre concerne-t-il notre affaire ? intervint Andreas, pressé que l'on revienne à son sujet.

Denis de Tourville reposa la plume et le parchemin puis s'enfonça de nouveau dans son fauteuil, et son visage était resplendissant, comme illuminé par sa propre fascination pour le secret.

— Sachez avant tout, maître Saint-Loup, que, pour ainsi dire, ce livre ne concerne pas seulement votre affaire, mais nous concerne tous, nous, les hommes du bas monde, et qu'il est au cœur même des préoccupations de la *schola gnosticos*.

— Mais si vous m'en parlez aujourd'hui, c'est bien qu'il a quelque rapport particulier avec mes histoires ?

— Peut-être. Ou plutôt, très certainement.

— Et de quelle manière ? insista Andreas, qui commençait à perdre patience.

— Écoutez-moi bien, et vous allez comprendre. La légende raconte que quiconque parvient à trouver ce livre unique doit d'abord, bien sûr, le lire. Puis, que quiconque lit ce livre doit ensuite le comprendre. Et enfin, que quiconque comprendra ce livre disparaîtra du monde, tel que nous le connaissons.

— Pardon ?

— Quiconque sera en mesure de comprendre le *Shatirum lâ-mi'umma* disparaîtra physiquement de notre monde, et échappera à la mémoire des hommes comme à celle de la terre. Comme s'il n'avait jamais été. Comme s'il n'avait jamais vécu. Et alors disparaîtront avec lui toutes les traces de son existence ici-bas.

Andreas et Robin échangèrent des regards perplexes, restèrent silencieux un instant avant que l'Apothicaire, d'un air quelque peu embarrassé, se décidât enfin à reprendre la parole.

— C'est à nouveau une très belle légende, maître, mais...

— Mais vous ne croyez pas à ces choses-là, termina le gnostique à sa place. Je sais. C'est pour cela que je vous disais plus tôt ne pas pouvoir vous donner de réponse. Toutefois, je vous laisserai y réfléchir.

L'Apothicaire, qui peinait à masquer sa déception, posa néanmoins une nouvelle question :

— Soit. Admettons. Et qu'y aurait-il à l'intérieur de ce livre de si incroyablement magique pour que sa lecture fît disparaître son lecteur ?

Denis de Tourville écarta les bras d'un air dont on ne pouvait dire s'il était désolé ou moqueur.

— Si je le savais, maître Saint-Loup, je ne serais sans doute pas ici !

Andreas hocha la tête, mais ses yeux trahissaient son agacement, voire sa colère.

— En somme, je ne suis pas tellement avancé. Aurais-je fait tout ce chemin et pris tous ces risques pour entendre seulement une vieille légende, certes savoureuse, mais des plus extravagantes ?

— Vous êtes bien plus avancé que vous ne semblez le comprendre, cher pharmacien. En outre, vous êtes sur le bon chemin et, à votre place, je n'abandonnerais pas maintenant. D'autant que...

Le gnostique s'interrompit et, pour la première fois, le sourire disparut de son grand et large visage.

— D'autant que quoi ? le pressa Andreas.

— La légende... Cette légende à laquelle vous ne pouvez croire, car elle va à l'encontre de votre perception du monde – ce dont je ne saurais vous accuser, au reste...

— Eh bien ?

— Cette légende raconte aussi que ce livre, le *Livre qui n'existe pas*...

— Et qui me semble fort bien nommé, ironisa Andreas.

— Ce livre, donc, continua de Tourville, serait protégé par sept gardiens. Sept hommes, que l'on appelle les *Mal'achim*, qui seraient vêtus de noir, tête blonde, et traverseraient le monde sur de grands chevaux, épée à la main, afin de couper la tête à quiconque essaierait de lire le *Shatirum lâ-mi'umma*. Et... je me suis laissé dire... Enfin... on raconte que deux d'entre eux ont été vus, il y a quelques jours, pas très loin d'ici et, plus tôt encore, dans d'autres villes où l'on vous vit également.

Le visage de Robin, aussitôt, se mit à blanchir d'une dramatique manière. Andreas, quant à lui, resta de marbre.

— Les *Mal'achim* ? Des sortes de cavaliers de l'Apocalypse ? demanda-t-il avec un évident sarcasme. Des cerbères ?

— Appelez-les comme vous voulez, maître Saint-Loup. Qu'importent les mots, tous ceux que nous pourrions mettre sur ces gardiens seraient forcément inexacts ou incomplets. Mais... vous les avez vus, n'est-ce pas ?

Andreas ne répondit pas. Mais il ne put s'empêcher de penser à Magdala, et au coup fatal que ces deux cavaliers lui avaient porté à Étampes.

— Oh... Inutile de me répondre. La réaction de votre apprenti laisse peu de doute à ce sujet. Maître Saint-Loup, je sais bien que, pour vous, tout ceci n'est qu'une légende fantasque, et je vous laisse libre de la voir comme telle, mais je voulais tout de même vous la raconter, et vous mettre en garde. Car, après tout, quand bien même elle ne fût que légende, je suis certain, vous connaissant un peu, que vous aurez envie d'en connaître l'origine, car vous voudrez bien admettre qu'elle entre singulièrement en résonance avec les faits que vous avez bien voulu me raconter.

— Pure coïncidence. C'est le propre des légendes que d'entrer en résonance avec la vie de celui qui les écoute.

— Peut-être. Mais alors que faites-vous ici ? Pourquoi le sort vous a-t-il conduit, une seconde fois, sur ce trajet que vous fîtes adolescent ?

— Vous semblez savoir beaucoup de choses à mon sujet, répondit Andreas sur le ton du reproche.

— C'est que ma mémoire est sans doute meilleure que la vôtre. Vous étiez ici il y a dix-huit ans, en route pour Compostelle.

— Cela n'avait rien à voir avec votre mystérieux livre.

— Ce n'était, en effet, pas le motif originel de votre départ. Mais ne vous souvenez-vous pas d'avoir rencontré quelqu'un, en chemin ?

— On rencontre beaucoup de monde, en pèlerinage.

— L'une des rencontres que vous fîtes aurait dû vous marquer bien plus que les autres.

— Où donc ? Ici ?

— Non. À Pampelune, au cœur du royaume de Navarre.

— Et qui aurais-je rencontré là-bas ?

— Un homme qui était déjà, à l'époque, le plus grand maître de la *schola gnosticos*, et qui l'est toujours aujourd'hui. Juan Hernández Manau. Ce nom ne vous dit vraiment rien ?

Andreas commença par secouer négativement la tête, mais à son trouble grandissant on put deviner que ce patronyme, en effet, survivait quelque part dans un sombre recoin de sa mémoire.

Le visage de Denis de Tourville s'illumina de nouveau.

— Peut-être devriez-vous reprendre la route de Compostelle et retourner voir cet homme, Andreas… Mais pour l'heure, sans vouloir vous commander, je préfère vous inviter à quitter ma maison car, voyez-vous, je crois, moi, à cette légende et, par conséquent, il m'apparaît fort dangereux que vous restiez ici plus longtemps.

97

Le lecteur, comme il voulut bien le faire plus tôt, nous pardonnera ici d'accélérer un instant la narration des événements que nous voulons porter à sa connaissance car, pour dire vrai, il serait fastidieux et inutile que de raconter en détail les quatre jours qu'il fallut à Aalis pour aller de Pau à Bayonne, et notre histoire étant déjà un peu longue, nous ne voudrions perdre quiconque en chemin par d'inutiles détours.

Ainsi, nous dirons simplement que notre jeune fille, encore bouleversée par l'ignominie du vicomte de Béarn, et toujours poursuivie par M. Ardignac, prévôt de Béziers, traversa les villes d'Orthez et de Saint-Martin-de-Seignanx, marchant beaucoup et dormant peu.

Aux lueurs de l'aube elle se levait et reprenait son interminable fuite vers l'ouest, avec sur les épaules le psantêr de Zacharias et la trousse à outils du bon Luc. Au petit soir, elle s'arrêtait en pleine campagne, chassait l'ennui en sculptant des morceaux de bois et finissait par tomber de sommeil, harassée par cette éprouvante ruée. Comme elle se nourrissait de ce que la terre voulait bien lui offrir, la faim s'ajoutait dramatiquement à la fatigue, mais la perspective de trouver enfin à Bayonne le fils du vieux Juif donnait à notre petite Occitane quelque chose comme des ailes d'oiseau. Et de fait, en la journée du 27 mars – qui est celle de la saint Habib, martyr brûlé vif en Édesse

– Aalis arriva aux portes de cette grande cité émancipée, au confluent de l'Adour et de la Nive.

Mais avant que de la voir entrer dans cette ville où la conduisait sa promesse, revenons d'abord à Andreas et Robin, que nous avons laissés quelque peu désemparés dans les faubourgs de la ville de Saintes, au sortir de leur entrevue avec cet étrange M. de Tourville.

— Et maintenant qu'allons-nous faire, maître ? demanda fébrilement l'apprenti alors qu'ils s'en allaient retrouver leurs chevaux au relais où ils les avaient laissés.

— Eh bien, c'est simple : toi, tu vas te taire, et moi, je vais réfléchir.

— Mais je vais m'ennuyer ! se plaignit le grand rouquin.

— Alors je réfléchirai tout haut, si tu promets de ne pas m'interrompre.

— Je ferai de mon mieux.

— Voilà qui n'est guère engageant.

— Maître !

— La paix ! Bien... À partir de ce que nous venons d'entendre par la bouche de ce singulier gnostique, nous pouvons établir deux hypothèses. La première : il est fou, son histoire de livre qui fait disparaître n'a aucun sens. La seconde : c'est moi qui suis fou, et il dit vrai. Tu conviendras avec moi que la raison voudrait que nous portions un peu plus de crédit à la première hypothèse car, que je sache, jamais on n'a vu quiconque disparaître de notre monde, et encore moins en lisant un livre.

— Toutefois, quiconque eût disparu de la sorte n'eût pu en témoigner puisque, de fait, il eût disparu...

— Je t'ai demandé de ne point m'interrompre. Bref, la première hypothèse est probablement la plus sûre, car elle est non seulement la plus simple, mais à mes yeux la seule crédible. Il y a plus de chances que cet homme soit fou plutôt que son histoire fût vraie.

Mais, comme je suis un homme méticuleux et bienveillant, je veux bien me résoudre à étudier en premier lieu les aboutissants de la seconde hypothèse – encore qu'elle induise que je fusse fou, ce qui aurait pour conséquence de me rendre incapable d'une telle analyse, et nous arrivons là à un savoureux sophisme, car un fou qui sait qu'il est fou ne peut pas l'être vraiment.

— Maître, vous allez me perdre.

— Envisageons cette seconde hypothèse, malgré les efforts que la chose nécessite. Imaginons qu'il soit possible que la lecture d'un livre fît disparaître son lecteur. Non pas seulement disparaître physiquement, mais disparaître de la réalité tout entière, et donc du souvenir. Soit. Je dois reconnaître que, dans ce cas, la chose pourrait expliquer les mystères auxquels nous sommes confrontés – ce qui, d'ailleurs, a dû conduire Tourville à nous raconter cette histoire. En effet, on peut imaginer que vivait chez moi un homme, et que cet homme lut ce livre, le comprit, et alors disparut, ne laissant aucune trace de son existence passée. Partant, cela expliquerait que cette pièce se trouvât soudain complètement vide et que nous eussions, mes valets et moi, le sentiment de ne l'avoir jamais connue. Si cet homme avait été peint sur mon tableau, cela expliquerait aussi qu'il en eût disparu. Et s'il avait voyagé avec moi sur le trajet du retour de Compostelle, qu'une ligne fût effacée du registre de l'hôpital...

— Il faut reconnaître que tout concorde, maître !

— C'est bien ce qui éveille ma méfiance. La théorie d'un livre qui fait disparaître son lecteur est tellement saugrenue qu'en effet elle peut expliquer n'importe quoi. Confrontés à l'inexplicable, on a tôt fait – par paresse ou par peur – d'embrasser des thèses surnaturelles, qui n'ont pour seul mérite que d'offrir de bien pratiques mais néanmoins fausses explications à toute chose. Mais encore une fois, admettons que cette hypothèse pût être la bonne. Elle nous laisse bien des questions auxquelles nous ne pouvons répondre et qui sont tout aussi agaçantes que les mystères supposés résolus : d'abord, par quel miracle un livre pourrait-il faire disparaître son lecteur ? Et ensuite, si vraiment c'était le cas, qui donc serait cet homme qui eût disparu ? À en croire Tourville – et pour l'heure, c'est ce que nous nous efforçons de faire – quelque réponse pourrait se trouver à Pampelune. Il nous faudrait donc nous rendre au royaume de Navarre pour tenter de valider cette thèse-là.

— Quand le maître de la *schola gnosticos* a prononcé le nom de cet homme à Pampelune, vous avez semblé troublé, maître...

— Peut-être... J'admets que le nom de Juan Hernández Manau me dit vaguement quelque chose. Mais j'étais là-bas il y a dix-huit ans, et comme j'apprenais le métier d'apothicaire, j'ai rencontré bien des gens lors de mon apprentissage.

Robin ne sembla point se satisfaire de l'évasive réponse de son maître, et certainement il comprit que celui-ci fulminait intérieurement de voir ainsi sa mémoire prise en défaut, lui qui en avait une si belle.

— Bien. Donc, pour résumer, dans le cas où nous validerions la seconde hypothèse – pour fumeuse qu'elle soit – il nous faudrait quitter la France et aller maintenant à Pampelune. C'est loin, Pampelune.

— Je ne connais pas suffisamment ma géographie, mais je veux bien vous croire.

— Envisageons à présent l'autre hypothèse, la première : Tourville est fou, cette histoire de livre est pure fantaisie et n'explique en rien nos mystérieux événements. La chose me semble plus évidente, mais dans ce cas, nous ne sommes pas plus avancés qu'hier. Pis : nous ne savons plus dans quelle direction regarder pour trouver quelque réponse. L'ordonnance royale tient toujours, nous sommes recherchés à travers le pays, impossible de rentrer à Paris... En somme, cette première hypothèse, quoique plus crédible, est des plus désespérantes.

— En effet.

Andreas fit une moue contrariée.

— Plutôt que de ne rien faire et s'apitoyer sur notre sort, ne serait-il pas préférable d'opter pour un peu d'espoir ? dit-il, presque à contrecœur.

— Seriez-vous en train de me dire que vous, maître Saint-Loup, enfant de la raison, disciple spirituel de Thomas d'Aquin et de Roger Bacon, seriez prêt à opter pour une hypothèse fantasque plutôt qu'une hypothèse rationnelle, sous prétexte que cette dernière n'est guère réjouissante ? se moqua Robin en posant les poings sur sa taille.

— Non. Je suis simplement en train de te dire que tu vas avoir le plaisir de visiter Pampelune.

Ainsi, maître et apprenti, quand ils eurent récupéré leurs chevaux, se remirent en route vers le sud, obéissant de nouveau à cette étrange fatalité qui les poussait sur les chemins de Compostelle, et le lecteur – selon ses convictions – sera libre d'y voir la main de Dieu, celle du pur hasard, ou bien celle d'un silencieux complot gnostique. Mais saurait-il dire, au bout du compte, laquelle de ces trois-là serait la plus sournoise ?

Lors, de Saintes ils chevauchèrent jusqu'à Mirambeau, de Mirambeau à Bordeaux, de Bordeaux à Labouheyre, puis à Castets, et au milieu du cinquième jour, donc, ils arrivèrent, fourbus, devant la grande et belle Bayonne, que nous aurons l'occasion de dépeindre plus loin. Pour parcourir tant de lieues en un temps si court, ils durent imposer à leurs montures une cadence extraordinaire, mais il faut se souvenir qu'ils avaient à leurs trousses et Guillaume Humbert et ces deux cavaliers noirs auxquels Tourville avait fait référence, ce qui ne leur laissait guère le loisir de traîner en chemin, ni même celui de savourer pleinement la splendeur des paysages qu'ils traversaient. Et pourtant, comme cette région était belle !

Ainsi, ils ne firent que passer devant les merveilles que la nature et les bâtisseurs avaient placées sur leur route, s'arrêtant à peine à Bordeaux, belle et fière capitale de Guyenne et paradis du vin, nichée sur la rive ouest de la Garonne, avec sa cathédrale Saint-André qui, comme toutes celles qu'ils croisaient depuis Paris, était en plein agrandissement, s'élevait encore un peu plus vers les cieux sous la savante et audacieuse direction des grands maîtres maçons, ses maisons à colombages, hautes et étroites, entassées entre les deux enceintes successives de la ville, où s'affrontaient alors la chantante langue des Gascons et celle des Anglais, et jusqu'à la petite ville de Labouheyre, discrète et chaleureuse, envahie par les dunes, ils traversèrent les vastes terres sableuses des Landes, fouettées par le soleil, par les vents de l'Océan, et bordées à droite et à gauche par leur majestueuse forêt de pins, silencieuse et terne, aux membres gorgés de sève et emplissant l'air de leur âpre odeur aromatique. Ici, les espaces immenses semblaient aussi calmes que devait l'être le monde aux temps primitifs, car dans ces déserts l'homme n'a point osé encore troubler la nature, et l'on n'y rencontrait que quelques chevaux libres, qui paissaient à demi cachés dans les herbes marécageuses.

Sans pourtant les voir, Andreas avait la certitude de sentir leurs poursuivants derrière eux, ses sens aiguisés par cet instinct étonnant qui permet à une proie de savoir qu'on la traque. Malheureusement, il ignorait à quel point cette conviction était légitime. Car quand Robin et lui entrèrent dans la ville de Bayonne par le long pont Pannecau qui enjambait l'Adour, le Grand Inquisiteur de France était si près d'eux qu'il put même les observer.

98

— Bayonne est une cité émancipée, fort dévouée aux rois d'Angleterre, elle possède sa propre charte communale. L'ordonnance royale n'a ici que très peu de valeur, sinon aucune, et s'il est un endroit en France où ma fonction est particulièrement malvenue, c'est bien en cette région d'hérétiques, expliqua Guillaume Humbert aux deux geôliers qui l'accompagnaient. Les Gascons sont des chiens fiers et arrogants. Aussi, nous allons devoir intervenir dans la plus grande discrétion, sortir Saint-Loup de là pour aller le soumettre à la question et le juger en un lieu saint où, cette fois, nous serons bien accueillis et protégés. Changeons d'habits et faisons en sorte de ne point nous faire reconnaître.

Ainsi, tous trois traversèrent le pont Pannecau et entrèrent dans la ville par le nord, vêtus comme de simples marchands, quelques instants à peine après Andreas et Robin.

Bien que leurs intentions s'opposassent grandement, il fait peu de doutes que l'éblouissement des gens de Guillaume Humbert fût aussi grand que celui d'Andreas et Robin en pénétrant dans la cité, car elle était l'une des plus belles de tout le territoire.

Perchée sur une petite colline au confluent de l'Adour et de la Nive, au pied des Pyrénées, c'était une petite place forte, ceinte de murailles très épaisses qui s'élevaient au-delà des marécages que les fleuves y avaient engendrés. Une demi-lieue à peine séparait la ville de l'Océan, mais il fallait un temps bien long aux nombreux navires pour remonter l'Adour jusqu'au port que la tutelle anglaise avait permis de développer. Il y en avait néanmoins un grand nombre, et qui venaient de tous pays toutes voiles dehors. La Nive, quant à elle, traversait la ville de part en part pour se jeter dans les eaux de sa sœur aînée. Ces rivières, d'ailleurs, n'apportaient pas seulement à Bayonne ces innombrables bateaux, mais aussi moult poissons, et on y prenait notamment de très beaux saumons, alors qu'au large, en pleine mer, il n'était pas rare qu'on prît une baleine, une fois l'an peut-être, source de belles richesses, car une partie du monstre se vendait fraîche – et on assure que c'est une viande excellente – et une autre se salait pour être exportée, alors que de la tête on pouvait extraire plusieurs tonnes d'huile et que la langue, enfin, s'arrachait à prix d'or, puisqu'on en faisait, dit-on, un mets des plus exquis.

Bien que l'Inquisiteur eût évoqué l'arrogance et la dureté des Gascons, les trois étrangers ne purent que constater, en entrant dans la ville, combien les gens d'ici étaient gais et chaleureux, semblaient ne songer qu'à rire, danser et s'amuser, et aux portes de la ville même on voyait des terrains disposés en forme de carrés, clôturés, dont le sol recouvert de sable était si bien nivelé qu'on n'eût su y signaler la moindre inégalité, et où les hommes de Bayonne venaient jouer à la balle, aux quilles et à moult autres jeux encore. On entendait ici plus qu'ailleurs encore la musique de la langue gasconne, qui se parlait de ce côté-là de la France.

Remontant lentement, sur la rive ouest de la Nive, les rues ensoleillées où s'alignaient les maisons aux toits ocre, ils longèrent le château, qui n'était pas des plus grands mais s'enorgueillissait d'un beau donjon hexagonal, et arrivèrent bientôt au cœur même de la cité, tout plein de peuple et de bruit.

C'était la place de la cathédrale qui, ravagée par un incendie trois ans plus tôt, profitait alors de toute la ferveur des bons bourgeois et de l'Église, lancés de concert dans sa reconstruction, laquelle était l'occasion d'un admirable embellissement. Bien que la nef et les deux clochers ne fussent point encore achevés, les pèlerins de Saint-Jacques venaient là par milliers pour se recueillir devant la châsse de saint Léon et déambuler pieusement le long des sept chapelles à pans coupés qui entouraient le chevet.

Sur le parvis et dans les ruelles alentour, les commerçants le disputaient aux troubadours, aux artisans, aux enfants, aux voyageurs pour faire le plus grand bruit. C'était comme si toute la ville avait décidé de se retrouver là chaque jour, et ce rassemblement extraordinaire, combiné au fracas des tailleurs de pierre et des charpentiers perchés sur l'édifice religieux, produisait une clameur qu'à Paris même on entendait rarement. De même on était assailli, en avançant dans la foule, par une forte odeur de poisson, car les pêcheurs du matin venaient vendre l'après-midi leurs plus belles prises sur cette place si bien achalandée.

— Nous ne les retrouverons jamais dans ce si grand désordre ! gronda l'un des geôliers.

— Un chauve au teint mat et un jeune rouquin, ça ne devrait pas être si difficile à trouver, répliqua le Grand Inquisiteur tout en parcourant la foule du regard.

Et, de fait, après avoir fait plusieurs fois le tour de ladite place et inspecté toutes les ruelles qui y prenaient naissance, ils aperçurent enfin l'Apothicaire et son apprenti qui, vêtus eux aussi d'habits de simples villageois, entraient ensemble dans une grande auberge.

— Monseigneur, ils sont faits ! affirma le geôlier dans un élan d'enthousiasme, motivé sans doute par ces longues journées de poursuite.

— Ne nous précipitons pas, tempéra Guillaume Humbert. Cette fois-ci, je ne veux pas que Saint-Loup nous échappe. Nous allons les observer et élaborer un plan. En outre, si nous ne voulons pas provoquer l'ire des gens d'ici, mieux vaut agir à la nuit tombée. Si Dieu le veut, cette nuit, ce maudit apothicaire sera entre nos mains.

99

Le hasard ayant voulu, comme on le sait, que tout ce petit monde arrivât en même temps dans cette ville, au moment même où le sombre évêque fomentait son odieux traquenard, la jeune Aalis, elle, à quelques pas de là, arpentait les rues de Bayonne à la recherche du fils de Zacharias.

Ici et là, sous les arcades écrasées qui bordaient les grandes rues – car sous ce soleil il fallait de l'ombre – elle s'arrêtait pour admirer les jeunes gens, adroits et beaux, qui festinaient et paradaient, sautaient à la perche avec leurs ceintures rouges et leurs culottes blanches, ou encore ces bœufs graves qui, le front baissé, tiraient depuis le port moult marchandises jusqu'au cœur de la ville animée.

Ses vêtements abîmés par une si longue marche à travers la campagne, Aalis ressemblait à une petite mendiante et la plupart des gens auxquels elle tentait de parler ne daignaient même pas lui répondre.

— Connaissez-vous un homme qui se nomme Nissim Buljan ? demandait-elle aux artisans, aux commerçants, à tous ceux dont elle croisait la route.

Les rares fois qu'on lui répondait, c'était, sempiternellement, par la négative, et la jeune fille était sur le point de se décourager quand une femme qui, de loin, l'avait entendue poser la question, vint lui taper gentiment sur l'épaule.

— Tu ne trouveras pas l'homme que tu cherches ici, ma petite.

— Vous savez où il est ? demanda Aalis, ragaillardie.

— Eh non, je ne le connais pas, mais je sais reconnaître un nom juif, quand j'en entends un. Et les Juifs n'ont pas le droit de vivre à l'intérieur des murs de la ville, à part quelques armateurs... Tu les trouveras à Saint-Esprit-lès-Bayonne, un petit bourg au nord d'ici, juste de l'autre côté du fleuve.

Alors Aalis monta vers l'Adour, traversa le grand pont de bois par lequel, un peu plus tôt, étaient passés Andreas et Robin, mais aussi Humbert et ses hommes, et monta vers ce faubourg où vivaient en ce temps les Juifs et les étrangers.

Elle découvrit alors la singularité de ce quartier, que l'on nommait juiverie, et où les hommes habitaient en communauté, selon qu'ils avaient telle ou telle origine. Fort émue, il lui sembla reconnaître dans certaines coutumes des choses que Zacharias lui avait contées quand elle allait le voir, au petit soir, dans sa capitelle. C'était comme si elle visitait enfin le pays du vieux Juif, un pays qui n'existait pas, qui était partout et nulle part à la fois, car elle est bien étonnante l'histoire de ce peuple de pasteurs asservis, expulsés de leur patrie, dispersés dans toutes les régions du monde sans avoir perdu la trace de leur origine, se défendant là où on les persécute, s'éclairant là où on les traite avec humanité, et en ce temps, en France, ce n'était guère le cas. Ici les Juifs – que la savante pratique de l'usure avait rendus gênants aux yeux des puissants comme de l'Église – avaient été pillés, dépouillés de leurs biens, rejetés des villes, on avait détruit la plupart de leurs temples et brûlé leur littérature, quand on ne les avait pas massacrés eux-mêmes.

Dans ce quartier isolé, donc, on avait reconstruit une synagogue – que les Juifs appelaient *bet-knesset* – autour de laquelle s'était développée toute une activité de commerce et d'artisanat qui donnait aux rues étroites beaucoup de couleur et d'animation. La plupart des hommes portaient la barbe, aucun n'avait les tempes rasées, et presque tous arboraient la coiffe juive, un chapeau pointu qui était jaune, à bord rigide, et qui était surmonté d'une queue et d'un pompon – en somme, il s'apparentait au pétase grec, que l'on voit parfois sur le chef d'Hermès, et dérivait du bonnet phrygien des forgerons. Certains, en sus, portaient sur le front et sur le bras gauche des petites boîtes en cuir, que l'on nomme *tefillin*, et qui renferment des psaumes sur parchemins. De sous leur chemise, enfin, dépassaient des franges blanches, des *tsitsit*, car la Torah demande que l'homme en mette aux quatre coins des vêtements dont il se couvre.

Nous nous permettrons ici un court mais instructif détour, que le lecteur voudra bien nous pardonner, afin de lui révéler, s'il ne le sait déjà, un fait marquant qui illustre la façon dont étaient traités les Juifs en ce temps. En effet, si nous venons de voir qu'ici certains aimaient à porter quelque habit traditionnel, il était un attribut vestimentaire qui, en revanche, leur fut imposé à tous dans la plupart des villes du royaume. Depuis le XIIIe siècle, les Juifs et tous leurs biens avaient été déclarés propriété des seigneurs sur les terres desquels ils habitaient. Mais, comme si cette spoliation n'eût point suffi, on les obligea aussi à porter un signe extérieur qui permettait de les discriminer. De fait, une ordonnance du roi Saint Louis commanda à tous les baillis, vicomtes, sénéchaux et prévôts de France de contraindre *leurs* Juifs à porter sur leurs habits deux *rouelles*, qui étaient des cocardes jaunes, de la taille d'une main, l'une dans le dos, et l'autre sur la poitrine. Ces marques humiliantes soumettaient les malheureux, chaque fois qu'ils allaient en ville, aux railleries et aux injures de la populace, qui peut être si sotte parfois. Si quelqu'un prenait un Juif dans la rue sans cet infamant stigmate, le coupable était condamné à dix livres d'amende et à la perte de son habit, lequel lui était soustrait au profit du dénonciateur. Il est de l'humble et triste avis du narrateur que ces sortes de choses sont amenées à se répéter dans l'histoire aussitôt que nous les oublions ou que nous feignons de ne point les reconnaître.

Mais revenons-en à notre jeune Occitane. Éblouie par ce dépaysement inattendu, Aalis pénétra vers le cœur de la juiverie en ouvrant de grands yeux. Là, elle observa les moult bouchers qui exposaient sur leurs étals des viandes préparées selon la tradition, et dans une rue distincte les fromagers, car la religion (qui dit que l'on ne doit pas cuire le chevreau dans le lait de sa mère) commandait que la viande et le lait ne se côtoyassent point. Ici, elle admira le calme apparent des jeunes garçons qui, les tempes garnies de papillotes, attendaient devant une *bet-sefer* que leurs maîtres érudits vinssent leur apprendre à lire le Talmud. Plus loin, elle vit des femmes s'engouffrer dans un bâtiment où, en sous-sol, se trouvaient des bains, que l'on appelait *mikvé*, et où on allait se purifier dans une eau de source une fois la semaine ou après les périodes de menstruation. Et puis il y avait des forgerons, dans l'atelier desquels on voyait de belles *hanoukkia* en bronze, chandeliers à neuf branches, et de belles *ménora*, qui en comptaient sept, et puis il y avait des relieurs, des copistes et des libraires qui faisaient venir des codices de toutes les parties du monde, car Bayonne attirait tant d'étrangers, et il y avait des médecins, des tanneurs, des drapiers et des teinturiers qui faisaient les châles de prière, les *tallit*, des verriers et des orfèvres, et puis ici on vendait du vin casher, et puis il y avait des bureaux de change et des usuriers... En somme, c'était un quartier commerçant comme les autres, mais qui différait par certains détails auxquels la jeune fille, se remémorant les histoires de Zacharias, ne pouvait pas être indifférente.

Comme le quartier n'était pas grand et qu'on n'avait pas le droit de l'étendre, les maisons étaient plus hautes encore que dans la ville même, et Aalis remarqua sur le linteau des portes ces petites boîtes de bois, les *mezouzot*, où sont nichés des rouleaux de parchemins inscrits de prières, et dont l'une d'elles avait un jour disparu de l'entrée de la capitelle où vivait le pauvre Zacharias, volée sans doute par un habitant de Béziers mal intentionné.

Malgré toute cette agitation et les sourires qu'on voyait aux lèvres de leurs habitants, ces ruelles étaient sales et tristes, l'odeur pénible, et c'était chose affligeante que de voir ces hommes parqués dans d'insalubres maisons ; toutefois, ils se consolaient sans doute de n'être pas exposés ici aux insultes et aux mauvais traitements qu'on leur réservait intra-muros.

Contrairement à l'accueil qu'on lui avait réservé en ville, ici, personne ne sembla s'offusquer des guenilles d'Aalis, mais elle remarqua que, si les femmes lui adressaient des gestes amicaux, les hommes, eux, évitaient de croiser son regard.

Elle était arrivée sur le parvis bruyant et animé de la *bet-knesset* quand une vieille femme, qui était laide, grasse et édentée, vint se poster devant elle avec un regard amusé, pendant que, tout autour d'eux, les gens continuaient d'accomplir ce qu'ils avaient à accomplir, qui porter un colis, qui tirer de l'eau à la fontaine, qui vendre des breloques sur une petite charrette, qui nettoyer la chaussée, qui la salir, qui papoter en groupe, qui écouter ce qui se disait ici ou là…

— Qu'est-ce que tu viens faire ici, ma belle petite *goyia* ?

— Je… je cherche quelqu'un.

— Ah ! Eh bien, tu ne pouvais pas tomber mieux ! Je m'appelle Ruth, dit la vieille femme en lui tendant la main. C'est mon affaire que de trouver des hommes aux jeunes filles !

— Mais…

— *Oï !* Quel dommage que tu ne sois pas juive, tu serais parfaite pour le fils de mon cousin Jacob ! Mais on doit pouvoir s'arranger, ajouta-t-elle en lui adressant un clin d'œil entendu. Tu es belle comme Bethsabée !

— Qui est-ce ?

La vieille femme attrapa les joues d'Aalis et les pinça chaleureusement en riant.

— C'était une femme si belle que le roi David a fait tuer son mari pour la séduire ! Et toi tu es si belle que ton mari aura l'impression d'être un roi !

— Mais vous n'y êtes pas, répliqua la jeune fille que la méprise de son interlocutrice amusait malgré tout. Je ne cherche pas un mari, je cherche le fils d'un ami !

— Et alors ? Ça ne t'empêche pas de l'épouser ! Une jolie *na'ara* comme toi, avec de si beaux yeux verts, les garçons ici vont tous tomber à tes pieds ! Mais je te dirai, moi, lesquels sont des bons partis. Tu me fais confiance n'est-ce pas ? Ce serait dommage que tu tombes sur un *m'chougga*[1], et il y en a beaucoup par ici, ou sur un mauvais amant ! Et alors ? Ça compte ces choses-là ! Un mariage heureux, c'est d'abord à la couche que ça se joue... Tu es bien faite, tu mérites un garçon bien bâti, qui te donne beaucoup de plaisir !

— Je vous assure que je ne cherche pas un mari ! insista Aalis. Je cherche un homme qui s'appelle Nissim Buljan, parce que j'ai quelque chose à lui donner, de la part de son père, qui est mort, et qui était mon ami.

— Nissim Buljan ? Cela ne me dit rien ! s'exclama la vieille femme, déçue, avant que de retrouver un peu de malice. Mais je connais un Nissim ben Isaac qui est très joli garçon et qui n'est pas étranger aux mystères de l'amour ! C'est le fils du cordonnier qui, lui,

1. Fou.

est un imbécile et un *m'goullal*[1]. Je peux te le présenter si tu veux... Le fils, pas le père !

— Non ! C'est Nissim Buljan que je cherche.

— Et moi je te dis que je ne le connais pas ! Si je ne le connais pas, il y a peu de chances qu'il habite ici, tu sais, parce que, parole de *chadkhanit*[2], je connais presque tout le monde, des lieues à la ronde ! Je peux même te trouver un mari à Bordeaux ou à Narbonne, si tu veux ! Un *guêvêr*[3] ! Ma parole, je peux même t'en trouver un en Navarre s'il le faut !

— Non, merci, vraiment. Il n'y a personne qui puisse me renseigner ?

— *Oï !* Vraiment ! Tu es intraitable !

— J'ai absolument besoin de trouver cet homme, s'excusa Aalis. J'ai fait une promesse.

La vieille femme hocha la tête d'un air triste et résigné.

— Si le *rav*[4] Shlomo avait encore toute sa tête, il saurait peut-être, lui, mais il ne l'a plus depuis longtemps, et de toute façon une jeune fille ne va pas parler à un rabbin. Cela ne se fait pas. Il faudrait peut-être demander à sa femme...

— Et comment puis-je la trouver ?

— Tu es sûre que tu ne cherches pas un mari ?

— Sûre.

— Bon. D'accord. Alors viens avec moi, on va aller trouver la femme de *rav* Shlomo. D'ailleurs, elle a un petit-fils qui vient d'avoir seize ans et qui...

— Je ne cherche pas de mari !

— Oui, oui ! Ça va ! Allez, suis-moi.

La vieille femme conduisit Aalis vers la petite fontaine qui était dans l'ombre des arbres, sur le parvis de la *bet-knesset*, et où d'autres vieilles femmes, assises sur le rebord d'icelle, semblaient engagées dans un

1. Poissard.
2. Courtière en mariages, chargée de former le bon couple, le bon arrangement ou *chidoukh*.
3. Homme.
4. Rabbin.

grand débat. Quand elles approchèrent, le silence se fit aussitôt et tous les yeux se tournèrent vers Aalis. La marieuse fit les présentations, indiquant à la petite laquelle de ces femmes était l'épouse du rabbin.

— Et qui est cet homme que tu cherches ? demanda celle-là, qui avait de magnifiques yeux bleus et un regard bien vif pour son grand âge.

— Il se nomme Nissim Buljan, et il est le fils d'un de mes amis, qui est mort.

— Nissim Buljan... Oui. Je me souviens de lui. C'était un musicien.

— Oui ! s'exclama Aalis. C'est cela ! C'est lui ! Savez-vous où je peux le trouver ?

La vieille femme pencha la tête d'un air désolé.

— Eh, hélas, ma pauvre petite...

— Quoi ?

— Nissim est mort, il y a bien deux ans.

Aalis éprouva comme un grand coup de lame dans l'estomac. Tout l'espoir qu'elle avait eu d'honorer la mémoire de Zacharias s'effondra aussitôt, ses yeux lui piquèrent et elle eut bien de la peine à retenir ses larmes. Tant de chemin pour ne pas pouvoir tenir sa promesse ! Et ce pauvre Zacharias qui était mort sans savoir qu'il n'avait plus de fils !

— Eh... Je suis désolée, ma petite. Nissim est mort de la main des Anglais, qui sont venus dans toute la Guyenne châtier les Juifs qui n'avaient pas obéi aux décrets d'expulsion. Beaucoup ont été contraints de rejoindre la Navarre. D'autres sont morts au fil de l'épée. Ton ami en faisait partie. Je suis désolée, répéta la vieille femme.

— Merci... merci, madame, balbutia Aalis avant de se retourner et de partir en courant, parce que rester là, un seul instant de plus, sous le regard apitoyé de ces femmes, lui eût été insupportable.

D'une traite elle sortit de la juiverie et courut vers le grand pont, et alors, les yeux battus par le vent, elle sanglota, beaucoup, longtemps.

100

M. Ardignac, prévôt de Béziers, recueillit aisément plusieurs témoignages des habitants de Bayonne qui affirmaient avoir aperçu une jeune fille en guenilles, châtaine et aux yeux verts, errer dans la ville au milieu de la journée. Petit à petit, il remonta sa piste et apprit qu'on l'avait vue partir soudain vers le nord de la cité. Avec ses deux gardes, il se mit donc en route dans cette direction, bien décidé à mettre un terme à cette trop longue chasse, et en vérité il n'en crut pas ses yeux quand, sur le parvis du château de Bayonne, il vit la jeune fille qui, la mine défaite, courait tout droit vers eux, comme portée là par la divine Providence, sur un plateau d'argent.

— Attrapez-la ! s'exclama Ardignac, stupéfait, et les deux gardes s'exécutèrent.

Aalis, qui avait les yeux emplis de larmes, ne les vit point venir sur elle et se retrouva d'un seul coup plaquée contre le sol, la tête dans la poussière.

Quand elle reprit ses esprits, écartant les paupières, elle vit apparaître au-dessus d'elle le père de François et, avant même qu'elle n'ait pu dire un mot, celui-ci lui administra une puissante gifle. La jeune fille était si perplexe qu'elle ne lâcha pas un cri. Pas même quand le prévôt lui envoya un second soufflet, du revers de la main cette fois.

Ardignac, envahi par la rage, n'était plus tout à fait lui-même. Penché sur la jeune fille que ses gardes maintenaient fermement au sol, il avait les yeux rouges, les mains tremblantes et son visage était déformé par une horrible grimace de colère.

Autour d'eux, les habitants de Bayonne s'arrêtaient, intrigués, si bien qu'une foule se forma peu à peu, mais aucun ne sembla vouloir intervenir.

— Tu vas payer, petite traînée ! Tu vas payer pour tes crimes ! cracha le prévôt avant de lui envoyer une troisième gifle sonore.

Et alors que le prévôt semblait prêt à l'égorger sur place, dans le mutisme de cette curieuse assemblée de voyeurs, une voix, soudain, s'éleva qui l'arrêta dans son geste.

— Êtes-vous bien certain, monsieur, d'avoir assez de deux gardes pour frapper une fille qui n'a pas la moitié de votre âge ?

Le prévôt, que cette irruption semblait avoir énervé encore davantage, se redressa et fit volte-face, alors que dans la foule s'élevaient déjà quelques rires moqueurs.

Aalis, étendue dans le sable, les joues en feu et les lèvres en sang, aperçut alors, au-delà de son bourreau, la silhouette de l'audacieux qui s'était immiscé.

C'était un homme de taille moyenne, de trente-cinq à quarante ans, le teint hâlé, le visage creusé en haut des joues, les yeux noirs et cernés, le nez aquilin et le crâne entièrement chauve.

— Occupez-vous de vos affaires, monsieur, siffla Ardignac. Cette fille est une meurtrière, recherchée à Béziers, où elle a allumé deux incendies qui ont tué ses parents et mon pauvre fils.

Comprenant d'emblée qu'aucun argument juridique ne viendrait à bout de la détermination de cet homme ivre de rage, Andreas – qui savait être fourbe quand la situation l'exigeait – opta pour mettre la foule de son côté, comme il est avantageux de le faire en de telles circonstances.

— Très bien, très bien, dit-il, mais ici, nous ne sommes pas à Béziers, nous sommes à Bayonne, et je ne crois pas qu'à Bayonne on traite les jeunes filles de la sorte, quels que soient les crimes qu'un étranger lui reproche.

Quelques voix dans la foule, perméables à la flatterie, signalèrent leur approbation.

— De fait, elle sera ramenée à Béziers pour y être jugée équitablement, répliqua le prévôt, qui voyait clair dans le jeu de son adversaire.

L'Apothicaire opta alors pour une autre méthode et, sortant de la multitude, il vint se placer juste devant le prévôt pour lui parler plus bas, sur un ton fraternel.

— Si cette jeune fille est vraiment responsable de la mort de votre fils, je devine votre colère et votre immense douleur, monsieur. Mais quand vous l'aurez jugée, cela fera-t-il revenir votre enfant ?

— Le sentiment de justice apaisera sûrement mon âme. Et de toute façon, tout crime doit être puni.

— Et quelle punition plus grande pourriez-vous lui donner que celle qu'elle s'est infligée elle-même ?

— De quoi parlez-vous ? s'emporta Ardignac. Vous ne savez rien de cette affaire !

— Il n'est pas toujours nécessaire de savoir pour comprendre. Qu'est-il arrivé à cette enfant pour qu'elle commette un acte aussi fou que celui de tuer ses propres géniteurs ? Que lui avaient-ils fait ? Que lui aviez-vous fait ?

Le prévôt ne répondit pas. Il lança seulement quelques regards haineux en direction d'Aalis, laquelle, suspendue à son sort, était pétrifiée par la peur et la stupéfaction.

— Si ces choses sont advenues à Béziers, et que nous sommes à Bayonne, reprit Andreas, cela signifie que cette jeune fille a elle-même choisi l'exil. Elle a... quoi ? Treize, quatorze ans ? Regardez son habit. Regardez ses yeux. Croyez-vous vraiment que vous pourrez lui faire une vie plus dure que celle qu'elle mène ici, orpheline, loin de chez elle et sans le sou ?

— Peut-être pas, mais nous pourrons lui faire une mort plus douce, ironisa le prévôt.

Le visage d'Andreas se durcit.

— Cela, monsieur, je ne pourrai vous le laisser faire.

— Et qui êtes-vous donc pour prétendre m'interdire de rendre justice ?

— Je suis un homme, monsieur. Et il ne s'agit point de vous interdire de rendre justice, mais de vous éviter de prolonger ce qui ressemble déjà à une trop longue liste de malheurs. Vous avez perdu un fils, elle a perdu père et mère, de ses propres mains, elle a perdu un toit, tout cela ne vous suffit-il pas ?

— Non. Je veux qu'on me rende justice.

— Faites demi-tour. Laissez cette enfant à son triste sort, vous n'en reviendrez chez vous que grandi par la clémence et la raison, plutôt qu'avili par une vengeance qui, de fait, ne soigne jamais les véritables peines.

— Je serais la risée de Béziers !

— Vous ne seriez pas la mienne, et je crois, au contraire, que la sagesse que vous auriez acquise ne ferait que dorer votre image auprès de vos gens. Un homme qui trouve une autre voie que celle de la violence pour résoudre un conflit est le plus admirable des justiciers.

— Et quelle autre voie proposez-vous ?

— Le pardon.

Le mot même sembla ranimer la colère du prévôt.

— Le pardon ? s'exclama-t-il. Comment peut-on pardonner la mort de son fils, monsieur ? Avez-vous déjà perdu un fils ?

— Non. Mais je suis orphelin, comme cette petite, et je sais ce que c'est que de n'avoir ni père ni mère.

Ardignac poussa un cynique ricanement.

— C'est pour cela que vous prenez sa défense ?

— Je ne savais pas encore ce qu'elle avait fait quand je suis intervenu.

— Alors je suppose que vous vous prenez pour un dieu de justice ? Un sauveur ?

— Non. Pour tout dire, je pense que si j'étais à votre place, je n'aurais qu'une envie : tuer cette enfant sur place.

— Alors pourquoi voulez-vous m'en empêcher ?

— Car si tel était le cas, je voudrais qu'un homme vînt me raisonner et me dire que la colère est de fort mauvais conseil. Qui sait ? Cela serait peut-être vous…

— Je ne suis pas de ces gens qui font la morale à autrui.

— N'aimeriez-vous pas le devenir ?

Le prévôt, démuni par la repartie de son interlocuteur, secoua la tête.

— Cette enfant doit être punie.

— Alors punissez-la tout de suite. Tendez-lui la main, aidez-la à se relever, et dites-lui que vous lui pardonnez. Croyez-moi, ce sera la plus forte des punitions, car alors elle devra affronter seule sa faute, et apprendre à se pardonner à elle-même, ce qui est bien plus pénible que n'importe quelle condamnation.

La foule, qui s'était approchée pour entendre, adressa aussitôt des encouragements au prévôt pour qu'il fît preuve de clémence.

Que le lecteur ne croie pas ici que nous dressons du peuple une peinture naïve et idéaliste… Les faits se passèrent bien ainsi car, assurément, la foule est sotte, nous l'avons déjà dit, et de la même manière qu'elle est capable d'injurier et de moquer le Juif qui passe avec sa rouelle, aussi est-elle capable de s'émouvoir de l'injustice que dénonce un beau discours. Ainsi va le monde.

— Vous pensez vraiment que j'aurais fait tout ce chemin pour lui pardonner ?

— Il n'y a pas de chemin plus long que celui du pardon, répliqua Andreas.

— Monsieur est adepte des belles phrases, mais ces belles phrases ne me rendront pas justice !

— En effet. Il n'y a que les gestes qui comptent. Voici l'occasion pour vous d'en faire un beau.

Sur le visage du prévôt, la colère avait fait place à une sorte d'accablement, comme tous les regards étaient tournés vers lui.

— Vous me jugez. Mais pour vous, c'est facile de jouer les grands seigneurs ! Ce n'est pas votre fils qui est mort.

— Je n'ai jamais dit que cela serait facile pour vous, monsieur. J'ai dit que cela serait admirable.

— Je ne suis pas ici pour trouver la gloire, mais la justice.

Andreas, comme à court d'arguments, marqua un temps de pause avant de lancer :

— Vous êtes de Béziers, monsieur, n'est-ce pas ?

— Bien sûr.

— Vraiment ?

— Comment cela, vraiment ? s'énerva Ardignac. Je suis prévôt de Béziers, et mon père l'était avant moi ! Tout comme mon grand-père, et son père avant lui ! Les Ardignac sont une des plus vieilles et plus fières familles de Béziers !

— Alors j'ai peine à comprendre que vous montriez tant d'entrain à vous substituer à la justice divine, monsieur. N'est-ce pas avant de massacrer vos ancêtres que le légat du pape cria ce célèbre « tuez-les tous, dieu reconnaîtra les siens » ? Seriez-vous un Amalric d'aujourd'hui, prêt à rendre une justice aveugle et meurtrière à la place de Dieu ?

Le lecteur, qui connaît bien maintenant l'irréligion d'Andreas, sourira sans doute comme nous devant l'argumentation purement rhétorique de cet homme pour qui la justice divine était en réalité un concept inepte. Mais Ardignac, qui était de plus en plus incertain, adressa alors un regard aux deux gardes qui tenaient toujours la jeune fille à terre, et dans leurs yeux il dut lire la confirmation que sa clémence ne serait point regardée chez lui comme une faiblesse, mais bien comme une force, car dans un soupir, enfin, abaissant ses défenses, il leur ordonna de relâcher Aalis.

— Rentrons, dit-il. Laissons cette diablesse affronter seule le jugement de Dieu, quand l'heure sera venue. Pour ma part, j'en ai fini avec elle. J'en ai fini avec tout ça.

Sans ajouter un mot de plus, il avisa durement Andreas, puis se fraya un chemin au milieu de l'assemblée, suivi par ses deux gardes et par les acclamations des Bayonnais.

La poitrine soulevée par le soulagement, Andreas les regarda s'éloigner, puis il rejoignit la jeune fille qui, assise par terre, la bouche en sang, tremblait encore de tout son long, alors qu'autour d'eux, comme le spectacle était fini, la foule se dispersait déjà sur le parvis du château.

— Comment t'appelles-tu, petite idiote, et que fais-tu vraiment ici ? demanda l'Apothicaire en l'attrapant fermement par-dessous l'épaule pour la relever.

La jeune fille épousseta ses vêtements, frotta le sang sur ses lèvres, puis elle leva vers Andreas et Robin un regard empli d'une triste gratitude.

— Je m'appelle Aalis, et je n'ai plus rien.

Livre III

Où le lecteur trouvera enfin les réponses
aux nombreux mystères
qui lui ont été exposés,
mais découvrira aussi que le sens même
de cette histoire n'est peut-être pas
celui que l'on croit.

101

— On vient ! s'exclama celui des deux geôliers qui avait la tête collée contre la porte.

Humbert lui fit aussitôt signe de se cacher.

Après avoir vu l'Apothicaire et son apprenti ressortir de l'auberge, le Grand Inquisiteur de France y avait pris une chambre lui aussi, puis s'était glissé dans la leur afin de les y attendre. Ainsi, il allait pouvoir les prendre, à la nuit tombée et à l'abri des regards.

Dans la pièce ils avaient retrouvé, non sans une certaine satisfaction, celles de leurs affaires que Saint-Loup et le jeune homme leur avaient volées en prenant l'un de leurs chevaux. Il y avait dans ce chassé-croisé une certaine ironie dont Humbert se délectait, à présent qu'il était du bon côté du piège.

Les pas dans le couloir approchèrent. Dehors, le soleil était en train de disparaître et le soir plongeait Bayonne dans une douce pénombre. Humbert, qui se tenait dans le fond de la chambre, regarda ses deux hommes lever leur épée, prêts à en découdre. En cet instant il se souvint de l'humiliation qu'il avait essuyée en voyant s'échapper le jeune Robin Meissonnier de la commanderie Saint-Marc, et il jubila à l'idée de prendre sa revanche. Dans l'ombre, un sourire se dessina sur son visage.

La porte s'ouvrit lentement, et alors, tout se passa en un battement de cils. Les deux silhouettes entrèrent dans la pièce, et aussitôt les geôliers leur tombèrent vitement dessus.

Mais au lieu d'un apothicaire et de son apprenti désarmés, ils se trouvèrent confrontés, stupéfaits, à deux étranges individus, tout de noir vêtus, et qui non seulement avaient des lames mais savaient s'en servir fort bien. Habillés exactement de la même singulière manière, et coiffés tous deux d'une chevelure blonde et bouclée, on eût dit deux anges démoniaques. Et de fait, ils se battirent comme des créatures des enfers.

En deux ou trois coups de lame seulement, l'un et l'autre désarmèrent leur adversaire respectif et les percèrent de part en part sous le regard terrifié du Grand Inquisiteur de France qui, assurément, ne s'était pas attendu un seul instant à un tel déchaînement de violence.

Les deux cadavres s'effondrèrent presque simultanément dans la mare de sang qui avait déjà coulé sous eux.

— Quel accueil ! s'amusa le plus grand des deux tout en essuyant son épée sur le drap qui couvrait la couche à ses pieds, puis, la tête penchée, il s'avança doucement vers l'évêque avec un sourire intrigué. Fichtre, votre visage me dit quelque chose.

Humbert, qui était plus blanc encore que la lune naissante, avait la bouche bée, les yeux écarquillés, et il ne bougeait pas.

— Et vous, mon frère ? Il ne vous dit pas quelque chose, ce visage creusé de belette, avec cette belle barbe ? continua l'homme qui était maintenant si proche de l'Inquisiteur qu'il pouvait le toucher.

— Mais si, bien sûr ! répondit l'autre, qui était resté devant la porte et qui semblait tout aussi amusé. Il n'a ni son habit d'évêque ni sa croix sur la poitrine, mais qu'on me foudroie si ce n'est pas Mgr Guillaume Humbert en personne !

— Voilà ! C'est cela ! Le Grand Inquisiteur de France ! Ah ! Votre Excellence, vous avez devant vous deux de vos plus fervents admirateurs, incontestablement ! Mais si ! Je vous assure ! Vous pensez que je me moque, mais je vous promets que nous comptons parmi vos plus fidèles disciples ! Vous êtes pour nous une source d'inspiration sans fin. Un modèle ! Un guide ! Aussi, permettez-moi d'être quelque peu désappointé par le manque de chaleur dont vos deux amis ont fait preuve en nous voyant entrer ici !

— Je... je suis désolé, balbutia Humbert qui avait soudain perdu toute la superbe et l'arrogance que nous lui connaissons en d'autres circonstances. Nous... nous attendions quelqu'un d'autre...

— Ah ! s'exclama le grand blond en levant les mains en signe de soulagement. C'était donc une simple erreur ? Vous me voyez rassuré ! Et consolé, aussi. Mais puis-je demander à Votre Excellence qui elle attendait ?

Humbert, qui ne se laissait guère tromper par la bienveillance sarcastique de son interlocuteur, essuya une goutte de sueur sur sa tempe dégarnie. L'évêque, qui avait si souvent pratiqué la torture, était mieux à même que quiconque de reconnaître ce genre de discours préliminaires, et quand bien même il n'est guère convenant de se réjouir du malheur d'un homme, nous ne pouvons, comme le lecteur sans doute, rester indifférent à l'ironie du sort qui voulut donc que le bourreau, cette fois, prît la place de la victime.

— Allons, monseigneur, qui attendiez-vous donc ?

— Un homme, souffla l'Inquisiteur. Un apothicaire... Qui doit être soumis à la question, sur ordre du roi.

— Voyez-vous cela ? Un apothicaire ! Comme c'est curieux ! s'exclama le cavalier en se tournant vers son compère. Se pourrait-il que nous fussions à la recherche du même homme ? Cela dit, puisque nous nous trouvons dans la même pièce, ce n'est pas si étonnant que cela. Mais pour en être certain, voyons, comment se nomme-t-il, votre apothicaire ?

— Andreas Saint-Loup, répliqua Humbert bien vite, et si vous le cherchez, alors c'est que nous sommes dans le même camp !

— Mon pauvre ami... Malheureusement, mon frère et moi-même ne sommes dans le camp de personne, ici-bas.

— Mais alors, que lui voulez-vous, à ce Saint-Loup ?

— Pardon, monseigneur, mais il me semble que la question me revient ! Auriez-vous oublié de quel côté de nos deux tailles se trouve l'épée ?

L'Inquisiteur, qui s'était un peu relâché, se raidit de nouveau, plaqué contre le mur de la petite chambre.

— Ainsi, je vous le demande, Votre Excellence, quel est le motif de cette question ?

— Saint-Loup s'est rendu coupable d'hérésie, et peut-être même du meurtre du chancelier Guillaume de Nogaret.

— C'est tout ?

— Comment cela, c'est tout ?

— Allons, Humbert ! Ne vous faites pas plus stupide que vous ne l'êtes ! Croyez-vous vraiment que le roi Philippe enverrait à travers tout le royaume le plus célèbre inquisiteur de France pour une simple histoire d'hérésie et de meurtre supposé ?

— Il s'agit du meurtre de l'un des plus hauts dignitaires du royaume ! s'offusqua l'évêque.

— Êtes-vous certain que cette chasse à l'homme ne cache point autre chose ? N'avez-vous point eu vent d'intérêts plus profonds dans cette affaire ?

— Aucunement ! répliqua Humbert avec beaucoup d'aplomb.

Et de fait, il disait vrai : les frères Marigny ne lui avaient pas dit toute la vérité, ce dont il prit aussitôt conscience avec rage. On s'était servi de lui.

— De quelle hérésie vous a-t-on dit qu'il s'était rendu coupable ? demanda l'homme en noir.

— L'Apothicaire est irréligieux et on l'a vu comploter avec des gnostiques.

— Allons donc ! Quels gnostiques ?

— Eh bien, d'abord, maître Eckhart, à Paris...

— Parbleu, ce pauvre Eckhart von Hochheim n'est pas un gnostique ! Un mystique, tout au plus...

— On le vit aussi avec Arnaud de Roulay, en Artenay, et avec Denis de Tourville, à Saintes, et ces deux-là sont connus pour appartenir à une confrérie de gnostiques illuminés.

— Vraiment ? Et à quel sujet pensez-vous qu'il les rencontrait ?

— Eh bien, pour parler de la gnose, sans aucun doute !

— Vous n'en savez pas plus ?

— Non, mais je suis certain qu'il eût tout avoué sous la question, et si vous me laissez...

— Vous n'avez pas entendu parler d'un livre ? le coupa le grand blond.

— D'un livre ? La gnose en compte beaucoup... Il y en avait certes en grand nombre chez Arnaud de Roulay, mais je les ai tous détruits par le feu.

— Je vois. Mais on ne vous a point parlé d'un livre en particulier ?

— Non. On aurait dû ? À quel livre pensez-vous ?

— Je suis dans le regret de vous dire, monseigneur, que vous ne nous êtes utile en aucune manière.

— Mais...

— Taisez-vous ! le coupa l'homme en plaquant fermement sa main sur la bouche de l'Inquisiteur.

Il y avait dans ses gestes et son regard une froideur animale. Avec une lenteur qu'on eût pu qualifier d'élégante si elle n'avait eu de si funeste dessein, l'homme reprit son épée à sa ceinture et en posa la pointe sur la pomme d'Adam de Humbert. Les yeux exorbités, celui-ci tenta de porter les mains à son cou pour détourner la lame, mais il n'en eut guère le temps, car l'épée s'enfonça d'un seul coup dans sa chair et lui trancha la gorge dans une grande gerbe de sang. Lors, le cavalier retira sa lame et laissa sa victime s'écrouler à ses pieds lourdement.

Ainsi mourut Guillaume Humbert, Grand Inquisiteur de France, bourreau et tortionnaire, sans que personne le sût jamais, et de fait, les lecteurs les plus curieux pourront chercher dans les livres d'histoire et constater que le trépas de celui-ci reste un mystère pour les chroniqueurs, n'est relaté nulle part, et nous comprenons mieux pourquoi, à présent.

L'homme, dont le visage n'avait pas changé, repoussa le cadavre devant lui d'un coup de pied et partit rejoindre son complice derrière la porte de la chambre, car maintenant, ils allaient pouvoir attendre l'Apothicaire à leur tour.

102

— Dis-moi, petite, tu vas nous suivre encore longtemps, comme ça ? demanda Andreas en se tournant vers Aalis qui, depuis le parvis du château, avait marché derrière eux, en retrait.

La jeune fille s'immobilisa et baissa les yeux sans répondre. Andreas traversa la chaussée et s'approcha de cette jeune Occitane aux grands yeux verts, pressentant qu'il allait avoir quelque mal à se débarrasser d'elle et regrettant presque déjà d'avoir voulu jouer les redresseurs de torts.

— Tu vas nous suivre longtemps ? répéta-t-il.

Aalis haussa les épaules.

— C'est que... À vrai dire, je ne sais pas quoi faire d'autre.

— Tu veux que je te donne une pièce pour que tu ailles manger quelque part ?

— Eh bien... non. Je... je préférerais rester avec vous.

— Malheureusement, cela ne va pas être possible, mademoiselle Aalis, car mon apprenti et moi, nous partons loin d'ici.

Derechef, elle donna un haussement d'épaules.

— Je n'ai pas peur des longs voyages.

— Il n'y a pas de place pour toi dans celui-ci. Je suis désolé. Allez... laisse-nous maintenant.

Andreas poussa un soupir, puis il se remit en route, poussant Robin devant lui. Mais après quelques pas à peine, il vit du coin de l'œil que la jeune fille les suivait toujours. Perplexe, il s'arrêta de nouveau et attrapa son apprenti par les épaules.

— Dis-moi, Robin, toi qui as à peu près son âge, tu dois pouvoir communiquer avec cette... créature, non ? Tu crois que tu saurais lui expliquer la chose en des termes simples ? J'ai l'impression qu'elle éprouve quelque difficulté à me comprendre, moi...

Robin, dont le visage se mit à rougir, balbutia quelques mots incompréhensibles. La jeune fille le mettait mal à l'aise. Avec ses joues couvertes de sang séché, sa peau sale, ses habits en lambeaux et ses longs cheveux châtains tout emmêlés, elle avait une allure de sauvageonne qui le troublait, et il se sentait démuni devant elle.

Andreas poussa un soupir accablé.

— Visiblement, nous avons affaire à une épidémie de crétinisme, se lamenta-t-il. Bien. J'essaie une dernière fois. Aalis : tu ne peux pas venir avec nous. Tu comprends ? Toi, Aalis, ne peux pas – du verbe « pouvoir » – venir avec nous, à savoir avec moi et ce grand dadais roux et aphone qui est derrière moi. Tu comprends ?

Mais elle resta immobile et muette, même si dans ses yeux se lisaient mille pensées, la peur, la solitude, l'envie de trouver enfin une sorte de famille, peut-être, et de ne plus jamais dormir seule. Il ne lui manquait que les mots – et il en eût fallu beaucoup – pour dire toute la douleur dont elle voulait se débarrasser, comme toute la confiance soudaine qu'elle plaçait en cet homme pour l'y aider.

— Je viens d'obtenir pour toi la liberté, reprit Andreas. Profites-en. Fais ce que tu veux. Trouve-toi du travail, amuse-toi avec les gens de ton âge... Mais mon apprenti et moi, nous avons un voyage à accomplir, loin d'ici, à cheval, et tu ne peux pas venir avec nous. Alors pour la dernière fois, je te le demande, passe ton chemin. Nous n'avons plus rien à t'offrir.

— Je… je comprends, bredouilla-t-elle enfin, la gorge nouée. Je… je vous remercie pour tout à l'heure. Adieu !

Elle fit volte-face et s'éloigna d'un pas rapide, tête baissée, et il est fort probable qu'en cet instant, alors qu'elle n'avait pas versé une seule larme devant Ardignac, elle pleurait à chaudes larmes.

Andreas la regarda partir dans la ruelle, les poings serrés.

— Maître… Vous… vous n'avez pas été très aimable avec cette jeune fille.

L'Apothicaire se tourna vers son apprenti et l'avisa longuement.

— Diantre, tu la connais à peine et tu es déjà amoureux ?

— Pas du tout ! s'offusqua le jeune homme, dont les joues se mirent de nouveau à rougir. Simplement… D'abord vous la sauvez, et ensuite vous refusez de lui tendre la main ! Ça ne servait à rien de lui porter secours si maintenant vous l'abandonnez…

— Je ne l'ai pas sauvée, j'ai empêché un homme de se damner.

— Ne jouez pas sur les mots, maître.

— Allons, jeune homme, ne laisse pas tes émois d'adolescent fausser ton jugement. Crois-tu vraiment que ce serait lui rendre service que de la laisser venir ?

Robin baissa la tête.

— Nous devons partir tôt, demain matin. Pampelune est encore loin. Allons manger et dormir à notre auberge, et ne parlons plus de cela.

Et c'est ainsi que nos deux compagnons, le cœur un peu lourd, se remirent en route aveuglément vers le piège qui les attendait.

Arrivés dans l'auberge ils s'installèrent d'emblée à l'une des tables de la grand-salle et soupèrent, heureux de trouver là l'ambiance chaleureuse et gaie qu'offrent souvent le soir les gens du Sud. On leur servit un plat fait d'œufs, de crème, de longs piments et d'un jambon qui, leur dit-on, était la spécialité des lieux, et qu'ils savourèrent sans retenue. De fait, depuis le jour de leur départ de Paris, jamais ils n'avaient aussi bien mangé. Et comme de bien entendu – car nous sommes en France – ils burent aussi fort bien, mais il faut croire que Robin en prenait l'habitude car, cette fois, il parvint à rester sur ses pieds et ensemble ils rirent beaucoup, et très tard, jusqu'à ce que soudain l'apprenti se dressât d'un bond sur ses deux jambes.

— Maî... maî... maître ! cria-t-il le doigt tendu vers l'une des fenêtres à l'arrière de l'auberge. La... la petite... Elle... elle est là !

L'Apothicaire tapa du poing sur la table et éclata aussitôt de rire, à s'en tirer des larmes.

— Mon pauvre Robin ! On peut dire qu'elle t'a fait de l'effet, celle-là ! Tu vois son image partout !

— Mais non, Andreas ! Je vous assure ! Elle... elle était là, derrière la fenêtre, elle nous regardait !

— Et tu es tellement soûl que tu m'appelles par mon prénom, maintenant !

— Je vous dis qu'elle est là ! grogna Robin, vexé, en se faufilant péniblement entre les chaises et les tables, manquant d'en renverser plusieurs tant il avait perdu de son équilibre.

Adoncques il traversa toute la pièce sous les rires de son maître et des autres clients, puis, près des cuisines, il passa la petite porte qui donnait sur l'arrière-cour, où étaient les latrines, les écuries et une petite cabane qui faisait office de réserve à sel.

— Mademoiselle Aalis ! s'exclama-t-il, le doigt levé au milieu des ombres, d'un air menaçant qui ne lui seyait pas tout à fait. Je sais... je sais que vous êtes là ! Et ce n'est pas bien... ce n'est pas bien de nous espionner !

Sa voix résonna entre les murs des maisons. Mais il n'obtint aucune réponse. Pourtant, il était tout à fait certain d'avoir vu son visage de l'autre côté de la fenêtre. Cette figure gracieuse et sauvage à la fois, avec ce nez étroit et délicat, cette bouche fine bordée de deux petites fossettes et ces grands yeux d'un vert de printemps. Il grimaça. Fichtre ! Saint-Loup avait donc raison ! La jeune fille lui avait fait forte impression. Mais cela ne changeait rien. Il en était sûr : elle était là, quelque part !

Et alors un bruit dans les écuries attira son attention.

103

Andreas riait encore quand il décida qu'il était temps de monter dans sa chambre pour aller prendre une gorgée de diacode et dormir. Robin était encore dehors, et si vraiment la jeune fille s'y trouvait elle aussi, Saint-Loup estima qu'il pouvait bien laisser ces deux-là découvrir ensemble ce que l'on doit découvrir à cet âge. Somme toute, quelques cabrioles dans la paille des écuries feraient sûrement le plus grand bien à son nicodème d'apprenti, et après toutes ces aventures, le jeune homme avait bien mérité d'aller jouer un peu à la bête à deux dos. *Après la panse vient la danse*, songea-t-il.

Les yeux brillants, Andreas partit donc remercier l'aubergiste pour son bon accueil et le féliciter sur sa cuisine, puis il commença à monter maladroitement les marches de l'escalier qui menait aux chambres. Les murs tanguaient autour de lui et ses pieds étaient aussi lourds que s'ils eussent été deux vieilles enclumes de forgeron. S'appuyant fermement sur les parois comme s'il avait eu peur que le monde s'écroulât sous son poids, il parvint laborieusement à l'étage, où il fit une courte pause, avant que de se diriger vers leur chambre. Il n'avait pas pensé à prendre une bougie, et le couloir était plongé dans l'obscurité, mais il reconnut aisément la bonne porte, car c'était la dernière, face à lui.

Il n'y avait pas un bruit, à l'étage, et même le raffut de la grand-salle en bas s'était estompé. Tout était calme et silencieux, à présent, mais Andreas avait si mal à la tête que celle-ci bourdonnait et alors il s'en voulut d'avoir bu trop de vin...

Il n'était plus qu'à quelques pas de la chambre quand, soudain, une main se posa brusquement sur son épaule, puis une autre, avant même qu'il n'ait eu le temps de réagir, sur sa bouche. Andreas se retourna et reconnut aussitôt Robin, qui avait le visage blême et le regard terrifié. Lentement, l'apprenti porta un doigt devant sa bouche pour inviter son maître au silence.

— Ils sont là, chuchota-t-il. Les cavaliers qui ont tué Magdala ! Leurs chevaux sont en bas, dans les écuries ! Ils doivent être quelque part dans l'auberge... Peut-être même dans notre chambre !

Le visage de l'Apothicaire, dégrisé d'un seul coup par la nouvelle, se figea, puis son regard fit des allers et retours entre la porte de leur chambre et les escaliers. Leur argent, son diacode... toutes leurs affaires étaient à l'intérieur. Mais Robin avait raison : s'il disait vrai, il y avait fort à parier que les deux cavaliers fussent cachés dans leur chambre pour les y attendre.

— Partons d'ici, murmura-t-il, alors que la colère grondait en lui.

— Oui, maître. La demoiselle Aalis est en bas. Elle est en train de seller nos chevaux.

Andreas haussa un sourcil.

— Elle était donc vraiment là ?

Robin hocha la tête, et ils se mirent en route vers les escaliers en essayant de faire le moins de bruit possible, mais ils avaient déjà dû trop en faire, car quand ils furent en haut des marches, la porte de leur chambre, à l'autre bout du couloir, s'ouvrit lentement et Andreas eut tout juste le temps d'apercevoir la silhouette sombre d'un cavalier.

— Cours ! ordonna-t-il alors à son apprenti en le poussant devant lui.

Abandonnant toute précaution, ils dévalèrent les marches quatre à quatre et, une fois en bas, traversèrent la grand-salle et se précipitèrent vers la cour où, en effet, Aalis les attendait, montée sur l'un de leurs deux chevaux et tenant l'autre par les rênes. Elle avait grimpé sur celui d'Andreas, lequel, secouant la tête, se hissa devant elle, puis les deux montures partirent au galop dans les rues de Bayonne.

— Ne craignez rien ! s'écria Aalis, qui se tenait fermement à la taille de l'Apothicaire. J'ai caché leurs selles et attaché leurs chevaux !

Mais Andreas ne répondit rien, qui savait que la chose ne ralentirait pas grandement leurs poursuivants et que bientôt ceux-là seraient sur leurs traces.

En cet instant, une évidence lui apparut. L'acharnement de ces hommes, qui semblait au moins aussi grand que celui de Guillaume Humbert, ne pouvait signifier qu'une seule chose : ils étaient là pour le tuer, et pour quelque raison que ce fût, leur besogne semblait appeler une urgence grandissante. Et comme, à sa connaissance, il n'avait rien fait à ces deux mystérieux cavaliers, il ne pouvait y avoir que deux motifs à leur funeste opiniâtreté : soit Andreas savait, malgré lui, quelque chose qu'on ne voulait point qu'il dît, soit on voulait l'arrêter avant qu'il ne découvrît quelque chose qu'on voulait lui cacher. L'une et l'autre solution ne faisaient qu'agrandir son désir de persister dans ses recherches et, en ce moment plus que jamais, sa détermination à fouiller la voie que les gnostiques avaient pour lui ouverte – si fantasque qu'elle fût – sembla légitime et nécessaire, peut-être même essentielle.

Filant à vive allure sous le voile de la nuit, ils remontèrent les ruelles obscures dans l'écho aigu que faisaient les sabots entre les façades des maisons, se dirigèrent vers les quais de la Nive et suivirent celle-ci vers le sud jusqu'à la Tour de Sault, où on les laissa quitter la ville, car à cette heure tardive, si nul ne pouvait entrer, d'aucuns pouvaient sortir.

Sans jamais ralentir, ils longèrent le chemin de halage, galopant au gré des méandres du fleuve qui serpentait depuis les Pyrénées, et sur leur côté droit défilèrent les grands carrés de verdure et les petits bois qui, le jour, colorent cette région, et la nuit l'assombrissent. Ils continuèrent longtemps, dépassèrent le village endormi d'Ustaritz, jusqu'à ce que la Nive se glissât entre les premiers monts, et alors, épuisés, ils se réfugièrent dans un bosquet en amont, grimpant vers des hauteurs d'où ils pourraient surveiller l'arrivée éventuelle de leurs poursuivants.

— Nous allons devoir nous relayer pour monter la garde, expliqua Andreas d'un air grave tout en attachant solidement les chevaux à un arbre. Et hors de question d'allumer un feu.

— Que vous veulent-ils, ces gens qui vous poursuivent ? demanda Aalis tout en l'aidant à enlever les selles.

— Véritablement, je n'en suis pas certain. Tout ce que je puis te dire, ma petite, c'est qu'ils ne nous veulent pas du bien, et puisque tu as si effrontément insisté pour te joindre à notre aventure, tu vas devoir subir à ton tour leur violente inimitié... et participer cette nuit aux tours de garde, alors que tu aurais pu dormir tranquillement à Bayonne.

— Et alors ? Vous devriez être ravis. Au fond, cela vous laissera plus de temps pour dormir, non ?

— Cela nous fera aussi plus de bouches à nourrir, répliqua Andreas.

— Je n'ai besoin de l'aide de personne pour me trouver à manger, se défendit-elle.

— Tant mieux.

— Et puis-je au moins savoir où nous nous dirigeons ?

Andreas hésita avant que de répondre :

— À Pampelune, au royaume de Navarre.

— Et qu'allons-nous y faire ? le pressa la jeune fille.

— Tu es bien curieuse !

— C'est que je suis des vôtres, à présent...

— Cela n'est pas encore dit !

— Soit. Mais si j'étais des vôtres, qu'irais-je faire avec vous à Pampelune ?

L'Apothicaire secoua la tête, ne sachant s'il devait s'amuser ou se courroucer de l'entêtement de cette petite.

— Nous allons chercher un livre qui n'existe pas.

— Voilà une drôle d'idée ! Et s'il n'existe pas, quel intérêt y a-t-il à le chercher ?

— Ta question est stupide, Aalis. C'est bien parce qu'il n'existe pas que le chercher revêt tout son intérêt.

La jeune fille écarquilla les yeux, médusée.

— Maintenant, allez dormir tous les deux, je réveillerai Robin quand ce sera son tour de monter la garde, et c'est toi qui termineras la nuit, ma petite.

Les deux jeunes gens, épuisés par cette fuite mouvementée, ne se le firent point dire deux fois et s'endormirent rapidement, chacun d'un côté du bosquet où ils s'étaient abrités, comme s'ils redoutaient de s'allonger trop près l'un de l'autre, mais sans doute pour des raisons différentes.

Ainsi, ils se succédèrent tous trois pour tenir le guet pendant le reste de la nuit, et quand, au matin, Aalis réveilla les deux hommes, elle leur avait préparé à manger en se débrouillant, comme elle l'avait fait tant de fois, avec ce qu'elle avait pu trouver alentour comme plantes – parmi lesquelles de sublimes morilles, qui pullulaient en cette région au début du printemps – et en leur offrant aussi deux des biscuits qui lui restaient dans sa besace.

Andreas, touché par l'attention, ne put masquer un petit sourire.

— Je vois que mademoiselle a une très forte envie de rester parmi nous...

Aalis, perchée sur un rocher en hauteur, ne répondit pas et fit mine de continuer à scruter l'horizon pendant que les deux hommes mangeaient sous les premiers rayons du soleil.

— Vous pensez qu'ils ont perdu notre piste ? demanda Robin en terminant son repas.

— J'ai bien peur qu'ils ne la perdent jamais, mon garçon. Nous n'avons jamais réussi à nous débarrasser d'eux, pas plus que de Humbert. Je crains qu'un jour ou l'autre il nous faille affronter les uns et les autres, et malgré son infinie cruauté, Humbert m'effraie moins que ces deux-là.

En vérité, Andreas ignorait à cette heure que ledit Humbert était mort et que, de fait, il représentait à l'évidence une menace bien moins grande, à moins bien sûr que l'on croie aux fantômes...

— Pour l'instant, contentons-nous de partir vers le sud, dit-il comme pour rassurer son apprenti. Pampelune est juste de l'autre côté de ces montagnes. Et si nous galopons tout le jour, nous y serons peut-être ce soir, ou demain au plus tard.

— Et elle ? demanda le rouquin à voix basse en faisant un geste de la tête en direction d'Aalis.

— Elle ? Il faut reconnaître que j'ai rarement vu pareille obstination. Maintenant qu'elle est là, et puisque c'est son choix, je crois bien que nous allons devoir la supporter quelques jours...

La perspective ne sembla pas déranger le jeune homme. Et bientôt ils sellèrent leurs chevaux et se remirent en route, Aalis retrouvant silencieusement sa place derrière l'Apothicaire. Pour elle, c'était une nouvelle vie qui commençait et, déjà, tout le fardeau que portaient ses si jeunes épaules semblait lentement disparaître, comme si elle embrassait enfin le destin qu'un jour Zacharias lui avait souhaité d'embrasser.

104

Les cadavres de l'Inquisiteur et de ses deux geôliers, vidés de leur sang et atrocement mutilés, furent retrouvés au petit matin par l'aubergiste dans la chambre de cet homme chauve qui, en outre, avait quitté les lieux en pleine nuit sans payer son dû. L'évêque Guillaume Humbert, bien qu'il ne portât point les habits de sa fonction, fut rapidement identifié, et la nouvelle parvint alors à Pascal de Viele, l'homme qui avait été nommé maire et châtelain de Bayonne par la couronne d'Angleterre quelques années plus tôt.

Le châtelain, bien qu'ayant juré fidélité aux Anglais, estima que l'affaire relevait plutôt du roi de France et qu'elle était suffisamment grave pour qu'il envoyât un messager à Paris afin que Philippe le Bel fût mis au courant. La chose serait considérée de la part de la ville comme un geste de bienveillance envers Paris, geste destiné à apaiser leurs relations si tendues depuis près de vingt ans.

Ainsi, un homme partit vers le nord avant midi, sur le meilleur coursier du château, et on estima qu'il pourrait rejoindre la capitale cinq ou six jours plus tard.

Mais c'est vers le sud, toutefois, que nous retrouvons maintenant ces deux obscurs cavaliers aux cheveux blonds, que nous pouvons désormais appeler *Mal'achim*, puisque c'est ainsi que les désigna Denis de Tourville.

L'un conversait rarement avec l'autre, lorsqu'ils étaient en chasse, mais il faut croire que les derniers événements faisaient exception, car les voici arrêtés sur la route de Camboa, inspectant le sol, fouillant l'horizon du regard et échangeant de brèves et sombres paroles.

— Ils ne sont pas passés par ici, dit le plus grand des deux, qui se nommait Suriel, avant que de remonter finalement sur son cheval.

— Pourtant, vous savez comme moi où ils se dirigent, mon frère, répondit l'autre, et celui-là allait, dit-on, du nom de Suryan.

— Peut-être ont-ils choisi un autre chemin.

— Alors nous les retrouverons là où ils vont.

— Cela fait plusieurs fois qu'ils nous échappent. Saint-Loup en sait peut-être déjà bien plus que nous ne le soupçonnons. Nous ne pouvons pas prendre le risque de le laisser trouver ce qu'il cherche.

— Alors ne perdons pas de temps, dit Suryan en montant à son tour sur son grand cheval.

Lors, les deux silhouettes s'éloignèrent au galop en direction des montagnes, tels deux centaures poursuivant Hercule à travers l'Étolie.

105

Andreas, Robin et Aalis jamais ne quittèrent la rive du fleuve, serpentant avec lui entre les collines couvertes de forêts de feuillus, traversant les plateaux verdoyants parsemés d'iris et de gentianes, mais comme le sol montait et que l'un des chevaux avait deux âmes à porter, ils ne purent maintenir tout le jour un rythme aussi élevé qu'ils l'auraient voulu, si bien qu'à la mi-journée seulement ils passèrent près de Saint-Jean-Pied-de-Port, et qu'au soir ils durent s'arrêter en la ville d'Orreaga, qui est à l'entrée du royaume de Navarre, et qui est certainement plus connue de nos lecteurs sous le nom de Roncevaux, puisque c'est là que Roland, paladin menant l'arrière-garde de Charlemagne après le sac de Pampelune, fut piégé par les Vascons et sonna de son cor – en vain, comme on le sait, encore que cette histoire, si charmante qu'elle soit, puisse éveiller la suspicion de l'historien rigoureux ; mais c'est une autre affaire.

Ici séjournait une foule de pèlerins se rendant à Saint-Jacques-de-Compostelle, mais cela faisait bien longtemps que Robin et son maître avaient cessé de se faire passer pour jacquets, et donc ils s'installèrent, aussi discrètement que cela leur fut possible, dans une petite auberge sans allure ou renom. En outre, ayant dû abandonner la plupart de leurs affaires dans leur chambre à Bayonne, ils n'avaient plus beaucoup d'argent et veillaient à l'économie. La modeste bâtisse était à l'écart de la ville, à l'ombre du mont Orzanzurieta, qui était le plus élevé de cette partie des Pyrénées, et c'était d'ailleurs aussi pour son altitude qu'Andreas l'avait choisie. D'ici on voyait loin, d'ici on voyait tout.

Ils demandèrent une chambre privée, dont la fenêtre donnait sur la vallée, car cette nuit encore ils voulaient monter tour à tour la garde.

Après le souper – qui là aussi fut fort bon, puisqu'en cette région on dîne bien – nos trois compagnons se retrouvèrent donc dans cette petite pièce à l'étage, non sans que les deux plus jeunes fissent montre d'un certain embarras à partager si vite l'intimité à laquelle les astreignait leur voyage. Aalis se comportait comme si Robin n'existait pas, ne s'adressant qu'à l'Apothicaire, n'ayant d'yeux que pour lui, et le jeune apprenti, lui, ne pouvait s'empêcher de jeter des regards vers la jeune fille, se détournant toutefois aussitôt qu'elle le surprenait. La cocasserie de cette étrange parade n'échappa point à Andreas, qui décida donc de les obliger l'un et l'autre à un peu plus de désinvolture en entamant le dialogue.

— Avons-nous le droit de savoir quelle est cette chose si bien emballée que tu caches dans ta besace, Aalis ? demanda-t-il alors qu'il était assis sur le rebord de la fenêtre, scrutant la pénombre au-dehors.

— C'est... c'est un instrument de musique.

— Il est à toi ?

La jeune fille hésita.

— Eh bien... je suppose qu'il l'est, maintenant.

— Voilà une bien énigmatique réponse ! s'amusa l'Apothicaire. L'aurais-tu volé ?

— Non ! s'offusqua-t-elle. Il appartenait à un ami, qui est mort. Je devais le remettre à son fils, à Bayonne, mais celui-là est mort aussi. Alors, je pense que je vais le garder. Mais je ne sais pas m'en servir...

— Et de quel instrument s'agit-il ?

— C'est un psantêr.

— Tiens donc ! Tu veux bien me le montrer ?

La jeune fille hésita, puis elle acquiesça et déballa l'instrument avant de le lui présenter cérémonieusement, comme s'il se fût agi d'un trésor. Andreas lui fit un signe de tête reconnaissant, saisit la caisse de bois et la posa doucement sur ses genoux.

— C'est un fort beau psantêr, dit-il.

— En avez-vous donc vu d'autres, que vous puissiez affirmer ceci ?

L'Apothicaire ne répondit pas. Du pouce gauche, il frappa un ensemble de trois cordes qui produisirent un son aigu et métallique, avec une fort longue tenue de note.

— Diable ! s'exclama l'Apothicaire, tout sourire. Il n'a pas été accordé depuis longtemps ! Et les cordes sont en piteux état.

— Vous savez en jouer ? s'étonna Aalis.

— La première question serait plutôt de savoir si je sais l'accorder ! Il y a tout de même soixante-douze cordes, ma petite ! Je veux bien m'y essayer, mais as-tu au moins les *mezrab* qui vont avec ?

— Les quoi ?

— Les *mezrab*. Ce sont les deux petits marteaux de bois qui permettent de frapper les cordes.

— Non, je ne les ai pas, répondit-elle, contrariée. Et je ne me souviens pas de les avoir vus chez mon ami. À quoi cela ressemble ?

— À deux cuillers en bois, recourbées à l'une de leurs extrémités, et grandes comme deux mains.

La jeune fille réfléchit.

— Et si je vous en fabrique, vous saurez en jouer ?

L'Apothicaire pencha la tête, dubitatif.

— Tu saurais en fabriquer, toi ?

Aalis, dont le visage s'était soudain illuminé, ne répondit pas, se leva, et quitta la pièce sous le regard suspicieux des deux hommes. Elle revint quelques instants plus tard avec deux bouts de bois dans les mains, fouilla de nouveau dans sa besace et en sortit la trousse de Luc, puis, toujours sans rien dire, elle commença à tailler le bois à l'aide de ses vieux et magnifiques couteaux.

Captivé, Andreas la regarda faire un moment, songeant sans doute que la jeune fille avait bien plus de ressources qu'on ne pouvait le deviner, puis il entreprit d'accorder l'instrument, ce qui, comme il l'avait craint, se révéla fort complexe. De temps à autre, il s'arrêtait pour voir où en était Aalis dans sa sculpture, lui donnant quelques conseils sur la forme qu'elle devait donner à ses *mezrab* afin qu'ils fussent efficaces.

Pendant tout le temps que dura cette étonnante préparation, Robin resta muet, presque interdit, assis par terre à les regarder l'un et l'autre, se demandant lequel était le plus farfelu des deux.

Quand Aalis eut terminé, elle apporta fièrement les deux petits marteaux de bois à l'Apothicaire, qui était en train de resserrer les dernières chevilles. Andreas, admiratif, prit les *mezrab* dans ses mains, les soupesa, les garda un moment suspendus en l'air, ferma les yeux, puis, avec une infinie délicatesse, il commença à jouer.

Aalis, les yeux humides et grands ouverts, fit quelques pas en arrière, s'assit à côté de l'apprenti sans jamais quitter Andreas du regard, et ensemble, ils écoutèrent, ébahis, la prestation du maître.

Alors, ce fut comme si plusieurs musiciens s'étaient lancés dans un riche échange d'harmonies ; les cordes, frappées ensemble ou les unes après les autres, résonnaient longtemps, formant des accords ouverts qui se superposaient avec élégance, vibraient d'octave en octave par la magie de ce phénomène qu'on appelle sympathie, et alors il s'en dégageait une grâce céleste. La mélodie, douce et savante, était empreinte d'une profonde mélancolie et semblait raconter une histoire triste et belle à la fois, une histoire d'amour, indubitablement.

Quand Andreas termina le morceau s'ensuivit un long et magnifique silence, pendant lequel l'Apothicaire lui-même se surprit à laisser paraître quelque émotion sur son visage d'habitude si secret. L'instant d'après, sa figure se referma, et avec autant de brusquerie qu'il avait mis de douceur à en jouer, il prit l'instrument dans ses mains, se releva et le rendit à Aalis.

— C'est un très bel instrument, dit-il comme pour mettre un terme définitif à cet instant si particulier.

— C'était... c'était magnifique ! Vous... vous m'apprendrez ?

— Nous verrons, répondit sèchement Andreas.

Il y avait dans sa voix et son regard une tonalité que même Robin n'y avait jamais vue.

— Où avez-vous appris à jouer comme ça ? insista la jeune fille.

— C'est une longue histoire.

— Eh bien, racontez-la !

— Pas ce soir ! répliqua l'Apothicaire d'un air agacé. Il est tard. Allons, il faut dormir maintenant. Range tes affaires. Robin, c'est toi qui monteras la garde le premier.

Sans dire un mot de plus, il partit s'allonger sur la couche de paille, leur tourna le dos et ferma les yeux.

En ce moment précis, le manque de diacode lui pesa plus terriblement encore qu'il ne l'eût fait en d'autres circonstances, et il lui fallut bien du courage pour masquer aux deux autres les tremblements qui gagnèrent ses mains jusqu'à ce que, beaucoup plus tard, le sommeil vînt enfin.

106

La grande et longue barque, secouée par les remous de la Seine, s'approcha rapidement de la rive, à quelques pas du Petit-Pont. Dans le ciel de Paris virevoltaient des petits pétales de fleurs blanches et roses que le vent printanier arrachait aux cimes des arbres. Les bruits de la ville animée étaient ici couverts par celui de l'eau et des bateaux. Avec le retour des beaux jours, les Parisiens aisés étaient de plus en plus nombreux à venir se promener sur le fleuve et on assistait sur la Seine à un véritable ballet aquatique.

L'échevin Étienne Bourdon, qui attendait sur les quais depuis un long moment déjà, monta à l'intérieur de l'embarcation, salua respectueusement le frère du roi et s'installa sur le banc en face de lui. Aussitôt, le comte de Valois demanda à ses hommes de ramer vers le large afin d'y chercher un peu de quiétude.

— Dites-moi, Étienne, que vous l'avez trouvée !

— Oui, Prince. Ou plutôt, nous avons retrouvé sa piste.

— À la bonne heure ! Dites-moi tout !

— La Nubienne est donc bien une ancienne prostituée qui racolait rue Quincampoix, entre les années 1260 et 1290. On raconte que c'est une Égyptienne, qui a été amenée en France, alors qu'elle n'était encore qu'un tout jeune enfant, par un chevalier chassé de Jérusalem par les Sarrasins. Aujourd'hui, elle aurait donc... soixante-dix ans.

— Mais dites-moi qu'elle est en vie !

— Oui, Prince, mais...

— Que Dieu la bénisse !

— ...mais elle a quitté Paris.

— Et comment vais-je pouvoir la trouver ? s'inquiéta de Valois.

— Elle habite maintenant Étampes, où elle sévit comme Mère des prostituées de la ville. Et elle s'appelle Izia. Nous la trouverons.

107

Après avoir descendu à cheval, tout le matin, les monts des Pyrénées, guettant sans cesse derrière eux si l'on ne les poursuivait pas, Andreas, Robin et Aalis arrivèrent aux portes de Pampelune sous les rayons verticaux d'un soleil radieux, lequel leur offrit l'une des plus belles images de cette ville qui, quoique déchirée en ce temps par des luttes intestines, était d'une royale splendeur.

Bien que le jeune Louis, roi de Navarre et fils de Philippe le Bel, y eût été couronné six ans plus tôt, il n'avait plus jamais remis les pieds à Pampelune depuis lors, préférant rester auprès de son père à Paris et laissant donc à Alphonse de Rouvroy, gouverneur de Navarre, la difficile tâche de gérer les affaires de cette houleuse capitale.

Le royaume de Navarre était, de ce côté-ci, un pays très capricieux, et beau, et curieux, et admirablement plein de contrastes, et l'impétueuse Pampelune était telle une forteresse isolée, dominant tout, juchée sur l'un des derniers contreforts des Pyrénées, d'où l'œil pouvait surveiller d'un seul coup l'étendue entière de cette grande et aride vallée.

Au pied de son enceinte coulait l'Arga, qui nourrissait quelques rares peupliers et chênes-lièges, car céans le soleil dessèche la terre rousse, et le fleuve lui-même, sous l'influence de l'astre brûlant comme de la poussière, paraît aussi rouge qu'un filet de sang.

En arrivant devant la ville, y laissant leurs chevaux, l'Apothicaire et ses deux jeunes compagnons de route ne virent d'abord que les multiples clochers qui dentelaient sa silhouette, car la cité navarraise – qui fut, dit-on, la première ville chrétienne de la péninsule Ibérique – comptait déjà en cette époque un grand nombre d'églises, telles San Nicolas ou San Saturnino, dont nous reparlerons tout à l'heure. Mais une fois passé la première muraille, ils découvrirent alors une cité éblouissante, tout en couleurs et en contrastes.

Figurez-vous une ville ayant trois populations de cultures différentes, favorables tantôt au royaume de Castille, tantôt à celui de France, se livrant toutes trois des combats acharnés et fratricides et se réfugiant dans autant de quartiers distincts. En l'occurrence, ce fut vers celui de San Saturnino, et plus précisément vers la *rúa de las Bolserías* – qui était alors l'une des plus grandes artères de Pampelune – que nos héros se dirigèrent, guidés par les habitants auxquels ils avaient demandé où l'on pouvait trouver un homme allant du nom de Juan Hernández Manau.

Réduits au mutisme par l'admiration – et peut-être aussi, en ce qui concernait Andreas, par le manque de diacode, qui se faisait de plus en plus douloureux – ils foulèrent les rues bariolées de tentures et de fresques, longèrent les hautes et massives maisons de granit, maisons peintes aux lignes fières et sévères, le bas de leurs murailles colorié et leurs portes en chêne constellées de clous de bronze, traversèrent les places à arcades, aux sols pavés de mosaïques et où l'on imaginait aisément la furie poussiéreuse des courses de taureaux au milieu de foules en liesse, noyées dans les cris et perdues sous une douche de particules dorées. Les femmes, penchées à leurs fenêtres, se parlaient d'un balcon à l'autre, très fort, et dans les rues les hommes, qui portaient des chapeaux pointus ou des bonnets de peau de mouton, se haranguaient de telle sorte qu'on ne savait pas vraiment s'ils discutaient ou s'ils se disputaient, et tout cela faisait une rumeur joyeuse qui se mariait à merveille à tout ce pittoresque assortiment.

Partout – dans les noms des rues, des églises, des boutiques – on retrouvait ceux de saint Saturnin et de saint Firmin, qui furent respectivement premier apôtre et premier évêque de Pampelune. Et c'était donc vers l'église San Saturnino que nos héros se rendaient, à l'instar des pèlerins de Compostelle qui, comme on approchait de ladite sainte ville, étaient de plus en plus nombreux, de plus en plus fatigués et de plus en plus dévots. Au milieu des rues étroites s'élevait cette imposante forteresse religieuse, tel un empereur dominant la plèbe, flanquée de tours menaçantes et droites qui la rendaient plus militaire que spirituelle.

Les trois voyageurs, qui étaient là pour tout autre chose, s'extirpèrent rapidement de la masse des fidèles en rang et s'engagèrent dans une petite ruelle ombragée, au sud de l'église, où un commerçant leur confirma – dans une langue qu'Andreas seul pouvait comprendre – que le sage Hernández Manau, figure du quartier, se trouvait bien là, dans la plus belle et plus haute demeure à l'entour. Ils se mirent en marche vers la maison indiquée, quand soudain Andreas s'immobilisa au milieu de la petite ruelle, et resta ainsi, comme pétrifié, statue de pierre se fondant au pavé.

— Que se passe-t-il, maître ?

L'Apothicaire, les yeux rivés sur la bâtisse, resta muet un instant, et on eût dit qu'il se sentait mal. De la manche, il essuya les gouttes de sueur qui coulaient à son front, et qui n'étaient pas le fait de la seule chaleur, mais aussi de son insatisfaite addiction.

— Je... je me souviens maintenant. Je suis déjà venu ici, dit-il à voix basse, comme pour lui-même, mais assez fort toutefois pour que Robin et Aalis l'entendissent.

— Eh bien ? Vous le saviez, non ? Denis de Tourville vous l'avait dit…

— Je le savais, oui, mais à présent, je m'en souviens. Ce n'est pas la même chose. Allons-y.

Il se remit en route, la mine grave, le front soucieux, et les deux jeunes le suivirent sans mot dire, car sans doute ils pouvaient sentir le tourment qui l'habitait soudain.

Quand ils furent devant la porte, Andreas frappa trois coups, et après un certain temps une vieille femme, qui portait sur la tête un fichu, vint ouvrir une petite trappe qui servait de regard et leur demanda, dans la langue d'ici (qui était une forme de castillan), ce qu'ils voulaient.

— Nous sommes venus voir Juan Hernández Manau, et nous venons de la part de Denis de Tourville, expliqua l'Apothicaire dès l'abord, avec une aisance et un accent remarquables.

— Puis-je avoir vos noms ?

Andreas les lui donna, et alors elle leur demanda de patienter, referma la petite trappe et ils l'entendirent s'éloigner, puis, plus tard, revenir et ouvrir la porte.

La vieille femme, sans un mot, les laissa entrer, les guida dans une petite pièce où, d'un geste autoritaire, elle fit signe aux deux jeunes de s'asseoir.

— Maître Manau vous recevra vous seul, monsieur Saint-Loup.

L'Apothicaire acquiesça et demanda à son apprenti et à la jeune Occitane de l'attendre – ce qu'ils durent faire à contrecœur, car l'un et l'autre eussent aimé entendre ce qui allait se dire, mais que le lecteur se rassure, il aura la chance, lui, de pouvoir suivre cette conversation tant attendue – puis il suivit la servante dans la pièce attenante, dont il devina aussitôt, malgré la pénombre, le luxe avec lequel elle était décorée.

Les deux fenêtres de la pièce avaient été couvertes de grands panneaux de bois qui empêchaient toute lumière extérieure de violer les lieux, et seul un candélabre, posé sur une table ronde, permettait d'entrevoir la richesse de l'antre, qui faisait songer davantage à une chambre de château que de maison bourgeoise. Il y avait là meubles à foison, tous de belle facture, et un nombre considérable de bibelots de nobles matières, semés ici et là avec un pittoresque désordre, tant même qu'on n'eût pu les distinguer tous sans y passer du temps. Deux des murs étaient couverts de bibliothèques qui couraient du sol au plafond et sur lesquelles s'alignaient harmonieusement codices et volumes joliment reliés, disposés avec un ordonnancement indubitablement méticuleux. Le troisième mur était habillé d'une large tapisserie dont on percevait mal les motifs, mais dont la grande finesse laissait penser qu'elle était de Flandre ou de Hollande. Quant au quatrième, on ne pouvait le voir, car la pièce était coupée en deux par une tenture qui le dissimulait, et Andreas eut la prémonition que le maître des lieux, lui aussi, était caché derrière icelle. À l'odeur pénétrante de bois brûlé qu'exhalait cet intérieur, et aux petits craquements secs que l'on pouvait y entendre, on devinait aussi la présence d'une cheminée, dont les flammes projetaient d'ailleurs sur la tenture des reflets dansants et orangés.

La vieille femme le fit s'asseoir sur un fauteuil confortable, au bois sculpté et couvert d'un épais tissu, puis elle sortit prestement de la pièce et referma cérémonieusement la porte derrière elle.

Andreas, quelque peu désemparé par cette mise en scène, mais aussi intrigué, et excité, et impatient, s'enfonça dans son fauteuil et croisa les mains devant lui, frottant ses doigts contre ses paumes comme pour en chasser la moiteur. Il ne fut pas vraiment surpris quand, soudain, une voix grave et rauque s'éleva de derrière la tenture.

— Bonjour, monsieur Saint-Loup.

— Et bonjour à vous, monsieur. Je suppose que vous êtes Juan Hernández Manau…

— Vous devriez même en être certain, vous qui déjà entendîtes ma voix.

— Je devrais l'être, en effet, mais les années ont passé, et je dois vous avouer – en espérant ne point vous heurter ce faisant – que je ne garde de notre rencontre qu'un souvenir très confus.

— La chose est cohérente et ne saurait donc me heurter. Mais, si vous le voulez bien, j'aimerais toutefois savoir quels souvenirs il vous en reste.

Andreas, que la nausée ne quittait pas, serra poings et mâchoire. Il régnait dans cette pièce une atmosphère de conte, de fantaisie, et il eût pu croire à une farce, mais son interlocuteur semblait des plus sérieux, des plus graves même, et l'Apothicaire éprouvait au fond de lui une étrange impression d'urgence et de profondeur qui ne portait certainement pas à rire. À vrai dire, il était même désorienté, son cœur battait vite et fort, et il était habité par un frénétique désir de comprendre, ou tout au moins de savoir. L'homme qui se cachait derrière cette voilure était le troisième maître de la *schola gnosticos* qu'il rencontrait depuis son départ de Paris, et il espérait que ce serait le dernier, que cette entrevue-là, si singulière fût-elle, lui apporterait suffisamment de réponses pour qu'il puisse enfin se faire sa propre idée et s'en remettre à son propre entendement.

— Eh bien… Pour tout dire, presque aucun. Je sais que je suis venu ici, votre nom m'est familier, ainsi que cette maison, et pourtant, je ne saurais vous dire quand et comment nous nous sommes rencontrés. Peut-être si je voyais votre visage…

— Malheureusement, cela ne sera pas possible, mon ami.

— Et pourquoi donc ?

— Parce que cela n'est pas possible, répéta la voix sentencieuse du Navarrais.

— C'est ridicule !

— Si ridicules puissent-ils vous paraître, monsieur Saint-Loup, ce seront les termes de notre rencontre. Et s'ils ne vous conviennent pas, alors vous pouvez sortir sur-le-champ, je ne vous retiendrai pas.

— Ça va, céda l'Apothicaire qui, néanmoins, s'en voulait presque de bien vouloir jouer à ce jeu de comédie.

— Bien. Voulez-vous donc que je vous aide à vous rafraîchir la mémoire ?

— Je vous en conjure ! s'écria candidement Andreas.

— Vous êtes venu ici en 1304.

— En 1304 ? Vous êtes certain ?

Le souvenir en son esprit était si vague que l'Apothicaire avait présumé que ladite rencontre s'était passée lors de son voyage vers Compostelle, en 1295, et non pas sur le trajet du retour, qui était plus récent de neuf ans et qui, donc, n'eût point dû échapper à sa si bonne mémoire.

— Absolument. C'était le 10 février 1304, pour être précis, et vous vous en reveniez de Galice, où vous aviez appris le métier d'apothicaire, pour retourner à Paris.

— Je... je ne m'en souviens pas, avoua Andreas non sans une certaine consternation. Et en quelle occasion nous sommes-nous rencontrés ?

— Oh ! ce n'était pas de votre initiative - ce qui explique, en quelque sorte, que vous ne vous en souveniez pas - mais de celle de la personne qui vous accompagnait.

— Et qui donc m'accompagnait ? rétorqua l'Apothicaire, que l'imprécision de ses propres souvenirs commençait même à inquiéter.

— À l'évidence, il s'agit de cette personne dont vous ne vous souvenez pas, et qui est à l'origine de vos tourments d'aujourd'hui.

— Mes tourments d'aujourd'hui ? Qui parle de tourments ?

— Allons, Saint-Loup ! Ne jouons pas. Pourquoi êtes-vous ici ?

— Parce que j'ai été confronté à certains mystères, et que l'on m'a dit que l'ordre auquel vous appartenez possédait peut-être certaines réponses, ce dont je doute un peu plus chaque fois que je rencontre l'un d'entre vous.

— Et pourtant, vous continuez de nous interroger...

— C'est qu'à ce jour je n'ai trouvé de meilleure piste.

— Et ces « mystères », donc, ne concernent-ils pas une personne que vous auriez oubliée ?

— C'est ce que Denis de Tourville m'a laissé entendre, comme vous, mais la chose me semble dépasser l'entendement.

— Elle dépasse votre propre entendement, oui, certainement. Pourtant, il s'agit bien de cela.

— Et comment cela serait-il possible ?

— Je crois, Saint-Loup, que vous connaissez la réponse à cette question, même si vous refusez d'y croire. Mais je veux bien vous la formuler moi-même, car peut-être avez-vous besoin de l'entendre encore : la personne qui était ici avec vous en 1304, et qui voyageait à vos côtés, a disparu non seulement de vos souvenirs, mais de la réalité même, et ce phénomène explique les mystères auxquels vous êtes confronté.

— Reconnaissez que la chose est difficile à croire.

— Je n'ai jamais dit le contraire. *Homines quod volunt credunt*[1].

— *Ex falso sequitur quodlibet*[2]. Je ne suis pas, moi, de ceux qui s'empressent aveuglément de croire à n'importe quel mensonge, pourvu qu'il pût apaiser leurs tourments. Je me moque de savoir si votre hypothèse résout ces mystères, je veux savoir si elle est juste.

---

1. *Les hommes croient ce qu'ils veulent croire.* (César.)
2. *Du faux découle ce que l'on veut.*

— Je reconnais que je vais avoir bien de la peine à vous prouver que cette personne a bien existé, cher ami, puisque tout ce qui la concernait a disparu. Partant, la seule chose que nous puissions affirmer ensemble aujourd'hui, c'est que cette personne, en ce moment, *n'est pas*. Pour en arriver à la certitude qu'elle *n'est plus*, il faudrait que nous ayons recours à l'interprétation, pour ne pas dire l'imagination, car nous devons trouver une information absente, induite par celles que la réalité nous fournit. C'est en quelque sorte un acte de foi, et je sais bien que la foi n'est pas votre fort.

— Jusqu'à ce jour, j'ai toujours cru que mon fort était la raison, mais je commence à en douter moi-même. Toutefois, si je puis me permettre... Si cette personne a, comme vous le prétendez, disparu de la réalité, et donc de nos souvenirs, est-il possible que vous, vous vous souveniez d'elle ?

— Oui.

— Alors c'est qu'elle n'a pas vraiment disparu de la réalité !

— De la vôtre, certainement.

— Insinuez-vous que nous ne sommes point dans la même ? ironisa Andreas.

— Disons que la tenture qui est devant vous n'est pas la seule chose qui nous sépare...

L'Apothicaire secoua la tête, exaspéré d'entendre ici les mêmes mystifications obscures qu'il avait entendues à Saintes ou Artenay. Les hommes de cette *schola gnosticos*, qui se disaient sages, n'étaient ni plus ni moins que des fous illuminés ! Ou bien des charlatans. Ou bien ils se moquaient de lui. Mais, comme il l'avait dit à Robin, et comme il se l'était dit à lui-même, il avait choisi, pour l'heure, de suivre cette voie-là, de creuser cette hypothèse, pour fantasque qu'elle fût. La seule chose qui importât était de garder la raison, quand bien même celle-ci semblerait totalement absente des thèses de son interlocuteur. Ainsi, il décida de poursuivre.

— Soit, soupira-t-il. Alors si vous vous souvenez de cette personne, dites-moi de qui il s'agit, dites-moi ce que je faisais ici avec elle, chez vous, et dites-moi pourquoi elle a disparu non seulement de mes souvenirs mais aussi de ceux de mon entourage.

— Je pourrais vous dire la plupart de ces choses, en effet, mais il me faudrait de votre part une promesse en retour.

— Du chantage ?

— Un marché. Ce n'est pas moi qui suis venu vous voir, mais bien vous qui me demandez quelque chose.

— Je vous écoute.

Juan Hernández Manau marqua un temps de silence solennel, comme pour donner de l'importance au serment qu'il s'apprêtait à demander, et en réalité, Andreas, de plus en plus en proie à l'affliction que causait en lui l'absence de diacode, se laissa gagner lui-même par la singularité de l'instant.

— Si je réponds à toutes ces questions, monsieur Saint-Loup, me promettez-vous, quand vous aurez la clef de ce mystère entre les mains, de ne point reculer ? D'aller jusqu'au bout de votre quête ?

L'Apothicaire fronça les sourcils.

— Je peine à mesurer la portée d'une telle promesse, ne sachant pas de quelle quête vous voulez parler…

— Promettez-moi simplement d'aller jusqu'au bout des recherches qui, déjà, vous ont mené ici.

— Il semble que la distance que j'ai parcourue soit un témoin honorable de ma détermination…

— Le plus dur reste à faire, monsieur l'apothicaire. Vous n'êtes pas au bout de vos peines.

— Eh bien, voici ce que je peux vous promettre : tant qu'il restera pour moi un mystère, je continuerai à vouloir le percer. Il en va ainsi de toute mon existence.

— Cela me convient, affirma le maître de la *schola gnosticos* d'une voix sévère et posée.

— Alors parlez, maintenant, je vous en prie.

— Soit. Je vais tout vous dire, monsieur Saint-Loup, mais j'ai une dernière requête : quand je me serai tu, je vous saurais gré de sortir de chez moi sans poser d'autre question, et de partir au plus vite, non seulement de ma maison, mais de Pampelune tout entière.

— Entendu.

— Promettez-le.

— Je le promets.

— Parfait. Alors maintenant, écoutez-moi, et si invraisemblable que puisse vous paraître mon histoire, écoutez-la jusqu'au bout.

108

— S'ils ne sont pas encore passés ici, c'est qu'ils ne sont pas en route pour Compostelle, grogna Suriel, le plus grand des deux *Mal'achim*, en sortant de la troisième auberge qu'ils avaient inspectée depuis le matin. Nous avons fait fausse route.

De Bayonne à San Sebastián, ils avaient fouillé fougueusement toutes les bâtisses, tous les hôtels, les hôpitaux, interrogé les habitants ou les pèlerins, étudié les empreintes sur et hors des routes, mais nulle part ils n'avaient retrouvé la trace de l'Apothicaire et de son apprenti.

Les deux cavaliers noirs, retournant vers le sud d'où ils étaient venus, avaient traversé des villages où on les avait déjà vus quelques semaines plus tôt, et de nouveau ils avaient inspiré une crainte bien légitime aux gens qu'ils croisaient.

— Quand ils ont quitté Bayonne, ils sont pourtant bien partis vers le sud. Mais si ce n'était pas pour Compostelle, alors pour quelle destination ?

— Ils sont passés plus à l'est que nous, à travers les montagnes... Peut-être l'ont-ils fait à dessein et non pas poussés par la précipitation.

— Bien sûr ! s'exclama alors Suriel avec fureur. Nous aurions dû y penser plus tôt !

— À quoi donc ?

— Pampelune ! Saint-Loup n'est pas parti pour Compostelle ! Pas encore, en tout cas. Il est retourné voir Hernández Manau à Pampelune. Nous aurions dû tuer ce vieux fou la dernière fois que nous étions chez lui ! À présent, cela va être plus difficile.

— Si nous partons tout de suite, peut-être pourrons-nous éliminer Saint-Loup à temps. À moins que vous ne préfériez, mon frère, que nous l'attendions à Compostelle.

— Non. Le plus tôt sera le mieux.

Suryan acquiesça, mais il y avait dans son regard une sorte d'inquiétude qui, à l'évidence, ne lui était pas familière. Cette mission, qui aurait dû être achevée depuis fort longtemps, devenait bien plus ardue que prévu, or ces deux assassins n'avaient jamais connu l'échec puisque, dans leur tâche, celui-ci n'était pas permis.

Sans perdre un instant de plus, ils se remirent en route sur leurs grands coursiers et filèrent tout droit vers l'est, telles deux flèches enflammées décochées de l'arc d'Héraclès.

109

Assis tout au fond de son fauteuil, le visage figé, presque absent, Robin regardait la jeune Occitane qui semblait, elle, fort agitée par l'impatience.

Il était tout simplement fasciné par la jeune fille. Non pas uniquement par sa beauté naturelle, le teint de sa peau, qui était brun, de ce brun profond qui est le plus parfait et le plus pur, par son visage gracieux et fin, aux joues ourlées de fossettes, ou même par la longue et sauvage chevelure châtaine qui se mariait si justement au vert de ses grands yeux, mais aussi par son tempérament, sa fougueuse complexion, cet air de ne rien devoir à personne et d'être si entièrement libre qui la rendait plus belle encore.

Si l'on se souvient que, poussé par Marguerite, notre jeune apprenti avait découvert à Paris, un soir, les mystères de la femme – autant qu'on les peut découvrir en de si courts instants – il n'avait en revanche point encore connu, malgré ses seize printemps, les véritables troubles de l'amour ; mais il n'est point nécessaire de les connaître déjà pour savoir les identifier quand votre cœur, soudain, se met à battre de cette unique façon. Et s'il faut un peu de temps pour vivre un grand amour, le corps ne connaît plus grand émoi que celui de ces premières palpitations, dont on ne ressent jamais autant la force que quand elles vous étaient jusque-là étrangères. Et si cette effervescence est délicieuse, elle ne l'est pas seulement, car elle est aussi vertigineuse et affolante, elle vous désarme et vous désarçonne et vous fait perdre, parfois, ce contrôle que vous aimeriez garder en toutes circonstances.

Et donc, au regard de toutes ces choses qui l'habitaient en ce moment, Robin était amoureux, et il était désemparé, et il était savoureusement perdu.

— Tu ne me réponds pas ?

L'apprenti se redressa d'un geste brusque en prenant soudain conscience qu'Aalis lui parlait, et depuis un moment sans doute.

— Pardon ? balbutia-t-il, le visage empourpré.

— Je te demandais si tu savais ce qu'ils se disent, là-dedans ? répéta-t-elle d'une voix lasse.

— Eh bien... Non ! Comment pourrais-je le savoir, puisque je n'y suis pas ?

— Tu as bien une idée, non ?

Le rouquin haussa bêtement les épaules.

Face à ce silence, la jeune fille se leva pour déambuler dans la petite pièce et y inspecter sans vergogne meubles et objets.

— Tu le connais bien, ton maître ?

— Évidemment que je le connais bien ! répliqua Robin en se ressaisissant.

— Il est un peu étrange.

— C'est le meilleur apothicaire de tout Paris. De toute la France, peut-être. C'est un savant.

— Un savant qui s'enfuit, ironisa Aalis.

— Les vrais savants ont toujours beaucoup d'ennemis.

— Et que lui veulent ceux qui le poursuivent ?

— Il te l'a dit : nous ne le savons pas.

— Alors que faisons-nous ici ?

— Eh bien, justement, nous cherchons des réponses.

— Ce n'est pas très précis.

— C'est tout ce que je puis te dire.

La jeune fille soupira en reposant un vase qu'elle venait de prendre sur une bibliothèque.

— En tout cas, il a l'air très préoccupé.

— Il l'est.

— Parfois, on dirait même qu'il est malade. Tu as vu, hier soir, comme il tremblait en se couchant ?

Robin ne répondit pas.

— Tu sais ce qu'il a ? insista la jeune Occitane.

— Oui.

— Eh bien, dis-le-moi ! dit-elle en revenant s'asseoir près de lui.

— Je ne pense pas qu'il voudrait que je te le dise.

— Je ne le répéterai pas, promit-elle.

Le jeune homme hésita, tiraillé entre le respect qu'il avait pour les secrets de son maître et le désir de paraître.

— En vérité, je ne suis pas certain de savoir en détail quel mal l'affecte vraiment. Tout ce que je sais, c'est qu'il prend chaque soir et chaque matin un médicament, et que quand ce médicament vient à manquer, il se sent de plus en plus mal. Et c'est le cas depuis que nous avons quitté Bayonne.

— Et de quel médicament s'agit-il ?

— À quoi cela te servirait-il que je te le dise ? Tu n'y connais rien à la pharmacopée !

— Dis toujours !

— C'est du diacode.

— Qu'est-ce que c'est ?

— Tu vois que tu n'y connais rien !

— Je connais bien les plantes !

Robin ricana maladroitement.

— Ce sont des têtes de pavot nouvellement cueillies dans leur maturité, que l'on incise par petits morceaux, puis que l'on met dans un pot de terre vernissé, récita-t-il fièrement, comme s'il se fût agi d'un examen. La vertu narcotique du pavot consiste particulièrement dans sa tête, sa graine n'en a que très peu, c'est pourquoi il est assez inutile de l'employer dans l'infusion. En outre, il a plus ou moins de qualité suivant la température du pays où il a crû, ainsi il est beaucoup plus efficace en Orient, en Italie, ou même en ton pays qu'à Paris. Et donc, on verse sur ces petits morceaux de l'eau bouillante, on couvre le pot et on laisse infuser deux jours durant, puis on fait bouillir doucement jusqu'à la tierce partie. On y mêle ensuite du safran, de la cannelle et du jus de prunelle. La dose est depuis demi-once jusqu'à dix drachmes, mais je crois que maître Saint-Loup la dépasse grandement.

La jeune fille hocha doucement la tête, et Robin fut certain de l'avoir impressionnée.

— Et à quoi cela sert-il ? demanda-t-elle.

— Ses effets viennent de ce que, par sa substance glutineuse et embarrassante, il arrête le trop grand mouvement des esprits dans le cerveau. C'est par cette même raison qu'il fait dormir.

— Mais à quoi sert-il ? répéta la jeune fille.

— Eh bien, à l'évidence : à apaiser la douleur.

— Quelle douleur ?

— Eh bien... la sienne.

Aalis secoua la tête et se renfonça dans son fauteuil.

— Au fond, tu ne le connais pas aussi bien que tu veux le faire croire.

Remontant ses genoux sous son menton, elle prit un air pensif, puis, le regard perdu dans le vide, elle ajouta :

— Sans doute, c'est un drôle de personnage.

110

Telle celle d'un abbé dont le corps tout entier est drapé dans les ombres lugubres d'un confessionnal, la voix de Juan Hernández Manau s'éleva de derrière la tenture, sonore, sépulcrale et désincarnée.

— Il y a ce que l'on sait, il y a ce que l'on ignore, et il y a ce que l'on s'efforce d'ignorer. Un être est la somme de tout cela. Un homme ne se résume pas seulement à ce qu'il sait, et pour nous, gnostiques, le salut se pose sur celui qui parvient à réunir ces trois parties de son être. La gnose révèle à l'homme le secret de sa descente en ce monde et lui donne le chemin de son retour à l'origine. Notre quête, qui, ne vous en déplaise, s'avère être aussi la vôtre, monsieur Saint-Loup, consiste à connaître la véritable origine et la véritable destinée de l'être.

— Pardon, mais ce n'est pas la prérogative de la seule gnose ! le coupa Andreas. N'est-ce pas celle de la philosophie en général, comme la résume le *gnothi seauton*[1] de Socrate ?

— La formule n'est pas de Socrate, mais de Chilon, qui lui fut bien antérieur…

— Qu'importe ! C'est bien le discours de tous les philosophes que celui d'affirmer que l'ignorance de soi-même asservit l'homme.

— Certes, mais nous différons sur les réponses.

1. *Connais-toi toi-même.*

— Les meilleurs philosophes ont l'élégance de n'en point donner de trop fermes.

— Vous voyez de l'élégance là où je ne vois, moi, que lâcheté. Mais vous m'avez demandé de vous dire ce que je sais, aussi, avant que de vous laisser choisir votre destinée – car après tout elle devrait vous appartenir – laissez-moi vous parler de votre origine, monsieur Saint-Loup.

— Dites-moi tout ! répliqua l'Apothicaire avec une pointe de sarcasme que son interlocuteur choisit heureusement d'ignorer.

— Voici en premier lieu ce dont, sans doute, vous vous souvenez : vous quittâtes Paris l'année de vos vingt et un ans, soit en l'an 1295, au moment même où vous obtîntes le titre de maître ès arts, et je crois savoir que c'est une tragique histoire de cœur qui vous fit fuir la capitale, mais cela ne regarde que vous.

— En effet, maugréa Andreas.

— Ce que vous avez peut-être oublié, néanmoins, c'est que vous ne choisîtes point alors la destination de Compostelle par hasard, et encore moins par dévotion, bien entendu. Sauriez-vous me dire, mon ami, pourquoi vous partîtes précisément sur la route de ce pèlerinage-là ?

— Non, avoua l'Apothicaire. Non, en effet, je ne sais plus vraiment. Sans doute parce que la douleur… que vous venez d'évoquer… m'ordonnait de voyager loin, et que ce voyage-là fut le premier qui me vint à l'esprit.

— Vous noterez que vous fîtes ce premier voyage pour oublier, et que vous le refaites aujourd'hui pour vous souvenir… Nous pourrions discourir longuement sur les vertus du voyage, mais ce n'est pas l'endroit. Et pour en revenir à la destination, allons, Andreas ! Soyons sérieux ! On ne part pas à Compostelle au hasard, surtout quand on est aussi irréligieux que vous l'êtes, et que vous l'étiez déjà ! Non. Si vous partîtes pour la Galice, monsieur, c'est que votre parrain, l'abbé Boucel – qui est une figure bien plus complexe que vous ne pouvez le deviner – vous en souffla l'idée.

— Pardon ?

— Oui. C'est cet abbé qui, fort habilement, vous mit sur la piste de Saint-Jacques.

— Et pourquoi donc ?

— Patience, mon ami, patience, vous allez le découvrir. Ainsi, donc, guidé sans le savoir par la voix de votre tuteur, vous partîtes pour Compostelle, suivant précisément la même route que vous suivez aujourd'hui.

— Cela, je m'en souviens.

— En chemin, sans le sou, après avoir traversé toute la France et toute la Navarre, vous entrâtes au service d'un apothicaire de Burgos, qui vous prit comme apprenti.

— Je me le rappelle également, confirma Andreas. Le vieil homme se nommait Diego Cota, il était brave et érudit.

— Il était bien plus que cela. Après vous avoir enseigné les rudiments de votre cher métier, il vous conseilla d'achever votre pèlerinage et vous poussa vers Compostelle. De ville en ville vous continuâtes votre apprentissage, au gré des maîtres qui voulaient bien vous engager.

— Cela est vrai, dit Andreas de nouveau, troublé par l'étendue de ce que le gnostique savait à son sujet. J'appris à Sahagún, à León, à Astorga, à Ponferrada et à Portomarin, auprès de maîtres bien plus doctes que la plupart de ceux que l'on rencontre en France.

— Tout juste, et ainsi vous arrivâtes à Saint-Jacques-de-Compostelle au mois de juin 1296. C'est à partir de ce moment de votre voyage que votre mémoire se trouble.

— Point du tout ! Je me souviens parfaitement de ce que je fis là-bas !

— Vraiment ?

— Oui. Fort de l'enseignement que j'avais reçu et de l'argent que j'avais gagné, je m'installai comme maître apothicaire dans les faubourgs de la ville, où je restai pendant sept longues années avant que de revenir en France.

— Allons bon ! Croyez-vous vraiment qu'un jeune homme de vingt-deux ans, étranger, ayant à peine fini son apprentissage, eût pu s'installer ainsi comme apothicaire à Saint-Jacques-de-Compostelle ? Vous n'êtes pas sérieux !

— C'est pourtant ce que je fis.

— Non, Andreas. Cela ne se passa point ainsi, mais il est normal que vous le pensiez, car en vérité, vous vous installâtes au service d'une personne, et que cette personne, justement, est celle qui a aujourd'hui disparu de vos souvenirs, et avec elle toutes les traces de son existence.

— C'est parfaitement impossible ! C'est pure fantaisie !

— Et pourtant c'est la vérité, monsieur Saint-Loup. Vous entrâtes au service de cette personne, auprès de laquelle vous devîntes l'érudit que vous êtes aujourd'hui.

— Et qui serait cette personne ?

— La question est, à vrai dire, fort complexe, puisque pour vous, cette personne non seulement n'est plus, mais n'a jamais été.

— En effet, railla Andreas. Mais pour vous, qui serait-elle ?

— Cette personne était, est, ou serait beaucoup de choses, mais de toutes les choses qu'elle fut, est, ou serait, une seule compte en cet instant.

— Laquelle ?

— Je vais vous le dire. Un jour, quelques mois après votre arrivée, en janvier 1297 précisément, cette personne, voyant que vous pouviez vous débrouiller seul, vous confia son apothicairerie et partit.

— Elle partit où ?

— Cela, je ne puis vous le dire.

— Évidemment ! pouffa Andreas.

— Mais après sept années, en effet, elle revint. Et voici ce qui importe : cette personne, monsieur Saint-Loup, lors de son voyage, avait trouvé le *Shatirum lâmi'umma*.

— Le livre qui n'existe pas, murmura l'Apothicaire avec une sorte de sourire narquois sur le visage.

— C'est l'une des traductions possibles, en effet, néanmoins je ne crois pas que cela soit la meilleure. Mais qu'importe, laissez-moi vous conter la suite.

— Je crains que vous n'ayez déjà perdu ma crédulité, maître Hernández.

— Tant que je ne perds pas votre oreille, peu me chaut.

Andreas poussa un long soupir, avant que de lâcher :

— Soit. Je vous écoute.

— Guéri, sans doute, du mal qui vous avait fait quitter la France, vous fîtes part à cette personne de votre souhait de rentrer à Paris, et plutôt que de vous laisser partir seul, elle vous accompagna. C'est donc sur le chemin du retour que vous passâtes ici avec elle, et tout ce que je sais de vous, je le sais de ce séjour que vous fîtes chez moi, ce qui, pour vous, devrait sinon vous fournir une preuve de l'authenticité de mon discours, au moins vous obliger à l'interroger plus avant.

— Si je suis encore à vous écouter, c'est bien que je ne me hâte point d'en juger, rétorqua l'Apothicaire.

— Tant mieux, tant mieux. Ce qu'il advint ensuite, toutefois, je ne puis le savoir de première main, puisque je n'en fus point le témoin, mais d'après ce que je sais de votre histoire, je puis le deviner : vous rentrâtes à Paris en 1304, où vous vous installâtes, à votre propre compte cette fois, dans la rue Saint-Denis, sans quitter toutefois cette personne qui fut votre hôte et votre maître en Galice. Elle vécut avec vous pendant les neuf années qui suivirent, dans cette petite pièce qui était à mi-étage de votre maison...

— Comment savez-vous ces détails ? s'étonna Andreas.

— Mon ami ! répliqua la voix amusée de son invisible interlocuteur. Ce qu'un maître de la *schola gnosticos* apprend, tous les autres le savent rapidement ! Ce que l'on confie à l'un, on le confie aux autres.

— Je vois. Les nouvelles vont vite.

— Très. Ainsi, je suppose également que vous fîtes peindre cette personne à vos côtés sur ce tableau dont vous avez parlé à mes confrères... Et puis un jour, le onzième jour du mois de janvier de cette année, si mes renseignements sont exacts, elle disparut, entièrement, de la façon dont nous avons parlé. Elle disparut, et avec elle son souvenir, son existence même, tout comme la trace de son passage dans cette pièce, tout comme son image sur votre tableau, tout comme son nom sur le registre de l'hôpital d'Étampes...

— Je n'ose vous demander comment, s'amusa Andreas. Mais puis-je au moins vous demander pourquoi ?

— Allons, vous le devinez forcément : sans doute parce qu'elle eut fini de lire le *Shatirum lâ-mi'umma*, et que, par miracle ou par la force de sa raison, elle le comprit.

Andreas, interdit, ne sachant plus ce qu'il devait croire, ne sachant plus s'il devait rire ou pleurer, demeurer ou fuir, resta un long moment totalement silencieux et immobile, et seuls les craquements du feu vinrent lui rappeler qu'il était, lui, bien vivant, bien présent, et dans ce monde-là. Il éprouvait désormais en son cœur un malaise qui ne pouvait être entièrement dû au manque de diacode.

— Je... je ne sais plus que penser, balbutia-t-il finalement sans pudeur. L'histoire que vous venez de me raconter, si elle était possible, expliquerait sans doute les mystères auxquels je suis confronté, j'en conviens, et pourtant, je suis désolé, mais je ne puis me résoudre à sa vraisemblance.

— Je comprends. Mais vous m'avez fait une promesse, Andreas, aussi, maintenant que je vous ai dit ce que j'avais à vous dire, j'aimerais que vous la teniez. Ne me posez plus d'autre question, partez sur l'heure de Pampelune et finissez ce que vous avez commencé.

— Comment pourrais-je finir une chose que je ne comprends pas moi-même ?

— Souvenez-vous de ce que je vous ai dit en préambule, mon ami : il y a ce que l'on sait, il y a ce que l'on ignore, et il y a ce que l'on s'efforce d'ignorer. Le salut se pose sur celui qui parvient à réunir ces trois parties de l'être, aussi, soyez attentif à ce que vous croyez ignorer. Vos pas, eux, semblent savoir où vous conduire.

— À Compostelle ?

Le sage ne répondit pas.

— Pourquoi disiez-vous tout à l'heure que ce fut l'abbé Boucel qui, au départ, me mit sur la piste de Compostelle ? Pourquoi m'eût-il envoyé là-bas ?

— Parce que vous deviez rencontrer cette personne, et qu'il le savait.

— Je ne vois pas comment. Et ces deux cavaliers qui me poursuivent ?

— Les *Mal'achim*.

— Que me veulent-ils ?

— À votre avis ?

— Mais je n'en ai pas la moindre idée ! s'emporta Andreas.

— Ils ne font que leur devoir, monsieur Saint-Loup.

— Et quel est-il ? demanda-t-il, courroucé.

— Je crois que Denis de Tourville vous l'a dit : leur devoir est de vous empêcher de lire ce livre.

— Et comment pourrai-je me débarrasser d'eux ? Ce sont des assassins, et je ne suis pas, moi, un homme d'épée.

— Un érudit tel que vous oserait-il prétendre que la force du corps l'emporte sur celle de l'esprit ? Si vous tenez votre parole, Andreas, là où vous irez, ils ne pourront pas vous suivre.

— Ils ne pourront pas me suivre ? Chacune de vos réponses appelle de nouvelles questions ! Vous parlez par énigmes ! Pouvez-vous au moins me dire une chose qui fût tangible ? Le nom de cette personne, par exemple ? Cette personne que j'ai oubliée ?

— Son nom, ici, n'existe pas.

— Il n'existe plus, peut-être, mais...

— Non. Il n'existe pas. J'admets que la chose soit pénible à saisir, mais souvenez-vous : cette personne n'a pas seulement disparu de votre avenir, elle a disparu de votre monde, et donc aussi de votre passé. Ici, elle n'a jamais été.

— Et pourtant je dois la retrouver ! se moqua Andreas. Je dois retrouver quelqu'un qui n'a jamais été !

— Ce n'est pas elle que vous devez trouver, mais le livre.

— Cela revient au même ! À en croire son titre, ce livre non plus n'existe pas !

— Ne dit-on pas que l'on ne doit pas juger un livre à son apparence ? S'il a un titre, c'est qu'il existe, au moins dans nos pensées. Platon dirait qu'il a au moins une existence dans le monde intelligible. En outre, ne vous ai-je point dit que cette traduction de *Shatirum lâ-mi'umma* me semblait impropre ?

— Alors il existe ?

— La question serait plutôt, s'il existe, par qui peut-il être lu ? Vous qui fûtes élevé dans une abbaye, je suis certain que, malgré votre irréligion, vous connaissez fort bien les Écritures. Songez donc à un autre livre, et au cinquième chapitre de l'Apocalypse. « *Puis je vis, dans la main droite de celui qui était assis sur le trône, un livre écrit en dedans et en dehors, scellé de sept sceaux. Je vis aussi un ange puissant, qui criait d'une voix forte : qui est digne d'ouvrir le livre, et d'en délier les sceaux ? Et nul, ni dans le ciel, ni sur la terre, ni sous la terre, ne pouvait ouvrir le livre, ni le regarder. Et moi, je pleurai beaucoup, de ce que personne n'avait été trouvé digne d'ouvrir le livre, ni de le lire, ni de le regarder. Et l'un des Anciens me dit : ne pleure point ; voici, le lion, qui est de la tribu de Juda, le rejeton de David, a vaincu pour ouvrir le livre et en délier les sept sceaux.* »

— Et où serait-il, ce maudit livre ? À Compostelle ?

— Si vous commencez à vous souvenir, d'autres se souviendront avec vous, murmura le sage plutôt que de répondre.

— Est-ce qu'il est à Compostelle ? répéta Andreas, irrité.

De nouveau, le sage ne répondit pas, et comme il resta silencieux, Andreas comprit que, sans doute, il ne parlerait plus. Pour lui, tout était dit.

En cet instant, notre bon Apothicaire avait perdu tout le flegme qu'on lui connaît d'ordinaire, et il était moult agité par une nuée de sentiments conflictuels. Il était irrité, d'abord, par la mise en scène tordue et empesée à laquelle il venait de participer dans cette pièce obscure. Il était excédé, ensuite, par l'ésotérisme irrationnel qu'on lui offrait comme seule réponse à ses interrogations. Il était furieux, enfin, envers lui-même, pour avoir en sa mémoire de telles défaillances et n'y trouver aucune meilleure explication que ce mysticisme foutraque auquel on voulait le forcer. Le pis, en somme, était qu'une partie de lui-même semblait prête à envisager cette hypothèse saugrenue et que, ce faisant, il ne se reconnaissait pas lui-même et se pliait à remettre en cause sa propre raison, laquelle était le seul vivant pilier de son existence orpheline.

Et pour couronner tout ce désordre intérieur, son corps même lui faisait défaut, accablé par les assauts terribles que lançait contre lui la privation de diacode.

Oubliant sa promesse, gagné par la colère, ou par une folie passagère, peut-être, l'Apothicaire se leva d'un bond, tout tremblant et transpirant beaucoup, et se précipita vers la grande tenture qu'il arracha d'un geste rageur et désespéré.

Mais de l'autre côté, il ne trouva personne.

Personne.

Il n'y avait là que les flammes dansantes d'une grande cheminée, l'odeur du bois qui brûle, le silence pesant d'une veillée funèbre, et alors Andreas se mit à vaciller.

Se rattrapant à la table près de lui, il suffoqua, bafouilla, jeta autour de lui des regards hallucinés, puis il se frotta le visage et se demanda si ce qu'il venait d'entendre, de vivre, n'eût pu être le fruit des délires atroces qui terrassent celui à qui l'opium fait soudain défaut. La chose, certainement, eût été presque un réconfort.

Mais il n'en était rien, et c'était bien là ce qu'il y avait de pire.

111

À Paris, ce fut deux jours plus tard, et donc le 31 mars 1313, que le messager parti de Bayonne se présenta devant le chambellan, au palais de la Cité, afin de lui apprendre la mort atroce de Guillaume Humbert, Grand Inquisiteur de France, et de lui dire les circonstances dans lesquelles celle-ci était advenue.

La nouvelle, qu'Enguerran de Marigny ne put garder secrète bien longtemps, fit grand bruit et, le soir même, sous la pression des siens, le roi décida de réunir son Conseil.

La séance se tint à l'abri de la double voûte en ogive de la Grand-Salle, lambrissée de bois et peinte d'azur, laquelle, surplombant l'immense pavé de marbre, faisait résonner longuement les paroles pourtant confidentielles qu'on échangeait sous elle, leur donnant une ampleur et une gravité qui seyaient bien à pareille occasion.

Au nombre des conseillers réunis autour de la longue table de bois de chêne, comme surveillés par les statues de tous les rois de France, depuis Pharamond, qui se dressaient entre les hauts piliers, on compta naturellement le Chambellan, mais aussi Louis Ier de Navarre, fils de Philippe le Bel, ainsi que Pierre de Latilly, nouveau garde du Sceau, et Charles de Valois, frère de Sa Majesté, qui n'était pas encore parti pour Étampes.

— ... et le maire de Bayonne nous fait savoir qu'il tient un homme chauve, approchant la quarantaine, pour assassin de Mgr Humbert, or il apparaît à Sa Majesté comme à moi-même que le suspect ci-décrit ne saurait être autre qu'Andreas Saint-Loup soi-même, apothicaire de son état, que l'Inquisiteur, justement, était parti confondre, sur ordonnance royale, et qui était déjà soupçonné du meurtre du chancelier Nogaret.

— Sait-on ce qu'il faisait à Bayonne ? demanda Charles de Valois qui, de tous les convives, était celui qui se sentait le plus concerné par cette audience, comme elle avait un étroit rapport avec l'affaire secrète qui le préoccupait.

— Nous pensons qu'il se rend à Compostelle, répondit vivement Marigny qui, lui, eût sans doute préféré qu'on quittât rapidement le sujet. Il y aurait déjà vécu, il y a une quinzaine d'années.

— Sa Majesté a-t-elle décidé de ce qu'il convenait de faire ? demanda le frère du roi.

Tous les regards se tournèrent vers Philippe le Bel, mais celui-ci fit un geste au chambellan pour qu'il répondît à sa place.

— La nomination du Grand Inquisiteur de France relève du roi. Nous allons donc chercher à Humbert un digne successeur. Nous songeons à plusieurs candidats. D'abord, il y aurait Jacques Fournier, abbé de Fontfroide, qui est brillant et érudit, mais il est cistercien et encore un peu jeune. Nous avons aussi songé au dominicain Bernard Gui, qui a déjà fait ses preuves comme inquisiteur de Toulouse, mais qui, peut-être, est trop près du pape. Certes, il y aurait Nicolas de Lyre, qui était aux côtés de Humbert lors du procès de Marguerite Porete et qui a l'habitude de traiter avec les hérétiques, mais il est de parents juifs... Enfin, il y a le franciscain catalan Fabri qui, pour l'instant, recueille notre préférence, mais nous n'avons encore rien décidé.

— Je ne parlais pas du remplacement de Humbert, mais de ce qu'il convient de faire pour Andreas Saint-

Loup ! insista de Valois, qui n'avait pas l'intention de laisser le chambellan s'écarter habilement du sujet.

— S'il a quitté la France, comme nous le croyons, nous ne pouvons plus faire grand-chose.

— Pardon, rétorqua de Valois en se tournant vers le fils du roi, mais s'il a passé les Pyrénées, il est en Navarre, où, cher neveu, vous avez tout pouvoir.

Le jeune Louis, qui n'était pas encore aguerri aux jeux de la politique, adressa à son père un regard interrogatif. Philippe le Bel, qui était resté silencieux jusque-là, se résolut enfin à parler.

— Mon fils verrait-il là le motif de retourner lui-même dans ce royaume où il ne mit les pieds qu'au seul jour de son couronnement ?

Plutôt que de laisser son neveu se sortir du sarcasme que lui avait adressé son père, Charles de Valois répondit prestement à sa place.

— La chose ne nécessite sans doute pas qu'un roi se déplace, mais je pourrais, moi, aller en Navarre et obtenir du gouverneur Alphonse de Rouvroy qu'il s'occupe de cette affaire, et veiller à ce qu'elle aille jusqu'à son terme.

— Auriez-vous de nouvelles envies de voyage, mon frère ? se moqua Philippe le Bel.

— Ai-je déjà déçu Sa Majesté lors des missions que je fis en son nom ? Quand je me rendis en Hainaut ? Quand je me rendis, par deux fois, en Flandre ? Ou bien quand je pris, avec mon neveu Louis, justement, la ville de Lyon rebellée ?

— Non, mon frère, vous ne m'avez jamais déçu, et les nombreuses terres et propriétés que je vous ai offertes en retour sont les témoins de ma gratitude, mais pourquoi vous envoyer, vous, en Navarre alors qu'un simple messager suffirait ?

— Après une ordonnance royale adressée à tous les baillis et prévôts de France, Sa Majesté envoya Humbert aux trousses de Saint-Loup, et cela ne suffit pas... Il semble que mettre le sort de cet Apothicaire entre les mains d'un simple messager, ou bien même entre celles du gouverneur de Navarre soit fort hasardeux, et s'il faut mettre fin, une bonne fois pour toutes, à cette sombre histoire, je veux bien m'en charger moi-même, qui ne vous décevrai point.

Philippe le Bel se tourna vers Marigny, qui, comme lui sans doute, devinait que derrière le dévouement zélé du comte se cachait quelque dessein plus obscur, mais le chambellan resta silencieux, et le roi estima qu'écarter son frère de la capitale n'était peut-être pas une si mauvaise idée. Après tout, ses chances de retrouver l'Apothicaire étaient à peu près nulles, et pendant ce temps-là au moins il ne se mêlerait pas des affaires parisiennes. Le silence de Marigny indiquait sans doute qu'il était du même avis que le roi.

— Qu'il en soit donc ainsi, Charles. Je vous laisse la charge de cette affaire. Puissiez-vous faire arrêter ce Saint-Loup et le ramener jusqu'ici afin qu'il soit jugé pour tous ses odieux crimes.

Quand le Conseil fut fini et que Charles de Valois fut rentré en son hôtel de Nesle, il demanda à ses gens de préparer son départ le jour même pour le royaume de Navarre, et sur son visage se pouvait lire une jubilatoire satisfaction, car sur le chemin qu'il allait prendre se trouvait la ville d'Étampes.

112

La porte vola en éclats sous le violent coup de pied du *Mal'ach*, et alors sa grande et sombre silhouette entra dans la maison comme une terrible bourrasque de vent, et là-dedans sa colère s'abattit comme l'un des sept fléaux de l'Apocalypse. C'était Suryan, et de son épée il fracassa tout ce qui était sur son passage, et on eût dit le démon Asmodée, souffle ardent d'un dieu mauvais, arrachant le toit des demeures pour y pénétrer, et après lui vint Suriel, son frère, tout enveloppé dans son calme glacial et solennel, tel un général suivant l'avant-garde.

La vieille femme qui, toute sa vie durant, avait été au service de Juan Hernández Manau, fit irruption dans la pièce, non pas terrifiée comme elle aurait dû l'être devant tant de fureur, mais toute courroucée et le regard plein de défi.

Suriel avança parmi les débris que la fougue de son frère avait éparpillés à travers toute la pièce et dressa son grand et large corps devant la petite femme.

— Où est ton maître ? gronda-t-il d'une voix qui eût fait trembler les murs de Jéricho.

— Il n'est plus là, répondit-elle sans même baisser les yeux.

— Tu mens ! hurla le *Mal'ach* en s'approchant encore. Je sais qu'il est dans ces murs !

La vieille femme esquissa ce qui ressemblait à un sourire, mais celui-là était tout aussi plein d'ironie que d'une triste résignation.

— Il n'est déjà plus vraiment là, murmura-t-elle.

La poitrine de Suriel se gonfla de rage, puis il se retourna vers son jeune frère et lui dit :

— Surveille-la. Je n'en ai pas fini avec elle.

Il se dirigea d'un pas lourd mais preste vers l'autre côté de la petite salle, où d'un coup de pied lui aussi il enfonça une porte. Il découvrit alors l'antre obscur de maître Hernández, avec ses meubles, avec des bibelots, et ses bibliothèques et leurs livres, et sa tapisserie, et sa cheminée qui brûlait encore, mais il n'y avait personne et Suriel poussa un cri de grande colère.

Revenant sur ses pas, il passa de nouveau près de la vieille servante et partit vers une seconde porte, qui donnait sur un couloir, qui menait à un escalier, qui montait à l'étage.

En haut des marches il défourailla son épée à double tranchant et fractura une troisième porte pour pénétrer dans la chambre du maître.

Là, sur un beau lit de bois de cèdre, le corps de Juan Hernández Manau était étendu, immobile et droit, en paix, les mains croisées sur la poitrine telle la statue d'un gisant, et sa peau était plus blanche encore que la soie de son linceul.

Suriel fut à ses côtés en trois ou quatre pas. Il resta quelques instants à regarder cet homme mort, et sur son visage ne se lisait à présent nulle colère, mais une sorte de froide quiétude ; on eût dit qu'il priait. Puis il leva son épée au-dessus du cadavre, la maintint ainsi avec une espèce de grâce martiale avant que de l'abattre soudain vers la gorge du défunt.

La tête de Juan Hernández Manau se détacha de son cou et glissa sur le côté, et ce fut comme s'il eût enfin trouvé le repos.

— Ton corps restera ici, dit Suriel avant de faire volte-face et de retourner au bas de la maison d'un pas plus apaisé.

Là, il retrouva la vieille femme, qui était à genoux, les yeux mi-clos, les mains jointes, et qui professait tout bas d'inaudibles prières pendant que Suryan, au-dessus d'elle, la regardait tête baissée, comme attendri, ou amusé peut-être.

— Où est-il ? demanda doucement Suriel en venant se placer de nouveau devant elle.

Puis comme elle restait silencieuse :

— Parle, pauvre folle ! Où est Andreas Saint-Loup ?

La servante chuchota un *amen* avant que d'ouvrir les yeux et de lever sa figure vers l'homme qui la dominait.

— Il est déjà parti depuis longtemps, dit-elle en souriant. Et j'ai vu ses yeux : il trouvera le livre, et vous ne pourrez rien y faire.

— Quand est-il parti ?

— Il y a deux jours.

— Et où ?

— Là où vous ne pourrez pas le suivre.

Le *Mal'ach* sourit à son tour.

— Te consoles-tu donc de la mort de ton maître en cédant à de stupides croyances ?

— Il semble que vous ayez les mêmes que moi, sinon, que feriez-vous ici ? Il vous fait peur, celui-là, n'est-ce pas ?

— Combien crois-tu que nous en avons arrêté avant lui, misérable sotte ?

— Celui-là, vous ne l'arrêterez pas.

— Nous verrons, dit simplement Suriel tout en levant délicatement la pointe de son épée.

Le corps de la servante fut saisi d'un imperceptible tremblement.

— Lève-toi.

Et elle se leva.

— Regarde-moi.

Et elle le regarda fixement.

— La tête ou le cœur ?

En ce funeste moment, la vieille femme souriait encore.

— Le cœur, dit-elle en ouvrant les bras, et il y avait dans ses yeux la lueur d'une inextinguible fierté.

Le bras de Suriel s'arma vers l'arrière, puis d'un coup net et droit, la lame s'enfonça dans la poitrine de sa victime. Le regard de la servante s'agrandit et se figea, alors qu'un flot épais de sang coulait sur son habit. Ses deux mains se refermèrent sur l'épée, non pas pour la repousser vainement, mais comme si elle eût voulu la garder à jamais en son sein, et puis la mort la prit, sans surprise, dans un souffle.

113

Ce soir-là, après avoir traversé deux jours durant le pays de Navarre à dos de cheval, Andreas, Robin et Aalis arrivèrent en vue de la ville de Burgos, capitale et berceau même de la Castille, dont la fondation se perdait dans la nuit des temps, et qui était très certainement la plus splendide étape où pussent s'arrêter les pèlerins en route pour Compostelle.

Après avoir quitté précipitamment Pampelune, ils avaient échangé peu de mots, même lors des pauses qu'ils s'étaient accordées en chemin, non pas seulement parce que le voyage s'était avéré épuisant, mais surtout parce que l'Apothicaire s'était enfermé dans un mutisme qu'aucun des deux jeunes gens n'avait osé prendre d'assaut. Encore perturbé par les paroles du maître de la *schola gnosticos* – par tout ce que son discours, s'il eût été vrai, eût impliqué – et harassé par le manque grandissant de diacode (qu'il eût pourtant pu abréger en achetant en ville, chez un confrère, une nouvelle dose de ce looch, mais qu'il choisit d'affronter encore un peu, soit qu'il eût soudain décidé de lutter contre cette addiction, soit qu'il préférât noyer les tourments de son esprit dans une souffrance plus corporelle), harassé, disons-nous, Andreas était taciturne, et il était blafard, et il était tremblant. Mais quand la ville de Burgos se dressa devant eux dans toute sa splendeur, ce fut comme si un voile s'était levé de son visage et il sembla redevenir un peu lui-même, sans doute parce que ce fut en cette ville qu'il avait commencé son apprentissage d'apothicaire et qu'il avait ici de délicieux souvenirs.

Si le lecteur y consent, nous essaierons de dresser ici un rapide tableau de Burgos.

Flambeau de l'architecture moderne sur toute la péninsule Ibérique, inspiration des poètes, Burgos offrait dès ses premiers abords un spectacle saisissant. Appuyée aux flancs d'une belle montagne d'où la dominait son château fort, la ville était au bord d'une douce rivière, dite Arlança, qui se perdait au loin dans de riants vallons bordés de vignes. En arrivant par l'est, on voyait dépasser les clochers aériens de la cathédrale, d'innombrables clochetons et pinacles qui faisaient telles les cimes d'une forêt, et quelques toits rouges, comme autant de promesses de chaleureuse bienvenue aux moult visiteurs.

La ville était reliée à ses faubourgs par trois ponts ouvragés qui enjambaient la rivière, dont le plus grand ressemblait à un arc de triomphe et présentait une magnifique sculpture d'une vierge portée par des anges. Puis, quand on passait la porte Santa María, la plus grande et la plus élégante, on découvrait ce pittoresque enchevêtrement d'antiques rues, étroites pour la plupart – hormis celles qui ceignaient la place principale, de forme ovale, où l'on pouvait admirer un grand bassin et de beaux palais à l'entour.

Les plus riches demeures de la ville, soutenues de piliers, étaient auprès du grand marché. Là, c'étaient de grandes maisons, soignées et à l'aspect joyeux, dont la construction rappelait souvent les styles arabe et byzantin. Dans la grande artère qui menait à la cathédrale coulait un ruisseau, sagement conduit au milieu des promeneurs par un petit canal.

Burgos, enfin, comptait un grand nombre de chapelles, d'un travail merveilleux, qui pour leur grandeur et les trésors qu'elles abritaient eussent bien mérité le nom d'église.

Ville florissante, centre d'un commerce considérable avec ses manufactures et ses foires (célèbres pour les draps qu'on y vendait), elle était toute l'année un foyer animé et coloré. Ses habitants étaient beaucoup hors de chez eux, et même le soir, car on soupait bien tard, malgré le vent qui était ici fréquent et humide, et il y avait quelque chose d'unique à voir passer dans les rues, en pleine nuit, ces belles et fières Castillanes aux costumes clairs et chamarrés.

Mais c'était aussi une ville pleine d'odeurs, et pas toujours des plus douces, car aux saveurs de ciboule et d'essence de rose s'ajoutaient parfois celles de merluche et d'oignons bouillis.

Parmi les plus belles œuvres que les maîtres maçons du vieux monde avaient réalisées là, il convient de s'arrêter un instant sur la cathédrale Santa María qui, quoique inachevée, avait déjà un siècle, et que nous tenons pour la plus belle de toute l'Europe. Car par la grâce de ses doctes bâtisseurs, l'édifice, magistral ou majestueux, parlait à l'âme et à l'esprit, obligeait à l'humilité, quand bien même on ne fût point religieux.

La façade était dans ce style propre à l'époque et que l'on dit gothique aujourd'hui. Les clochers étaient comme deux bras ouverts invitant à la visite ou au recueillement, et derrière eux s'élevait une vaste tour carrée à huit créneaux. Du côté opposé on se laissait surprendre par un bâtiment octogone à tourelles pyramidales, qui se dressait dans une myriade d'ornements, de statues, de ciselures et de feuillages.

Il avait fallu aux architectes quelque astuce et imagination pour s'accommoder du relief du terrain, où se mariaient savamment cloître et cathédrale, et l'ensemble était comme un dédale étonnant de merveilles inattendues.

Le portail principal, enfin, dit du Sarmental, qui n'était pas sur la façade mais sur la droite en contrebas, était surplombé d'une voussure remarquable, finement sculptée d'un Christ en majesté prêchant au milieu des apôtres et des évangélistes.

Mais si l'on passait ce portail pour entrer à l'intérieur, l'éblouissement était plus grand encore. Il y avait, sous la haute croisée à lanterne étoilée, tant de statues qu'on eût pu les prendre pour une foule. Le déambulatoire, où s'amassaient les pèlerins, était ceint de huit chapelles où, au matin, le soleil venait se briser en mille gerbes d'or, illuminant un à un les tombeaux, les peintures, les stalles, les retables, toutes ces merveilles qui, déjà, faisaient la renommée des lieux.

En somme, il y avait tant d'œuvres d'art réunies en un seul lieu qu'il eût fallu un livre entier pour en vanter les beautés, et ce n'est pas ici notre propos, alors revenons-en à nos trois voyageurs, qui viennent de pénétrer sur la grand-place de Burgos, Aalis et Robin éblouis par ces splendeurs, Andreas ému par ses réminiscences.

— Maître, n'est-ce pas l'une des plus belles villes qu'il nous ait été donné de voir depuis Paris ?

— Sans doute, elle l'est. Mais c'est aussi l'une des plus chères, et nous n'avons plus d'argent pour nous loger ce soir.

— Il y a peut-être une solution, intervint Aalis en fouillant dans son grand sac.

Andreas fronça les sourcils.

— Tu ne songes tout de même pas à vendre ton psantêr ? dit-il d'un air contrarié. C'est hors de question !

La jeune fille sourit.

— Oh non, pour rien au monde ! En revanche, la dernière fois que j'ai eu besoin d'argent, j'ai... j'ai vendu l'une de mes statuettes. Il m'en reste trois.

— Tes ouvrages sont très beaux, Aalis, mais nous n'aurons pas de quoi nous loger et nous nourrir avec ça...

— Il faut bien commencer quelque part.

— Certes. *Dimidium facti, qui coepit habet*[1], acquiesça l'Apothicaire. Vous deux, essayez de vendre ces statuettes sur le marché, et moi, je vais chercher une autre solution. Je vous retrouverai ici avant la nuit tombée.

Et ainsi l'Apothicaire laissa les deux jeunes gens se débrouiller seuls en ce pays étranger, ce qu'ils firent d'ailleurs fort bien, et cela grâce à Aalis, que son aventure houleuse avait bien dégourdie.

Pendant ce temps-là, Saint-Loup se laissa guider par ses souvenirs à travers les ruelles de la ville, et rejoignit, plus au nord, le quartier de l'église San Esteban où, dix-huit ans plus tôt, il avait été pris au service de Diego Cota, son premier maître apothicaire.

Quand il arriva à l'angle de la rue où se trouvait jadis la boutique, il s'immobilisa, comme pris d'une soudaine crainte : y serait-elle encore, serait-ce toujours une apothicairerie ?

Il n'était pas certain de vouloir connaître la réponse à ces questions, de vouloir remuer ces souvenirs ; et à la fois il le désirait. Sur l'instant il reconnut là les turpitudes contradictoires de la nostalgie, laquelle, souvent, conduit à la mélancolie, dont il était la plus secrète et silencieuse victime.

La mélancolie... Cet état délicat où l'on se complaît à être triste, dont on dit parfois qu'il est à l'origine même de la philosophie parce qu'il nous confronte à la solitude profonde de l'être et donc au questionnement du sens que l'on donne à cette solitude, à la vie même. Fardeau de celui qui, toujours, a besoin d'éprouver, de ressentir de l'émoi pour se savoir vivant, fût-ce de la torpeur ou de l'exaltation, fût-ce de la douleur ou du plaisir. Tempérament que décrivait déjà Hippocrate, père des médecins comme des apothicaires, et qui terrasse l'homme assailli par la crainte de la mort, le regret des choses perdues et le

1. *Commencer, c'est avoir à moitié fini.* (Horace.)

vertige de l'altérité. Punition de celui qui sonde les raisons de son existence, et réconfort de celui qui découvre combien la chose est universelle.

La tristesse, chez l'homme, a ceci de magnifique qu'elle se peut partager. La mélancolie, non.

Andreas ferma les yeux. Tout avait-il commencé là, à Burgos ? Mais si quelque chose y avait commencé, c'est qu'autre chose, avant, devait avoir terminé. Fallait-il donc qu'il y ait une fin avant tout commencement ? Une mort avant toute naissance ? Et s'il lui avait été possible, là, en cet instant, de retrouver l'être qu'il avait été avant Burgos, s'y serait-il résolu ? S'il n'avait dû être qu'un seul de tous les hommes qu'il avait été, choisirait-il cet adolescent de jadis, insouciant, convaincu, rebelle, encore épargné par les questionnements et la désillusion qui viennent avec l'âge et l'approche du trépas ?

Les poings serrés, il se remit en marche.

Et alors, aussitôt, au bout de la rue, nichée entre deux maisons hautes et étroites, il l'aperçut.

La vieille boutique. Elle n'avait pas changé.

Derrière l'ouvroir en bois, peint de vert, Andreas aperçut des rangées de bocaux, de fioles, drogues et médicaments. Il sourit. Un apothicaire travaillait toujours ici.

Rassemblant tout son courage, il traversa la chaussée, salua l'apprenti qui siégeait à l'huis et pénétra dans ce magasin où il avait lui-même appris le métier.

Le maître, occupé avec une cliente, avait peu ou prou le même âge que lui. C'était un homme grand, à la silhouette élancée, élégant, le cheveu brun frisé, le regard brillant et les gestes délicats. D'une voix douce et agréable, il répondait aux interrogations angoissées de la grosse femme venue quérir une mixture hystérique pour exciter ses menstrues qui tardaient à venir, et dont elle refusait de croire, arrivée à cet âge qu'on dit climatérique, qu'elles ne viendraient bientôt plus. Le pharmacien s'efforça de la rassurer et lui donna, pour un prix fort raisonnable, une préparation à base de cinnamome.

Comme elle sortait, Andreas s'inclina devant cette Castillane tourmentée, puis il s'approcha à son tour de l'apothicaire.

— Bonjour, maître, dit-il d'une voix troublée.

— Bonjour, monsieur, que puis-je pour vous ?

— Je... je me nomme Andreas Saint-Loup, et je suis français. J'ai été ici l'apprenti de maître Cota, il y a près de vingt ans. Aussi, de passage à Burgos, je voulais revoir les lieux...

— Enchanté, cher confrère ! Je suis Lopez Ortega. Soyez le bienvenu, dit l'homme en tendant une main chaleureuse à Andreas.

— Merci...

— Ah ! Maître Cota ! Il fut aussi mon premier maître. Malheureusement, il nous a quittés il y a trois ans. Paix à son âme ! Mais comme vous pouvez le voir, je n'ai presque rien changé à sa boutique.

— Je vois. Et c'est bien ainsi, dit Saint-Loup, ému.

De fait, il reconnaissait parfaitement les lieux et leur disposition, et il lui sembla même qu'il venait seulement de les quitter. Certains des ustensiles qu'il apercevait par-dessus les épaules du maître étaient indubitablement ceux qu'il avait manipulés dans sa jeunesse, vaisseaux, mortiers, pots à canon, piluliers, poudriers, cruches, presses... Tout était encore là, ou presque, et l'on voyait, dans la jolie facture des nouveaux instruments, que ce maître Ortega était lui aussi amoureux des belles choses.

— Voulez-vous visiter la maison ? J'ai fait quelques travaux et...

— Non, non, le coupa Andreas. Je vous remercie, mais... je dois vous dire, cher confrère, que je suis assez ému et... je vais repartir avec la joie au cœur de savoir que cette échoppe n'a point trop changé.

Le Castillan esquissa un sourire bienveillant.

— Je comprends. Maître Cota était si bon apothicaire qu'il n'y avait rien à changer dans sa boutique. Mais puis-je vous demander ce qui vous amène à Burgos ?

— Eh bien... Je me rends à Compostelle, répondit Andreas.

— Oh ! Merveilleux ! Dans ce cas, laissez-moi verser quelque argent dans votre aumônière !

Il était de coutume, si on le pouvait, d'héberger les pèlerins ou de leur verser quelque aumône, comme, en signe de pauvreté, ils partaient la besace presque vide.

— Oh non ! rétorqua Andreas, gêné. Je ne saurais accepter... Je ne fais point le pèlerinage pour des raisons religieuses, avoua-t-il, et je ne demande donc point l'aumône !

— Allons ! Quelles que fussent les raisons de votre pèlerinage, un homme qui est sur les routes depuis si longtemps a certainement besoin d'argent !

— Non, non, répéta Andreas.

— Parbleu ! Ne me dites pas que vous n'êtes pas dans la difficulté, je vois bien que vous ne portez rien sur vous !

— Je ne saurais accepter d'argent sans contrepartie.

— Je ne demande rien en retour que la satisfaction d'avoir aidé un confrère. Monsieur, j'insiste !

Andreas, trop fier pour accepter l'aumône, mais en cet instant trop démuni pour refuser de l'argent, chercha une solution (en réalité, il en avait déjà envisagé une).

— Dans ce cas, laissez-moi œuvrer une heure dans votre laboratoire, et vous me paierez pour mon travail, proposa-t-il.

Le pharmacien castillan parut d'abord surpris, puis il fit un signe approbateur.

— Voilà une excellente idée ! Et si vous me laissez vous regarder, je pourrai certainement apprendre quelque chose sur la manière dont on travaille en France ! On dit que l'école de Montpellier est fort différente de celle de Tolède.

— Marché conclu ! s'exclama Andreas.

Ainsi, Lopez Ortega demanda à son apprenti de tenir boutique à sa place pendant le temps qu'ils allaient s'affairer dans le laboratoire.

En entrant dans la petite pièce sombre – où étaient des fourneaux, un alambic, des casiers chargés d'ingrédients innombrables et deux belles paillasses de marbre – Andreas éprouva une foule d'émotions complexes et antagonistes. En premier lieu, il y avait la joie simple de retrouver, après un mois de voyage quasiment, un laboratoire, ce lieu où il se sentait si bien, si entier. Ensuite, il y avait la douleur profonde de songer au sien, qui avait disparu dans les flammes, à Paris, et avec lui Lambert et Marguerite, ses si fidèles servants, mais aussi son *oculus corpuscula* et bien d'autres précieux objets encore. Enfin, il y avait cette vague troublante qui submergeait son âme comme il se revoyait là, en ce même endroit, dix-huit années plus tôt, réalisant ses premières émulsions, ses premiers juleps...

Chassant les souvenirs et retrouvant rapidement les gestes qui faisaient sa grandeur, il se mit aussitôt à travailler, et son regard, d'emblée, s'illumina.

Lors, l'apothicaire castillan ne fut point déçu d'avoir accepté la proposition du Français, car de fait il apprit beaucoup en l'observant, Andreas étant l'un des plus éminents préparateurs de son temps.

Comme il voulait bien faire et impressionner son hôte, Saint-Loup choisit de réaliser un élixir, car cet esprit est en pharmacie la plus pure réalisation quintessencielle qui soit et qu'on en tire grand secours dans la médecine. Et, de tous les élixirs, il ne choisit guère le moindre puisqu'il entreprit de confectionner un *elixyrium vitae*, composé d'une grande diversité de drogues d'une belle qualité, le destinant à soigner moult maladies ; il serait propre, dit-on, pour l'épilepsie, pour les syncopes, pour fortifier le cœur, le cerveau et l'estomac ou pour exciter la semence.

Avec aisance, grâce à l'ordonnancement qui n'avait point changé, Saint-Loup commença par réunir tous les ingrédients qui lui étaient nécessaires, et ils étaient bien nombreux : cinnamome, poudre de santal, racines de gingembre et de zedoria, écorces de citron, poudre d'électuaire de Diambra, noix muscade, galanga, clous de girofle, graines d'anis, fenouil, panais, herbe de basil doux, réglisse, valériane, thym, petit calament, essence de menthe, amarante, sauge des devins, acanthe, romarin, buglosse et borrache. Tout cela, bien sûr, il le fit de mémoire, sans consulter l'antidotaire qui, d'ailleurs, n'eût point été aussi précis.

Sur la paillasse il pulvérisa grossièrement ensemble les racines, les bois, les écorces, les semences et les fruits. Ses gestes étaient précis, ceux d'un maître artisan, qui aime le matériau qu'il travaille et en connaît les vertus. Puis, dans un mortier de marbre, il en fit de même avec les feuilles et les fleurs, avant que de mettre le tout avec les poudres dans une grande cucurbite de verre.

— Certains de mes confrères ajoutent du basilic et de la graine de paradis, mais cela est pure stupidité car ils n'apportent rien à la drogue. En outre, il ne faut surtout pas dépasser les doses de réglisse et de borrache que vous m'avez vu mettre, car elles donneraient alors du flegme dans la distillation.

Son hôte approuva.

— Donnez-moi une eau-de-vie bonne et forte, demanda Andreas à Lopez, lequel s'empressa de lui en trouver.

Saint-Loup versa celle-ci sur son mélange, puis boucha bien le vaisseau. Il fit alors chauffer un peu d'eau sur un fourneau, mais point trop longtemps, et mit sa mixture dans le liquide tiède.

— Il convient à présent de laisser reposer dans cette eau, qui, comme vous l'avez vu, ne doit être ni trop chaude ni trop froide. On peut aussi mettre le vaisseau dans du fumier, ce qui est au demeurant préférable, mais il faut alors attendre plus longtemps, trois ou quatre jours peut-être. Avec cette méthode-ci, nous irons bien plus vite.

Andreas profita de cette pause obligée pour inspecter les ingrédients alignés dans les casiers et sur les étagères autour de lui. Ici, il souleva un bocal pour le soupeser, là il en ouvrit un autre pour sentir son contenu. Il semblait éprouver quelque jubilation à se trouver là. Puis, soudain, sa main s'arrêta sur un petit récipient de grès. À l'intérieur, il reconnut des têtes de pavot encore vertes, et alors il se mit à trembler. Il ferma les yeux, poussa un soupir et se détourna de cette rangée-là pour passer à la suivante, en espérant que le Castillan n'avait rien remarqué. Et alors, s'efforçant de masquer son tourment :

— Si je puis me permettre, vos agarics ne sont plus bons, ils ont trop séché et ainsi ils risquent d'avoir perdu leur caractère ; de même, je crois qu'il vous manque un couteau de bois, car les lames de fer ne sont pas bonnes pour tous les ingrédients, on prétend qu'elles en rendraient certains venimeux.

Ortega acquiesça tout en restant silencieux, et regarda le Français qui se promenait dans le laboratoire comme s'il se fût agi du sien.

Quand le temps de pause fut passé, Andreas revint à sa préparation et la fit distiller dans l'alambic. L'opération terminée, il mêla dans le liquide obtenu l'essence de rose et le santal, l'électuaire de Diambra, y râpa les écorces de citron, puis il y ajouta du sucre avant de mettre l'ensemble dans un bocal.

— Voilà. Vous devrez laisser cette matière en digestion pendant quinze jours, dit-il avec une sorte de sourire sur le visage, mais il convient de venir l'agiter de temps en temps, puis vous pourrez en tirer la liqueur et la garder. C'est, je le crois, l'élixir de vie le meilleur qui soit.

Lopez Ortega hocha lentement la tête d'un air admiratif.

— Maître, vous regarder travailler est un plaisir pour les yeux comme pour l'esprit. On voit que vous avez bien appris aux côtés de Diego Cota, et que vous le dépassâtes ensuite par vous-même.

— On ne s'élève que sur les épaules des maîtres qui nous ont précédés, répondit modestement le Français.

Puis, en faisant un signe poli :

— Je dois maintenant vous quitter, car je suis attendu par mon apprenti sur la grand-place.

— Bien sûr, bien sûr, mon ami ! Mais laissez-moi, comme vous me l'avez promis, vous payer pour le travail que vous venez de faire.

— Ne me payez pas plus qu'il ne vous rapportera.

— Ce que j'ai appris en vous voyant œuvrer n'a pas de prix, maître.

Et alors il alla chercher dans une bourse une pièce d'or, dite maravédis. C'était, en vérité, une très belle somme et cela assurerait à Andreas et ses deux compagnons quelques jours de feu et de lieu. Mais à l'instant où il donna la pièce à Andreas, le Castillan referma sa main sur celle du Français et la retint. Puis, le regardant fixement :

— Êtes-vous bien certain, mon ami, que c'est d'argent dont vous avez besoin ?

Andreas fronça les sourcils.

— Que voulez-vous dire ?

— Je reconnais dans votre figure les symptômes d'un mal que les gens de notre métier connaissent bien, maître Saint-Loup, et j'ai vu votre main trembler tout à l'heure quand vous vîtes mes têtes de pavot. Aussi, je vous le demande : êtes-vous certain de ne pas désirer autre chose en remerciement de votre travail ? Si vous le souhaitez, si vous me le demandez, je peux vous donner en sus un looch de diacode.

La poitrine d'Andreas se gonfla, et des gouttes de sueur se mirent à couler sur son front. Cela faisait quatre jours à présent qu'il n'avait bu une goutte de son sirop, et le manque était toujours présent, sinon plus fort encore. Il adressa à son confrère un regard plein de gratitude et d'hésitation.

— *Si* vous me le demandez uniquement, répéta le Castillan.

114

Quand Charles de Valois, suivi de six soldats en armes, entra dans la rue d'Étampes où officiaient les prostituées, il y eut une grande et grave rumeur, suivie aussitôt d'un remaniement de ses occupantes. Qui disparut derrière une porte, qui dans l'ombre, qui se faufila dans une ruelle, qui se contenta de détourner le regard, et d'un seul coup les conversations qui étaient allées bon train avant son arrivée se dissipèrent.

Le frère du roi, indifférent à l'affolement qu'il avait provoqué, se dirigea tout droit vers la vieille femme au teint hâlé qui, assise sur son tabouret, surveillait le quartier du haut de ses soixante-dix ans.

— Que nous vaut l'honneur ? ricana la vieille femme. Seraient-ce tes jolis drilles qui voudraient goûter du combat amoureux ?

— Non, madame. C'est vous que je suis venu voir.

Si elle était bien vieille et qu'il lui manquait beaucoup de dents, la femme n'était pourtant pas vilaine, au contraire : il y avait dans ce visage ridé et brûlé de soleil une sorte de beauté digne, d'immortelle fierté, le miroir d'une grâce ancienne, et ses yeux noirs étaient si brillants qu'ils lui donnaient presque un air fripon.

— Monsieur fait dans les antiquités ? Je suis sûre que j'ai pour toi de la viande bien plus fraîche, mon bichon…

— Sais-tu à qui tu t'adresses ? s'emporta le comte de Valois, offusqué par l'impertinence de la vieille femme.

— Je m'en tamponne la mouniche, du moment que t'es bien monté, mon bijou, et à en juger par ta culotte, je dirais que t'en as bien sept pouces moins la tête. Quant à ce nez ! Ce nez ! Chez moi on dit : beau clocher, belle église !

L'un des soldats, fulminant, s'approcha d'elle en portant la main à l'épée. De Valois l'arrêta aussitôt et, s'obligeant à retrouver lui-même son calme, revint au voussoiement :

— Êtes-vous bien celle qu'on appelle Izia ?

— Ici on m'appelle la Mère, mais pour toi je veux bien m'appeler Marie-Madeleine, Jeanne de Navarre ou même le grand Robert, si t'es plutôt de la rosette !

— Êtes-vous bien celle qu'on appelle Izia, et qui fut jadis nommée la Nubienne ? répéta le comte.

La vieille femme haussa un sourcil intrigué, car elle n'avait pas entendu ce surnom depuis fort longtemps.

— Ça s'pourrait, concéda-t-elle.

— Alors entrons chez vous ; nous avons à causer, vous et moi.

— Et pourquoi que je le ferais ?

— Parce que nous avons des informations à échanger, répondit le comte en soupesant une petite bourse en cuir qu'il avait à la taille.

— Et de quelle nature qu'elles sont, les informations ?

— Cela concerne cette chose dont vous parlâtes il y a fort longtemps avec l'abbé Boucel.

— C'est qui celui-là ? Des abbés, j'en ai baisé tellement que je pourrais ouvrir un monastère.

— Il était le père abbé de Saint-Magloire, à Paris.

En entendant ces mots, le visage de la vieille femme se figea. Elle soutint un long moment le regard du comte, sembla hésiter, puis :

— Aide-moi à me lever.

Un soldat s'avança pour lui prêter main-forte.

— Non ! l'arrêta la Mère. Pas eux, toi. Si c'est toi qui veux me parler, c'est toi qui me conduis. Eux, ils peuvent aller se faire entrouducuter ailleurs.

Le comte fit une grimace désabusée, mais sachant ce qu'il avait à gagner il demanda à ses hommes de l'attendre ici et tendit son bras à la Mère. Amusée, elle se leva péniblement et lui indiqua un petit passage où ils s'engouffrèrent tous les deux sous le regard pantois des catins et des soldats qui restèrent dans la rue.

C'était chose truculente que de voir Monsieur le frère du roi, en tunique de soie et cotte rayée, chausses rayées pareillement, monter dans les étages, bras dessus bras dessous avec une vieille pute. Mais Charles préférait nettement qu'on jasât plutôt qu'on les entendît.

Après avoir gravi le petit escalier insalubre, ils passèrent une porte et s'installèrent chacun sur un fauteuil, dans une chambre modeste mais bien mieux arrangée que le comte n'eût pu s'y attendre.

— Laissez-moi d'abord me présenter convenablement...

— Je sais qui tu es, Valois !

Le comte ne cacha point sa surprise.

— Et parler au frère du roi ne vous fait point peur ni ne vous impressionne ?

— Le rodomont ! J'ai fait dans ma vie des choses bien plus impressionnantes que parler à des hommes comme toi, mon oiseau.

— Eh bien... Tant mieux, sans doute.

— Alors, dis-moi de quoi que tu veux qu'on cause ?

— Vous le savez, non ?

— Dis donc, c'est toi qui voulais causer, pas moi...

— Soit. Je ne vais pas y aller par quatre chemins, Izia. Il n'est nul besoin d'être grand savant pour deviner ce qui vous poussa, il y a une vingtaine d'années, à demander un entretien avec l'abbé Boucel...

— Dis-y, pour voir.

— Un jour de l'an 1274, alors que vous aviez une trentaine d'années et que vous tapiniez rue Quincampoix, un tout jeune bébé fut trouvé, au sortir d'un office dominical, abandonné sur le parvis de l'église Saint-Gilles. Et je veux croire que c'est ce qui vous conduisit vingt ans plus tard à l'abbaye Saint-Magloire, car cet enfant, n'est-ce pas, était le vôtre ?

La vieille femme resta muette un instant. Le trouble, sur son visage, se lisait si facilement que, à l'évidence, elle n'avait pas eu l'intention de le cacher. Puis, soudain, elle ricana.

— Si tu me dis que tu es cet enfant, pour sûr, ça va faire jaser… On dira par tout le pays : « Ah, ça, le comte de Valois, c'est un vrai fils de pute ! »

Charles, qui en d'autres circonstances, eût pu perdre son calme, sourit à son tour.

— Non, madame, non, ce n'est pas moi, je suis bien le fils naturel d'Isabelle d'Aragon. En revanche, pour ce qui est de votre fils, je sais qui il est, et je sais où il est.

Les mains de la Mère se croisèrent lentement, et alors elle se tordit nerveusement les doigts.

— Et tu es venu me le dire ?

— Je suis venu, comme je vous le disais tout à l'heure quand nous étions en bas, échanger des informations.

— Ouais. Je vois. Donnant donnant. Et qu'est-ce que tu veux savoir, toi ?

— Je veux savoir toute l'histoire. Qui était son père ? Pourquoi l'avez-vous abandonné ? Que vous a dit l'abbé Boucel quand vous l'avez confronté ?

— Et pourquoi que je te dirais tout ça ?

— Parce que je peux vous aider à retrouver votre fils, Izia.

— Qui te dit que je veux le voir ?

— Le bon sens.

La vieille femme secoua la tête. Le comte ne sut dire si l'humidité que l'on pouvait soudain voir à ses paupières n'était qu'un signe de son grand âge ou celui d'une vive émotion, mais il fut tenté de penser qu'il s'agissait un peu des deux.

— Allons, madame, racontez-moi cette histoire, insista Valois en détachant sa bourse en cuir et en la posant ostensiblement sur la petite table qui les séparait.

— Ça va, je vais te la raconter, cette histoire, mais je veux d'abord savoir pourquoi tu veux la connaître, et pourquoi si soudain, pourquoi maintenant ?

— Parce que l'abbé Boucel est mort, madame, et que je crois qu'on veut aussi tuer votre fils.

— Mais pourquoi maintenant ? Comment que ça se fait que cette histoire rejaillit aujourd'hui ?

— Je ne sais pas, madame...

Elle fit une grimace et s'agita sur son fauteuil.

— Qu'y a-t-il ? demanda le comte.

— C'est étrange, comme qui dirait.

— Pourquoi donc ?

— Je n'avais pas pensé à cette histoire depuis des longes, et il y a deux ou trois jours à peine, elle m'est revenue en mémoire, comme ça, toute seule... Et je me suis rappelé certaines choses que j'avais oubliées... Et là, comme de par hasard, voilà que tu rappliques et que tu m'en parles, toi aussi. Alors je dis que c'est bizarre.

— Racontez-moi tout.

La vieille femme hésita, puis elle se pencha vers la table et prit la bourse de cuir dans sa main. Le comte l'arrêta aussitôt.

— Elle est à vous si vous parlez.

La Mère relâcha la bourse et soupira.

— Ça va... Eh bien, d'abord, pour répondre à l'une de tes questions, sache que j'ai abandonné cet enfant sur le parvis d'une église parce que le garder ne lui aurait pas offert une vie bien correcte, et que nous autres, les ponifles, on sait que les abbés ils s'occupent bien des gosses. Tu le sais pas, peut-être, parce que toi t'es né avec le cul plein d'or, mais ces choses-là se font.

— Je comprends.

— Et c'est pas être une mauvaise mère !

— Je n'ai pas dit cela, et je pense que vous avez bien fait.

— J'ai bien fait. Et quand j'ai eu cinquante ans et que mon cul ne valait plus rien sur la place de Paris, j'ai eu envie de retrouver cet enfant. De le voir, au moins une fois.

— Cela aussi me semble naturel.

— Je suis allée à l'abbaye Saint-Magloire, où que je l'avais abandonné, et j'ai demandé à voir le père abbé. Mais ce vieux salaud de chasublard il a refusé que je voie mon gamin. Il a même refusé de me dire son nom, et il a fait comme toi, il a sorti une bourse avec une chiée de grosses pièces, et il m'a dit qu'elles étaient pour moi si j'acceptais de faire deux choses.

— Lesquelles ?

— Quitter Paris à tout jamais, et ne jamais parler de cette histoire à personne.

— Qu'est-ce que vous avez fait ?

— Eh bien ! J'ai pris les pièces et je suis partie, tiens ! Et puis j'ai tenu ma promesse. J'ai jamais parlé de cette histoire à personne.

— Jusqu'à aujourd'hui…

— Bah… Tu me dis qu'il est mort. C'est pas le trahir, s'il est mort !

— En effet. Et donc, qui était le père de l'enfant ? demanda Valois en s'avançant sur son fauteuil.

— Vous êtes tous les mêmes ! s'exclama la vieille femme en riant. C'est ça qui t'intéresse, hein ? Tu veux savoir qui c'est qui m'a foutu un môme, hein ?

— Je veux savoir pourquoi on essaie de tuer votre fils, Izia, et si vous me donnez cette information, je pourrai peut-être le sauver.

— Qu'est-ce qui me prouve que tu dis vrai ?

— Est-ce qu'on ment à une putain ?

La Mère rit de nouveau.

— Sans doute pas. D'ailleurs... Cela se pourrait que tu dises vrai, parce que si on savait qui c'est le père à ce gosse, pour sûr que ça ferait du chahut.

— Alors dites-le-moi.

— Dis-moi d'abord, toi, le nom qu'on lui a donné.

— Votre fils s'appelle Andreas Saint-Loup, et il est apothicaire. Maintenant, à votre tour de me dire comment s'appelait son père.

115

Avec l'argent que chacun avait trouvé de son côté, Andreas, Robin et Aalis purent prendre une chambre privée dans une bonne auberge de Burgos. Dans la grand-salle, qui était bruyante et sombre et enfumée, et pleine de gens d'ici, joyeux et bons vivants, on leur servit un joli repas. Le mets principal, fort consistant – et qui avait donc la faveur des travailleurs de la terre comme des voyageurs – était une espèce de pot-au-feu que l'on nomme *cocido maragato* et qui se compose de soupe, de choux, de pois chiches et de plusieurs viandes, mais qui est servi à l'inverse de ce que l'on eût fait au royaume de France, puisque l'on donne d'abord les viandes, puis les légumes, et que l'on termine par la soupe. Et comme s'ils n'avaient pas mangé à leur faim, on leur offrit ensuite un *picón*, qui est un fromage de Castille, fait de lait de chèvre et de vache également.

Éprouvés par le voyage, ayant mangé plus tôt que le faisaient les gens du pays – lesquels en étaient plutôt à boire – les trois compagnons montèrent se coucher à la tombée de la nuit, sans avoir davantage parlé que les soirs précédents.

Andreas, qui s'était mis à l'écart près de la fenêtre, peina à trouver le sommeil, harassé par le mal que l'on sait, et qui allait en s'aggravant.

Le moment le plus difficile de la journée venait toujours avant le coucher, et la crise que notre Apothicaire traversa ce soir-là fut la plus violente qu'il eût connue.

D'abord, et malgré la chaleur qu'il faisait sous les toits, il commença par avoir froid, très froid. S'enveloppant dans sa couverture, il s'efforça de maîtriser ses grelottements, mais les retenir fut plus pénible encore. Puis, un peu plus tard, tout s'inversa et il se mit à transpirer, et ses yeux et son nez commencèrent à couler, comme si son corps tout entier avait voulu extirper les humeurs qu'il avait en dedans. S'ensuivirent des spasmes douloureux qui secouèrent ses jambes et ses bras, et il dut serrer sa mâchoire pour ne pas hurler de douleur, alors que son cœur battait à tout rompre et que le souffle venait à lui manquer. Et alors, dans l'obscurité de la petite chambre, dans un dramatique moment d'abandon, il fut soudain assailli par une vision terrible.

Il vit une maison qui brûlait, et c'était la sienne, à Paris, et Marguerite en sortait dans une nuée de chauve-souris, le corps calciné, et elle lui adressait un regard accusateur, tenant dans ses bras un bébé qui brûlait lui aussi, et dans les grandes flammes qui dansaient derrière elle vacillait l'image des deux cavaliers noirs, et leurs phallus étaient des épées qui se dressaient devant eux, et ces épées devinrent des serpents, et puis soudain tout ceci fut avalé par une langue de feu, comme crachée de la gueule d'un dragon d'Orient, et cela s'effaça pour laisser place à l'image de l'abbé Boucel qui, hilare, le menton plein de bave, les yeux rougis, forniquait Magdala par-derrière et lui frappait la croupe en vociférant de latines insanités, et c'était une Magdala qui n'avait plus de tête, et dont les seins énormes donnaient du sang que deux enfants venaient téter, tels Romulus et Remus sous la louve de Rome, et ces deux enfants se mirent à grandir, à grossir tellement qu'ils dévorèrent tout ce qui était au-dessus d'eux, et Magdala et Boucel et les flammes, et le monde même, et puis leurs corps se mélangèrent dans le cosmos et firent une boule immense, qui était une planète avec des yeux et une bouche, et sur cette planète étaient des petites silhouettes nues qui couraient les unes derrière les autres, comme une ribambelle d'elfes maléfiques, et soudain cette terre explosa en mille gerbes de foutre, et de ce foutre naquit un homme, tel un golem de la glaise, et il riait, il se moquait d'Andreas, et il jonglait avec des têtes de femmes qui riaient elles aussi, et puis son corps devint une grande machine hydraulique dotée de bras et de jambes, un automate de métal d'Héron d'Alexandrie, mû par la vapeur et le sable, et qui venait vers lui, et dans ses mains de fer il tenait un grand livre dont la couverture était faite de peau humaine, et c'était sa peau à lui, et dans le livre étaient les yeux d'Andreas qui pleuraient, et alors tout à coup ce fut le vide, le gouffre, un silence écrasant.

Le front trempé de sueur, l'Apothicaire se redressa brusquement de sa couche en poussant un cri d'effroi. Le souffle court, le visage blafard, les mains tremblantes, la bouche pleine de convulsions, il avança à quatre pattes vers son sac et plongea la main à l'intérieur.

Du bout des doigts, il attrapa la petite fiole que lui avait donnée Lopez Ortega. Puis, s'adossant au mur sous la fenêtre, avec des gestes imprécis, frénétiques, il ôta le bouchon et but quelques gouttes de diacode.

L'effet sembla être immédiat, car aussitôt ses tremblements cessèrent, ses bras tombèrent au sol et son visage perdit sa terrifiante raideur.

Quand la douleur eut disparu, l'Apothicaire, la gorge nouée, releva lentement la tête.

Devant lui, dans la lumière argentée de la lune, il croisa les yeux d'Aalis qui, assise de l'autre côté de la pièce, le regardait fixement, terrorisée. Ils restèrent un long moment ainsi face à face, immobiles, puis, sans dire un mot, Andreas retourna vers sa couche, s'allongea et lui tourna le dos.

116

— J'avais en ce temps-là un client, un bon miché fortuné, qui venait me voir presque tous les jours, et ce n'était pas un ordinaire. Non pas seulement parce qu'il était riche, du genre à baigner dans le beurre, et fort renommé, mais aussi parce qu'il exigeait de moi des choses que l'on ne demande pas à n'importe quelle putain, si tu vois ce que je veux dire. Un vrai vicelot, du genre qui ne songe qu'à la foutrerie, un porté sur l'article, un fou de la broquette, un vrai suppôt du braquemart, tu vois…

— Je vois.

— Dans le métier, pour pas attraper de môme, on sait comment y faire. Soit qu'on prend la pine au cul, soit qu'on demande au miché de la retirer au bon moment pour aller cracher dans la broussaille.

— Je ne suis pas sûr qu'il soit utile d'entrer dans ce genre de détails, Izia…

— Fais pas ta fifille, le Valois, si tu la veux, mon histoire, faut bien que je te dise les choses de la vie comme elles sont. Et donc, un jour, ce client-là il a voulu faire le serrurier, tu vois, il m'a limée pardevant, et il m'a arrosé la nature en dedans, comme un bon jardinier. Neuf mois plus tard, j'avais un gosse.

— Et qui était-il, ce client ?

— Eh bien, forcément, comme tous les vrais vicieux, c'était un grand du monde, et pas des moindres, du genre que si ça se savait ça ferait pas rigoler tout Paris.

— Nogaret ? demanda aussitôt le comte de Valois, qui pensait avoir compris depuis longtemps et n'en pouvait plus d'attendre la révélation.

— Non. Mais presque.

— Enguerran de Marigny !

La Mère sourit.

— T'es pas loin, mon bijou, et t'as fait vite. C'était bien un Marigny, mais c'était pas celui-là.

— Philippe de Marigny ! L'archevêque de Sens ?

— Tout juste. Enfin... à l'époque, il était surtout l'archevêque de mon cul.

Le comte éclata d'un rire si long qu'il sembla ne jamais finir.

— Andreas Saint-Loup, fils d'un archevêque ! On aura tout vu ! Et tout s'explique, à présent, murmura Charles de Valois comme s'il réfléchissait tout haut. Nogaret avait dû le découvrir... Il voulait s'en servir pour faire chanter les frères Marigny, ou pour affaiblir leur position. Pensez-vous ! L'archevêque de Sens ! Ce grand moraliste ! Ce cul-bénit, donneur de leçons, accusant les templiers de mauvaises mœurs et les conduisant au bûcher alors qu'il avait engrossé une putain !

— Y a pas de honte à engrosser une pute, monsieur du con !

— Ce n'est donc pas Saint-Loup, continua Valois comme s'il n'avait pas entendu, mais ces maudits Marigny qui ont tué Nogaret, pour le faire taire. Et maintenant, ils veulent s'assurer de faire disparaître les preuves... à savoir votre fils.

— Ils veulent le tuer ?

— Oui, madame. Et ils ont déjà essayé en envoyant à ses trousses Guillaume Humbert, le Grand Inquisiteur de France.

— Et il s'en est sorti ?

— Eh bien... oui. Il lui aurait tranché la gorge.

— À un évêque inquisiteur ? s'exclama la Mère, presque amusée. Pas de doute, c'est bien mon fils !

Le comte de Valois ne releva pas le sarcasme hérétique de la vieille femme, tout enflammé qu'il était d'avoir découvert ce secret qui lui donnerait assurément la victoire sur le clan Marigny. S'il parvenait à prouver qu'ils étaient les véritables meurtriers de Nogaret, et que leur mobile était de le faire taire avant qu'on ne découvrît la vie dissolue de l'archevêque, nul doute qu'ils finiraient l'un et l'autre pendus au gibet de Montfaucon.

— Madame, ce que vous venez de m'apprendre est formidable, et je vais pouvoir en user pour protéger votre fils, dit-il en jubilant. Aussi, je vous fais une promesse : non seulement je ferai tout pour le sauver, mais je le mènerai ici jusqu'à vous, puis à Paris où justice lui sera rendue.

— T'as intérêt à faire vite, mon bichon, parce que je ne suis pas sûre d'en avoir encore pour longtemps.

— C'est une promesse, madame. Je partirai dès demain matin pour aller le chercher et tout lui raconter.

— Où se trouve-t-il ? demanda-t-elle doucement.

— Nous pensons qu'il est en Navarre, ou à Compostelle peut-être.

À ces mots, la Mère changea soudainement de composition.

Quelque chose lui faisait peur, ou tout au moins la troublait, et elle ne semblait pourtant pas être de ces gens qui se laissent aisément impressionner.

— Qu'y a-t-il ? demanda de Valois en remarquant son émoi.

Elle resta totalement silencieuse, pétrifiée, comme si elle n'avait pas entendu la question.

— Dites-moi ! insista le comte.

— Ça se peut pas…

— Quoi donc ?

— Tu dis qu'il serait à Compostelle ?

— C'est fort possible. Pourquoi cela vous étonne-t-il ?

— Ça... ça peut pas être une coïncidence, bon sang de bon sang !

— Eh, qu'est-ce qu'il y a ? la pressa-t-il.

— Tu vas pas me croire, monsieur le comte. Tu vas dire que je suis la folle du logis, que j'ai des toiles au plafond... Mais juré de juré, ça peut pas être une coïncidence !

— Mais parlez, que diable !

La vieille femme reposa les mains sur ses genoux et son buste sembla s'affaisser, comme si elle avait soudain dû porter le poids du monde sur ses frêles épaules. Il y avait dans ses yeux la lueur d'une profonde inquiétude, on eût dit que ce qu'elle avait à dire la terrifiait elle-même.

— Ce... ce doit être un signe de la foutue Providence, murmura-t-elle. Je t'ai dit tout à l'heure que j'avais soudain repensé à toute cette histoire il y a deux jours, et que je m'étais rappelé certaines choses que j'avais... oubliées.

— En effet.

— Je ne sais pas comment j'ai pu oublier ça. Une chose si importante. Tu vas croire que je suis une mauvaise femme, et je suis tout sauf cela. Je dois commencer à perdre la tête. Mais ça m'est revenu d'un coup. Comme par la grâce du dab.

— Qu'est-ce qui vous est revenu ? s'impatienta Valois.

— Je n'arrive pas à y croire moi-même.

— Essayez de me raconter, que diable !

— Eh bien... En vérité... en vérité, cet enfant que j'ai eu... Cet enfant que vous appelez Andreas... Eh bien... je me suis soudain souvenue que cet enfant n'était pas seul.

— Comment cela ?

Les yeux dans le vide, la Mère ne le regardait plus du tout, elle paraissait aspirée ailleurs, désincarnée.

— C'étaient des jumeaux, souffla-t-elle d'une voix monocorde.

Le comte de Valois écarquilla les yeux, perplexe.

— Des jumeaux ? Vous… vous avez abandonné deux enfants devant l'abbaye Saint-Magloire ?

— Non. Justement. C'est ça que je me suis souvenue. Le deuxième, je l'ai gardé. Je ne sais plus combien de temps. Quelques années, je crois. Je ne sais plus… J'avais complètement oublié la chose, je te dis. Si incroyable que ça peut paraître. J'avais oublié. Mais je me souviens, maintenant. Pour sûr : c'était des jumeaux.

— Mais alors… le deuxième, où est-il ? Qui est-ce ?

— Ce que j'en sais ! Au bout d'un moment, finalement, j'ai dû l'abandonner aussi. Je ne pouvais plus le nourrir, tu vois. Et je voulais pas être une mauvaise mère. Je voulais pas gâcher sa vie. Tu ne sais pas la douleur que c'est d'abandonner un gosse pour la deuxième fois, toi.

— Je crois que je peux comprendre, répliqua le comte avec une tristesse qui semblait authentique.

— Ah oui ? Et comment que tu pourrais ?

Valois hésita, puis :

— Ma première femme, Marguerite d'Anjou, est morte en couches, en donnant naissance à notre dernière fille, Catherine. Et celle-ci aussi est morte, elle n'avait pas un an. Et puis ma deuxième femme, Catherine de Courtenay, est décédée à son tour. Alors je crois que je peux comprendre, madame.

— Ouais. Peut-être. Mais ce n'est pas tout à fait la même chose. Se faire prendre une femme ou même un enfant par Dieu, et devoir l'abandonner soi-même, ce sont deux choses très différentes. Moi, c'était un choix, que j'ai payé au prix de la culpabilité, tu vois.

— Et qu'en avez-vous fait, alors, de ce deuxième enfant ?

— Je l'ai laissé à un couple de jeunes bourgeois qui n'arrivaient pas à enfanter. Je me suis dit que ce serait mieux ainsi. Qu'ils seraient meilleurs parents que moi.

Et si je t'en parle, c'est parce que ce couple, justement... Ce couple partait pour Compostelle. Cela... Je m'en souviens maintenant... Nom de Dieu, je l'avais même dit à l'abbé Boucel ! Quand je suis allée le voir, des années plus tard, je lui ai dit que mon deuxième enfant était à Compostelle, et que je ne le reverrais jamais plus, et que celui qui était avec lui était le seul que je pouvais retrouver, qu'il devait me laisser le voir ! Mais ça n'y a rien changé...

— Boucel savait que vous aviez un deuxième enfant à Compostelle ?

— Oui.

— C'est... c'est à ne pas croire, murmura le comte. Et vous pensez qu'il y est toujours ?

— Et comment que je le saurais ? Jusqu'à avant-hier, je ne me souvenais même pas que j'avais eu des jumeaux ! C'est comme si j'avais fait exprès d'oublier, pendant toutes ces années. Pour pas souffrir, pour oublier la douleur. L'effacer.

— Je comprends. Je comprends, et je crois que n'importe qui comprendrait, Izia. Vous n'avez rien à vous reprocher. Mais j'ai une dernière question, si vous voulez bien. Au départ, pourquoi aviez-vous gardé cet enfant-là et non pas l'autre ?

À cet instant, la larme qui coula sur la joue ridée de la vieille femme ne laissait pas de doute : elle était bien de tristesse, une tristesse sans pudeur, oubliée, et qui soudain resurgissait.

— Eh bien, parce que... parce que c'était une fille.

117

Le voyage jusqu'à Compostelle dura encore quatre jours, et plus ils avançaient vers la Galice, plus les terres autour d'eux, balayées par les vents, s'habillaient d'un vert que le mélange de soleil et de pluie rendait l'un des plus vifs d'Europe. Les collines et vallées de Galice sont si vertes, même, qu'on les dirait peintes chaque matin de la main d'un artiste.

Andreas, quoique moins taciturne, étant toujours enfermé dans son mutisme, Aalis et Robin échangeaient de plus en plus souvent ensemble, discourant et plaisantant, si bien que l'Apothicaire exigea rapidement que la jeune fille quittât son cheval pour monter derrière l'apprenti, lequel n'en demandait pas plus. Ainsi les deux jeunes gens apprirent à mieux se connaître, et à s'apprécier, mais si les sentiments de Robin, excités par cette nouvelle intimité, ne firent alors que décupler, ceux d'Aalis ne dépassèrent point le stade de l'amitié complice car, on l'aura compris, son cœur, malgré les évidences, battait pour Andreas Saint-Loup. La chose, bien sûr, était ridicule et impossible, mais l'amour l'est souvent.

Au troisième soir, alors que Compostelle n'était plus très loin, ils s'arrêtèrent dans une petite auberge au bord de la route, qui n'était pas réservée aux pèlerins mais où ceux-là étaient tout de même fort nombreux, car plus on approchait de la ville sainte, plus les hôpitaux Saint-Jacques étaient complets.

Au milieu du repas, dans une ambiance de fête qui différait grandement de celle, plus spirituelle, qu'on pouvait trouver dans les maisons du pèlerinage, une femme, qui était fort belle et qui était occitane comme Aalis, s'assit sur une table et, s'accompagnant à la vielle, se mit à chanter pour tout le monde. Elle était femme troubadour, de celles qu'on disait trobairitz ou troubadouresses (et dont on peut affirmer aujourd'hui que leurs poésies étaient bien plus libres et plus malicieuses que celles de leurs confrères masculins), et elle était là en voyage, venue chercher l'inspiration sur les routes de Galice, qui sont pour les poètes un véritable enchantement.

C'était une femme de vingt-cinq à trente ans, et sa grâce embellissait tout ce qui l'entourait. Elle avait des cheveux d'un blond châtain, longs et lisses comme des crins d'or, des yeux d'un bleu limpide qui brillaient de malice, et une bouche vermeille d'un rubis lumineux. Ses mains effilées tenaient avec délicatesse instrument et archet, sa taille, à la fois fine et ferme, était celle d'une Vénus et ses jambes d'une Diane. Sa voix, enfin, était à l'image de sa figure : douce mais éclatante.

Quand elle eut fini sa première chanson, tous les clients de l'auberge, qui s'étaient tus les uns après les autres, envoûtés par la pureté de son timbre, s'unirent dans une salve d'applaudissements qui l'encouragea à livrer un deuxième poème chanté.

Andreas, alors, qui avait un peu bu, se tourna vers Aalis et lui demanda si elle voulait bien lui prêter son psantêr. L'Apothicaire, sans quitter sa place, posa l'instrument sur ses genoux et se joignit à la trobairitz par la musique, car elle avait entonné une chanson qui n'était pas d'elle mais qui était bien connue. Composée plus d'un siècle plus tôt par la comtesse Béatrice de Die, qui était l'épouse de Guillaume de Poitiers, la chanson était souvent reprise par les troubadours. Il y était question d'amour et d'adultère, de beauté et d'esprit, mais surtout de l'orgueil des hommes, et l'auteur y vantait la domination de la femme dans les jeux de l'amour courtois.

A chantar m'er de so qu'eu no volria,
Tant me rancur de lui cui sui amia ;
Car eu l'am mais que nuilla ren que sia :
Vas lui no.m val merces ni cortezia
Ni ma beltatz ni mos pretz ni mos sens ;
C'atressi.m sui enganad' e trahia
Com degr'esser, s'eu fos dezavinens.

D'aisso.m conort, car anc non fi faillensa,
Amics, vas vos per nuilla captenenssa ;
Ans vo am mais non fetz Seguis Valensa,
E platz mi mout quez eu d'amar vos vensa,
Lo meus amics, car etz lo plus valens ;
Mi faitz orgoil en digz et en parvensa,
Et si etz francs vas totas autras gens.

Meraveill me cum vostre cors s'orgoilla,
Amics, vas me, per qui'ai razon queu.m doilla ;
Non es ges dreitz c'autr' amors vos mi toilla,
Per nuilla ren que.us diga ni acoilla.
E membre vos cals fo.l comensamens
De nostr'amor ! Ja Dompnedeus non voilla
Qu'en ma colpa sia.l departimens.

Valer mi deu mos pretz e mos paratges
E ma beutatz e plus mos fins coratges ;
Per qu'eu vos man lai on es vostr' estatges
Esta chanson, que me sia messatges :
E voill saber, lo meus bels amics gens,
Per que vos m'etz tant fers ni tant salvatges ;
No sai si s'es orgoills o mal talens.

Mais aitan plus voill li digas, messatges,
Qu'en trop d'orgoill an gran dan maintas gens.

Pendant tout le temps que dura la chanson, la femme regarda fixement Andreas, et il sembla que c'était à lui qu'elle faisait la leçon ; il y avait dans son expression du défi et du jeu, et cet échange de regards amusa beaucoup les auditeurs, hormis Aalis, peut-être.

Quand ils eurent terminé, ils s'adressèrent l'un à l'autre un salut respectueux et un sourire entendu, sous les acclamations des convives qui, bientôt, se remirent à manger et à boire avec encore plus de bruit et d'entrain.

Avant la fin du repas, Andreas se retira soudain sans rien dire et disparut rapidement dans la foule des clients, laissant les deux jeunes gens face à face.

— Tu... tu crois qu'il est déjà parti se coucher ? demanda Aalis d'un air inquiet.

— Ce n'est pas notre affaire ! rétorqua l'apprenti, amusé.

Le visage de la jeune fille se rembrunit et elle se pressa de terminer son souper, prétextant qu'elle voulait dormir tôt.

— Allons, laisse-le un peu tranquille ! Passons la soirée tous les deux ! Pour une fois que nous pouvons oublier un peu nos soucis !

— Je veux seulement aller dormir, répondit Aalis en haussant les épaules.

— Eh bien moi, je reste encore un peu ici ! répliqua le rouquin fièrement.

Quand la jeune fille se leva de table, elle vit que la musicienne avait disparu elle aussi. D'un pas preste elle monta à l'étage et entra dans la chambre qu'ils avaient louée. Mais Andreas n'y était pas.

118

Ce même soir, Charles de Valois, suivi de ses six soldats, arriva déjà en vue de la ville de Saintes, après trois jours d'une rude chevauchée. En chemin il discutait avec l'officier Délézir, capitaine de la troupe, qui était à son service depuis de nombreuses années et auquel il se confiait facilement.

— Marigny veut protéger son archevêque de frère, expliqua le comte. Il espère sans doute que je ne retrouverai pas Saint-Loup et que nous nous arrêterons en Navarre pour parler au gouverneur Alphonse de Rouvroy, comme nous avons dit que nous le ferions. Mais je crois qu'il ne servirait à rien de nous y rendre et que, pour gagner du temps, nous ferions mieux de partir d'emblée pour Compostelle. Je suis convaincu que c'est là que se rend l'Apothicaire, s'il n'y est pas déjà.

— Si nous gardons le même rythme, nous y serons dans huit jours, monsieur le comte.

— Le plus tôt sera le mieux. Pour ce que je sais, les frères Marigny ont peut-être envoyé des assassins à sa poursuite avant même notre départ.

— Leur suffirait-il de tuer Saint-Loup pour empêcher que la vérité éclate, et avec elle le scandale ?

— Monsieur l'Apothicaire est la preuve de notre affaire. Sans preuve, pas de scandale.

— Nous pourrions faire témoigner la putain, suggéra le soldat.

— La parole d'une putain contre celle d'un archevêque ? Vous n'y pensez pas ! De toute façon, celle-là aussi, ils ont sans doute prévu de la faire tuer, comme ils ont tué Nogaret.

— Peut-être aurais-je dû laisser l'un de mes hommes avec elle. Si elle meurt, vous ne pourrez pas tenir votre promesse de lui ramener son fils.

— Je me moque de cette vieille catin, Délézir ! Et je me moque de ma promesse ! Une promesse à une *fillette* ne vaut rien. Ce que je veux, c'est Saint-Loup.

Le soldat acquiesça, connaissant trop bien son maître pour oser lui opposer la moindre désapprobation.

— Le chambellan a pris des risques en vous laissant partir à la recherche de Saint-Loup, dit-il plutôt, pour le flatter un peu.

— Il pense que je ne le trouverai pas plus que n'a su le faire Guillaume Humbert. Et sans doute voulait-il aussi m'éloigner de Paris.

— Et ne pas s'opposer à la volonté du roi.

— Détrompez-vous, capitaine : je crois que mon frère est de la partie, qu'il est avec le chambellan sur cette affaire. Je crois qu'il connaît la vérité, et qu'il veut lui aussi la cacher, parce qu'il ne veut pas perdre les deux Marigny, qui sont, malheureusement pour moi, ses deux plus fidèles conseillers.

— Comment votre frère connaîtrait-il la vérité ? Les Marigny ne peuvent pas s'en être vantés ! Imaginez un peu ! L'archevêque de Sens contraint d'avouer qu'il a engrossé une putain, avec laquelle il forniquait couramment !

— Non. Ce ne sont pas eux qui le lui ont dit. Pour ce que j'en sais, Enguerran n'a peut-être même pas mis son frère au courant. Il se peut que l'archevêque ignore tout de cette histoire, quand bien même il en est le premier intéressé. Non, je pense que c'est venu de Nogaret. Le garde du Sceau, qui avait tout découvert, a forcément mis le roi dans la confidence.

— Aura-t-il eu le temps avant que de mourir ?

— Je le crois. Une chose est sûre : je connais bien mon frère, et il sait. Je l'ai vu dans ses yeux quand il m'a laissé partir à la recherche de Saint-Loup. Et il espère lui aussi que je ne pourrai pas mener à bien ma mission.

— Pour protéger l'archevêque ?

— Pas seulement. Philippe voit d'un mauvais œil mon rapprochement avec son fils Louis, et il est à l'affût de toute faillite qui pourrait m'affaiblir.

— Si je puis me permettre, il est vrai que monsieur le comte fait un pari osé en prenant parti pour le jeune Louis.

— Il sera notre prochain roi, capitaine. C'est Marigny qui se trompe en s'opposant à lui pour flatter Philippe. Je préfère, moi, investir dans l'avenir. Mon neveu Louis, un jour, sera roi de France, et je serai son premier conseiller.

— Que Dieu vous entende !

— Dieu ne se mêle pas de politique, Délézir. Il laisse ça aux curés.

Le soldat s'amusa de la perfidie de son maître et, quelques instants plus tard, ils entraient dans la ville de Saintes.

119

Quand Andreas, au milieu de la nuit, retourna chancelant dans la chambre, il vit que Robin n'était pas encore remonté, mais qu'Aalis était là, qui ne dormait pas, et qui le dévisageait.

— Où étiez-vous ? demanda-t-elle sèchement, comme une femme jalouse qui voit rentrer son mari dans la nuit.

L'Apothicaire esquissa un sourire, qui n'avait pas tout à fait dessoûlé.

— Eh bien, à ton avis ?

— Vous étiez avec elle ? demanda Aalis, d'un air accablé.

— Ma foi, oui.

— Et pourquoi ?

Le sourire d'Andreas se mua en rire franc.

— Non pas que cela te regarde, petite curieuse, mais si tu veux vraiment savoir, et comme il s'agit peut-être de faire ton éducation, sache que ce que je faisais avec elle revêt bien des formulations dans notre belle langue, dont certaines sont délicieuses. Alors voilà : nous faisions la bête à deux dos, nous chafouinions, nous allumions le flambeau d'amour, nous tisonnions le fourneau, nous grivoisions, nous désenclavions la péninsule, nous barattions, nous carambolions...

— Ça va, ça va ! l'arrêta-t-elle, furieuse.

— Eh bien, ma petite, c'est toi qui voulais savoir, non ?

— Et pourquoi avec elle ?

— Mais avec qui voulais-tu que je le fisse ? Avec toi ?

— Et pourquoi pas ? répliqua un peu vite la jeune fille, qui se mit aussitôt à rougir.

— Diantre ! Tu as à peine quinze ans… J'en ai près de quarante.

— Et alors ? Cela se fait, même chez les rois !

— Quand cela se fait chez les rois, ce n'est plus de l'amour, mon enfant, c'est de la politique !

— Ne m'appelez pas « mon enfant » ! Je ne suis plus une enfant.

— Dis-moi, ma petite, si tu as l'argenterie qui te démange, pourquoi ne vas-tu pas voir ce bon Robin ? Il est de ton âge, lui, et je me suis laissé dire qu'il avait déjà fait l'affaire.

— Il ne me plaît pas !

— Et pourquoi donc ? Il est pourtant joli garçon, s'amusa Andreas.

— Peut-être, mais…

— Il est intelligent – du moins il n'est pas plus bête qu'un autre – il est généreux, il est doux, je l'ai vu courageux, et il lui arrive d'être drôle, et même volontairement, parfois.

— Oui, mais…

— Oui, mais quoi ?

Aalis baissa la tête, et en cet instant, elle avait vraiment l'air d'une enfant.

— Il n'est pas vous.

— Ma pauvre gamine ! Si tu savais ! N'être pas moi est sans doute sa plus grande qualité ! Si tu me connaissais vraiment… Et quand bien même tu me trouverais à ton goût, qui te dit que moi je te trouverais au mien ?

— Parce qu'elle, elle était à votre goût, peut-être ? Cette grande blonde que vous ne connaissez même pas ?

— Elle l'est visiblement plus que toi, petite prétentieuse ! En outre, maintenant, je la *connais*, au sens premier du terme.

Aalis encaissa le coup.

— Vous ne la reverrez même pas !

— Et alors ?

— Elle n'a rien à vous offrir !

— Je ne lui demandais pas plus que ce qu'elle a bien voulu me donner.

Aalis resta silencieuse, retrouvant un peu son calme, puis :

— Qu'est-ce que vous lui trouvez ?

— Cela ne te regarde pas.

— Elle vous rappelle quelqu'un, c'est cela ?

Cette fois, ce fut au tour d'Andreas de pousser un soupir. Traversant la pièce, il vint s'asseoir près de la jeune fille.

— Peut-être, dit-il finalement.

— Une femme que vous avez aimée ?

— Peut-être, dit-il encore.

— Alors vous êtes capable d'aimer ?

— Je l'ai été.

— Qui était-elle, cette femme ?

Au moment même où Aalis avait posé la question, Robin était entré à son tour dans la chambre, et à sa façon de trébucher on pouvait voir qu'il avait beaucoup bu, lui aussi.

— Quelle femme ? demanda-t-il, tout sourire, en s'appuyant maladroitement sur le chambranle. La chanteuse blonde ? Alors… Vous… vous l'avez entreprise, maître ?

— Non, imbécile ! s'exclama Aalis. Nous parlions de la femme qu'Andreas a un jour aimée.

— Ohoooh ! répliqua Robin, hilare. Mais alors ça, Aalis, tu vois, ça, ohoooh, c'est un secret ! C'est même le secret le mieux gardé de tout le royaume de France, ma petite, que dis-je de France ? De France et de Navarre même ! Et euh, de Castille, et de Galice, et…

Et c'est pas demain la veille que l'Apothicaire nous dira…

— Elle s'appelait Ninon, le coupa Andreas d'une voix grave et sérieuse.

Le rouquin se tut aussitôt, adressa un regard stupéfait à son maître, puis il referma la porte derrière lui et se laissa tomber sur la couche en face d'eux, non pas seulement parce qu'il voulait, coûte que coûte, entendre cette histoire, mais aussi simplement parce qu'il ne tenait plus debout.

— Elle s'appelait Ninon et elle était musicienne, dit l'Apothicaire alors qu'il avait les yeux rivés au plancher. C'était au mois d'avril de l'an 1293. Le 17 avril, précisément. Cela fera vingt ans dans quelques jours à peine. Et j'avais vingt ans, d'ailleurs. Elle en avait dix-sept. Je faisais des études à la faculté des arts de l'université de Paris, où l'abbé Boucel m'avait envoyé de force. Mais je ne lui en veux plus aujourd'hui. Plus pour ça, en tout cas. Un soir que j'avais fait un détour par Notre-Dame, j'ai vu une troupe de comédiens qui se donnait en spectacle sur le parvis. Une fille les accompagnait en jouant du luth. C'était elle. C'était Ninon.

— C'est elle qui vous a appris à jouer du psantêr ? demanda Aalis, qui avait définitivement quitté sa mine fâchée.

Andreas hocha brièvement la tête.

— Je me suis approché, je l'ai vue dans cette lumière bleue qu'il y a le soir au printemps, et je suis tombé amoureux d'elle sur l'instant. Un jour elle m'a dit qu'elle aussi était tombée en amour dès le premier regard, mais peut-être a-t-elle dit ça pour me faire plaisir, comme savent si bien le faire les femmes. Tous les soirs, cette semaine-là, je venais l'écouter devant Notre-Dame. Elle était belle, de la plus belle beauté qu'il m'eût été donné de voir. Elle avait des yeux, mes enfants ! Des yeux plus bleus qu'une gemme de saphir, et sa peau était blanche comme le sable d'Orient, et ses cheveux étaient noirs de velours, noirs comme la révolte, et elle avait un sourire qui n'était pas de notre monde, et moi, dans ses yeux, sur sa peau, sur ses lèvres, je lisais toute la tristesse de l'univers, et tout l'espoir aussi. On dit que l'amour donne des ailes, les miennes me firent m'envoler de cette abbaye que je ne supportais plus. À force de me voir comme ça, chaque soir, qui l'épiais dans la foule, un jour elle est venue me parler. Sans doute ne l'eussé-je jamais fait moi-même, et je m'en fusse voulu encore aujourd'hui. Le premier soir, nous avons parlé. Longtemps. Comme jamais je n'avais parlé à une femme. Et comme aucune autre femme ne m'a jamais parlé. Le second soir, je l'ai embrassée. Et puis nous sommes devenus amants. Des amants secrets, car c'était une musicienne, et vous savez ce que l'Église pense des musiciens. Quand l'abbé Boucel a appris que je la fréquentais, il m'a puni sévèrement.

— C'est pour ça que vous lui en voulez tant encore aujourd'hui ? demanda Robin.

— Non. Cela est une autre histoire. Mais de fait il me punit sévèrement. Toutefois, aucune punition ne vient jamais à bout du véritable amour.

— Ça, c'est vrai ! intervint Aalis.

— ... quand il est partagé, rectifia Andreas. Nous vécûmes ainsi notre passion en cachette pendant plus d'un an. Elle qui vivait dehors, avec les comédiens, et moi dans mon abbaye. Le ciel de Paris était notre seul toit, et nos espoirs n'avaient pas de plafond. Et puis un jour, elle est tombée malade, de cette maladie qu'on appelle feu de l'enfer. C'est l'un des pires maux que je connaisse. Il consume la chair et la sépare des os. La peau, d'abord, devient livide. À mesure qu'on avance, la douleur et l'ardeur augmentent, deviennent insupportables. Et puis petit à petit le feu gagne les organes indispensables à la vie, et l'on meurt.

— Alors elle mourut ? balbutia Aalis, horrifiée.

— Oui, devant moi, dans mes bras, sans que j'y pusse rien faire. Et ma peine fut si grande que je crus mourir moi-même. Toute ma colère, toute ma rage se retourna contre ce Dieu qui ne pouvait pas exister, ou bien qui était trop mauvais pour qu'on l'aime, et contre Boucel, qui avait maudit notre amour. Je fuguai. Un jour, je revins à Saint-Magloire pour dire au père abbé que je voulais arrêter mes études et partir loin de Paris. Il se peut que ce fût lui qui me souffla alors de partir pour Compostelle. Vous connaissez la suite.

Les deux jeunes gens restèrent muets, émus par l'histoire qu'ils venaient d'entendre autant que par la figure qu'Andreas leur offrait en ce moment. Jamais ils ne l'avaient vu ainsi.

— C'est de rage de n'avoir su soigner Ninon que vous décidâtes de devenir apothicaire ? demanda finalement Robin.

Andreas s'efforça de sourire.

— Il se peut.

— C'est… c'est une histoire très triste, conclut Aalis, qui avait les yeux rouges elle aussi.

— Oh… Pour moi, cela reste aussi la plus belle que j'aie vécue. Et d'ailleurs, je vous souhaite à tous les deux d'en vivre un jour une aussi belle.

Les deux jeunes gens échangèrent un regard embarrassé.

— Voilà. Je vous ai dit mon secret.

Et de fait, après vingt ans, ces deux enfants qu'il aimait tant étaient les seules personnes auxquelles Andreas eût confié son histoire. Jamais auparavant, pas même à Magdala ou à Marguerite, il n'avait trouvé le courage de la dire. Mais qui a déjà voyagé longuement avec des amis sait combien l'épreuve nous rapproche et combien elle nous pousse aux plus grandes confidences, car sur la route et dans l'effort se nouent des liens uniques, peut-être parce que l'on n'a jamais autant besoin de liens que dans ces moments où l'on n'a plus d'attaches.

— Il est tard maintenant, lâcha-t-il soudain dans un soupir. Et Compostelle est encore loin. Allons nous coucher.

Nous aimerions pouvoir dire au lecteur, dans un élan romanesque, que ce soir-là, s'étant un peu débarrassé de son fardeau, Andreas n'eut point besoin de son diacode, mais l'âme humaine n'est pas aussi simple, et au vrai il ne put dormir qu'avec l'aide du looch, car il est des maux qu'il ne suffit pas de dire pour qu'ils disparaissent enfin.

120

Au soir du sixième jour d'avril, alors que Charles de Valois et sa troupe traversaient la France à une infernale cadence, Andreas, Robin et Aalis arrivèrent enfin aux portes de Saint-Jacques-de-Compostelle, sous une pluie battante, comme en connaît souvent la région.

Nous ne pourrions narrer convenablement notre histoire sans nous arrêter un instant sur le portrait de cette ville qui, bien qu'elle en fût l'ultime destination, n'était peut-être pas la plus belle de tout le pèlerinage mais était au moins parmi les plus étonnantes.

Située entre les vertes et chaotiques montagnes de Galice, où s'entremêlent la chaîne des Asturies et les masses granitiques qui s'inclinent vers l'océan, arrosée par deux petits cours d'eau qui formaient comme une presqu'île, on y entrait de plain-pied, ce qui permettait d'avoir dès l'arrivée une vue d'ensemble sur la ville, tout entière dévouée à la gloire du saint apôtre ; mais cette vision fut quelque peu gâchée pour nos héros, car l'averse épaisse qui leur tombait dessus posait sur le monde et les choses un grand voile triste. Ce n'était pas ici comme en certaines villes d'Italie ou du sud de la France, comme en Padoue, Vérone ou Gordes, où les siècles ont embelli les grandeurs antiques et leur donnent une douceur pittoresque : Compostelle semblait vieille et décrépite.

L'air de la ville était si humide et son climat si pluvieux que les murs de ses bâtiments se voyaient rongés de mousse, ce qui n'était finalement pas pour le plus mal, car cela donnait un peu de couleur à cette ville autrement bien terne et austère. Le terrain mouvementé sur lequel Compostelle était assise ne manquait toutefois pas de lui donner un peu de pittoresque, car ainsi l'on passait de terrasse en terrasse, on montait, on descendait, et les architectes avaient su se jouer des reliefs avec quelque originalité.

Au bout des rues étroites et tortueuses, flanquées d'arcades et de pilastres de granit, il y avait dans la vieille cité un nombre considérable de grands-places, sur lesquelles étaient disséminées çà et là des fontaines qui tombaient dans des bassins, mais il pleuvait tellement ce jour-là qu'il était difficile de distinguer quelle eau venait des conduits et laquelle venait du ciel. Sur ces places se tenaient aussi de beaux marchés, car par l'humidité du climat, le sol produisait dans la région d'excellents fruits et légumes, et on cultivait non loin de là un vin bien estimé. Mais ici encore, sous ces trombes diluviennes, les étals avaient mauvaise mine.

Et puisque nous parlons de mine mauvaise, nous osons dire que celles des passants n'étaient pas bien meilleures, car la dévotion des pèlerins les poussait à adopter des allures de profonde contrition, et l'on glorifiait ici bien plus la souffrance du marcheur que la joie du croyant. Les visages étaient si sombres qu'ils se mariaient parfaitement aux pierres grises des tristes bâtiments, et sur des panneaux de bois était gravée l'éloquente sentence d'Horace, apologie de la douleur si chère à ces dévots : *Nil sine magno vita labore dedit mortalibus*[1].

Le lecteur nous trouvera sans doute un peu sévère dans la description que nous livrons de Compostelle, mais il faut reconnaître que cette ville sainte n'offrait

---

1. *La vie n'a jamais rien accordé aux mortels sans beaucoup d'efforts.* (Horace.)

en ce temps presque aucune autre curiosité que sa célèbre cathédrale, point de mire de tous les fidèles qui y arrivaient en habits de pèlerin, certains sur les genoux (ce qui, sous cette pluie, n'était guère confortable).

Tout, ici, était affecté au culte ou aux œuvres hospitalières, et il n'y avait pas une rue qui ne vantât les mérites de saint Jacques le Majeur, sollicitant ce faisant, bien sûr, la bourse des voyageurs. Il n'y avait là que boutiques de bondieuseries sordides, églises envahies de corbeilles à offrandes, qui étaient autant de péages parsemés sur le chemin des pèlerins, et de toute la ville il semblait que seule la pluie ne fût pas à vendre. Andreas, amusé et écœuré à la fois, ne put s'empêcher de songer au Christ entrant dans Jérusalem après les noces de Cana et chassant du temple les marchands en s'écriant : « *Il est écrit : ma maison sera une maison de prière. Mais vous, vous en avez fait une caverne de voleurs !* » Et l'Apothicaire lui-même de penser avec ironie : « Comment se fait-il qu'un Dieu qui peut accomplir de si grands miracles ait besoin de tant d'argent ? » De fait, le culte de saint Jacques valait à son chapitre des revenus colossaux, notamment par cet impôt volontaire qu'on appelait alors le denier de Jacques, et auquel les rois eux-mêmes ne dédaignaient pas de se soumettre. On y vit participer, au reste, nombreux souverains de France, d'Aragon et de Navarre.

Pour donner néanmoins de la ville une image fidèle, nous dirons qu'elle comptait tout de même, outre la cathédrale, un ou deux bâtiments qui eussent mérité qu'on s'y arrêtât. Ainsi le palais de Gelmírez, qui était à gauche de ladite cathédrale et abritait l'archevêché, ainsi le monastère de San Paio de Antealtares ou l'église Santa María del Sar, située dans les faubourgs de la ville, et dont la voûte immense et belle avait nécessité qu'on construisît dehors de puissants contreforts. Le cloître qui l'accompagnait, enfin, présentait de belles arcades géminées, qui étaient finement décorées de fleurs et de feuillages.

Pressé par la pluie, Andreas, après avoir revendu leurs chevaux à bas prix dans un relais de la ville, conduisit ses deux compagnons vers le quartier où, près de dix-huit ans plus tôt, il avait tenu son apothicairerie – encore que Juan Hernández Manau eût prétendu qu'elle n'avait point été la sienne, mais celle de ce fameux personnage qu'il avait miraculeusement oublié.

La place de Quintana, sise derrière la cathédrale, était l'une des plus animées de la ville ; on y trouvait beaucoup de marchands et on y voyait de nombreux jeunes gens, car bien que l'Université ne fût officialisée qu'une quinzaine d'années plus tard, il y avait déjà là moult maîtres qui y livraient leur enseignement.

Comme il l'avait fait à Burgos, Andreas éprouva une vive émotion en apercevant, de l'autre côté de la place, sa petite boutique. Ici il avait passé sept années de sa vie. Mais en approchant, cette fois, il subit la profonde déception de voir que le bâtiment avait changé de nature, puisqu'il était devenu une autre de ces échoppes où l'on vendait des objets de piété de fort mauvais goût.

— Par les saints couillons du pape ! maugréa-t-il.

— Qu'y a-t-il, maître ?

— Mais ne vois-tu pas ? s'emporta l'Apothicaire. Partout où l'Église avance, la science recule !

— Maître ! s'offusqua Robin. Vous savez que je n'aime pas quand vous parlez ainsi !

— Je parle comme je l'entends, misérable pharisien ! J'espérais, en venant ici, pouvoir retrouver les souvenirs qui me font défaut… Mais voilà ! Mon apothicairerie est devenue une tirelire à bigots !

— Cela ne vous empêchera peut-être pas de retrouver la mémoire, répliqua le rouquin. Allons tout de même la visiter.

— Non merci ! rétorqua Andreas, de plus en plus courroucé. Je me demande, en réalité, ce que je suis venu faire ici ! Je ne sais même pas ce que je cherche ! Je ne sais pas par où commencer ! Tout ceci est ridicule !

— Eh bien, justement ! intervint Aalis. Si vous n'avez pas de meilleure idée à nous soumettre, cela ne coûte rien d'aller visiter cette boutique. J'aimerais bien, moi, voir ces lieux où vous avez travaillé. Si le décor a changé, les murs sont certainement les mêmes, ils vous rappelleront peut-être quelque chose.

Andreas haussa les épaules, mais en effet, il n'avait pas de meilleure idée pour l'instant, aussi traversèrent-ils la place Quintana sous les grosses gouttes et pénétrèrent-ils, trempés, dans ladite boutique.

D'emblée, elle parut plus petite à Andreas qu'elle ne l'était dans ses souvenirs, mais peut-être cela était-il dû au fatras indicible qu'il y avait entre ses murs. Il y avait là tout un bazar infâme de bibelots plus hideux les uns que les autres, plus de déclinaisons de la fameuse coquille du pèlerinage que l'esprit humain n'en sût compter, colliers, bijoux, bourdons, chandeliers, des rangées de statuettes représentant saint Jacques le Majeur dans un nombre considérable de positions, debout, assis, à cheval, en armure, brandissant un drapeau, dormant, mourant, couvert lui aussi de coquilles blanches, pourfendant l'infidèle ou bénissant le lépreux, et puis il y avait des médailles d'un métal douteux, des chapelets, des crucifix, des bougies, de l'encens à foison, une foule de miniatures représentant tant de saints que certains ne figuraient sans doute même pas dans *La Légende dorée* de Jacques de Voragine, des fioles d'une eau prétendument miraculeuse, et tant de merveilles encore que nous ne saurions les énumérer. Nous dirons simplement pour achever le tableau que, dans le fond de la boutique, se trouvait aussi une haute et large bibliothèque qui débordait de livres, et Andreas imagina que c'étaient des ouvrages religieux, et sans doute beaucoup de copies du fameux *Codex Calixtinus*, un recueil de textes liturgiques, historiques et hagiographiques, et dont le dernier livre était le célèbre *Guide du Pèlerin de Saint-Jacques-de-Compostelle*, attribué à un moine français de Parthenay-le-Vieux.

Le marchand, qui se tenait derrière un petit comptoir, était un homme qui devait approcher cinquante ans. Squelettique, il avait les joues creusées, d'épais cernes sous les yeux et ses cheveux étaient d'un blanc éclatant. Il avait l'air d'un vieux moine qui eût formulé des vœux de jeûner. En voyant entrer Andreas et les deux jeunes gens, il comprit sans doute à leur mise qu'il n'avait pas affaire à de véritables clients.

— Qu'est-ce qui vous amène ici ? demanda-t-il d'un air méfiant.

— Vous êtes le propriétaire de cette boutique, monsieur ?

— J'en suis le propriétaire et le tenancier, oui.

— Puis-je vous demander depuis quand ?

L'homme fronça le sourcil.

— J'ai acheté cette échoppe il y a trois ans. C'était à l'époque une apothicairerie, mais quelque chose me dit que vous le savez déjà.

— En effet. Pouvez-vous me donner le nom du maître apothicaire auquel vous l'avez achetée ?

— Certainement. Mais puis-je d'abord savoir pourquoi vous me posez toutes ces questions ?

— Oui, bien sûr, pardonnez-moi ! Voyez-vous, j'étais maître apothicaire ici, il y a une dizaine d'années... Par nostalgie peut-être, j'éprouve le besoin de savoir ce qu'il est advenu après mon départ, et donc, je voulais savoir le nom de l'apothicaire à qui vous avez acheté cette boutique.

— Eh bien, c'est sûrement celui auquel vous l'aviez vendue, non ?

— En effet... Mais justement, j'ai oublié son nom, balbutia Andreas.

— Vous l'avez oublié ? Voilà qui est étrange ! Il s'appelait maître Velázquez.

— Et savez-vous où je peux le trouver ?

— Oui... Au cimetière. Il est mort quelques mois après m'avoir vendu la boutique.

Andreas hocha lentement la tête.

— Je vois que vous êtes déçu, dit le marchand d'un air désolé.

— Oui... C'est que je suis encore apothicaire, et je suis toujours attristé quand un confrère ferme boutique. Et, sans vouloir vous offenser, je ne suis pas grand amateur d'objets religieux.

Le marchand ouvrit un large sourire.

— Oh ! ne vous excusez pas ! Je les déteste, moi-même ! J'étais jadis libraire, à quelques pas d'ici mais, que voulez-vous, il faut bien gagner sa vie, et les gens qui viennent dans cette ville sont davantage intéressés par ces breloques que par la littérature. Mais pour me consoler, je vends toujours quelques livres, et certains qui ne sont pas ordinaires.

— Tant mieux pour vous, tant mieux pour vous, dit Andreas sans conviction.

— Je ne vous ferai donc pas l'affront de vous proposer un chapelet, plaisanta le boutiquier, mais si un jour vous cherchez des choses plus profondes, au sujet de la légende de Compostelle par exemple, et même de ses secrets, vous saurez où vous adresser, n'est-ce pas ?

— Pour sûr ! répondit poliment Andreas. Et merci de votre accueil, monsieur.

Ils saluèrent tous trois le marchand et sortirent de la petite échoppe. Dehors, il pleuvait toujours à grande eau.

— Ce marchand est moins stupide que je ne le craignais, concéda Andreas alors qu'il invitait les jeunes gens à le suivre vers la place de la Cathédrale.

— Pourquoi cherchiez-vous le nom de son prédécesseur, maître ?

— Parce que j'eusse aimé demander à celui-là de me dire à qui il avait acheté la boutique.

— N'était-ce pas à vous ?

— Il devrait en être ainsi… Mais, encore une fois, je n'en ai aucun souvenir. Ainsi, s'il m'avait donné un autre nom que le mien, j'eusse enfin appris qui était cette mystérieuse personne dont Juan Hernández Manau prétend qu'elle travaillait ici avec moi.

— Il y a sûrement un moyen de trouver cette information, intervint Aalis.

— En effet. Il faut que nous puissions voir les censives du quartier, ou le registre des cens, ou bien l'équivalent d'un livre de taille, bref, tout document officiel mentionnant les noms des gens soumis à l'impôt dans ce quartier, et donc aussi ceux des propriétaires de ces boutiques.

— Et où pourrons-nous trouver cela ? demanda Robin qui, contrairement à Aalis, peinait à suivre le rythme de son maître, galopant sous la pluie battante.

— Auprès des *procuradores*.

— Qui sont-ils ?

— Ce sont les notables qui représentent la ville aux *cortes*.

— Aux quoi ?

— Diantre ! Ce que tu es ennuyeux !

— Maître, je ne demande qu'à apprendre.

— Les *cortes* sont des assemblées qui gèrent la plupart des grandes régions du pays, avec plus ou moins de bienveillance envers le roi. Ils sont formés par des membres du clergé, de la noblesse et par ces fameux *procuradores*. À l'époque où je vivais ici, il y en avait deux.

— Où sont-ils ?

— Là. Juste devant toi. Dans le palais de Gelmírez.

121

Si Andreas et ses compagnons, pris par leur aventure, semblaient ne plus avoir pensé aux *Mal'achim* depuis plusieurs jours, le lecteur, lui, ne les a certainement pas oubliés, et il ne sera donc pas étonné de les voir entrer à leur tour, avec l'opiniâtreté qu'on leur connaît, dans la ville de Compostelle.

Et ce ne fut point un spectacle engageant : leurs costumes noirs de la tête jusques aux pieds se mariaient parfaitement aux couleurs de la ville, c'était même à croire qu'ils avaient été conçus pour elle. Derrière le rideau de la pluie, c'était deux silhouettes lugubres, épaissies par le soir, juchées sur leurs chevaux, qui parcouraient au pas les rues de la vieille cité. L'eau qui ruisselait sur leurs pourpoints étincelait par moments dans des éclats argentés qui agrandissaient encore leur fantastique allure, et nous donnons ici au mot « fantastique » le sens de ce qui semble irréel, car en vérité on eût dit deux fantômes. La lenteur du pas de leurs chevaux, enfin, plein d'une sinistre majesté, tel celui des montures conduisant un empereur triomphant devant la plèbe de Rome, achevait le funeste tableau.

Indifférents à la terreur qu'ils inspiraient sur leur passage – ici qui verrouillait sa porte, qui partait en courant – ils s'arrêtèrent enfin au milieu de la place Quintana, et ce fut comme deux statues équestres qui s'élevaient sur elle.

Le plus grand des deux, qui était Suriel, descendit de cheval et, la main sur le pommeau de son épée, promena son regard sur la grande esplanade. Puis il releva la tête vers son jeune frère et murmura, souriant :

— Il est ici.

122

Manuel Paz Alonso, le *procurador* qui accepta de les recevoir, était un jeune bourgeois de la ville et n'était pas en place depuis assez longtemps pour qu'Andreas pût l'avoir connu.

C'était un homme d'une grande élégance dans son habit comme dans son maintien, brun, moustachu, il se révéla fort érudit et goûta visiblement la maîtrise dont son interlocuteur français faisait preuve en parlant la langue d'ici, qui était une langue subtile, de culture, et qui était plus proche du galaïco-portugais que du castillan. Pour l'avoir parlée pendant sept ans, Andreas semblait presque être natif de ces collines.

— Je pense à deux documents dans lesquels vous pourrez peut-être trouver l'information que vous cherchez, cher ami. Malheureusement, je ne peux vous laisser les emporter, et vous devrez donc les consulter sur place.

— J'en serais ravi, si vous me le permettez.

— Bien sûr, bien sûr ! Je comprends parfaitement cet élan qui vous pousse à retrouver les traces de votre passé, monsieur, et je dois dire que la peine que vous éprouvez à avoir dû quitter notre ville me touche grandement.

— J'ai ici de merveilleux souvenirs, assura Andreas. Quels sont donc ces documents ?

— Le premier est le registre de guet, qui répertorie tous les habitants et commerçants de Saint-Jacques-de-Compostelle soumis au droit de guet.

En effet, par chance, contrairement à ce qui était de mise à Paris, les apothicaires de Compostelle n'étaient pas exempts du droit de guet et devaient donc, toutes les trois semaines, se soumettre à l'obligation de monter la garde sur les remparts de la ville, sous la supervision du capitaine de guet. Le fait qu'Andreas ne se souvînt pas y avoir été contraint tendait à prouver qu'il n'était donc pas propriétaire de sa boutique...

— Ensuite, il y a le livre des *repartimientos*, continua Alonso.

Ceux-ci étaient des impôts fonciers, assez proches de ce qu'était la taille au royaume de France, payés une fois l'an par les propriétaires de maisons ou de commerces, et déterminés par le cadastre.

— J'espère que vous y trouverez satisfaction.

— Ce sera parfait ! s'exclama l'Apothicaire.

Le *procurador* accueillit cet enthousiasme avec un sourire et invita les trois Français à le suivre dans une petite pièce, toute lambrissée de bois de chêne rouvre – qui est fort abondant en cette région – et où se trouvaient les archives, lesquelles, en cette ville si prospère, étaient considérables. Après quelques recherches dans les étagères des bibliothèques, l'homme posa deux épais volumes sur la grande table qui trônait au centre de la salle et se retira poliment.

— Il va falloir lire tout ça ? s'exclama Aalis.

— Mais non, petite imbécile ! Je cherche le nom d'une personne qui eût travaillé ici en même temps que moi. Nous pouvons donc nous limiter aux années 1296 à 1304.

— Tout de même !

— Tais-toi donc ! De toute façon, étant le seul à savoir lire ces cahiers, je ne vois pas de quoi tu te plains.

De fait, l'étude de ces deux documents se révéla longue et fastidieuse, mais cela ne déplaisait pas à notre

Apothicaire qui, comme on le sait, était un homme heureux dès qu'il avait le nez dans les livres.

Il commença par le registre de guet, qui rassemblait de nombreux documents, tels des ordonnances concernant l'établissement de corps de garde, leur règlement ou le commandement du guet, le texte du serment prêté par les membres d'icelui, différents arrêts, mais aussi – et c'était ce qui l'intéressait – la liste annuelle des citoyens soumis au droit de guet, classés par quartiers, ce qui eût dû faciliter l'investigation. Malheureusement, après une consultation qui dura fort longtemps, l'Apothicaire n'avait rien trouvé. Dans les pages concernant le quartier de la place Quintana, nulle part il n'était fait mention d'une personne travaillant dans l'apothicairerie où Andreas avait séjourné, et cela pour aucune des années 1296 à 1304. Pourtant, à partir de 1304, le nom du maître Velázquez – celui à qui le marchand d'articles religieux avait acheté la boutique, et qui donc, l'avait occupée après Andreas – figurait bien, lui, sur toutes les listes. C'était comme si, avant 1304, l'échoppe n'avait pas existé.

L'Apothicaire, agacé, vérifia plusieurs fois avant d'abandonner et de passer au document suivant, sous le regard abattu de ses jeunes compagnons.

Le livre des *repartimientos* de Saint-Jacques-de-Compostelle contenait, paroisse par paroisse et rue par rue, la liste de tous les Compostellans soumis chaque année à l'impôt foncier. C'était une source d'information extraordinairement précise, qui donnait la position des portes, des rues, des places, des carrefours, des églises, des couvents, des écoles, des palais, des hôtels, des commerces, des ateliers comme des bains publics et qui, enfin, indiquait la somme que devait verser chaque contribuable, en fonction du bien dont il était propriétaire et de la profession qu'il exerçait. Il y avait donc une cinquantaine de feuillets grand in-folio par année, en parchemin, écrits sur deux colonnes, ce qui faisait un joli volume.

Andreas entama scrupuleusement ses recherches, tournant les pages avec attention, caressant le livre comme il eût caressé la peau d'une femme, admirant le soin avec lequel ces tableaux étaient tenus, sans rature, d'une belle écriture, et puis soudain, comme il parcourait l'année 1296, il s'arrêta, stupéfait.

Le souvenir du registre de l'hôpital d'Étampes lui revint aussitôt en mémoire, car il s'était reproduit ici le même phénomène : vis-à-vis l'adresse de sa boutique, le nom du contribuable avait tout simplement disparu, ainsi que la somme perçue. Ils étaient effacés.

Le cœur battant, il tourna rapidement les pages pour aller voir l'année suivante, et là encore, il trouva un espace blanc à l'endroit où un nom eût dû apparaître. Et de même pour toutes les années suivantes, jusqu'à ce qu'en 1304, enfin, le nom du maître Velázquez apparût.

— C'est... c'est incroyable, murmura-t-il en faisant constater sa découverte aux deux jeunes gens.

— La même chose qu'à Étampes ! s'exclama Robin.

— Absolument ! Et je dois être fou, mon garçon, car je commence à croire à la théorie de maître Hernández Manau ! Non seulement ce n'est pas mon nom qui apparaît ici, comme cela eût été le cas si j'avais été le propriétaire de la boutique, mais en sus le nom qui devrait y être a disparu. Et à présent, il n'y a que deux explications possibles : soit les maîtres de la *schola gnosticos* disent vrai, et cette personne s'est effacée de la réalité, soit quelqu'un est venu enlever son nom à dessein.

— Je vois que votre crédulité résiste encore, s'amusa Robin.

— Comment croire à l'impossible, petit malin ? En outre, quelque chose me turlupine : comment se fait-il que nous n'ayons pu remarquer la même disparition, la même ligne blanche sur le registre de guet ? Il faut que j'interroge de nouveau le *procurador* Alonso.

— Allons-y !

Ils rangèrent soigneusement mais prestement les deux volumes dans les bibliothèques et retournèrent auprès du représentant de la ville.

— Avez-vous trouvé votre bonheur ? demanda-t-il, tout sourire.

— Eh bien, en partie, répondit Andreas, et nous vous sommes infiniment reconnaissants. Mais j'aurais encore deux questions à vous poser, si vous le voulez bien.

— Je vous en prie, mon ami.

— Quelqu'un est-il venu consulter ces livres avant nous ?

Le *procurador* fit une moue étonnée.

— Que voulez-vous dire ? Mon confrère et moi-même les consultons régulièrement, ne serait-ce que pour les mettre à jour ou régler quelque contentieux.

— Mais en dehors de vous ? Est-ce que quelqu'un, comme je viens de le faire, est venu récemment consulter ces volumes ?

— Pas que je sache, répondit Alonso en fronçant les sourcils. Voilà une drôle de question !

— Oh ! C'est seulement que ces documents sont magnifiques et je me demandais s'ils ne devraient être mis à la disposition des historiens, mentit Andreas pour justifier sa question.

— Mais ils le sont, ils le sont !

— Formidable !

— Et quelle était votre seconde question ?

— Eh bien, je voulais savoir s'il était possible que quelqu'un figurât dans le livre des *repartimientos* et fût absent du registre de guet ?

L'homme prit un temps pour réfléchir.

— Oui, c'est possible, conclut-il.

— Et par quel moyen ?

— Nul n'est exempt des *repartimientos*. En revanche, certaines personnes le sont du droit de guet.

— Qui donc ?

— Les nobles, les fous, les maris des femmes en couches, les écorcheurs, les notaires, les libraires, les écrivains, les orfèvres et les tapissiers.

— Voilà qui fait moins d'exemptions qu'à Paris ! plaisanta Andreas. Les gens d'ici sont bien plus serviables que les Français ! Vous me confirmez que les apothicaires n'en sont point exempts, et qu'ils ne l'ont jamais été, n'est-ce pas ?

— Absolument.

— Ainsi, puisque l'apothicaire que je cherche n'y figure point, cela signifie qu'il remplissait au moins l'une des conditions que vous venez de nous dire ?

— Assurément.

— Bien. Pourtant, il n'était sans doute pas noble…

— Certainement pas !

— Il n'était probablement pas fou, non plus.

— Espérons-le !

— On imagine mal aussi qu'il fût mari de femme en couches pendant sept années consécutives.

— Ne parlez pas de malheur ! Pauvre femme !

— Or, s'il était apothicaire, il ne pouvait pas être en même temps écorcheur, notaire, libraire, écrivain, orfèvre ou tapissier.

— En effet, admit Alonso.

— Ainsi, il ne répond à aucun des critères d'exemption, et pourtant, il ne figure pas dans le registre de guet… Comment expliquez-vous cela ? Un oubli ? Une faveur ?

— Certainement pas ! s'offusqua le *procurador*.

— Mais alors ?

L'homme réfléchit de nouveau.

— Je ne vois qu'une seule explication…

— Laquelle ?

— Si étonnante soit-elle, c'est la seule qui vaille : c'était une femme.

123

— Une femme ! s'exclama Andreas alors qu'ils étaient retournés dans la rue. Une femme apothicaire !

— Et alors ? intervint Aalis. Cela vous dérange ?

— Bien au contraire ! Je suis émerveillé !

— Je ne vois pas pourquoi ! s'offusqua la petite. Ma mère était drapière !

— Comment ? La femme ne serait-elle donc pas seulement l'instigatrice du péché originel ? se moqua Andreas. Maléfique, impétueuse, et vile tentatrice ? Serait-elle bonne à autre chose qu'à se prostituer ou mettre bas ?

— Andreas !

— Je plaisante, misérable sotte ! Ce sont les mots de l'Église, pas les miens. Tu sais ce que je pense des femmes, et ce que je pense de l'Église.

— Je sais surtout ce que vous faites aux femmes ! ironisa la jeune fille.

— Si je n'en épouse aucune, c'est que je suis opposé à leur asservissement et soucieux de leur indépendance, répliqua-t-il.

— Alors pourquoi cela vous étonne-t-il qu'une femme fût apothicaire ?

— Parce que les faits sont ainsi, mon enfant. Les rares femmes auxquelles ce monde d'hommes donne le droit de travailler plutôt que d'accoucher ou d'élever la marmaille, et qui sont soit veuves, soit point encore mariées, sont dans le commerce, dans l'agriculture ou, comme ta mère, dans le textile ; et encore celles-ci ne sont que lingères, bonnetières, couturières ou blanchisseuses... Pourtant, combien ont montré que la femme, par l'esprit, est au moins l'égale de l'homme ! Hildegarde de Bingen, qui fut auteur et splendide musicienne, Éléonore de Guyenne, poétesse et politicienne de talent, la byzantine Anne Comnène et son *Alexiade*, Marie de France ou même Béatrice de Die, qui composa cette chanson que la trobairitz nous chanta l'autre soir...

— Celle-là, nous pouvons l'oublier, glissa la jeune Occitane.

— Et que dire de la docte Héloïse d'Argenteuil, magnifique dialecticienne et amoureuse secrète d'Abélard ? Et je pourrais dire encore longuement mon amour de la féminine sagesse, Aalis, mais cela ne changerait rien aux faits : les seules apothicairesses que l'on connaisse sont dans les couvents ou les hôpitaux de sœurs, pas dans les apothicaireries. Certes, on accorde à certaines veuves de pharmaciens le droit de tenir encore boutique après la mort de celui-là, mais elles n'héritent guère du titre.

— Et alors ?

— Et alors : si les déductions du *procurador* sont exactes, nous avons affaire à une extraordinaire et magnifique exception ! Et cela signifierait que mon maître apothicaire, quand je travaillais ici, fût une femme ! La chose est si formidable qu'il est impossible qu'on l'ait oubliée ! Il faut que nous retournions voir ce marchand de bondieuseries ou que nous interrogions les gens du quartier ! Si vraiment il y a eu ici une femme apothicaire, il y a bien quelqu'un qui s'en souvient !

Ainsi ils retournèrent sur leurs pas et rejoignirent la place Quintana, mais ce qu'ils y virent alors les fit s'arrêter brusquement.

Il y avait devant la boutique d'articles religieux un grand attroupement et on devinait de l'effroi parmi les curieux qui regardaient à l'intérieur.

— Maître ! s'exclama Robin. Que s'est-il passé ?

— À ton avis ?

— Ils l'ont tué ?

Andreas acquiesça.

— Qui donc ? demanda Aalis.

— Les cavaliers noirs, supposa l'apprenti, comme son maître l'avait sans doute fait lui aussi. Il faut que nous allions voir ça de plus près !

L'Apothicaire le retint par le bras.

— Ils sont peut-être encore dans les parages. Nous devons rester à l'abri.

— Ils ne me connaissent pas, moi, intervint la jeune fille. Je vais aller voir.

— Non !

Mais il était trop tard, Aalis était déjà en route pour traverser la grand-place.

Andreas et Robin, tapis dans l'ombre, la regardèrent s'éloigner tout en scrutant l'alentour. La jeune fille était déjà parmi la foule quand, soudain, l'apprenti agrippa le bras de son maître.

— Regardez l'homme, là-bas !

Andreas vit en effet un homme, tout caparaçonné de noir, le chef couvert d'une capuche, et qui s'éloignait de la boutique d'un pas preste.

— Vous croyez que c'est l'un d'eux ?

— Non, c'est quelqu'un d'autre. Il faut le suivre.

— Et Aalis ?

— Reste ici pour la prévenir. Je vous retrouverai au plus vite devant le palais de Gelmírez, où nous étions tout à l'heure.

— Mais, maître !

— Ne discute pas, il n'y a pas le temps.

Andreas, qui à son tour s'était couvert le chef, longea le mur nord de la grand-place et disparut dans la ruelle où s'était engagé l'homme qu'il suivait.

Robin, qui se retrouvait seul de son côté, sa chevelure rouquine dégoulinante de pluie, poussa un juron comme il n'en poussait guère souvent.

Trépignant et furibond, il attendit, blotti contre le mur, le retour d'Aalis. Après un long moment, alors que les gens avaient commencé à se disperser, elle revint.

— Où est Andreas ?

Robin soupira.

— M. Saint-Loup a jugé opportun de poursuivre un homme qui avait drôle allure.

— Il t'a laissé ici tout seul ?

— Eh bien oui ! Pour t'attendre, tiens !

— Et comment allons-nous le retrouver ?

— Nous avons rendez-vous devant le palais de Gelmírez. Alors ? Qu'as-tu vu ?

Aalis fit une grimace.

— Beaucoup de sang. Le marchand a été découpé en morceaux.

— Les gens ont vu quelque chose ?

— Eh bien, je ne comprends pas bien la langue que l'on parle ici, mais j'ai cru entendre plusieurs fois des mots qui ressemblaient à « cavaliers » et à « noirs ».

— Alors ils sont bien sur nos traces de nouveau, souffla Robin avec une moue anéantie.

— Qu'allons-nous faire ?

— Nous n'avons pas le choix. Nous allons nous cacher en attendant Saint-Loup !

124

L'homme que suivait Andreas, et qui marchait trop vitement pour n'avoir rien à se reprocher, lui fit faire bien des détours à travers la ville de Compostelle et, en d'autres circonstances, l'Apothicaire eût sans doute apprécié ce petit voyage dans ses souvenirs mais, en l'occurrence, il était à la fois soucieux de ne point se faire voir par sa proie et terrifié à l'idée de tomber sur les deux cavaliers noirs à chaque coin de rue, si bien que son esprit n'était pas à la réminiscence.

Après tous ces méandres sous la fureur des cieux, ils avaient descendu la colline sur laquelle la vieille cité était assise et étaient arrivés près des remparts, où l'inconnu entra dans une grande maison, de celles que se partagent plusieurs familles à l'approche des faubourgs.

Comme l'homme n'avait pas utilisé de clef, Andreas en déduisit que la serrure n'était pas fermée. Il attendit un instant sous la pluie drue, puis se décida à entrer à son tour. S'assurant qu'on ne l'observait point, il poussa la porte devant lui et se glissa de l'autre côté, où était un couloir obscur.

Le souffle court, le cœur animé (et le corps trempé de la tête jusques aux pieds), il se plaqua contre le mur et fit une courte pause, pour voir et entendre. Mais il n'y avait pas un bruit, et tout ce qu'il put voir, ce fut ce couloir au bout duquel se dressait une porte et s'élevait un escalier. À pas de loup, il avança vers ceux-là. Arrivé devant la porte, il colla son oreille contre la surface de bois. Rien. Il entreprit alors de monter l'escalier, fit volte-face et posa un pied sur la première marche. Mais sur l'instant la porte s'ouvrit brusquement dans son dos et avant qu'il n'ait eu le temps de se retourner, on l'avait saisi par la gorge et immobilisé.

— Pourquoi me suivez-vous ? grogna l'homme, qui le maintenait sous la menace d'un étranglement.

— Je… je… Que faisiez-vous chez ce marchand ? balbutia péniblement Andreas.

— En quoi cela vous regarde-t-il ?

— Je venais lui parler, je le trouve mort, et je vous vois vous enfuir…

L'homme relâcha aussitôt son étreinte et s'écarta.

Lors Andreas se laissa tomber sur une marche de l'escalier et, peinant à retrouver sa respiration, leva les yeux vers son assaillant.

C'était un homme de quarante à cinquante ans, grand et large d'épaules, avec une tonsure romaine et une barbe grisonnante. Il avait la peau foncée et les yeux sombres.

— Vous n'étiez pas obligé de m'étrangler pour obtenir votre réponse, vous savez… Je parle beaucoup mieux la gorge libre.

— Et vous n'étiez pas, vous, obligé de me suivre.

— Je voulais savoir pourquoi vous aviez pris la fuite !

— Ce marchand était mon plus proche ami, répliqua l'homme d'un ton grave.

Le visage d'Andreas se rembrunit.

— Je suis désolé.

— De quoi veniez-vous lui parler ? demanda l'autre sans s'être départi de son air méfiant.

— Je l'avais vu plus tôt, aujourd'hui, pour lui parler de sa boutique au temps où elle était encore une apothicairerie, et… j'avais d'autres questions à lui poser.

— Pourquoi ?

Andreas hésita à répondre.

— Parce que j'y ai travaillé il y a longtemps et que… cela m'intéresse.

À ces mots, l'homme changea soudainement de figure.

— Vous avez travaillé dans cette apothicairerie ?

— Oui, il y a une vingtaine d'années.

L'inconnu hocha lentement la tête, comme s'il venait de comprendre quelque chose.

— Nous devons parler, dit-il. Ne restons pas là. Suivez-moi.

Andreas, intrigué, se releva et le suivit jusqu'à l'étage, où ils entrèrent dans une grande pièce, qui était autant à vivre qu'à étudier, semblait-il, car il y avait là un lit mais aussi des bibliothèques, en nombre, et bien remplies. Il ne fallut guère longtemps à l'Apothicaire pour voir que la plupart des ouvrages qui s'amoncelaient là traitaient de la gnose, et alors il eut un pressentiment.

— Seriez-vous… seriez-vous membre de la *schola gnosticos* ? demanda-t-il, crispé, à l'homme qui avait verrouillé la porte derrière eux et lui tendait maintenant une chaise.

— Avant de parler de tout ça, pardonnez-moi, monsieur, mais avec ce que je viens de vivre, j'ai besoin d'un bon gobel de vin. Puis-je vous en offrir ?

— Avec plaisir… J'ai, pour ma part, un certain besoin de m'éclaircir la gorge, si vous voyez ce que je veux dire.

L'homme acquiesça, partit chercher dans un petit casier une bouteille de *vino añejo* (ainsi nommait-on en ce temps les rares vins qui avaient plus d'un an d'ancienneté), qui était de Valladolid, et en versa dans deux beaux gobels.

— Puis-je connaître votre nom ? demanda l'homme en lui tendant la boisson.

— Je m'appelle Andreas Saint-Loup, et vous êtes ?

— Simón Diaz.

— Eh bien… enchanté, si je puis dire. Et merci pour ce vin délicieux.

— Je suis votre serviteur.

— Si je puis me permettre, vous n'avez pas répondu à ma question. Êtes-vous membre de la *schola gnosticos* ?

Diaz but une gorgée de vin puis répondit :

— Mes frères me reconnaissent comme tel. Ainsi que cet ami qui vient d'être assassiné, et à la mémoire duquel je veux boire ce vin qu'il m'offrit.

— Je… Encore une fois, je suis désolé pour votre ami.

— Ne le soyez point trop. La mort, chez nous, n'est qu'une étape dans notre retour aux origines. Après l'état charnel vient l'état psychique, puis viendra l'état spirituel, qui est la destination finale de l'âme pour les gnostiques.

— Vous pensez qu'il a été tué en raison de son appartenance à votre confrérie ?

— Il se peut que vous connaissiez mieux que moi la réponse à cette question, monsieur Saint-Loup ! Quelles étaient les questions que vous vouliez lui poser ?

— Eh bien… Elles concernaient les gens qui ont occupé cette boutique avant lui.

— La boutique lui a été vendue par un autre de mes amis.

— Maître Velázquez ?

— En effet.

Andreas fronça les sourcils.

— C'était un gnostique, lui aussi ?

L'homme opina du chef.

— Seriez-vous en train de me dire que cette boutique est passée des mains d'un maître de la *schola gnosticos* à celle d'un autre ?

— C'est bien ce que je vous dis.

— Mais dans ce cas… avant Velázquez ?

Une sorte de sourire s'esquissa sur le visage de l'homme.

— Eh bien, avant Velázquez, n'était-ce point vous ?

— Je… Plus ou moins… À vrai dire, mes souvenirs sont inexacts. Je pensais avoir été le maître de cette apothicairerie, en effet, mais il semblerait que cela ne fût point le cas. Je… je n'étais pas seul.

— Vous en savez donc bien plus que je le pensais, dit l'homme, qui semblait trouver la chose réjouissante.

— Vous savez qui travaillait là avec moi ?

— Allons, monsieur Saint-Loup ! Puisque vous êtes si avancé dans vos recherches, vous savez maintenant que je ne peux pas répondre à cette question : cette personne n'existe pas.

— Elle n'existe plus ! Mais elle a bien existé !

— Pour nous, aujourd'hui, elle n'existe pas, et c'est tout ce que l'on peut dire.

— Alors faisons comme si elle *avait existé*. Était-ce déjà un membre de la *schola gnosticos*, comme l'étaient ses deux successeurs ?

— On peut le penser, n'est-ce pas ? répondit Diaz avec une espèce de malice.

— Cela expliquerait qu'elle ait lu ce fameux livre…

— Le *Shatirum lâ-mi'umma*.

— Était-ce une femme ? insista Andreas.

— Est-ce cela que vous êtes venu chercher ? Une femme ?

L'Apothicaire poussa un long soupir.

— À vrai dire, je ne suis plus tout à fait certain de savoir ce que je suis venu chercher.

— Le fait que vous cherchiez est déjà une bonne chose.

— Si je suis ici, c'est que vos confrères m'y ont poussé. À ce point de mon périple, je me demande même s'ils ne m'ont pas manipulé ! Et le hasard voudrait maintenant que je tombasse sur vous ?

— Nous ne sommes qu'une épaule sur laquelle poser votre main, monsieur Saint-Loup. Mais, de grâce ! Votre présence ici semble avoir entraîné la mort de l'un des nôtres, qui était aussi mon plus cher ami, alors ayez l'indulgence de ne point nous accuser de vous avoir manipulé ! Vous êtes ici de votre propre gré, et c'est bien vous qui forcez le hasard.

— Parce que j'ai voulu croire à votre théorie.

— Rien ne vous y obligeait.

— Si : mon insatiable curiosité.

— Elle vous appartient. Est-elle satisfaite ?

— Vous voyez bien que non ! s'emporta Andreas.

— Vous avez sûrement appris bien plus de choses que vous ne pouvez le reconnaître. Comme en toute quête, le trajet que l'on fait est au moins aussi instructif que la destination. Et vous le fîtes deux fois !

— Je ne suis guère Ulysse.

— Vous en avez la *mètis*[1]. Sachez qu'il existe deux chemins pour venir à Compostelle, et ces chemins, on les prend immanquablement l'un et l'autre, et en même temps. Le premier est bien réel, il est fait de cailloux, de montagnes à gravir et de fleuves à traverser, le second est intérieur, mais il est tout autant fait d'efforts, d'embûches, qui sont des épreuves de passage, des initiations, et alors le cheminant s'élève et devient digne de recevoir ce que renferme vraiment l'ultime destination.

— Sauf votre respect, maître Diaz, tout ceci n'est qu'un beau discours : pour l'instant, je n'ai pas résolu le mystère qui m'a conduit ici.

— Vous avez résolu bien plus que cela.

— Cela ne me suffit pas !

— Tant mieux, Andreas, car votre route ne s'arrête pas là. Êtes-vous certain que Compostelle soit l'ultime destination dont je parlais à l'instant ?

— *Scio me nihil scire*[2].

1. En grec, *ruse de l'intelligence* qui fit d'Ulysse un héros.
2. *Je ne sais qu'une chose, c'est que je ne sais rien* (maxime attribuée à Socrate).

125

C'est en ce moment où Andreas se référait doctement à Socrate – encore qu'on eût pu lui reprocher de l'avoir fait en latin plutôt qu'en grec – que Robin et Aalis arrivèrent en vue du palais de Gelmírez, où ils espéraient le retrouver.

Le soir commençait à tomber, et la pluie n'avait pas cessé de le faire.

— Il a simplement dit de l'attendre ici ? demanda Aalis d'un air agacé.

— Oui.

— J'espère qu'il ne va pas être trop long !

Aussitôt qu'Aalis eut fini sa phrase, Robin lui donna un violent coup sur l'épaule qui la fit trébucher en arrière, et alors il l'emmena avec lui derrière l'un des grands chênes qui poussaient sur la grand-place.

— Qu'est-ce qui te prend ? hurla la jeune fille, qui était prête à en découdre.

— Regarde ! répliqua le rouquin tout bas, en pointant du doigt vers le palais. Ils sont là !

La jeune fille les vit aussitôt, les deux cavaliers noirs, montés sur leurs puissants chevaux.

— Mon Dieu ! lâcha-t-elle d'une voix tremblante. Qu'allons-nous faire ?

Plaqué derrière l'arbre, Robin ferma les yeux d'un air désespéré. Il se passait exactement ce qu'il avait redouté en voyant partir son maître.

— Si nous fuyons, nous risquons de rater Andreas et, partant, de ne pas pouvoir le prévenir qu'ils sont encore là.

Aalis leva la tête.

— Nous n'avons qu'à monter dans l'un des clochers de la cathédrale, proposa-t-elle. De là, nous pourrons les surveiller eux, et le voir arriver lui.

— L'idée n'est pas mauvaise, concéda l'apprenti. Quelque chose me dit, en outre, qu'ils n'oseront pas y entrer. Allons-y !

L'un derrière l'autre, ils durent faire le tour de la grand-place par le sud, tapis dans les ombres, pour ne pas se mettre en vue de leurs deux ennemis.

Après moult frayeurs, ils parvinrent enfin devant le triple portail du porche de la Gloire, à l'incroyable statuaire. Avec une sage discrétion, ils se glissèrent parmi les pèlerins, puis filèrent sur la gauche, ouvrirent une porte de bois qui n'aurait point dû l'être et montèrent rapidement l'escalier jusqu'au sommet de la tour qui surplombe le palais de Gelmírez, et qui est celle qui ne renferme point de cloches. Là, ils se hissèrent sur une plate-forme dont les quatre murs étaient percés de deux grandes ouvertures chacun, et par celles qui donnaient sur la grand-place ils virent les deux cavaliers s'éloigner lentement.

— Bon débarras, murmura Aalis.

— Ne te réjouis pas trop vite.

Pour ne prendre aucun risque, ils décidèrent de rester là tant qu'Andreas ne serait pas réapparu et, aussi bien, ils attendirent fort longtemps.

126

— On vient à Compostelle pour bien des raisons différentes, monsieur Saint-Loup. La première, bien sûr, est religieuse, mais ce n'est pas la seule, et il semble évident que ce n'est pas la vôtre. Tenez, par exemple, savez-vous que ce pèlerinage enrichit grandement l'art des bâtisseurs ? En le suivant, ceux-là découvrent certaines des plus belles réalisations des maîtres maçons à travers l'Europe, et ce faisant ils s'instruisent, et alors le savoir circule, les techniques se confrontent, s'enrichissent.

— C'est très bien, mais je ne suis pas venu ici pour apprendre à construire un arc-boutant, rétorqua l'Apothicaire.

— Certains viennent même ici pour trouver l'amour ! continua Simón Diaz sur le ton de la plaisanterie.

— Ce n'est pas mon intention non plus, dit Andreas, mais en disant cela il ne put s'empêcher de songer à Robin et Aalis, à qui il ne souhaitait rien d'autre.

— Avez-vous déjà remarqué que, entre ses murailles, la ville avait la forme d'un cœur, légèrement incliné vers l'ouest ?

— Non, répondit l'Apothicaire d'un air blasé. Et pourquoi pas d'une coquille pendant que vous y êtes ? Ce serait encore plus amusant. Je vous avoue que ces choses-là ne m'intéressent guère ; je suis un homme de science, le symbolisme ésotérique m'exaspère.

— Vous avez tort ! Il y a beaucoup à apprendre des signes que la terre nous donne, et le pèlerinage de Compostelle regorge de signes.

— Je vous crois volontiers.

— Savez-vous que le chemin de Compostelle est bien plus ancien qu'on ne le croit, et que sa tradition a été entretenue à travers les siècles bien avant qu'il ne fût un pèlerinage religieux ?

— Non, et je vous le répète : je m'en fiche.

La réponse d'Andreas eut au moins le mérite de tirer quelque sourire à son interlocuteur.

— Soit, soit... Je commence à vous connaître. Mais je vous en prie, écoutez-moi jusqu'au bout, et vous allez comprendre pourquoi je vous parle de cela.

— Je vous écoute. Il semble même que je ne sache faire que cela, depuis le début de ce voyage.

— L'Église, en s'emparant de ce pèlerinage, n'a fait que sanctifier, comme souvent, une pérégrination qui existait depuis fort longtemps. Songez que l'endroit où nous nous trouvons en ce moment même, et qui s'appelait jadis Asseconia, était un lieu de culte pour les anciens druides. Les Romains eux-mêmes y élevèrent un mausolée... Mais si je vous dis cela, ce n'est pas pour vous ennuyer, c'est seulement pour vous expliquer que le sens du pèlerinage de Compostelle n'est pas forcément celui que l'on croit, et que son actuelle désignation repose sur une imposture. Vous connaissez la légende officielle, n'est-ce pas ?

— À peu près.

— Elle a été créée de toutes pièces, il y a deux ou trois siècles seulement. D'abord, il y a ce que dit la Bible : après la mort du Christ, selon les *Actes des apôtres*, ses disciples se dispersent pour évangéliser le monde. Jacques le Majeur se charge de la péninsule Ibérique, mais il échoue. De retour à Jérusalem, confronté à la persécution des chrétiens, il est condamné à mort et décapité. Ses proches emmènent alors son corps sur un bateau, passent le détroit de

Gibraltar et dérivent… jusqu'en Galice, où l'on refuse de leur céder une terre pour l'inhumer. Mais à force de courage, les compagnons de Jacques l'emportent sur leurs ennemis et enterrent l'apôtre en un lieu secret. On raconte aussi que son cadavre, dans le bateau, eût été retrouvé couvert de coquilles.

— D'où son emblème…

— Absolument. Ensuite, il y a ce que dit la légende. Au IXe siècle eût vécu un ermite allant du nom de Pelayo et qui un jour eût reçu de Dieu la révélation de l'endroit où se fût trouvé ledit tombeau de saint Jacques : des étoiles dans le ciel se fussent mises à briller, illuminant le lieu secret. Ainsi eût été retrouvé ici même le tombeau de saint Jacques.

— Et par votre redondant emploi du conditionnel passé, alors que vous utilisâtes le présent pour relater la Bible, j'en déduis que vous ne croyez point à cette légende ?

— Comme toutes les légendes, elle est riche en enseignements et pleine de signes pour qui sait les regarder. Toujours est-il que, depuis lors, les pèlerins viennent vénérer ce tombeau comme étant celui de saint Jacques, encore qu'ils ne le voient jamais puisqu'il est gardé dans la crypte, et que celle-ci reste fermée aux visiteurs, sans exception.

— On ne voit pas le tombeau dans la cathédrale ? s'étonna Andreas.

— Non. On ne voit qu'un reliquaire ! L'histoire du tombeau est mouvementée : d'abord, à sa découverte, le roi Alphonse II fit bâtir une église autour de la sépulture, exigeant déjà que trois moines la surveillassent jour et nuit pour que nul ne l'approche. Mais l'église fut détruite par les Sarrasins en l'an 997. Par miracle, dit-on, le tombeau fut épargné, et alors on construisit sur ces ruines la cathédrale de Compostelle, que vous connaissez. Le tombeau repose à présent sous l'autel, dans la crypte, mais celle-ci, comme je vous l'ai dit, est close. Et vous devinez pourquoi.

— Dites-le-moi.

— Ce n'est pas le corps de l'apôtre Jacques qui se trouve à l'intérieur.

— On nous aurait donc menti ? ironisa Andreas.

— C'est de bonne guerre, sainte, si j'ose dire ! Tout est bon pour motiver les troupes ! Si vous saviez le nombre d'églises qui revendiquent les reliques de saint Jacques, il eût fallu que l'apôtre fît preuve d'un don d'ubiquité posthume, lequel eût, du reste, bien justifié sa béatification !

Andreas sourit au blasphème de son interlocuteur, et songea à la colère qui eût gagné Robin s'il se fut trouvé là.

— Monsieur, si l'on nous entend, je crains que nous finissions sur le bûcher.

— Ce serait pour moi une sorte d'honneur, plaisanta le gnostique.

— En ce qui me concerne, je préférerais mourir de mort lente.

— Ou ne point mourir du tout, n'est-ce pas ? Mais revenons-en aux prétendues reliques de saint Jacques. Tenez, pour votre seul pays par exemple, la tête de l'apôtre serait présente dans les reliquaires de l'église de Petite-Synthe[1], mais aussi Boulogne[2], où fut mariée la fille de votre roi Philippe, Saint-Denis, Saumur, Rabastens, Aigues-Mortes, Aire-sur-la-Lys, Arras, Cormery et Moissac.

— Avec autant de têtes, ce n'est plus un saint, c'est une hydre !

— De même, nous retrouvons ses membres – ici un bras, là une ou deux jambes – à Châteauneuf-en-Thymerais, Vierzon, Grez, Nevers, Langres, Vézelay et Le Puy-en-Velay – qui est d'ailleurs le point de départ de l'un des itinéraires vers Compostelle.

— Maintenant c'est une pieuvre !

---

1. Saint-Pol-sur-Mer.
2. Boulogne-sur-Mer.

— Et son corps serait – tenez-vous bien – à la fois à Paris, Provins, Troyes, Auxerre, Sallanches, Dournazac, Saint-Jean-de-Maurienne, Pecquencourt, Corbie, Saint-Fiacre, Chartres, Le Mans, et, bien sûr, au Mont-Saint-Michel ! Quant aux poils de sa barbe, on ne les trouve qu'à Saint-Algis, ce qui rend la chose fort suspecte à mes yeux ! Comment se fait-il qu'on en ait retrouvé si peu ?

Les deux hommes rirent ensemble.

— J'espère que, dans le lot, il y a au moins un os qui fût de ce pauvre apôtre éparpillé ! s'exclama Andreas.

— Ah ! s'il fallait toujours croire ce que nous dit l'Église ! Vous savez, la légende de Compostelle s'appuie sur un livre, le *Codex Calixtinus*, qui eût été écrit en 1140.

— Sans doute, je le sais.

— Son ouverture – c'est fort drôle – est à mes yeux un aveu criant de son inexactitude. Je vous la cite de mémoire : « *Si veritas a perito lectore nostris voluminibus requiratur, in hujus codicis serie, amputato esitationis scrupulo, secure intelligatur. Que enim in eo scribuntur, multi adhuc viventes vera esse testantur*[1]. » N'est-ce pas là l'aveu d'un auteur qui sait d'avance qu'il va livrer à ses lecteurs une considérable somme de mensonges ?

— Cela y ressemble, concéda l'Apothicaire en souriant.

— C'est une fâcheuse habitude de l'Église que de vouloir user de la crédulité de nos contemporains, mon ami. Tenez, sans vouloir trop en faire, voici entre autres (car je ne connais pas la liste exacte) ce qu'il y aurait dans le reliquaire de la cathédrale de Saint-

1. *Si le lecteur instruit recherche la vérité dans nos ouvrages, qu'il aborde ce livre sans hésitation ni scrupule, il est assuré de l'y trouver, car le témoignage de bien des gens encore vivants atteste que ce qui y est écrit est vrai.*

Jacques-de-Compostelle : la tête de saint Jacques le Mineur (qui n'est pas celui dont nous parlons ici, mais qui eût été le frère du Christ, sinon son jumeau), des reliques de saint Antoine, de saint Mathias, de saint Brice, de saint Janvier et de bien d'autres saints dont le nom m'échappe, une grande pièce de bois de la Vraie Croix, le gosier de sainte Novelle, mais aussi celui de sainte Gaudence, une épine de la couronne du Christ, une goutte du lait de la Sainte Vierge (qui ne doit plus être de toute première fraîcheur, on en consent), une partie du vêtement de saint Jacques (le nôtre cette fois-ci), la moitié d'un bras de sainte Marguerite, la tête de saint Victor et celle de sainte Pauline, un os du pape Clément, huit têtes des onze mille vierges martyrisées à Cologne avec sainte Ursule...

— Diantre ! Mais où sont les dix mille neuf cent quatre-vingt-douze autres têtes ?

— Sans compter, bien sûr, le corps entier, en son invisible tombeau, de notre pauvre apôtre ubiquitaire.

— Et donc, selon vous, ce n'est pas lui... Homme de peu de foi ! railla Andreas. Mais alors, qui est dans ce tombeau ? Est-ce au moins un authentique tombeau ?

— Absolument. Mais il n'est pas celui de saint Jacques.

— De qui, alors ?

Le gnostique fit un sourire malicieux.

127

— C'est ridicule ! Nous n'allons pas attendre ici toute la nuit ! se plaignit Aalis alors que les derniers pèlerins avaient quitté la cathédrale depuis longtemps déjà.

Assis l'un à côté de l'autre sur le plancher de bois de la plateforme, tout en haut du clocher, ils n'avaient pas bougé depuis qu'ils étaient montés ici.

— Et pourquoi pas ? Au moins, nous sommes à l'abri de la pluie !

— Il ne pleut plus, imbécile ! Regarde ! On voit même les étoiles !

Robin se pencha par-dessus la jeune fille, regarda par l'une des grandes ouvertures et constata que le ciel s'était dégagé, par la grâce du vent qui venait de l'océan.

— Mais que fait-il, bon sang ? maugréa la jeune fille.

— Il finira bien par arriver, ne t'inquiète pas, dit le rouquin en posant une main qui se voulait rassurante sur l'épaule d'Aalis.

La jeune fille secoua le bras pour le repousser.

Robin bascula la tête en arrière et l'appuya contre le mur de pierre. Les yeux rivés sur la voûte du clocher, il chercha quelque chose à dire. Quelque chose de touchant, ou de drôle, ou de profond, une phrase qui eût pu le servir, une formule magique en cet instant où il eût tant aimé s'approcher de sa voisine. Depuis tout le temps qu'il était assis là, auprès d'elle, il avait plusieurs fois hésité à franchir ce pas qu'il n'arrivait pas à faire. Mais comment s'y prendre ? L'effleurer discrètement de la main ? Ou bien poser celle-ci franchement sur son bras ? L'embrasser sans rien dire ? Pouvait-on faire ces choses-là sans en avoir parlé ? Comment devait-on faire ? Ou bien fallait-il attendre un instant plus favorable ? Ce moment que, dans les jeux de l'amour, on nomme l'heure du berger et où l'amant trouve sa chance. Mais Aalis semblait tellement intouchable !

Ah ! Si seulement il avait eu l'aisance d'un Andreas, celui-là qui, en un soir, avait su conquérir cette trobairitz ! Mais était-ce vraiment ce qu'il désirait ? Ne partager avec Aalis que la passion d'une nuit ?

Portant la main à sa bouche, il feignit un bâillement, faute de mieux. Puis, lentement, il laissa sa tête glisser sur le côté, par à-coups, en direction de l'épaule d'Aalis, rougissant intérieurement de la lâcheté ridicule de son approche.

Et puis soudain, alors qu'il était sur le point de la toucher, un bruit résonna en bas de la tour qui les fit sursauter tous les deux ; un claquement sec, comme celui d'une porte qui se ferme brusquement.

— Qu'est-ce que c'était ? demanda Aalis, les yeux écarquillés.

L'apprenti porta son index à la bouche pour l'inviter à se taire, car à présent des bruits de pas s'élevaient entre les murs froids du clocher.

— Ne restons pas là ! chuchota la jeune fille.

— Et où veux-tu que l'on aille ? rétorqua Robin. Il n'y a pas d'autre issue !

Les yeux rivés sur la trappe par laquelle ils étaient arrivés, ils s'efforcèrent de ne faire aucun bruit, car la voûte au-dessus d'eux faisait une caisse de résonance.

— Après tout, c'est peut-être Andreas, chuchota Robin comme pour se rassurer lui-même.

Mais ce n'était pas lui.

128

— Qui est dans ce tombeau ? répéta l'Apothicaire.

— Nous avons notre théorie.

— De grâce, abrégez le mystère !

Simón Diaz se redressa sur son fauteuil et prit un air plus grave avant de se lancer :

— Il vécut au IVe siècle un évêque, en la ville d'Ávila (qui est en Castille, au sud d'ici) et qui allait du nom de Priscillien. Il était certainement l'un des plus grands gnostiques chrétiens après Simon le Magicien, et il fut en tout cas le premier chrétien à avoir été condamné à mort et exécuté pour hérésie.

— Ce qui, bien sûr, vous le rend éminemment sympathique.

— Sans trop pouvoir vous en révéler, disons que son enseignement était très proche de celui de la *schola gnosticos*. Selon lui, seule l'âme est l'œuvre du vrai Dieu ; le corps et la matière étant celle du principe du Mal. De même, il considérait – et vous allez bientôt comprendre l'importance de la chose – que les étoiles et le Zodiaque déterminent la destinée de l'âme. Cela fit de lui un hérétique, ainsi que son habitude à abandonner l'Église pour des retraites en campagne, et sa bienveillance envers les femmes, auxquelles il autorisait de prêcher et qu'il traitait comme égales de l'homme.

— Le vilain !

— Il est condamné une première fois au concile de Saragosse, en 380. Exilé, il se rend à Rome pour obtenir une grâce du pape Damase Ier, qui la lui refuse. Puis il est condamné une seconde fois, et malgré le soutien de saint Martin de Tours il est exécuté en l'an 385. Or... Devinez où il fut enterré ?

— Eh bien... Dans un joli tombeau que l'on donne aujourd'hui pour être celui de saint Jacques, je suppose ?

— Celui-là même. Après sa mort, Priscillien fut honoré en martyr à travers toute la Galice et le nord du Portugal, et son enseignement donna naissance à une école hérétique que l'on nomme priscillianisme. C'est pour étouffer cette hérésie que l'Église aurait décidé de remplacer le culte de Priscillien par celui de saint Jacques.

— Et donc de lui voler son tombeau.

— Tout juste.

— C'est une histoire édifiante, dit Andreas sans véritable enthousiasme. Mais pourquoi me dites-vous tout cela ?

— Patience, monsieur Saint-Loup ! Patience ! Maintenant, si vous le voulez bien, parlons un peu du nom que porte la ville de ce pèlerinage : Compostelle, à savoir *Campus Stellae*, le champ de l'étoile. Dans la version officielle, il s'agirait d'une référence à la manière dont eût été trouvée la sépulture de saint Jacques, comme je vous l'ai raconté : grâce à une étoile brillant au-dessus d'un champ.

— Cela semble logique. Étymologiquement, c'est pertinent.

— Le problème, voyez-vous, c'est que le mot Compostelle est antérieur à la date à laquelle eût été trouvé ce fameux tombeau. Non pas pour désigner la ville, dont le véritable nom, d'ailleurs, est Saint-Jacques-en-Galice, mais bien pour le pèlerinage, dont je vous disais tout à l'heure qu'il était plus ancien qu'on ne le prétend. Et maintenant, vous allez comprendre.

— Espérons-le.

— La tradition de ce pèlerinage, qui fait un écho surprenant aux enseignements de Priscillien, consistait à donner une identité terrestre aux voies célestes, c'est-à-dire à représenter sur terre le parcours de l'âme, qui, selon Priscillien, était déterminé... par les étoiles. Le chemin de Compostelle, c'est une projection du cosmos sur la terre.

— J'ai bien peur de ne plus vous suivre, maître Diaz.

— C'est que, comme vous me l'avez dit, vous n'êtes point sensible au symbolisme ! Mais je vais vous dire la chose simplement : pour nous, gnostiques, le salut de l'homme – qui doit se libérer de la condition physique dans laquelle nous enferme le dieu mauvais – consiste à retrouver son origine céleste.

En cet instant, Andreas se remémora les paroles de maître Eckhart, quand il lui avait livré à Paris sa définition du gnosticisme : « *Pour les gnostiques, le monde sensible a été créé par une puissance mauvaise, qu'ils appellent* démiurge. *Ce démiurge cache l'existence du Dieu transcendant et bon, qui est la source du monde spirituel. La gnose a pour objet les mystères du monde divin et des êtres célestes. Elle prétend révéler à ses seuls initiés le secret de leur origine et les moyens de la rejoindre.* »

— Ainsi, continua Diaz, la tradition du pèlerinage symbolise sur terre le parcours céleste de l'âme. Or, vous le savez peut-être, dans toutes les traditions, le chemin des origines est toujours dirigé vers l'ouest.

— C'est le parcours que fait le soleil.

— En effet. Et c'est aussi celui de Compostelle, n'est-ce pas ? Quant au choix de la Galice, qui est la région la plus à l'ouest de ce pays, face à la mer, certains la nommaient *Finis Terra*, car on supposait que la terre s'y terminait. En somme, et pour conclure, le pèlerinage de Compostelle est une représentation du périple de l'âme vers la fin du monde physique, vers la mer des grandes origines, et donc vers l'Éden. La fin rejoint enfin le commencement.

Andreas fit une moue perplexe.

— Diantre ! Que voilà une fantasque démonstration ! Mais encore une fois, pourquoi me parlez-vous de tout cela, à la fin ?

— Car vous dites ne pas savoir ce que vous êtes venu chercher à Compostelle, Andreas, et que je veux vous aider à le trouver.

— Ne serait-il pas plus simple et plus rapide de me dire à qui Velázquez avait acheté sa boutique ?

Le gnostique poussa un soupir.

— Cela, je ne puis le faire, et vous le savez bien.

— Vous dites vouloir m'aider...

— Qu'êtes-vous venu chercher, Andreas ?

— Une personne qui n'existe pas.

— Et savez-vous comment la trouver ?

— Non.

— Allons !

— Eh bien, céda l'Apothicaire, je suppose qu'il faut que je trouve votre fameux livre...

Diaz retrouva son sourire.

— Monsieur Saint-Loup, on le sait aujourd'hui : la Galice n'est pas la *Finis Terra*. Le monde est bien plus vaste. Aussi, votre périple n'est pas terminé. Au contraire : tout commence ici.

— Et où dois-je donc me rendre ? soupira l'Apothicaire.

— Cela, ce n'est pas à moi de vous le dire.

— Mais à qui donc ?

— À Priscillien, bien sûr !

Andreas se prit la tête entre les mains.

— Vous voudriez que je pose la question à un évêque du IVe siècle, pour qu'il me réponde du fond de sa sépulture ?

Diaz sourit de nouveau, puis, d'une voix cérémoniale, avec une lenteur exagérée, il énonça :

— *Tandem hora noctis lucis, veritatem venit ad virum qui viderit Priscilliani sepulcrum*[1].

L'Apothicaire écarquilla les yeux.

— Qu'est-ce que c'est que ce galimatias ?

— Je n'ai rien d'autre à vous dire, monsieur Saint-Loup. Si vous m'avez bien écouté, vous savez tout ce que je puis vous apprendre. Maintenant, partez, suivez votre chemin.

— Encore ! Vous autres gnostiques avez cette fâcheuse et discourtoise habitude de terminer vos entretiens de la façon la plus abrupte qui soit !

— Quand tout a été dit, il ne sert à rien de parler davantage. Je ne puis plus rien vous dire pour vous aider.

— Dites-moi au moins cela : le *Shatirum* est censé avoir été écrit plus de trois mille ans avant Jésus-Christ...

— En effet.

— Priscillien est mort au IVe siècle.

— C'est exact également.

— Comment pourrait-on retrouver la trace d'un livre plusieurs fois millénaire sur un tombeau qui ne l'est qu'une seule fois ?

— Monsieur Saint-Loup, ce qu'il y a sur le tombeau de Priscillien n'est qu'un indice parmi bien d'autres, laissés par les maîtres gnostiques à travers l'histoire. Allons, vous finirez par comprendre. En revanche...

L'homme se leva, se dirigea vers l'une de ses bibliothèques et en sortit un volume qu'il tendit à Andreas.

— Tenez, vous en aurez besoin. Certes, ce n'est pas le livre que vous cherchez, dit-il sur le ton de la plaisanterie, mais celui-là vous aidera à le trouver.

---

1. *À la dernière heure d'une nuit claire, la vérité vient à l'homme qui se penche sur le tombeau de Priscillien.*

129

La trappe s'ouvrit brusquement et, dans la pénombre du clocher, apparut la grosse tête d'un homme avec le cheveu hirsute, les sourcils épais, un nez large et cassé, une bouche charnue et un menton carré. L'intrus poussa une sorte de grognement de surprise en apercevant les deux jeunes gens, puis il se hissa sur la plateforme, et alors on vit qu'il était grand, et large, et fort, et qu'il avait une allure de sauvage. Il portait un rochet blanc sur une soutane noire, ce qui est l'habit des bedeaux, ces hommes que l'on emploie pour assurer le bon ordre et l'entretien des églises.

Dans la main droite il tenait une lampe à huile qu'il leva devant lui pour éclairer la plateforme. Lors, les murs et le sol s'allumèrent de jaune, et Robin et Aalis apparurent plus clairement. La tête penchée, le colosse avisa un long moment les deux adolescents qui, immobiles, étaient encore assis par terre et le regardaient eux aussi, terrifiés. Puis en faisant un geste de la tête, il grogna quelque chose en galicien, que ni Robin ni Aalis ne purent comprendre.

— Nous... nous sommes désolés monsieur, nous... nous allons partir, bredouilla bêtement Robin en se levant et en tendant la main à la jeune fille pour qu'elle en fasse autant.

Le bedeau redressa la tête, et une sorte de sourire se dessina sur ses lèvres, mais de ces sourires qui ne présagent rien de bon.

— Nous partons, répéta Robin en montrant la trappe du doigt et en avançant timidement sur le côté, tirant Aalis par la main.

Mais le bedeau gronda plus fort et, d'un air menaçant, fit deux pas en avant, ce qui eut pour effet immédiat de faire reculer nos deux compagnons. Malheureusement, ils n'avaient que peu de débattement derrière eux, et ils furent bientôt acculés dans le coin de la pièce.

Le vent nocturne faisait un sifflement aigu en s'engouffrant par les quatre ouvertures autour d'eux.

L'homme, dont les yeux semblaient n'avoir cessé de grandir depuis qu'il était monté sur la plateforme, tendit le bras vers Robin et l'agita vers la droite, indiquant sans doute qu'il voulait que celui-ci se pousse. La main d'Aalis se crispa sur l'épaule de l'apprenti.

— Ne me laisse pas ! murmura-t-elle.

La jeune fille, d'ordinaire si courageuse, avait reconnu dans les yeux de cet homme un regard qu'elle ne pouvait pas oublier et qui lui glaçait le sang. C'était celui de François, à Béziers, et du vicomte de Béarn.

Comme enflammé par la détresse dans la voix de la jeune Occitane, Robin glissa devant elle et, d'un air autoritaire, gonflant la poitrine :

— Laissez-nous passer, maintenant !

Pour toute réponse, il reçut une vigoureuse claque en pleine figure, sans même la voir arriver, et elle fut si forte qu'il se retrouva au sol, hébété, la mâchoire en feu.

Aalis, qui avait d'abord poussé un cri de surprise, fut soudain envahie par une rage folle, qui la dépassa. Le visage transformé par la colère, elle se précipita en avant et tenta de frapper l'homme à son tour. Mais l'attaque était très désordonnée et il para le coup sans peine, lui bloqua le poignet et la repoussa brutalement en arrière, si bien qu'elle se retrouva par terre elle aussi.

L'homme était une véritable force de la nature, une sorte d'ours trapu, et ses bras, en effet, étaient aussi puissants que ceux d'une bête.

Robin, sonné, tenta de se relever, mais déjà le bedeau lui tombait dessus : il attrapa le rouquin par les cheveux, le traîna à travers la pièce et le projeta violemment contre le mur opposé.

Le front de l'apprenti cogna si fort sur la paroi qu'il perdit aussitôt connaissance et s'écroula comme une poupée de chiffon, la figure maculée de sang.

L'homme se retourna vers Aalis et, comme il la regardait, les traits de sa figure se déformèrent vilainement.

La jeune fille, qui était toujours par terre, recula aussi loin qu'elle le put et se recroquevilla contre le mur du clocher, mais c'était sans espoir, et elle dut le comprendre car elle se mit à sangloter.

L'horrible bedeau baragouina encore quelques phrases en galicien, puis il s'avança et l'attrapa elle aussi par les cheveux, tirant dessus pour la forcer à se relever. La jeune Occitane se débattit tant qu'elle put, jouant des jambes et des bras, s'arc-boutant, se cambrant, mais son adversaire était si fort qu'elle ne parvint même pas à le faire reculer d'un pas.

Lors, tout s'accéléra. Avec une monstrueuse frénésie, il la souleva et la retourna d'un coup, puis d'une main il la plaqua contre le mur alors que de l'autre il lui baissait ses chausses.

Aalis, le visage écrasé contre la pierre, se mit à hurler, et elle hurla plus fort encore quand elle sentit soudain le monstre qui lui léchait la nuque et se collait dans son dos.

Rassemblant tout son courage, elle tenta de se libérer, mais c'était peine perdue, et cela n'eut pour résultat que de déclencher un rire lubrique dans la gorge du bedeau qui, à présent, avait glissé une main sous sa chemise et lui pressait un sein avec fièvre. Aalis poussa un cri de douleur et d'horreur, et elle ferma les paupières de toutes ses forces, comme si cela eût pu faire disparaître cette terrible réalité. Mais le monstre s'agitait de plus en plus convulsivement derrière elle.

Comme elle résistait, il lui porta un rude coup de paume sur la tempe. Abasourdie, Aalis vit s'allumer mille étoiles dans ses yeux.

Et puis, tout à coup, elle entendit un vacarme immense, se sentit emportée sur le côté, et elle s'étala sur le sol alors que, du coin de l'œil, elle vit le colosse basculer par l'une des ouvertures du clocher. Robin, debout devant elle, l'avait fait chavirer en lui fonçant dessus comme un bélier. Les pieds écartés, le dos droit, tous les muscles tendus, il avait les yeux écarquillés et fixait la fenêtre devant lui d'un air hagard. L'instant d'après, le corps du bedeau fit un bruit sourd et terrifiant d'os brisés en s'écrasant au pied de la cathédrale.

Aalis, qui hoquetait, et tremblait, et pleurait, et saignait, remonta ses chausses sur ses jambes puis se recroquevilla, plongeant son visage dans ses bras.

Lors Robin reprit ses esprits et se pencha lentement vers elle. Avec des gestes doux, il l'attrapa par-dessous les épaules et l'obligea à se relever. L'aidant à se maintenir debout, il la serra dans ses bras. La jeune fille, secouée de spasmes, le serra plus fort encore, la tête collée dans le creux de son épaule.

— Viens. Nous ne pouvons pas rester là, murmura Robin en lui caressant le crâne.

130

Sur le trajet qui devait le mener au palais de Gelmírez, Andreas, marchant vite et dans les ombres pour ne point se faire voir, fut assailli par les pensées contradictoires que lui inspirait la longue conversation qu'il venait d'avoir.

Une fois de plus, il allait devoir choisir entre le chemin insensé qu'on l'incitait à prendre et le renoncement. Et une fois de plus, bien sûr, il allait choisir la voie la plus folle, celle qui consistait à vérifier une théorie à laquelle il ne pouvait pas croire, car au fond, il n'avait pas d'autre choix. Du moins essayait-il de se convaincre qu'il n'avait pas d'autre choix, quand son amour pour Thomas d'Aquin eût pourtant dû le pousser à penser que la volonté, l'*appetitus intellectualis*, est toujours libre, et qu'elle est en outre le plus grand pouvoir de l'homme.

Nous dirons donc qu'il choisit de ne pas avoir le choix, et se résolut à continuer la quête dans laquelle l'avait guidé la *schola gnosticos*.

Ainsi, il songea à la phrase énigmatique de Diaz : « *À la dernière heure d'une nuit claire, la vérité vient à l'homme qui se penche sur le tombeau de Priscillien.* » Signifiait-elle qu'il devait aller voir le tombeau caché dans la crypte de la cathédrale ? Mais cette crypte, comme de bien entendu, était fermée aux visiteurs (et probablement bien gardée). Il allait donc falloir trouver un moyen d'y pénétrer, et pas n'importe quand, en outre, mais « *à la dernière heure d'une nuit claire* ».

Avant même de penser à ce qu'il ferait, il devait retrouver Robin et Aalis devant le palais de Gelmírez, en espérant qu'ils ne se seraient pas lassés de l'attendre.

L'Apothicaire traversa toute la ville, s'arrêtant à chaque coin de rue pour vérifier d'un coup d'œil que les deux cavaliers noirs n'étaient pas là à l'attendre, et bientôt il arriva en vue de la cathédrale.

Son estomac se noua quand, comme l'après-midi sur la place Quintana, il vit un nouvel attroupement qui s'était formé sur le parvis, et aussitôt il songea à son apprenti et à la jeune Occitane. À cette heure, pour que tant de monde se fût regroupé là, c'était certainement qu'il s'était passé quelque chose de grave. Il se trouva alors tiraillé entre l'envie de courir pour s'assurer que rien n'était arrivé à Robin et Aalis, et la peur de se faire remarquer ce faisant, car les cavaliers noirs n'étaient sûrement pas loin.

Voyant un vieil homme qui s'écartait de la foule d'un air dépité, Andreas s'arrangea pour venir à sa rencontre.

— Que se passe-t-il ? demanda l'Apothicaire.

— C'est une abomination, monsieur. Une abomination ! Le bedeau de la cathédrale est tombé du haut du clocher. Il est mort.

— On l'a poussé ?

L'homme haussa les épaules.

— Qui sait ? Il était fou, il s'est peut-être tué lui-même. Ou alors il aura été tué par quelque personne avec qui il se sera mal comporté. Il avait de vilaines paroles et de vilaines pensées. Je ne serais pas étonné d'apprendre qu'il était un hérétique. Ou bien alors, c'est l'œuvre du diable.

— L'œuvre du diable ?

— Cet après-midi, un marchand de la place Quintana a été assassiné d'une atroce manière. Deux morts abominables dans la même journée ! Oui, Seigneur ! C'est cela ! Cette ville est possédée par le démon, monsieur, et cela depuis la mort de l'archevêque Gonzalez ! Ah lui, c'était un saint homme ! Un dominicain ! Il était le confesseur du roi, vous savez ? On l'appelait le Savant. Un saint homme, je vous dis !

— Et son successeur ?

— Monseigneur Rodrigo del Padrón ? Un imbécile ! Et bien sûr, il n'est pas en ville en ce moment ! Nous voilà livrés à nous-mêmes ! Livrés au démon ! Que Dieu nous garde ! s'exclama l'homme en s'éloignant, terrifié par ses propres paroles.

— Que Dieu nous garde ! répliqua Andreas, qui riait intérieurement.

Non seulement il n'était rien arrivé à Robin et Aalis mais, en sus, ce qu'il venait d'apprendre lui avait donné une ingénieuse idée pour accomplir son dessein.

Contournant rapidement le parvis de la cathédrale, il se rendit du côté du palais de Gelmírez, mais nulle part il ne vit les deux jeunes gens. Approfondissant ses recherches tout autour du palais, il se laissa rapidement gagner par l'inquiétude, car ils n'étaient point là, et quand il eut attendu encore longtemps sans les voir, son inquiétude se mua en épouvante.

Que faire ? Attendre ici ? Les chercher dans toute la ville ? C'était le meilleur moyen de se faire remarquer. Non. Il devait faire confiance à Robin et Aalis. Il avait tardé à venir, les deux adolescents avaient sûrement jugé préférable de ne pas rester ici toute la nuit. Il reviendrait là le lendemain.

La nuit était très avancée quand il se résolut à partir, mais avant cela, il ramassa une pierre sur le sol, s'assura que personne ne l'observait et sur le bas du mur de la façade du palais, il grava un caducée. Robin comprendrait.

Sans plus attendre, il traversa la ville une nouvelle fois, retournant sur ses pas, et retrouva la maison de Simón Diaz, à la porte duquel il frappa malgré l'heure tardive.

L'homme, qu'il avait sorti de son sommeil, vint lui ouvrir de mauvaise grâce.

— Que faites-vous là ? dit-il de méchante humeur. Je vous ai dit que je n'avais plus rien à vous dire ! Vous allez m'attirer des ennuis !

— Vous avez aussi dit que vous vouliez m'aider à trouver ce que je cherchais.

— J'ai fait ce que j'avais à faire. Vous devez maintenant agir seul. Sinon, vous direz de nouveau que nous vous avons manipulé. En outre, votre quête n'aura de sens que si vous l'avez accomplie seul, monsieur Saint-Loup ! Ayez le courage de...

— Je vous promets de ne plus vous poser de question, le coupa Andreas. Mais je suis seul en cette ville, et je vais avoir besoin de plusieurs choses pour accomplir ce que vous m'invitez à accomplir.

— Et quoi donc ?

— Eh bien... D'abord, un endroit pour dormir cette nuit. Vous savez comme moi que les hommes qui sont responsables de la mort de votre ami me cherchent moi aussi...

— Vous ne serez pas plus en sécurité ici que n'importe où ailleurs. Au contraire... Un jour ou l'autre, les *Mal'achim* finiront par venir chez moi aussi.

— Une nuit seulement...

L'homme acquiesça en soupirant.

— Merci, maître Diaz ! Et ensuite, il me faudrait quelques ustensiles... Oh ! rien de bien extraordinaire : une plume, de l'encre, un parchemin, et un déguisement.

— Un déguisement ? Et en quoi donc voulez-vous vous déguiser ?

— En inquisiteur ! répondit malicieusement Andreas.

131

Il était si tard qu'ils n'avaient aucune chance de trouver une auberge où dormir ; en outre, ne parlant pas le galicien, la chose se fût sans doute révélée compliquée. Aussi, Robin et Aalis, après s'être éloignés de la cathédrale, optèrent-ils pour un ancien *hórreo* – ces longs greniers de bois rectangulaires qui reposent sur des piliers afin de les maintenir à l'abri des rats et de l'humidité et où, depuis l'époque romaine, on conservait en ce pays le maïs et les fèves.

S'étant hissés à l'intérieur en prenant garde à ce que personne ne les vît, ils trouvèrent de nombreux sacs de toile dont ils se couvrirent tous les deux en s'allongeant sur un tas de paille, et Aalis, qui pleurait encore un peu, se blottit contre l'apprenti.

Ils étaient éreintés l'un et l'autre, Robin était blessé au visage, mais après les aventures qu'ils venaient de vivre, aucun des deux ne put trouver le sommeil.

— Pourquoi les hommes sont-ils ainsi ? murmura soudain la jeune Occitane comme si elle se fût parlé à elle-même.

Elle avait les yeux grands ouverts, malgré la pénombre, et fixait le toit de leur cabane de bois.

— Que veux-tu dire ?

— Ce que cet homme a voulu me faire tout à l'heure, c'est... c'est la troisième fois que cela m'arrive.

— Oh ! Mon Dieu ! Je... je suis désolé...

— Pourquoi les hommes sont-ils ainsi ? répéta-t-elle.

— Tous les hommes ne sont pas comme ça, Aalis, tu le sais bien.

— Parfois, je me demande...

— Penses-tu cela d'Andreas et de moi ?

La jeune fille ne répondit pas.

Après un long moment de silence, pendant lequel Robin, sans vraiment y songer, avait tendrement caressé le front de la jeune fille, Aalis déclara soudain :

— Peut-être est-ce ma faute.

— Pourquoi dis-tu cela ?

— J'ai tué mes parents.

Robin tourna lentement la tête vers elle.

— Je sais, Aalis, je me souviens. Mais je ne vois pas le rapport...

— Eh bien, c'est sans doute pour cela qu'il m'arrive toutes ces choses. C'est la punition que Dieu m'inflige. Je l'ai méritée.

— Allons ! Ce n'est pas ainsi que cela fonctionne, Aalis, et tu ne mérites aucune punition. Je te connais, maintenant, tu as le cœur bon, et Dieu le sait certainement, lui aussi, car il sait tout.

— Alors pourquoi me punit-il ainsi ?

— Ce n'est pas Dieu qui te punit, ce sont ces hommes-là qui sont des bêtes... et eux, sans doute, seront châtiés. Le monde est ainsi, Aalis. Il est dangereux pour une fille de ton âge qui voyage seule... Surtout quand... surtout quand elle est aussi belle.

Aalis esquissa son premier sourire de la soirée.

— Seriez-vous en train de me faire du charme, monsieur Meissonnier ?

— Non ! se défendit l'apprenti, heureux que le rouge qui venait de monter à ses joues ne pût se voir dans les ombres. Non... Ce que je veux dire, c'est que... tu es belle... et... comment dire ? Certains hommes, qui n'ont pas de morale... eh bien...

Aalis se tourna vers lui à son tour.

— Toi aussi, tu as le cœur bon, murmura-t-elle.

— J'essaie de suivre l'exemple de mon maître, qui, même s'il se donne parfois l'apparence d'un homme dur, est l'homme le plus généreux que je connaisse.

— Il est compliqué, dit la jeune fille.

— Pas autant qu'il veut le faire croire...

Aalis sembla réfléchir.

— Promets-moi de ne pas lui dire ce qu'il s'est passé ce soir. Je ne veux pas qu'il le sache.

— Je te promets.

— Merci. Et merci de... merci de m'avoir sauvée.

Et alors elle l'embrassa chastement sur le front.

— Essayons de dormir, à présent. Demain, nous irons retrouver cet homme compliqué.

132

Après avoir passé la matinée à fomenter son plan, Andreas se rendit au palais de Gelmírez vêtu comme un dominicain, avec tunique et scapulaire blancs savamment imités. Il portait sur la poitrine une large croix de bois, et sa calvitie se prêtait parfaitement au déguisement.

Debout devant le palais dans sa tenue de cénobite, il attendit un moment pour voir si Robin et Aalis n'étaient point là à l'attendre mais, à sa grande inquiétude, il ne les vit nulle part. Le caducée qu'il avait gravé sur le mur du palais était toujours visible. Il hésita. Devait-il abandonner son plan et se mettre tout de suite à la recherche des deux adolescents ? La chose était risquée : les traquer à travers la ville était le meilleur moyen de se faire repérer par les deux cavaliers noirs, dont il était absolument certain qu'ils n'avaient pas quitté Compostelle ; en outre, le subterfuge qu'il avait préparé ne pouvait pas attendre : s'il avait une chance de réussir, c'était aujourd'hui même.

Ainsi, non sans remords, il se décida à entrer dans la partie du palais où se trouvaient les quartiers de l'archevêché, et espéra que les deux jeunes gens, rassurés par le caducée, l'attendraient encore jusqu'au lendemain.

— Conduisez-moi auprès du chanoine de la cathédrale, dit-il au clerc qui l'accueillit à l'entrée, en forçant délibérément son accent français.

En l'absence de l'archevêque, le chanoine était le membre du clergé qui avait la plus haute autorité sur Compostelle.

— Puis-je vous demander pour quelle raison vous voulez le voir ? demanda le jeune homme, étonné.

— Non, vous ne pouvez pas, répondit sèchement Andreas.

— Avez-vous demandé une audience, mon frère ?

— Je suis ici sur ordonnance pontificale et je vous conseille de faire vite, car ma patience a déjà été éprouvée par un fort long voyage.

Le clerc ne se le fit pas dire deux fois et, quelques instants plus tard, il revenait avec l'abbé Diego Muñiz, chanoine de la cathédrale et membre honorifique de l'ordre de Santiago[1], qui était vêtu d'un surplis à grandes manches toutes froissées.

— Que puis-je pour vous, frère prêcheur ? demanda le chanoine avec une note de condescendance dans la voix.

Les frères de l'ordre de Santiago, qui était militaire, comme l'avait été celui du Temple, avaient très peu d'amitié pour les dominicains, et celui-là entendait bien le faire savoir.

— Je ne suis pas ici en tant que frère prêcheur, père abbé, mais en ma qualité d'Inquisiteur pontifical, sur ordonnance du Très Saint-Père Clément V, *Domnus Apostolicus,* souverain pontife en Avignon, répliqua Andreas d'un air dédaigneux, tout en prenant à sa ceinture un parchemin qu'il tendit négligemment au chanoine.

Celui-ci, d'abord dubitatif, blêmit en lisant le texte, qui était court mais éloquent. L'ordonnance – qui à l'évidence était un faux élaboré avec soin par Andreas lui-même – stipulait que le Très Saint-Père avait délégué son autorité au porteur de la lettre, entendu le frère

1. L'ordre de Santiago, ou de Saint-Jacques-de-l'Épée, était un ordre militaire et religieux catholique créé en 1160 en Galice.

dominicain Thomas Roquesec (dont le lecteur se souvient peut-être que c'était le nom d'emprunt déjà utilisé par l'Apothicaire en la ville d'Étampes, et qui était une référence cachée à Thomas d'Aquin), pour juger toutes les questions relatives à la foi en Galice ; en somme, qu'il lui avait attribué la fonction d'Inquisiteur pontifical.

Ladite fonction, qui était bien plus élevée que celle d'Inquisiteur épiscopal, était une juridiction d'exception par laquelle l'Inquisiteur devenait provisoirement représentant direct du souverain pontife, et donc de son autorité. Dans le cadre de leur mission, les frères à qui l'on confiait cette charge (et qui étaient presque toujours dominicains, et parfois franciscains), étaient relevés de leurs vœux d'obéissance envers leurs supérieurs. En d'autres termes, ils avaient tout pouvoir, toute puissance, et on a vu avec quelle délicatesse certains usaient de ce privilège.

— Comment se fait-il que vous ne soyez pas accompagné d'une délégation et que nous n'ayons pas été prévenus de votre arrivée ? demanda l'abbé Muñiz, qui avait toutefois bien perdu de sa superbe.

— Parce que, précisément, cette visite ne devait pas être connue d'avance, père abbé, et que la mission dont on m'a chargé exige la plus grande discrétion et le plus grand secret. Mais en quoi cela vous dérange-t-il ? Auriez-vous quelque chose à cacher ?

Le lecteur devine sans doute avec quelle délectation l'irréligieux Andreas se prêtait à la supercherie. L'idée seule de mimer un accent français bien plus marqué que celui qu'il avait en réalité l'enchantait déjà considérablement, et cela faisait bien longtemps qu'il ne s'était pas autant amusé.

— Non, bien sûr… Mais Mgr Padrón est absent, et sans doute eût-il préféré vous recevoir lui-même, dignement, selon le protocole.

— L'absence de l'archevêque fait partie des conditions requises pour ma mission. Je ne suis pas là pour le protocole.

Le chanoine fronça les sourcils.

— Puis-je savoir ce qui motive cette ordonnance pontificale ?

— Il me revient d'enquêter sur la dégradation notable du chapitre de Compostelle depuis la mort de Mgr Gonzalez, votre ancien et regretté archevêque.

— La dégradation ? s'offusqua l'abbé.

— Niez-vous que, dans la seule journée d'hier, ce quartier fut le théâtre de deux terribles assassinats ? L'un commis sur un honnête marchand d'articles religieux et l'autre, au cœur même de la cathédrale, sur la personne d'un bedeau ?

L'abbé Muñiz se mordit les lèvres d'un air embarrassé.

— Mais enfin, ces meurtres ont eu lieu hier seulement, vous ne pouviez point le savoir quand vous partîtes d'Avignon il y a...

— Ils ne sont que la preuve de la pertinence de nos soupçons de l'époque, père abbé, et je n'ai été guère étonné, en arrivant, de découvrir ces faits nouveaux.

— Tout de même ! Ils ne peuvent pas être mis sur le compte du chapitre, et...

— Taisez-vous ! Qui êtes-vous pour discuter l'autorité pontificale ?

— Mon frère...

— Je vous ordonne, à présent, de garder le silence tant que je ne vous aurai pas invité à parler, et de faciliter mon enquête, qui commencera par la cathédrale elle-même. J'entends bien découvrir ce qui est arrivé à ce mystérieux bedeau, sur le compte duquel couraient déjà de nombreux soupçons d'hérésie jusqu'en Avignon. Je veux savoir comment il est possible qu'ait été confiée une charge aussi importante à un homme dont on murmure qu'il n'était pas seulement fou, mais probablement alchimiste et cabaliste, disciple d'Abraham ben Shmouêl Aboulafia et de Moshé ben Shemtov, s'acoquinant autant avec les Sarrasins qu'avec les Juifs ! Avec de tels égarements, comment s'assurer que la cathédrale de Saint-Jacques-de-Compostelle n'est pas devenue un repaire pour les sectes arianistes, manichéennes ou homéennes, ou, pis encore, une tanière à mahométistes, en ce pays où l'on sait combien certains anciens chrétiens se sont empressés d'embrasser le mysticisme blasphématoire des Maures et des Sarrasins venus pourtant les occire ?

— Mais...

— N'avez-vous pas entendu mon ordre ? s'emporta Andreas en feignant la colère. Taisez-vous !

Il fallut quelque effort à notre Apothicaire pour ne pas rire à haute voix en ce savoureux moment. D'une seule traite il avait cité, et de mémoire, toutes les hérésies dont il savait qu'elles avaient quelque rapport proche ou lointain avec la péninsule Ibérique, et il lui sembla qu'ainsi il faisait un excellent inquisiteur – à considérer, bien sûr, que la mauvaise foi, le jeu des amalgames ineptes et l'imbécillité fussent des critères d'excellence pour quiconque entendait assumer cette charge.

— Bien. Ne voulant pas déranger les dévots pèlerins, braves hommes et femmes qui viennent ici en pénitence, se recueillir et vénérer les reliques de notre glorieux saint Jacques, ignorant sans doute les horreurs dont ce saint lieu fut hier le théâtre, j'attendrai ce soir que vous ayez fermé la cathédrale, et alors vous m'en confierez toutes les clefs et me laisserez mener mon enquête.

Le père abbé acquiesça, mais on voyait qu'intérieurement il fulminait, se croyant victime de l'arrogance d'Avignon, quand il était en réalité celle de la malice d'Andreas.

— En attendant, dites-moi où sont conservées les archives épiscopales.

— Elles sont au *scriptorium*, frère Inquisiteur.

— Très bien. Vous m'y conduirez, le fermerez à tout visiteur, et l'on ne m'y dérangera sous aucun prétexte afin que je puisse étudier les archives en attendant le soir.

Le chanoine s'exécuta, et Andreas passa le reste de la journée enfermé dans le *scriptorium* où il s'abandonna volontiers à moult lectures, lesquelles ne lui apportèrent aucune information essentielle à son investigation, mais lui confirmèrent au moins une chose : la dépouille qui était dans le tombeau n'était probablement pas celle de l'apôtre Jacques.

D'abord, toutes les chartes relatant les origines de la chambre funéraire et la découverte des reliques étaient apocryphes et peu dignes de foi : elles se plagiaient tant les unes les autres qu'elles paraissaient inspirées d'un même mensonge initial. Ensuite, les récits de la découverte du sépulcre ne se manifestaient que deux siècles et demi après les faits et n'étaient guère rassurants quant à leur exactitude ; en outre, nulle part il n'était fait mention de la façon dont on s'était assuré que le corps trouvé dans le sarcophage fût bien celui de l'apôtre Jacques. En réalité, l'architecture de ladite chambre funéraire semblait tardive et correspondait plus aisément au siècle du fameux gnostique Priscillien qu'à celui de Jésus et de ses apôtres.

D'autres documents, plus troublants encore, infirmaient même la possibilité que saint Jacques se fût trouvé là. Tel un courrier, signé de la main du pape Innocent et daté de l'année 416, qui contestait non seulement la constitution d'Églises par quelque apôtre sur la péninsule Ibérique, mais aussi son évangélisation, et affirmait que Jacques ne pouvait s'y être trouvé : selon lui, et selon l'Église en ce temps, le corps de Jacques se trouvait en Marmarique[1]. L'Apothicaire trouva en revanche plusieurs faux grossiers, visant à confirmer que le corps de Jacques eût bien été transporté en Galice après sa mort, mais ils étaient

1. Ancienne région d'Afrique du Nord située entre la Libye et l'Égypte.

emplis d'anachronismes et écrits dans un mauvais latin qui trahissait leur facture tardive.

Pis encore : des chartes, qui étaient antérieures d'un siècle à la découverte du tombeau, revendiquaient déjà la « révélation » du corps de saint Jacques en Galice, non pas à Compostelle mais dans le territoire d'Amaea, lequel était à plusieurs lieues de là... En somme, on eût trouvé le corps avant le tombeau ! Cette dernière trouvaille, cocasse, poussa Andreas à penser que l'on avait d'abord « découvert » le corps de Jacques, puis, un siècle plus tard, que l'on avait trouvé un tombeau un peu plus loin, et que l'on jugea fort commode d'assembler les deux afin de transformer ce tombeau en un lieu de culte chrétien... Ceci allait dans le sens des affirmations que maître Diaz lui avait faites la veille.

Enfin, Andreas fut bien heureux de trouver, parmi les nombreuses archives qu'il parcourut, un plan détaillé de la cathédrale, ainsi que de l'ancienne église sur les ruines de laquelle elle avait été construite, et dont les soubassements avaient servi à bâtir la fameuse crypte.

À l'heure du déjeuner, il poussa même la roublardise jusqu'à se faire porter un bon repas ! Et quand le soir fut venu, on fit évacuer la cathédrale pour l'y laisser seul.

133

Quand Robin et Aalis se présentèrent à leur tour devant le palais de Gelmírez, Andreas n'y était pas (il était déjà à l'intérieur des murs pour suivre son plan diabolique), mais l'apprenti remarqua rapidement le signe que son maître avait laissé sur le mur.

— Il est venu ici ! s'exclama le rouquin en désignant le caducée. Et s'il nous a laissé un signe, c'est pour nous le faire savoir, et nous dire sans doute que ceci reste notre point de rendez-vous.

— Alors attendons-le !

Et c'est ce qu'ils firent toute la matinée mais, évidemment, l'Apothicaire n'apparut guère.

— Cela devient dangereux de rester ici, en plein jour, dit Aalis.

— Mais si nous partons, nous risquons de le rater de nouveau, et il ne saura pas que nous sommes venus.

— Nous pourrions lui laisser un signe à notre tour, suggéra la jeune fille.

— C'est une bonne idée.

— Mais quoi ?

Robin réfléchit.

— Eh bien, toi qui es si douée pour la sculpture, saurais-tu graver un moissonneur ?

— Bien sûr, mais pourquoi ?

— C'est l'origine de mon nom : Meissonnier.

— Tu penses qu'il comprendra ?

— Évidemment !

La jeune fille acquiesça et, au pied du mur, se cachant derrière Robin qui faisait le guet, elle grava la silhouette d'un homme coupant les blés avec une faux.

Puis ils décidèrent de retourner dans l'*hórreo* où ils avaient passé la nuit. Là, ils firent passer le temps en discutant, apprenant encore à mieux se connaître, et la jeune Occitane s'occupa à sculpter de nouvelles statuettes sous le regard admiratif de l'apprenti.

Voici, toutefois, ce que nos deux adolescents ignoraient : de l'autre côté de la place du Palais, les deux *Mal'achim,* qui avaient quitté leurs chevaux, avaient assisté à toute la scène.

— Suivons-les ! avait grogné Suryan.

— Oui. Mais restons cachés. Si nous leur tombons dessus maintenant, ils ne parleront pas. Attendons plutôt qu'ils retrouvent leur maître.

Ainsi, les deux cavaliers noirs restèrent tout le jour à les épier dans leur grenier de bois.

134

— À présent, que nul ne me dérange, et que le Seigneur guide mes pas en ce lieu saint qui fut hier profané par l'hérésie d'un assassinat, et l'assassinat d'un hérétique ! Et si je ne puis traquer le démon hors de ces murs, que mes yeux versent des larmes, jour et nuit sans tarir, car alors la colère de Dieu leur tombera dessus, et ce sera grande misère pour cette ville de pèlerinage !

Sous le regard terrifié du chanoine et des clercs, Andreas pénétra seul dans la sombre et massive cathédrale de pierre grise, par la porte nord, dite porte de France, qu'il referma derrière lui. Là, le sourire aux lèvres, il descendit trois ou quatre degrés, traversa un grand espace où étaient des sortes de boutiques à coquilles, statuettes et autres chapelets, et découvrit l'intérieur de la vaste église, déserte et silencieuse, tout entière offerte à son investigation.

Deux chœurs s'alignaient sous la voûte en berceau de la cathédrale, ce qui était d'usage en ce pays. Le premier abritait l'autel et était le plus grand, le second lui succédait, séparé de lui de dix ou douze pas, par une allée formée de grilles de fer.

Andreas, qui n'était là que pour une seule chose – entendu la crypte et son tombeau – ne porta que très peu d'attention au reste de l'édifice, ses chapelles, ses colonnes, ses innombrables statues, toutes ces prouesses architecturales et artistiques dont elle avait fait l'objet au cours des deux derniers siècles, et se dirigea d'emblée vers le maître-chœur.

Là était un foisonnement de décors et d'ornements qui subjuguait le regard : plusieurs belles figures de saints, finement sculptées de gracieux détails, huit chandeliers de la hauteur de cinq à six pieds, un autel d'or et d'argent massifs sur lequel des piliers élevaient un tabernacle, et au-dessus de celui-là, saint Jacques était à hauteur d'homme, assis dans un fauteuil, le bourdon à la main et la tête nue. Sur les côtés du chœur, deux escaliers conduisaient vers une plate-forme d'où les pèlerins pouvaient venir embrasser le saint par-derrière et, selon une tradition rituelle, déposer un instant leur chapeau sur sa tête. Encore au-dessus dominait un pupitre, soutenu par quatre anges, où chevauchait un autre saint Jacques, la cavale dorée, qui de sa main gauche tenait un étendard blanc et de la droite une épée, avec laquelle il terrassait deux païens agonisants, foulés aux pieds de son cheval.

Andreas, se fiant aux plans qu'il avait découverts, passa derrière l'autel, souleva un épais tapis à ses pieds et découvrit, fébrile, une large trappe, laquelle était fermée à l'aide d'une grosse serrure. Ici se trouvait donc l'entrée de cette crypte interdite aux visiteurs (et qui, soit dit en passant à l'adresse du lecteur curieux, le resta encore pendant de nombreux siècles, avant qu'on ne la redécouvrît, la décorât et l'offrît enfin au regard des pèlerins).

Les doigts tremblants, l'Apothicaire attrapa le trousseau de clefs qu'il avait mis à sa ceinture de dominicain et chercha en vain celle qui devait ouvrir le passage. Il dut les essayer toutes deux ou trois fois avant de se résoudre à l'idée que ce coquin de chanoine s'était bien gardé de lui remettre celle-là ou, plus probablement, que le père abbé ne la possédait pas lui-même.

Il pesta, et son juron résonna sous l'immense voûte de la cathédrale, si fort qu'il s'en trouva presque gêné, quand bien même il fût seul et assez peu avare en blasphèmes.

Plutôt que d'attirer la suspicion du père abbé en retournant auprès de lui réclamer la seule clef qui manquait, il décida d'employer la force, ce qui fut plus facile à concevoir qu'à réaliser.

Après avoir cassé, en voulant s'en servir comme leviers, deux calices en or, une patène et un ciboire en argent (lesquels, à eux quatre, devaient bien avoir deux ou trois siècles d'ancienneté), il sauta de rage sur la trappe et lui donna une belle série d'inutiles mais jubilatoires coups de pied. Il envisagea un instant d'utiliser l'épée que tenait au-dessus de lui la statue de saint Jacques, mais estima que l'apôtre devait y être bien accroché et il se rabattit donc sur le pied en fer de l'un des innombrables bougeoirs qui entouraient le chœur.

Cette fois, il vint à bout de la serrure, et la trappe s'ouvrit enfin sous ses doigts.

Il découvrit alors l'escalier qui s'enfonçait sous l'autel.

Emportant avec lui un gros cierge allumé, il commença à descendre, courbant le dos pour ne pas se cogner la tête tant le passage était bas. Le souvenir du souterrain de l'église Saint-Gilles, qu'il avait si souvent parcouru dans son enfance, et par lequel il s'était enfui le jour où il avait quitté Paris, lui revint immanquablement en mémoire, comme lui revinrent en mémoire les nombreux autres où, dans sa fuite, il avait dû s'engouffrer. Cette quête ne cessait donc de l'emmener dans le ventre de la terre, et il ne put s'empêcher de songer à l'origine grecque du mot crypte, *kruptos*, qui désigne ce qui est caché. Quel secret enfoui allait-il découvrir dans celle-là ?

Adoncques, après avoir descendu prudemment la dernière marche, il découvrit à la lumière de sa flamme ce mystérieux caveau caché sous l'autel de la cathédrale. Si irréligieux fût-il, Andreas dut reconnaître pour lui-même que l'endroit semblait avoir quelque chose de sacré, de magique presque. Ici se mariaient ruines anciennes et construction moderne, car on avait bâti ce mausolée à l'endroit même où avait été détruite l'église antérieure, et il paraissait que, de l'un à l'autre, le tombeau n'avait pas bougé. Il était là, rectangulaire et massif, immuable, solennel, comme un monstre endormi au milieu de cette chapelle interdite.

Si, aujourd'hui, l'on a fabriqué pour la dépouille une belle sépulture d'argent, à l'époque ce n'était qu'un austère tombeau, entièrement fait de marbre blanc – ce qui n'était guère étonnant car celui-ci, avec le jaspe et la marcassite, se trouvait abondamment dans les montagnes de Galice.

Andreas, d'un pas lent, fit le tour du tombeau, caressant sa surface lisse et blanche du plat de la main, et ses doigts laissèrent derrière eux des traces rectilignes dans la poussière. Il se remémora alors les paroles de Diaz : « *À la dernière heure d'une nuit claire, la vérité vient à l'homme qui se penche sur le tombeau de Priscillien.* » À considérer que cela fût bien ledit tombeau, Andreas eut beau le regarder avec insistance, aucune vérité ne lui vint, sinon peut-être qu'il avait l'air d'un imbécile.

Il se résolut toutefois à inspecter la sépulture de plus près. Promenant le cierge tout autour, sur le dessus, le long des flancs, il étudia le marbre méticuleusement, chassant la poussière à l'aide de son scapulaire, mais il ne trouva rien. Retournant sur ses pas, il monta sur les premières marches pour la regarder de haut : toujours rien. Puis il fouilla la crypte tout entière, en vain. Il n'y avait ici rien d'autre à voir qu'un simple tombeau de marbre.

Alors, pour bien penser, il se mit à tourner en rond autour de la chose, car c'était souvent en marchant que lui venaient ses meilleures idées.

À la dernière heure d'une nuit claire. Pourquoi la phrase donnait-elle cette précision ? Se pouvait-il que la révélation attendue fût dépendante d'une heure précise, à l'issue d'une nuit particulière ? Par quel miracle cette vérité ne dût-elle apparaître qu'à cet instant ? Fallait-il une lumière spécifique, cette lumière si singulière que l'on ne trouve qu'à l'aube et que l'on appelle parfois *entre chien et loup* car dans cette faible lueur on ne sait distinguer l'un de l'autre ?

Andreas, aussitôt, leva les yeux et entreprit d'inspecter le plafond de la crypte. Si, comme il le pensait, la lumière de l'aube devait avoir quelque rapport avec tout cela, encore eût-il fallu que celle-ci pût entrer dans le caveau. Le plafond de la crypte n'était pas bien haut, mais assez tout de même pour qu'il décidât de se mettre debout sur le tombeau pour y regarder de plus près. Après un long moment, comme il n'avait trouvé nulle ouverture, et donc nulle possibilité pour que la lumière de l'aube entrât ici, il poussa un cri de rage.

Se laissant choir au beau milieu de la plaque de marbre, il tenta de se calmer pour réfléchir de nouveau.

Allons, raisonnons bien : ce plafond n'est pas celui qui était jadis au-dessus du tombeau, puisque la crypte a été reconstruite tout autour. L'antique chambre funéraire possédait peut-être quelque astucieux système dans son toit qui permettait à la lumière de l'aube de venir frapper le tombeau au cœur de la nuit, de telle façon qu'alors apparaissait quelque chose qui, sans elle, ne nous apparaît pas. Mais ce système aura disparu lors de la reconstruction de la crypte. Il ne sert donc à rien de chercher dans cette direction.

Soit. Mais cela ne doit pas m'empêcher de résoudre ce mystère : pourquoi eût-il fallu la lumière de l'aube et non pas celle du jour, qui est bien plus vive ? En quoi la lumière de l'aube diffère-t-elle de celle du jour ? Elle n'a pas la même couleur. Si celle du jour, venant du soleil, est plutôt jaune, celle de l'aube court du blanc jusqu'au bleu, en passant parfois par le rouge, l'orangé... Se pourrait-il que ce secret n'apparaisse que sous une lumière ressemblant à celle de l'aube d'une nuit claire ? Par quel phénomène extraordinaire une chose pourrait-elle ainsi se révéler sous une lumière plutôt qu'une autre ? Diantre ! Avec ces gnostiques, il faut s'attendre à tout !

La lumière de mon cierge est jaune, comme celle du jour. Peut-être faudrait-il que j'amène ici une lumière d'une autre couleur...

Andreas poussa un soupir de désillusion. Mais n'ayant aucune meilleure idée à laquelle se vouer, il ressortit de la crypte, contourna le chœur et se dirigea vers l'une des chapelles où il avait vu des vitraux en entrant. Sans vergogne, il en cassa plusieurs jusqu'à obtenir des plaques de verre de teintes différentes, puis redescendit dans la crypte avec cet incongru attirail sous le bras.

Montant à genoux sur le tombeau, il prit une première plaque de verre dans une main et le cierge dans l'autre, puis, promenant le second sur la première afin de projeter une lumière colorée, il inspecta la surface du marbre. Ne voyant rien, il éclata de rire en songeant au spectacle qu'offrait sa ridicule position. Mais il n'y avait guère de spectateur, hormis bien sûr le cadavre enfermé dans la tombe, et à présent qu'il était là, il persévéra diaboliquement. Une à une, il essaya les différentes plaques qu'il avait ramenées, une bleue, une blanche, une rouge, une verte... Mais rien n'apparut. Il ne se résigna à l'échec qu'après moult tentatives et, de colère, envoya les plaques de verre se briser contre les murs de la crypte.

Ce n'était donc pas une affaire de lumière ! Mais alors quoi ? Peut-être, tout simplement, n'y avait-il pas de solution : cette histoire n'était qu'une gigantesque farce, et il n'y avait rien à voir sur ce tombeau, fût-il de saint Jacques ou même de Priscillien.

Mais après tous les efforts qu'il avait dû déployer pour se retrouver là, il ne pouvait pas abandonner. Il devait persister et ne partir qu'avec la certitude d'avoir épuisé tous les possibles.

Quel autre phénomène pouvait être propre à la dernière heure de la nuit, et plus spécifiquement d'une nuit claire ?

Soudain, une idée lui vint, et un sourire se dessina sur son visage. Il s'était imaginé ici jadis, au milieu de nulle part, dans ce caveau perdu en pleine nature, se réveillant au petit matin. Et alors une évidence lui était apparue : la rosée !

De fait, la rosée apparaît plus favorablement à l'issue d'une nuit claire, sans vent, quand l'air est humide près du sol. Or, le caveau, avant qu'il ne fût réquisitionné par l'Église, était certainement entouré, sinon envahi, par les végétaux ; il était protégé du vent, et en cette région, l'air était fort humide. Toutes les conditions étaient réunies pour que, à la fin d'une nuit claire, la rosée apparût non seulement sur les plantes mais aussi sur ce tombeau qui en fût encerclé.

Le cœur battant, Andreas remonta une seconde fois les marches, sortit de sous l'autel, prit un autre calice et partit au bas de la nef pour le remplir d'eau dans l'un des bénitiers de la cathédrale. *Pour une fois que je suis heureux de trouver de l'eau bénite !* s'amusa-t-il.

Marchant vite, mais avec assez de précaution pour ne rien renverser, il redescendit dans la crypte et fit couler doucement l'eau qu'il étala en fine couche sur la surface du marbre. Les gouttes semblèrent rouler sur la pierre froide, avant de la pénétrer légèrement et de lui donner une teinte plus foncée.

Andreas recula et leva le cierge au-dessus de lui.

D'abord, il ne vit rien, et puis l'eau commença à sécher… Et alors, soudain, il poussa un cri de victoire : des formes étaient apparues dans la pierre humide !

— Par la barbe d'Horace ! s'exclama-t-il, perplexe.

Ainsi étaient donc ces faits extraordinaires : le marbre avait été gravé d'une manière si fine que seule l'eau pouvait mettre en évidence ces délicates aspérités, lesquelles ne pouvaient se voir à l'œil nu ni se sentir au toucher. C'était un travail remarquable et prodigieux, qui força l'admiration d'Andreas, si bien qu'il s'en trouva enclin à prendre la chose bien plus au sérieux qu'il ne l'eût fait autrement.

Emporté par l'excitation, pour la troisième fois, il sortit de la crypte en courant, puis de la cathédrale, et se rendit au *scriptorium* où il trouva une plume, de l'encre et un parchemin. Sur le trajet du retour, alors qu'il courait encore, il tomba nez à nez avec l'abbé Muñiz, qui avait la mine grave et le regard plein d'angoisse.

— Avez-vous trouvé quelque chose, frère Inquisiteur ?

— Et comment ! répondit Andreas, tout sourire.

Mais il ne laissa guère au chanoine le temps de lui poser d'autres questions, déguerpit et s'enferma de nouveau dans la cathédrale.

De retour dans la crypte, il humidifia toute la surface de la tombe, puis, quand les formes apparurent, il les reproduisit précisément, une à une, sur le parchemin. La chose ne fut guère aisée, car avec le temps certaines des formes s'étaient abîmées, d'autres étaient incomplètes. Mais par interpolation il parvint à en tirer quelque logique et il ne lui resta de doute que sur un ou deux signes seulement. Une chose était sûre : il s'agissait d'une phrase ; mais en quelle langue ?

Quand il fut certain d'avoir tout noté, y compris ce qu'il subsistait comme imprécisions, il roula le parchemin, sortit de la crypte, referma la trappe, la recouvrit du tapis, quitta la cathédrale une bonne fois pour toutes et retourna auprès du chanoine hébété auquel il rendit le trousseau de clefs.

— Merci, père abbé. Vous m'avez été d'une aide capitale.

— Vous... vous partez ? s'étonna Muñiz, dont Andreas devinait qu'il commençait à avoir quelque suspicion.

— J'en ai fini pour cette nuit, répondit vivement l'Apothicaire avant que de sortir du palais sans demander son reste.

Une fois dehors, sur le mur de la façade, il découvrit la gravure du moissonneur qu'on avait faite sous son caducée. Il sourit, ramassa une pierre et grava un petit trait à côté de son propre symbole.

135

Après cette nuit singulière, trois jours passèrent au cours desquels Saint-Jacques-de-Compostelle fut le théâtre d'un étrange et silencieux ballet, car au milieu des foules de pèlerins qui ne se doutaient de rien se jouait une curieuse intrigue.

D'un côté, nous voyons Robin et Aalis continuer leurs incessants allers et retours entre l'*hórreo* et le palais, espérant chaque fois y retrouver Andreas. Ayant découvert le petit trait gravé à côté du caducée, ils comprirent que l'Apothicaire était repassé par là au moins une fois et qu'ainsi il était raisonnable de continuer à l'attendre. Adoncques ils s'entêtèrent, laissant chaque jour un nouveau trait dans le mur à leur tour…

De l'autre, nous observons les *Mal'achim* qui, eux, s'obstinent à suivre les jeunes gens dans tous leurs déplacements, les épient, les surveillent, sans que jamais ceux-là ne s'en aperçoivent.

Quant à Andreas… Eh bien, Andreas, renonçant à abuser une nouvelle fois de l'hospitalité de maître Diaz, s'était terré dans une auberge à l'extérieur de la ville, où il resta enfermé dans sa chambre pendant ces trois pleines journées, s'efforçant de décrypter le message qu'il avait trouvé sur le tombeau, et ce fut comme s'il ne voyait pas le temps passer. De fait, nous devons reconnaître qu'il en oublia d'aller chercher Robin et Aalis, mais il faut le lui pardonner : notre Apothicaire était tout entier dévoué à sa difficile traduction.

Pour ce faire, il dut se plonger dans le livre que Simón Diaz lui avait offert, et qui était un *lexicon*.

Nous devons ici dire quelques mots de son auteur, Abu 'Ali al-Husayn ibn 'Abd Allah ibn Sina, plus connu sous le nom d'Ibn Sina ou d'Avicenne, dans sa forme latine. L'homme était un philosophe, un scientifique, un linguiste et un médecin persan du Xe siècle, le plus brillant de son temps, et qu'Andreas connaissait bien puisque son *Kitab al-Qanûn fi al-Tibb*[1], dit *Canon de la médecine*, qui avait été ramené en Europe par les croisés, constituait l'un des piliers de l'enseignement de la médecine et de la pharmacie en France. Pour tout dire, maître Saint-Loup avait même pour Avicenne une affection toute particulière, car non seulement celui-ci était à l'origine de grandes avancées de la médecine concernant le diabète, la cataracte, la méningite ou le fonctionnement du cœur et des poumons, mais surtout il avait formulé cette hypothèse selon laquelle l'eau et l'air contenaient de minuscules organismes qui seraient porteurs de maladies infectieuses... hypothèse reprise par Andreas lui-même, et qu'il avait tenté de démontrer avec son *oculus corpuscula*.

Quant au livre que notre Apothicaire tenait à présent entre les mains, avec grande satisfaction, il s'agissait de l'un des ouvrages rédigés par ce savant persan lors de ses nombreux voyages. Ayant découvert parmi une communauté païenne de Babylonie une langue sémitique plus ancienne encore que l'akkadien, il avait produit ce *lexicon* fort précis et documenté, ici traduit en grec, et qui traitait de cette langue qui était non seulement, comme son titre l'indiquait, celle du mystérieux *Shatirum lâ-mi'umma*, mais aussi celle dans laquelle avait été écrit le message sur le tombeau présumé de Priscillien.

1. *Livre des lois médicales.*

Ainsi, confrontant les formes qu'il avait vues dans le marbre aux lettres qui apparaissaient dans ce magnifique *lexicon*, puis remplissant les vides avec sagacité, Andreas parvint à reconstituer une phrase entière : *Shatirum mustara bisna bu'aru b'ishat u'ananu wi'ukalu*.

Si le premier mot ne posa aucun problème à notre docte pharmacien – qui savait déjà, grâce aux gnostiques, qu'il s'agissait du vocable *livre* ou *registre* – il lui fallut néanmoins trois jours entiers pour traduire la suite. Et nous devons dire que, sans l'érudition que nous lui connaissons, maître Saint-Loup n'eût sans doute pu aller jusqu'au terme de cette traduction, car pour y parvenir il fallait avoir non seulement quelque notion de langues anciennes (Andreas, par ses lectures, connaissait un peu l'hébreu et l'arabe, qui étaient issus de cette langue), mais aussi un bel esprit d'analyse, ce dont nous savons qu'il ne manquait guère.

Quand il fut satisfait de son exégèse, il écrivit sur un parchemin la phrase en toutes lettres : *Livre caché dans le buisson qui brûle dans le feu sans se consumer*.

Le sens apparemment énigmatique de cette formule ne lui résista guère longtemps, car Andreas comprit vite que ce « buisson qui brûle dans le feu sans se consumer » n'était autre que la description littérale du « Buisson ardent », tel qu'il était présenté dans le troisième chapitre du livre de l'Exode.

En ajoutant l'article « le » et le verbe « être », qui étaient induits tous les deux, il obtint donc : *Le Livre est caché dans le Buisson ardent*, et il supposa, bien sûr, que l'on parlait du *Livre qui n'existe pas*, le *Shatirum lâ-mi'umma*.

Andreas, éreinté mais heureux, se laissa aller alors à une explosion euphorique, laquelle fut bientôt interrompue quand, reprenant soudain contact avec la réalité, il se rendit compte que trois jours avaient passé et qu'il ne s'était guère soucié de Robin et Aalis.

Envahi par la honte et l'inquiétude, il ramassa ses affaires en vitesse, paya l'aubergiste et se précipita vers la ville.

136

— Vous faites un bien joli couple !

Aalis et Robin sursautèrent de concert en entendant juste derrière eux cette voix grave et sonore, mais ils sourirent aussi tous deux en reconnaissant aussitôt Andreas.

Comme ils l'avaient fait chaque matin et chaque soir depuis trois jours, les deux adolescents s'étaient présentés à la fin de la journée sur la place du Palais, et ils étaient sur le point d'en repartir quand l'Apothicaire leur avait joué ce tour en surgissant soudain dans leur dos.

— Maître ! Nous commencions à désespérer de vous revoir un jour ! s'exclama l'apprenti sur le ton du reproche.

— Bientôt vous désespérerez de m'avoir retrouvé, répliqua Andreas d'un air moqueur.

— Où donc étiez-vous passé ?

— C'est une longue histoire, mes enfants, et je ne suis pas sûr que nous soyons au meilleur endroit pour en parler tranquillement. Sortons de cette ville, je n'en puis plus de voir tous ces bigots, tous ces marchands de bondieuseries et cette église de malheur !

— Avec plaisir, intervint Aalis. Je suis bien heureuse moi aussi de partir d'ici.

Mais ils déchantèrent bien vite, car ils n'eurent pas plutôt décidé de s'enfuir que, déjà, les deux cavaliers noirs sortaient de la ruelle d'où ils les avaient épiés et leur tombaient dessus.

Le combat qui s'ensuivit fut des plus étonnants, et nous allons nous efforcer de vous le bien conter, mais nous devons prévenir le lecteur qu'il doit se préparer à voir couler le sang et survenir la mort, car les deux *Mal'achim* n'étaient pas seulement pleins d'une morbide détermination : ils étaient aussi de fines lames.

C'est Aalis, la première, qui les vit arriver. Poussant un cri de terreur, elle alerta les deux autres qui, apercevant à leur tour ces deux silhouettes derrière eux, firent un pas de côté, lequel leur permit d'éviter un premier coup d'épée porté par Suriel, le plus grand des deux.

Les *Mal'achim*, qui n'avaient ici d'autre dessein que d'occire Andreas, concentrèrent leur charge sur lui. Les épées s'élevèrent de nouveau et s'abattirent avec hargne, alors que tout autour le petit peuple de Compostelle s'enfuyait en criant. L'Apothicaire, dans un réflexe de survie, parvint à éviter de justesse les deux coups de taille. En heurtant avec fracas le mur du palais, le tranchant des épées produisit des gerbes d'étincelles. Sur-le-champ, les cavaliers noirs armèrent de nouveau et fondirent sur Andreas. Notre homme dut se jeter au sol et y rouler pour esquiver encore cette violente passe, mais sans arme pour parer, il sut qu'il ne résisterait pas longtemps, d'autant qu'il n'était pas fort aguerri, et c'est avec horreur qu'il vit alors se dresser au-dessus de lui l'épée de Suryan, qui était le plus près. L'épaisse et longue lame scintilla sous les rayons du soleil couchant, comme si elle eût adressé à Andreas un dernier et morbide clin d'œil avant son trépas.

Il fallut cette fois l'intervention de Robin pour sauver notre pharmacien : l'apprenti qui, en s'écartant, avait pris son bourdon à un pèlerin terrifié, s'en servit pour frapper de toutes ses forces le *Mal'ach* à la nuque. En vérité, il frappa même si fort que le bâton se brisa sur icelle dans un claquement sec. Mais il avait affaire à forte partie, car le cavalier, quoique trébuchant, resta debout puis, se fendant, riposta. Le coup d'estoc effleura la poitrine de l'apprenti, qui s'était reculé à temps, déchirant seulement un petit bout de tissu.

Pendant ce temps, Andreas avait eu le temps de se relever pour se protéger de l'attaque du second *Mal'ach*, lequel, toutefois, reçut lui aussi un mauvais coup par-derrière, mais d'Aalis : la jeune fille lui avait abattu l'une de ses statuettes de bois sur le crâne.

Le combat continua avec autant de désordre que d'acharnement, et il faut dire que les deux *Mal'achim*, sans doute, ne s'étaient pas attendus à devoir affronter l'imprudente rage des adolescents défendant leur aîné. Robin et Aalis se battaient mal, mais ils se battaient fort.

Sur la place maintenant presque déserte – et où l'ombre de la cathédrale ne cessait de s'étendre à mesure que descendait le soleil – on vit finalement se livrer une rixe incroyable et confuse, chaotique :

Suryan, montrant les premiers signes de colère, et même d'impatience, s'escrimait avec une ardeur grandissante, acculant Robin contre le mur.

Suriel, encore sonné par le coup qu'il avait reçu sur le crâne, hésitait entre deux proies, la jeune fille ou l'Apothicaire.

Andreas, fouillant la place du regard, cherchait un moyen ingénieux de les extraire de là.

Aalis, tenant toujours sa statuette à deux mains, agitait frénétiquement celle-ci par-devant, comme on fait pour garder en respect un animal sauvage.

Quant à Robin, ce brave Robin, coincé contre la façade du palais, il fut le premier à recevoir un coup de lame, car le troisième assaut que lui porta son adversaire l'atteignit à la cuisse, lui arrachant un joli morceau de chair. Le jeune homme poussa aussitôt un cri de douleur qui glaça le sang de ses deux compagnons.

Lors, la jeune fille jeta sa statuette au visage de Suryan, mais le rata, pendant que l'Apothicaire se précipitait sur le côté et tirait Robin par le bras pour le sortir de ce mauvais pas. Mais alors les deux *Mal'achim* revinrent sur lui de concert, se ressemblant si parfaitement dans leur figure comme dans leurs gestes.

En cet instant Andreas, n'ayant toujours aucune arme pour se défendre et étant déjà arrivé au bout de ses forces, acquit la certitude qu'il ne pourrait s'en tirer vivant, adoncques, dans un élan de désespoir, il préféra sauver les deux jeunes adolescents : le regard sombre, il partit en sens inverse pour attirer les *Mal'achim* à l'écart, s'exposant davantage à leurs lames mais protégeant du même coup ses compagnons.

Les deux cavaliers, aussitôt, se jetèrent sur lui comme des fauves et l'Apothicaire crut voir venir sa fin.

Il se produisit alors une chose extraordinaire – un miracle, diront certains, une belle coïncidence, diront les autres – mais le lecteur ne saurait mettre en doute l'étonnante réalité de ce qu'il advint, car de fait ce fut l'un de ces événements singuliers que seule la vraie vie peut offrir, n'obéissant ce faisant qu'à une unique loi, celle de la concomitance des destins que les hommes se choisissent.

Ainsi, au moment même où les *Mal'achim* soulevaient leur épée pour en finir avec Andreas, une troupe de six soldats surgit du coin de la cathédrale, et à leur tête un homme au large nez et aux cheveux frisés, vêtu comme un prince, et qui s'écria « Sauvez-le ! », et c'était Charles de Valois, frère du roi de France, qui venait d'entrer en ville après son long périple.

Les soldats, la main au pommeau, se jetèrent par-devant. Le combat, dès lors, prit une tout autre tournure.

Profitant de la surprise produite par ce *deus ex machina* digne des plus grandes tragédies grecques, Andreas se retira de la portée de ses adversaires, lesquels durent faire face d'un seul coup à six assaillants qui tirèrent six épées.

On eût pu penser qu'à deux contre six, les *Mal'achim* n'eussent point résisté longtemps, mais ils ferraillaient si bien que pour eux la bataille n'était point perdue d'avance. Les lames se croisèrent dans un grand fracas métallique ; aux coups répondirent d'autres coups plus sournois, ici on se fendait, ici on attaquait au fer, là on donnait un coup d'arrêt pour contrer une banderole, plus loin on coupait et là on chassait les mouches, qui y allait de sa botte, et qui de sa feinte, et quand l'on croyait l'une des parties vaincue, soudain elle reprenait vigueur.

Le premier à tomber fut un homme du comte, touché mortellement à la poitrine, puis un second à la gorge, et alors le sang commença à couler abondamment entre les pierres de la grand-place et ce fut une hécatombe. Prenant la mesure du combat et voyant deux de ses hommes à terre, le capitaine Délézir redoubla de colère et, avalant la distance qui le séparait de Suryan en quelques coups d'estocade, il parvint à percer la défense de celui-ci. Comme il frappait de plus en plus fort et de plus en plus juste, la dernière passe fut la bonne et atteignit le cavalier noir en plein cœur, sous le regard horrifié de son frère.

Suryan, comme pétrifié par Méduse, lâcha son épée et s'écroula lentement vers le sol, ses deux mains fermées sur sa plaie béante, ses yeux écarquillés comme deux étoiles qui, soudain, s'éteignirent sur son grand visage blond.

Alors ce fut au tour de Suriel de perdre ce qui lui restait de sang-froid, et ce grand guerrier, avec une rage inhumaine et féroce, poussant, pourfendant, redoublant, fit tomber un à un ses quatre adversaires comme l'on fauche les foins.

Voyant le capitaine lui-même succomber sous les ultimes assauts de ce monstre, Charles de Valois, affolé, déconfit, plutôt que d'aller au-devant d'une mort certaine, prit la fuite et disparut dans les ruelles de Compostelle, où l'on ne le revit plus jamais : il avait échoué.

Suriel, après avoir percé de part en part le dernier homme debout, poussa un hurlement furieux qui résonna sur la grand-place, car à ses pieds gisait le corps de son frère, et Andreas, Aalis et Robin avaient depuis longtemps disparu.

137

Sans avoir échangé une seule parole, les trois compagnons arrivèrent essoufflés aux portes de la ville, où Andreas acheta aussitôt deux chevaux et, galopant tout le soir, ils s'éloignèrent rapidement de Compostelle pour ne s'arrêter, fourbus, qu'en pleine campagne : la nuit était tombée.

Robin, qui avait pourtant perdu beaucoup de sang, et donc de force, se précipita aussitôt vers son maître :

— Qui étaient donc ces hommes qui sont venus à notre secours ?

— Il m'a semblé reconnaître Charles de Valois.

— Monsieur le frère du roi ? s'exclama Robin, incrédule.

— En personne.

Puis, l'apprenti, dubitatif :

— Et il nous aurait sauvés ?

— Pour mieux nous arrêter ensuite, peut-être. À moins qu'il ne fût là pour servir quelque dessein politique obscur, lui qui est si souvent en conflit avec son frère… Comment savoir ? Les intrigues du pouvoir sont parfois impénétrables, Robin.

— Qu'importe ! intervint Aalis. Il nous a sauvé la vie, et c'est tout ce qui compte à mes yeux.

L'Apothicaire acquiesça avant de se tourner de nouveau vers son apprenti.

— Laisse-moi voir cette blessure, mon garçon.

Robin s'assit sur une souche et montra le vilain coup qu'il avait reçu à la cuisse. Andreas, trouvant dans son sac et dans la nature qui les entourait de quoi soigner le jeune homme, s'occupa aussitôt de lui pendant qu'Aalis préparait un repas.

Plus tard, en mangeant sous la voûte étoilée de cette nuit d'avril, ils gardèrent un silence lourd d'inquiétude mais, quand ils eurent terminé, ils ne faillirent point à cette tradition que partagent, le soir, tous ceux qui voyagent longuement ensemble : ils discutèrent.

— Vous deviez nous dire ce que vous avez fait pendant tout ce temps que nous vous avions perdu, rappela Aalis.

Ainsi Andreas leur raconta volontiers ses aventures, avec la verve et l'humour qu'on lui connaît, soucieux sans doute de redonner un peu d'espoir aux deux jeunes gens, prenant tout son temps, donnant à telle ou telle anecdote un éclairage sarcastique et ne manquant guère de ridiculiser ceux qu'il avait dupés.

— ... et ainsi, j'ai pu traduire cette phrase dont on est en droit de supposer qu'elle figurait là depuis plusieurs siècles : *Le Livre est caché dans le Buisson ardent*.

— Et qu'est-ce que cela veut dire ? demanda la jeune Occitane.

— Eh bien, demande à ton dévot ami Robin, lui qui connaît si bien les Écritures !

— Le Buisson ardent était une plante située sur le mont Sinaï, et qui brûlait perpétuellement sans jamais se consumer. C'est en ce lieu que Yahvé se révéla à Moïse, et c'est là qu'il lui donna les Tables de la Loi, tel que le raconte l'Exode.

— Saurais-tu citer le passage de mémoire ? demanda sournoisement Andreas.

— Douteriez-vous de ma mémoire, maître ?

— Au contraire, je la sais fort bonne ! Mais tu dois l'entraîner quotidiennement.

— Moïse mena le troupeau derrière le désert et vint à la montagne de Dieu, à Horeb. L'ange de l'Éternel lui apparut dans une flamme de feu, au milieu d'un buisson. Moïse regarda ; et voici, le buisson était tout en feu, et le buisson ne se consumait point. Moïse dit : « Je veux me détourner pour voir quelle est cette grande vision, et pourquoi le buisson ne se consume point. » L'Éternel vit qu'il se détournait pour voir ; et Dieu l'appela du milieu du buisson, et dit : « Moïse ! Moïse ! » Et il répondit : « Me voici ! » Dieu dit : « N'approche pas d'ici, ôte tes souliers de tes pieds, car le lieu sur lequel tu te tiens est une terre sainte. » Et il ajouta : « Je suis le Dieu de ton père, le Dieu d'Abraham, le Dieu d'Isaac et le Dieu de Jacob. » Moïse se cacha le visage, car il craignait de regarder Dieu.

Un sourire satisfait se dessina sur le visage d'Andreas.

— Cela est parfait, mon garçon. Ah ! si seulement tu connaissais Hippocrate aussi bien que tu connais la Bible !

— Mais alors ? demanda Aalis. Qu'allez-vous en faire, de cette phrase ? Et qu'allons-nous faire, nous, maintenant ?

— Le Buisson ardent n'est pas seulement un épisode de la Bible, répondit l'Apothicaire. Il est aussi le surnom que l'on donne à un monastère construit au VIe siècle au pied du mont Sinaï, à l'endroit même où la tradition place cet épisode, et que l'on appelle monastère Sainte-Catherine. Or, voyez-vous…

Andreas fit une pause et, sans se départir de son sourire, le regard brillant, il avisa successivement ses deux interlocuteurs, comme pour leur signifier que ce qu'il allait leur dire à présent était la chose la plus importante qu'il ne leur eût jamais dite :

— La bibliothèque qu'abrite le monastère Sainte-Catherine est très certainement la plus prodigieuse du monde, et l'une des plus anciennes ; elle est enrobée de gloire et de légende, elle contiendrait les plus vieux rouleaux, codices, monographies et manuscrits de l'humanité ! Et maintenant que j'y pense, je me souviens soudain que Denis de Tourville lui-même l'avait évoquée lors de notre rencontre à Saintes ! Pendant tout ce temps, j'avais donc la solution sous les yeux, et je n'y ai même pas pensé !

— La solution ?

— Eh bien, oui, mes enfants ! Le livre que je cherche, ce mystérieux livre, ce *Shatirum lâ-mi'umma*, si l'on en croit ce que j'ai vu sur le tombeau de Priscillien, il est dans la bibliothèque du monastère Sainte-Catherine ! s'exclama Andreas, animé comme un enfant.

— Et où dites-vous qu'il se trouve, ce monastère ?

— Au pied du mont Sinaï, qui est le plus haut sommet de cette région désertique et montagneuse.

— Mais où est-ce donc ? insista Aalis.

— Très loin d'ici, ma petite, aux confins de l'Asie et de l'Afrique. C'est une langue de terre, entre la Méditerranée et la mer Rouge, entre l'Égypte et ce qui fut un jour le royaume de Jérusalem.

— Et... et je suppose que vous voulez que nous allions là-bas ? demanda la jeune fille.

— Non. Bien sûr que non.

— Me voilà rassurée.

— Je veux y aller seul.

— Vous n'y songez pas ! s'offusqua Robin.

— Vous plaisantez ? surenchérit Aalis.

— Allons, allons, mes enfants... Le voyage pour s'y rendre est long de deux ou trois mois, et c'est un voyage plus dangereux encore que celui que nous avons fait !

— Et alors ?

— Cela fait déjà un mois que nous avons quitté Paris, Robin. Ton père va s'inquiéter ! Et je ne puis...

— Mon père m'a confié à votre charge, maître !

— Il ne m'a pas donné la charge de t'envoyer à l'autre bout du monde, et encore moins celle de t'exposer à autant de dangers ! Je n'aurais déjà pas dû t'emmener jusqu'ici. Quant à toi, Aalis...

— Cela suffit, Andreas ! le coupa la jeune fille qui ne leur avait jamais montré une telle colère. Cette décision ne vous appartient pas ! Si Robin et moi-même avons envie de vous suivre, cela nous regarde ! Nous ne sommes pas venus jusqu'ici pour abandonner en chemin ! Nous n'avons pas traversé toutes ces épreuves, combattu toutes ces gens, surmonté toute cette adversité, je... enfin ! Andreas ! Avec tout ce que nous avons fait ! Et là, à Compostelle, nous vous avons attendu, et...

La jeune Occitane s'emportait de plus en plus, et bientôt elle perdit même le contrôle de ses paroles, qui n'avaient plus ni queue ni tête et n'exprimaient plus qu'une indignation et une rage qui, au final, tirèrent un éclat de rire à notre Apothicaire.

— C'est bon ! C'est bon ! intervint-il, hilare. De grâce ! N'en jette plus, petite harpie ! Si vous y tenez tant, vous viendrez avec moi !

Aalis, qui s'était levée et avait encore les joues rouges de colère, le dévisagea longuement d'un air défiant.

— Promis ?

— À quoi bon vous promettre puisque, misérables sots, vous ne m'en laissez guère le choix !

— De toute façon, tout seul, vous ne seriez certainement pas capable d'arriver là-bas vivant, malhabile que vous êtes ! se moqua la jeune fille, qui avait recouvré le sourire.

— C'est sans doute vrai, admit Andreas avec une rare tendresse dans la voix. Si improbable soit-elle, nous formons une belle équipe, tous les trois, n'est-ce pas ? Eh bien, soit : dormons, et demain nous partirons ensemble pour le plus long voyage qu'aucun d'entre nous n'ait jamais fait, jusqu'aux déserts de l'Orient, jusqu'au berceau même de la religion ! Nous partirons pour le plus beau de tous les sanctuaires consacrés aux livres. Et de ceux-là nous chercherons le plus ancien. Le *Shatirum lâ-mi'umma* !

— Au livre qui n'existe pas ! scanda Robin comme s'il portait un toast.

— Au livre qui n'existe pas ! répondit Aalis.

Ainsi, le lendemain, ils partirent tous trois vaillants, et de nouveau ils étaient des figures d'Ulysse, de Télémaque et de Nausicaa, parcourant terre et mer si loin de leur patrie.

138

Il faudrait sans doute à notre ouvrage un second volume pour raconter en détail ce voyage qui dura trois longs mois, mais ce n'est pas ici notre intention, ni celle de notre éditeur car, à vrai dire, il ne s'y passa pas grand-chose qui servirait précisément notre intrigue. Nous dirons donc l'essentiel, et uniquement cela, afin que le lecteur, dont nous voulons qu'il reste notre ami, puisse assembler lui-même les informations qui méritent d'être assemblées, sans que notre récit devienne indigeste.

D'abord, donc, nous dirons quelques mots de l'extraordinaire trajet que firent nos trois compagnons pour rejoindre cette contrée de mystères qu'on appelle Sinaï.

Depuis la fin du Xe siècle, la dévotion à sainte Catherine rencontrait en Occident un grand engouement, sous l'impulsion des ducs de Normandie. Aussi, la plupart des chrétiens qui se rendaient en pèlerinage à Jérusalem prolongeaient-ils celui-ci plus au sud par une visite au monastère Sainte-Catherine afin d'y recueillir, dit-on, l'huile sainte qui suintait de ses reliques, puis de se rendre au sommet du mont Sinaï et de prier dans cette grotte où Moïse lui-même eût séjourné quarante jours et quarante nuits. Partant, comme ils l'avaient fait pour rejoindre Saint-Jacques-de-Compostelle, Andreas, Robin et Aalis se mêlèrent aux pèlerins de Jérusalem qui prenaient la voie dite d'Afrique, qui était la plus pénible de toutes à raison des mers à parcourir, du manque de vivres auquel on s'y exposait et du désert qu'il fallait traverser.

Depuis la Galice, chevauchant tous les jours du matin jusqu'au soir, redoutant encore d'être poursuivis par les *Mal'achim* (car ils ignoraient encore que, de ces deux-là, il n'en restait plus qu'un), ils rejoignirent le sud de la péninsule Ibérique. Pour ce faire ils traversèrent le Portugal par les villes de Vigo et Porto, puis l'Andalousie par Badajoz et Séville, et arrivèrent vingt-deux jours plus tard en cette région que l'on appelle Gibraltar, qui est un nom issu de l'arabe *Djebel Tariq*, et dont le grand rocher était considéré à l'époque antique comme l'une des deux Colonnes d'Hercule.

Là, dans ce détroit qui relie l'océan Atlantique à la mer Méditerranée, ils embarquèrent sur un bateau de pèlerins qui, longeant les dangereuses côtes septentrionales de l'Afrique, passa au sud de la Sardaigne et de la Sicile, puis au sud de la Crète jusqu'à Alexandrie.

Comme nous l'avons promis, nous passons rapidement sur les épisodes de leur navigation, les pirates par lesquels ils faillirent se faire attaquer, les tempêtes qui manquèrent de faire chavirer leur navire quand la mer devenait grosse et le vent violent, et ce mal de cœur que les deux adolescents au moins durent affronter les premiers jours. Nous passons aussi, mais à grand regret, sur les splendeurs que leur offrit ce voyage, celles des mers d'Alborán et Tyrrhénienne, celles des plages du cap Sidi Ali el-Mekki, du volcan de l'île de Pantalarée où les peuples anciens venaient extraire l'obsidienne, de l'archipel de Malte, de l'azur immaculé de la Méditerranée, puis, enfin, du port de la capitale égyptienne, héritière d'Alexandre le Grand, surplombée par la tour de Ptolémée Philadelphe, le célèbre Pharos auquel nos phares doivent aujourd'hui leur nom.

L'arrivée à Alexandrie, au milieu d'une foule d'autres vaisseaux, fut néanmoins l'une des plus grandes sources d'émerveillement que connurent nos héros lors de ce long voyage. Le temps était splendide et l'ancienne cité, immense, s'élevant comme une île au milieu d'un océan de sable doré, étincelait sous les rayons du soleil, avec sa colonne de Pompée et son aiguille de Cléopâtre, ses minarets, ses belles maisons blanches, ses bazars, ses palmiers, ses habitants aux tuniques colorées, ses ânes courant dans l'ombre des ruelles... Malheureusement, malgré la beauté de la ville, nos héros ne devaient point y rester plus d'une journée car, comme ils n'allaient pas vraiment jusqu'à Jérusalem, ils durent changer de bateau, quitter les pèlerins pour faire une dernière traversée et rejoindre, à l'est, la côte du Sinaï, où ils arrivèrent enfin après ce long périple qui avait déjà duré plus de deux mois.

Ensuite, nous dirons quelques mots d'une découverte que fit Andreas pendant cette fabuleuse expédition car, profitant de l'oisiveté à laquelle les obligeait le bateau, il étudia de plus près le *lexicon* d'Avicenne, se préparant à lire le mystérieux livre dont tout laissait croire qu'il serait en cette même langue. Ainsi, pendant les longues journées en pleine mer, plutôt que de discuter avec les deux jeunes adolescents ou avec les pèlerins de Jérusalem, il se pencha doctement sur le vieux manuscrit qu'il avait emporté et s'efforça d'en comprendre chaque vocable. Ce faisant, il eut un jour une soudaine et importante révélation : la traduction que Denis de Tourville lui avait suggérée pour le titre du *Shatirum lâ-mi'umma* était inexacte (comme l'avait d'ailleurs laissé entendre Juan Hernández Manau). À en croire le *lexicon*, l'intitulé, en effet, ne signifiait pas *Le Livre qui n'existe pas*, mais plutôt *Le Livre de ce qui n'existe pas*, ou, pour employer une formulation plus simple : *Le Livre du Néant*.

Et la nuance était majeure.

D'abord, elle était rassurante : elle affaiblissait l'idée que le livre pût n'être qu'une légende et ne point exister. Ensuite, elle était instructive : ce titre ne définissait plus le livre en lui-même mais son sujet, à savoir le néant ou, plus exactement, ce qui *n'existe pas*. Assimilant ce concept à la pensée gnostique, Andreas s'aventura même à en deviner le sens. Car après tout, le gnosticisme – qui avait d'ailleurs ses racines en cet Orient vers lequel ils se dirigeaient maintenant – affirmait que les hommes étaient des âmes emprisonnées dans un monde créé par un dieu mauvais. Ainsi ce livre, peut-être, traitait du « bas monde », du monde dit physique, et qui pour les gnostiques n'était qu'une illusion produite par le démiurge, quand le vrai monde, spirituel, était ailleurs, auprès du Dieu bon. Pour certains de ces penseurs, enfin, la gnose, cette connaissance spirituelle et libératrice de la vérité cachée, eût été donnée à Moïse par le vrai Dieu lors de l'épisode… du Buisson ardent. Le fait que le livre gnostique, supposé antérieur, se fût à présent trouvé là était peut-être une coïncidence, mais plus probablement un choix symbolique. Ou bien ce lieu possédait quelque qualité favorable aux grandes révélations…

Ainsi Andreas songea que le *Shatirum lâ-mi'umma* se pût être une sorte de manuel gnostique, un codex offrant la gnose à celui qui était digne de la recevoir, lui proposant la délivrance du monde artificiel et sa remontée vers les sphères célestes. À porter quelque crédit à cette théorie, cela eût pu expliquer que quiconque lisait et comprenait ce livre… disparaissait du monde physique pour rejoindre le monde spirituel (et du même coup, disparaissait de la mémoire des hommes emprisonnés dans le bas monde).

Bien sûr, Andreas peinait à y croire, mais au moins avait-il l'impression de mieux comprendre la légende, celle à laquelle semblaient adhérer les maîtres de la *schola gnosticos* qu'il avait rencontrés.

Pour eux, ainsi étaient les faits : Andreas avait rencontré à Saint-Jacques-de-Compostelle une personne, qui semblait être une femme, une femme extraordinaire, qui n'était pas seulement apothicaire, mais aussi maîtresse de cette école gnostique. Cette femme, Andreas doutait de jamais savoir qui elle fut vraiment, et la chose l'attristait grandement – à moins qu'il n'en trouve la trace en trouvant le livre... Toujours était-il qu'à ses côtés, il était devenu l'apothicaire que l'on sait, brillant, habile, érudit. Puis, comme l'avait dit Juan Hernández Manau, cette femme était partie pendant sept ans, laissant Saint-Loup s'occuper seul de l'apothicairerie ; puis un jour elle était revenue, avec le livre. Pour une raison qu'Andreas ne pouvait s'expliquer, quand celui-ci décida de rentrer à Paris, elle l'accompagna. Elle emménagea avec lui dans sa maison de la rue Saint-Denis, mais dans une chambre séparée (ce qui laissait supposer qu'elle n'avait pas été son amante ou sa femme). Et puis un jour – neuf ans plus tard ! – elle avait fini et compris le livre, et alors elle avait disparu du monde réel comme des souvenirs de ceux qui l'habitaient encore.

Telle était visiblement la thèse des gnostiques.

Il restait toutefois pour Andreas plusieurs mystères inexpliqués. Par exemple : pourquoi cette femme avait-elle mis si longtemps à lire le livre, une fois rentrée à Paris ? Avait-elle attendu avant que de s'y plonger ? Et ensuite, plus déroutant encore : si vraiment elle avait trouvé le livre, se pouvait-il que celui-ci fût maintenant au monastère ? N'avait-il pas disparu avec elle ? Quelqu'un l'avait-il ramené ? Ou bien n'avait-elle pris qu'une copie ?

Andreas, malgré l'esprit scientifique qu'on lui connaît, et malgré ces questions qui restaient sans réponse, devait bien reconnaître que cette histoire troublante entrait en résonance avec les faits dont il avait été témoin de première main. Pourtant, il ne pouvait s'y résoudre entièrement, et à présent il n'avait plus qu'une seule envie : trouver le livre à son tour. Le trouver et le lire. Car ainsi, il saurait. Une bonne fois pour toutes. Peut-être découvrirait-il une tout autre histoire. Peut-être confirmerait-il la thèse des gnostiques. Peut-être découvrirait-il qui était cette femme. Mais au fond, pour lui, une seule chose comptait, comme toujours : la vérité.

Enfin, pour conclure ce chapitre, nous devons dire quelques mots d'Aalis et Robin. Après les événements terribles qu'ils avaient vécus à Compostelle (et dont, comme ils en étaients convenus, ils ne parlèrent jamais à Andreas), leur relation avait beaucoup évolué. Ils avaient bâti ensemble une complicité nouvelle et se parlaient désormais avec beaucoup de tendresse, partageaient des secrets, riaient d'une même voix et parfois même aux dépens de l'Apothicaire. Sur le bateau on les voyait discuter tout bas jusque tard dans la nuit, et ils se livrèrent l'un à l'autre avec bien plus de franchise qu'ils n'en avaient jamais offert à personne. Pourtant, quand bien même Robin eût plusieurs fois manifesté à la jeune fille son désir de franchir un autre pas (celui de l'amour, le lecteur l'aura compris), celle-ci s'y refusait toujours. Le regard qu'elle portait sur l'Apothicaire n'avait pas beaucoup changé, il était encore confus et ambigu, et c'était comme si l'admiration qu'elle vouait au pharmacien l'empêchait encore de se donner à Robin. Cela, toutefois, ne les empêcha pas de devenir les meilleurs amis du monde, mais n'y a-t-il rien de plus triste que de recevoir de l'amitié là où vous attendez de l'amour ?

Ainsi le jeune apprenti, quoiqu'il fût des plus adroits à masquer sa peine, se laissa ronger par une affliction grandissante, car plus leur amitié croissait, plus son espoir de devenir un jour l'amant d'Aalis diminuait, et pourtant il était contraint de s'en contenter. Pis : pour ne pas la heurter, il devait même faire mine de s'en réjouir.

139

Ce fut donc au soir du vingtième jour de juin de l'an 1313 qu'Andreas, Robin et Aalis débarquèrent sur la côte sablonneuse et déserte de la péninsule du Sinaï.

Cette région qui, jusqu'au VIIe siècle, avait appartenu à l'Empire romain d'Orient, était devenue un territoire sarrasin après sa conquête par les armées arabes de 'Amr ibn al-'As, général envoyé par Mahomet. Pendant les premiers siècles du christianisme, cette terre, ayant été identifiée comme l'endroit où Moïse eût reçu les Tables de la Loi, avait été un haut lieu de foi et de construction, et les Sarrasins l'avaient donc trouvée couverte d'églises et de monastères. Mais quand Andreas, Robin et Aalis traversèrent le pays, tout ceci avait disparu, et seul le monastère de Sainte-Catherine, irréductible, avait survécu, avec ses deux cents moines – qu'ici on appelait caloyers – et l'on verra plus tard de quelle manière.

Sur la côte nord de la péninsule, Andreas – qui, comme on l'a déjà dit, grâce aux grands médecins arabes qu'il avait étudiés, avait quelques notions de la langue que l'on parlait ici – trouva un groupe de trois Bédouins qui, pour une somme raisonnable, acceptèrent de les guider dans le désert jusqu'au sud de cette langue de terre, où devait se terminer leur long voyage.

On prêta à chacun d'eux un dromadaire, que les gens du pays appelaient « navire du désert » : c'était d'élégantes montures, hautes et gracieuses, au poil très clair, presque blanc, richement harnachées et qui, pour l'occasion, avaient la bosse recouverte d'une housse de velours. Ainsi, le matin qui suivit leur arrivée, nos trois compagnons partirent avec cette étonnante caravane de Bédouins, chargés de tentes, de tapis, d'outres pleines d'une eau bien rare en ces lieux, de nourriture pour les hommes et de fèves pour les animaux. Andreas, quant à lui, avait emporté un sac plein de drogues et de plantes médicinales qu'en homme prévoyant il avait pris le soin d'acheter à Alexandrie.

La traversée du désert dura quinze jours, qui furent à la fois merveilleux et éprouvants, car si le climat de ce pays y a forgé des décors somptueux, il est aussi un défi de taille pour le voyageur inaccoutumé.

Les Bédouins, qui n'étaient pas avares en conseils, amusés par les maladresses de ces étrangers, eux-mêmes vêtus de tuniques de laine sans manches, à raies brunes et blanches, et de turbans rouges, leur recommandèrent dès le premier jour de ne point trop s'animer afin d'économiser l'eau de leur corps et ne pas souffrir de la chaleur, mais surtout de ne laisser aucun bout de peau qui fût exposé aux puissants rayons du soleil. Malgré cette judicieuse mise en garde, Andreas dut soigner avec de l'huile de millepertuis les brûlures qui avaient envahi le premier soir les peaux blanches des deux jeunes adolescents, mais qui l'avaient épargné, lui dont on se souvient qu'il avait le teint mat. En effet, le lecteur n'a certainement pas oublié cette coïncidence troublante, car à en croire la découverte que fit Charles de Valois, la mère d'Andreas (bien que lui-même l'ignorât) était native de la Nubie, laquelle se trouvait non loin de là, au sud de l'Égypte, sur la rive ouest de la mer Rouge...

Tout le jour, ils foulaient cette terre aride et baignée de lumière, et alors tout autour d'eux était gris, fût-ce d'un gris blanc, foncé ou clair, mais tout était toujours gris, disons-nous, hormis bien sûr la mer à l'horizon, dont les flots étaient du plus bel azur. Dans les premiers temps ils franchirent de douces collines de sable qui se succédaient à perte de vue, parsemées çà et là de rares broussailles, de quelques palmiers et de quelques tamaris, puis les montagnes apparurent à l'horizon, le sable se teinta de rose, et alors ils s'enfoncèrent dans un décor de granit.

Dans ce désert où tout était nu, tout était stérile, où nulle vie ne semblait pouvoir surgir, l'apparition d'un animal était toujours une sorte d'enchantement, une anomalie réjouissante, fût-ce un oiseau perdu, un improbable troupeau de gazelles, ou même ces serpents et ces lézards que l'on voyait le soir, ces chacals et ces hyènes qu'on entendait la nuit.

En chemin, Andreas ne se priva guère de ramasser les plantes et épices qu'il pouvait inscrire à sa pharmacopée : les gentianes qui poussaient là, les figues, le ricin, le safran, le styrax, l'armoise et le *tanecetum* qui embaumaient la route, et surtout l'hysope, qui avait la faveur des Bédouins pour lutter contre les infections et qui était justement mentionnée dans le livre de l'Exode.

Parfois ils croisaient aussi quelque habitation, quelque campement, et toujours ils étaient accueillis par le sourire curieux des habitants du désert, qui vivaient à moitié nus, et les enfants tout à fait, avec leur ventre gros, et il y avait dans leurs yeux entourés de ces mouches qu'ils ne prenaient pas même la peine de chasser une mélancolie et une fierté qu'Andreas n'avait jamais vues ailleurs, sinon peut-être dans le regard de Magdala, dont le souvenir le hantait encore.

Plus ils avançaient sur ces chemins pierreux, plus le sol s'élevait autour d'eux, et alors les dromadaires devaient se faufiler entre les passages escarpés, dans les gorges étroites où leurs pattes glissaient à chaque pas sur les cailloux arrondis. Mais les bêtes, qui pourtant portaient tout, semblaient moins fatiguées que les hommes.

Le soir, ils installaient leurs tentes à l'ombre de rochers de granit, si possible aux environs d'un puits ou d'un peu de végétation. Lors, les Bédouins leur faisaient à manger – on comptait parmi leurs spécialités un plat délicieux qu'ils appelaient *kharouf mehchi* et qui était du mouton cuit sous la braise, agrémenté de pistaches et d'amandes – et partageaient avec eux bien plus qu'un repas. Échangeant leurs coutumes, s'ouvrant à la culture de l'autre, tout ce petit monde s'amusait à se découvrir car, de fait, rien n'est plus enrichissant que la différence.

Un soir, ils participèrent même à un rituel très particulier, dont Andreas avait entendu parler mais auquel il n'avait jamais assisté : les Bédouins mirent dans une pipe en bois des petits blocs de couleur brune qu'ils avaient obtenus en raclant la résine qui couvre les feuilles et les fleurs du chanvre. On avalait la fumée de la pipe par plusieurs inhalations courtes, puis on la passait à son voisin. La substance, comme l'avaient expliqué les Bédouins, produisait des effets relaxants, euphorisants, et favorisaient l'introspection. Ces effets furent plus grands sur les deux adolescents que sur Andreas, à qui ils rappelèrent ceux que lui avaient donné ses premières prises de diacode, à l'époque où le looch agissait encore pleinement sur lui. Toutefois, ce soir-là, Robin et Aalis rirent bien plus qu'à l'accoutumée et ils dormirent plus profondément que les autres nuits, sans être réveillés par les bruits de leurs hôtes.

En effet, la nuit, les Bédouins faisaient délibérément du chahut pour faire savoir aux voleurs – il y en avait quelques-uns dans ces contrées désertiques – qu'ils étaient éveillés et en grand nombre.

Et puis enfin, à l'issue du quinzième jour, après avoir franchi moult collines calcaires qui se chevauchaient comme des vagues sur une mer de tempête, après s'être avancés dans la chaîne de montagnes granitiques dont les sommets se perdaient dans les nues, ils arrivèrent, épuisés mais heureux, sur un haut plateau qui se refermait comme un amphithéâtre. Là, le monastère millénaire, citadelle de pierre jaune, mirage au milieu du rien, se dressait fièrement au pied du mont Sinaï, le long duquel les derniers rayons du soleil ruisselaient comme autant de cascades argentées.

Nous ne saurions dire avec justesse l'émotion qui envahit alors nos trois héros, car ici était le terme de leur voyage, ici était la promesse d'une réponse tant attendue, pour laquelle ils avaient parcouru le monde, vaincu des ennemis et perdu des amis. C'est dans un silence éloquent, d'ailleurs, qu'ils admirèrent ce lieu dans la lumière orangée du crépuscule.

Le mur d'enceinte, épais, austère, carré, élevé en gros blocs de granit, était soutenu par de larges contreforts qui lui donnaient l'apparence d'une forteresse flanquée de tours et de bastions. De la même couleur que le sable qui l'entourait, tremblant dans les vapeurs vacillantes du soir, on eût dit un vaisseau fantomatique qui se fût soulevé du sol. Ici et là, l'enceinte était abîmée, et de loin on entendait des bruits de marteaux heurtant la pierre qui laissaient penser que, de l'intérieur, on la réparait encore. De cette muraille n'émergeait qu'une seule construction, et c'était un minaret, car le monastère abritait aussi une mosquée.

En face de la façade ouest du couvent, des murets en pierre sèche encerclaient un grand jardin dont la splendeur verte semblait purement miraculeuse dans ce désert, et au nord de ce jardin était un cimetière, dont on apercevait les tombes au milieu de hauts cyprès.

Tout autour de l'édifice, lequel était placé sur un terrain en pente, on voyait errer des Bédouins en guenilles, attirés là par la charité des moines qui, chaque jour, leur faisaient descendre des vivres par les murs du monastère.

Mais une chose, d'emblée, étonna vivement Andreas et ses compagnons : nulle part, sur la principale façade du bâtiment, qui était vers l'orient derrière le jardin, ils ne virent d'ouverture.

— Où est la porte ? demanda Andreas au chef des Bédouins qui les avaient accompagnés.

— Il n'y a pas de porte, répondit l'autre en souriant.

Andreas fronça les sourcils.

— Comment entre-t-on ?

Pour toute réponse, l'homme se contenta de tendre le doigt vers le sommet de la muraille. Andreas, plissant les yeux, aperçut alors une large corbeille attachée au bout d'une corde, laquelle passait par une poulie.

— Incroyable !

En ce temps, la seule porte du monastère avait été murée, et tout ce qui entrait à l'intérieur des murs – les hommes comme les provisions – était hissé par le moyen de cette corde. Ainsi le couvent se préservait des intrusions, coupé du monde, inviolable, aussi imprenable même que l'eût été Troie sans ce grand cheval de bois imaginé par Ulysse. Quant au jardin, on y accédait par un souterrain secret dont les deux bouts étaient clos.

Tel était donc le secret du monastère Sainte-Catherine pour avoir survécu si longtemps en terre hostile !

Mais pour dire l'entière vérité, cette manœuvre, seule, n'eût peut-être point suffi : il fallut aussi compter sur l'astuce des moines pour protéger l'endroit.

Assurément, pour subsister et continuer d'offrir l'hospitalité aux pèlerins, les moines de Sainte-Catherine – les caloyers – durent moult fois composer avec les Sarrasins : ils affirmèrent notamment que le prophète Mahomet lui-même avait jadis séjourné en ces murs et garanti à leurs occupants quelque privilège, ce qu'ils prouvèrent en produisant un manuscrit signé de sa main. De même, les religieux firent construire au Xe siècle cette mosquée à l'intérieur du monastère pour éviter que les hommes du calife Al-Hâkim ne le détruisissent, comme ils en avaient reçu l'ordre. Enfin, ils effectuaient chaque jour des distributions de vivres, pain, huile et farine, pour s'attirer la bienveillance des Bédouins, et ils payaient certains pour entretenir le jardin.

Mais la porte, elle, restait toujours murée.

— Eh bien, demanda Robin, perplexe, comment allons-nous faire, maintenant ?

— Je suppose que nous devrions aller au pied de cette poulie, répondit Andreas.

— Et après ?

— Ma foi, il semble qu'il serait indiqué de se présenter, comme on le fait quand on a quelque éducation. Mais il va falloir que je rafraîchisse un peu mon grec...

— Votre grec ?

— Oui. Le monastère de Sainte-Catherine dépend du patriarcat de Jérusalem, Robin, et au sein de celui-ci, on parle le grec. Mais au moins, cette fois, c'est une langue que tu connais un peu, mon garçon !

— Un peu, répéta l'apprenti en grimaçant.

— Et moi, je ne vais encore rien comprendre ! se plaignit Aalis.

L'Apothicaire demanda aux Bédouins de dresser un camp et de les attendre ici au cas où ils ne pourraient entrer le soir même dans le monastère, puis nos trois compagnons grimpèrent ensemble les marches qui longeaient le jardin jusque devant la façade orientale de l'imposant édifice. Là, au-dessus de l'ancienne porte murée, un verset des Psaumes était gravé dans la pierre qui, en grec, disait : « C'est là la porte du Seigneur, et les justes y entreront. »

— Reste à savoir si l'un d'entre nous, au moins, est juste, plaisanta Andreas. Moi, j'ai vécu toute ma vie dans le péché, et toi, Aalis, tu as aussi beaucoup à te faire pardonner, si je me souviens bien. Mon brave Robin, je crois que tu vas entrer seul ici.

— Ne dites pas de bêtises, Andreas ! On nous regarde !

L'Apothicaire leva la tête et aperçut en effet le visage d'un caloyer, coiffé de ce bonnet cylindrique sans bord, que l'on appelle *kamilavkion* et que portent tous les religieux dépendant du patriarcat de Jérusalem.

— Que voulez-vous ? leur cria le moine dans sa langue, et d'une voix peu amène.

Pris de court, Andreas dut improviser.

— Nous sommes des pèlerins venus de France et nous demandons l'entrée du monastère ! lança-t-il en collant la main près de sa bouche pour que sa voix porte plus loin.

— Avez-vous une lettre de recommandation de l'archevêque du Sinaï ou du patriarche de Jérusalem ?

L'Apothicaire grimaça.

— Non.

— Alors vous ne pouvez pas entrer.

Et avant qu'Andreas eut pu insister, le caloyer avait disparu derrière la muraille.

— La chose eût été trop belle, grommela l'Apothicaire.

— Ne pouvez-vous pas forger une lettre, comme vous le fîtes à Compostelle ?

— J'ai bien peur que ces moines érudits soient bien plus difficiles à tromper que le chanoine de Saint-Jacques. En outre, je viens de lui confesser que nous n'avions pas de lettre.

— Il fallait y penser avant ! intervint Aalis, et Andreas lui adressa aussitôt un regard fâché.

— Qu'allons-nous faire ? demanda Robin. Nous n'allons tout de même pas renoncer après tant d'efforts !

— Bien sûr que non, sombre idiot ! Nous allons prendre le temps de la réflexion, comme il se doit. Avec un peu de chance, un groupe de pèlerins se présentera ce soir et nous nous mêlerons à eux.

Mais aucun pèlerin ne vint ce soir-là, et nos trois Français, dépités, passèrent une nuit de plus parmi les Bédouins.

140

Le lendemain, Andreas, Robin et Aalis passèrent la journée à chercher en vain un moyen d'entrer dans le couvent. Ils retournèrent au pied de la muraille au petit matin et à la fin de l'après-midi, aux moments où les moines faisaient descendre un panier de vivres pour les Bédouins, mais on ne daigna même pas leur adresser la parole.

— On ne va tout de même pas devoir aller jusqu'à Jérusalem pour chercher une lettre de recommandation ! s'exclama Aalis, qui commençait à désespérer.

— Ils finiront bien par avoir pitié de nous, supposa Robin.

— *Hannibal ante portas*[1], plaisanta Andreas.

— Vous n'envisagez tout de même pas de prendre d'assaut ce lieu saint ? s'offusqua l'apprenti.

— Même si cela était possible – ce dont je doute fortement – cela ne servirait pas notre cause. Nous devons nous attirer leurs faveurs.

— Vous avez bien une idée pour les impressionner, non ? demanda Aalis. Vous avez toujours ce genre d'idées !

— J'ai bien des discours en tête, ma petite, mais le problème, c'est qu'ils ne veulent même pas nous entendre.

1. *Hannibal est à la porte*. Hannibal était si grand stratège que dès qu'un danger menaçait Rome, les sénateurs criaient cette phrase.

— Et si nous faisions croire que je suis blessée ? La charité chrétienne, tout de même ! Ils ne vont pas laisser une jeune fille mourir aux portes de leur couvent !

— Quand ils verront que nous leur avons menti, ils nous jetteront dehors.

— Alors nous devons attendre encore et espérer que des pèlerins finiront par arriver ! se résigna Robin.

Andreas acquiesça, mais au fond de lui il n'était même pas certain que cette stratégie fût la bonne, car les lettres de recommandation étaient probablement nominatives. Il allait falloir trouver un autre moyen.

Un peu avant le soir, les Bédouins qui les avaient accompagnés leur annoncèrent, embarrassés, qu'ils devaient partir, mais qu'ils pouvaient leur laisser, pour un bon prix, une tente et deux dromadaires. Andreas arrivait au bout de sa réserve d'argent mais, comme ils n'avaient pas le choix, il accepta leur proposition. Ils échangèrent de chaleureuses salutations et se quittèrent avec émotion.

— Maître, murmura Robin en les voyant partir. Je ne suis pas rassuré de savoir que nous allons passer la nuit ici tout seuls...

— Nous ne sommes pas tout seuls, il y a plein d'autres Bédouins.

— Justement !

— Allons, Robin ! Ce sont de braves gens, ils ne nous ont jamais embêtés.

— Parce que nous étions accompagnés.

— Nous nous relaierons pour monter la garde cette nuit, si cela peut te rassurer. Ce ne sera pas la première fois. Mais je crois que tu te fais du souci pour rien.

En réalité, les choses ne se passèrent pas ainsi, car soudain, au crépuscule, alors que le soleil avait presque complètement disparu derrière les montagnes, Aalis poussa un cri qui résonna à travers l'immense plateau.

— Andreas ! hurla-t-elle, debout sur un rocher en hauteur, le doigt tendu vers l'ouest. Regardez ! Le cavalier !

Et en effet, l'instant d'après, la silhouette sombre de Suriel se découpa au sortir de la gorge qui les avait conduits ici. Assis sur son grand cheval noir, l'épée déjà en main, il ressemblait plus que jamais à un cavalier de l'Apocalypse, à un démon céleste venu occire les derniers hommes avant la fin des temps.

Le cri d'Aalis fut suivi par ceux des Bédouins qui, bientôt, comme s'ils avaient pressenti le danger que cet homme incarnait, s'enfuirent affolés dans la direction opposée, qui à cheval, qui à dromadaire, qui à pied, et en quelques instants, l'immense parvis naturel du monastère fut désert.

— Foutre diable ! blasphéma Andreas. Il n'abandonnera donc jamais ?

— Maître ! cria Robin, livide. Qu'allons-nous faire ?

— Dans les montagnes, lui à cheval, nous sur nos dromadaires, nous n'avons aucune chance...

— Alors ?

— Le monastère ! décida l'Apothicaire. Suivez-moi !

Lors ils coururent tous trois en direction de la forteresse, abandonnant tout derrière eux – tente, bêtes, sacs, vivres – et cette course à travers le plateau désertique sembla durer une éternité.

Quand ils furent enfin au pied de la muraille, le *Mal'ach* n'était plus loin, et ils se mirent à hurler, à appeler les moines au secours. Les montagnes, comme pour les humilier davantage, firent tourner l'écho de leurs voix autour d'eux, agrandissant encore leur sentiment de désespérant abandon.

— Nous sommes perdus ! s'exclama Robin, mais au même instant, le cheval de Suriel s'arrêta brusquement, et ses sabots glissèrent dans le sable, soulevant des nuages de poussière.

L'animal, moult agité, se mit à trépigner sur place, comme s'il refusait d'avancer, comme s'il était pris d'une soudaine et inexplicable frayeur. Le cavalier tenta de le forcer à repartir, mais la bête hennit, se cabra, renâcla nerveusement et commença même à rebrousser chemin, jusqu'à ce que le *Mal'ach* se résignât à descendre.

— Que se passe-t-il ? demanda Aalis, perplexe.

— Laissez-nous entrer ! hurla Robin dans un grec approximatif.

Leurs yeux faisaient des allers et retours entre le sommet de la muraille et le cavalier noir qui, à pied désormais, avait repris son avancée vers eux. Mais lui-même, bientôt, sembla éprouver quelque peine à approcher. C'était comme s'il luttait contre une force invisible, de plus en plus puissante, une tempête en sens contraire, et en vérité la chose dépassait l'entendement, car alentour il n'y avait pas un souffle de vent. L'épée plantée dans le sol comme s'il se fût agi d'un bâton de marche, il poussait des râles et son visage blond se tordait de douleur à chaque nouveau pas qu'il faisait.

— Que lui arrive-t-il ? répéta Aalis, terrifiée.

Andreas ne répondit pas, mais alors il se remémora une phrase étrange que Juan Hernández Manau lui avait dite à Burgos au sujet des *Mal'achim* : « *Là où vous irez, ils ne pourront pas vous suivre.* » La chose lui avait paru fantasque à l'époque, à présent elle semblait fantastique. Se pouvait-il qu'il s'agît bien de cela ? Qu'une force invisible l'empêchât d'avancer ?

— Il... il ne peut physiquement pas entrer dans le monastère, balbutia Andreas, et ce faisant il essayait de s'en convaincre lui-même.

— Alors nous devons assurément grimper à l'intérieur ! répliqua Aalis, puis elle se mit à crier à son tour vers le haut de la muraille.

Les voix des deux jeunes gens se mélangèrent, mais ils eurent beau y mettre toute leur force, toute leur épouvante, personne ne semblait vouloir les entendre.

Andreas, quant à lui, ne pouvait détacher ses yeux du *Mal'ach*. Comme il n'était plus qu'à deux ou trois pas, Suriel sembla redoubler d'efforts pour continuer d'avancer, et conséquemment il hurlait, la figure déformée par la douleur, les muscles bandés par la peine. Ses yeux étaient injectés de sang, et il dévisageait Andreas en retour, comme s'il avait pu le tuer sur place, d'un simple regard.

Soudain, il y eut un bruit de grincement en haut des murs.

Les trois compagnons levèrent la tête et, enfin, comme par le nouveau prodige d'une délivrance inespérée, un large panier se mit à descendre vers eux et arriva bientôt au niveau du sol.

— Montez ! ordonna Andreas en poussant les deux jeunes gens vers la nacelle. Il n'y a pas de place pour nous trois !

Robin commença par refuser, mais l'Apothicaire ne lui laissa guère le choix et le fit basculer à l'intérieur. Aussitôt, la corde les hissa vers le haut de la muraille.

Andreas, le dos plaqué contre le mur, tourna de nouveau les yeux vers Suriel, lequel était si proche maintenant qu'il pouvait presque le toucher.

Dans un travail qui sembla aussi surhumain qu'étaient inhumains les râles qu'il poussait, le *Mal'ach* souleva son épée au-dessus de sa tête.

Les yeux écarquillés, le cœur battant à se rompre, Andreas se pressa de toutes ses forces contre la paroi de pierre, comme s'il eût pu la faire reculer davantage ou s'enfoncer dedans.

Les mains du *Mal'ach*, alors, dressées vers les cieux, prêtes à frapper, se mirent à trembler étrangement.

— Je ne sais pas de quels abysses tu es venu, cracha Andreas avec dégoût, mais retournes-y, calamité !

Et alors notre pauvre Apothicaire fut saisi par la plus horrifiante vision : juste devant lui, frappée par un ultime rayon de soleil cramoisi, la peau de Suriel sembla s'agiter toute seule, se gonfler, bouillir même. Puis des gouttes de sang se mirent à couler de sa bouche, de son nez, de ses oreilles et de ses yeux, et son visage devint celui d'une chimère de l'Antiquité, d'un cerbère, d'un démon, il était Abaddon couvert des viscères de ses victimes, il était Léviathan se nourrissant des âmes à pleines dents, il était Lucifer tombé des nues, mutilé, abandonné, il était Moloch, il était le visage même de la monstruosité, et il s'abîmait en lui-même.

Andreas, confronté aux limites infranchissables de sa raison, poussa son premier cri d'horreur.

Au même moment, la nacelle réapparut à ses côtés. Luttant contre la tétanie que la peur lui avait insufflée, il se jeta dedans. Le panier s'enleva prestement au-dessus du sol alors que Suriel, moribond, tombait lourdement sur les genoux.

Lors il y eut un bruit étourdissant, strident, comme un sifflement de sirène qui obligea Andreas à se boucher les oreilles. Mais ses yeux, il ne put les détourner du spectacle incroyable qu'offrait encore sous lui le désert.

Car voici : subitement, le corps du *Mal'ach* s'enflamma, s'embrasa dans un éclat de lumière et de bruit. Puis le sifflement perçant s'éteignit lentement, alors que le cadavre carbonisé du cavalier noir était encore secoué de derniers soubresauts, et bientôt ce ne fut plus qu'un tas sombre et informe, une dépouille fumante.

Andreas, qui s'était écroulé à l'intérieur de la nacelle, tremblait de tout son corps. Son esprit, non, son être tout entier luttait contre la dernière image qu'il avait vue.

Quand il fut tout en haut, il passa de l'autre côté de la muraille, et se laissa tomber à genoux sur une coursive de pierre, hébété, abasourdi. Jamais sa foi en la réalité du monde qui l'entourait n'avait été tant éprouvée. Pour tout dire, il était près de pleurer, car cette fois, il crut bien avoir perdu la raison.

Lors une main se posa sur son épaule.

Fébrile, il leva les yeux.

Un caloyer du Sinaï se tenait au-dessus de lui qui lui tendait la main. Et d'une voix sourde et grave, il dit simplement :

— L'higoumène[1] Athanasios demande à vous voir.

---

1. Frère supérieur d'un monastère orthodoxe ou catholique de rite oriental, équivalent du père abbé.

141

Le moine qui les avait accueillis, vêtu d'une tunique bleue fixée à la taille par une ceinture de cuir, et qui avait les cheveux longs sous son bonnet cylindrique, leur fit lentement descendre un escalier vers la cour du monastère.

Les yeux écarquillés, le regard perdu dans le vide, Andreas, tout en marchant, répétait toujours la même phrase, comme une litanie pour se convaincre lui-même :

— Il doit y avoir une explication. Il doit bien y avoir une explication.

— Maître ! Taisez-vous ! supplia Robin, qui n'était pas en bien meilleure forme.

— Le phénomène a déjà été raconté, grommela Andreas. Un être qui se met à brûler. Oui. Lucrèce le mentionne dans le *De rerum natura*[1]. Il doit y avoir une explication.

— Taisez-vous ! répéta l'apprenti. Et regardez !

Et ainsi, encore stupéfaits par ce qu'ils venaient de vivre, ils se laissèrent toutefois émerveiller par l'image du couvent dans les dernières lueurs du soir et, pour sûr, c'était une vue sans égal.

Enfermé à jamais au milieu de sa haute muraille, c'était un véritable petit village aux teintes ocre, mais qui à cette heure paraissaient bleues, un amas de bâtiments tantôt grossiers, tantôt ouvragés, qui s'amon-

1. *De la nature.*

celaient sur les différents niveaux de son terrain inégal. Malgré la richesse de la basilique, il se dégageait de l'ensemble une impression de pauvreté, mais d'une pauvreté noble, empreinte d'histoire. En dehors des trois bâtiments principaux – la basilique, la mosquée et la bibliothèque – c'était un assemblage biscornu de constructions de terre, de pierre ou de bois, des petites cellules étagées les unes sur les autres sans ordre apparent et séparées par des corridors étroits, des galeries ouvertes, des petits ponts branlants, des escaliers rustiques, et ici et là on apercevait quelques cours dans lesquelles poussait une triste vigne.

L'heure devait être à la prière, car il n'y avait pas un bruit entre ces murs, et ce silence parfait donnait aux lieux une plus grande solennité encore : ici, on avait indubitablement le sentiment de n'être plus tout à fait dans le monde.

Longeant la mosquée puis la basilique, le caloyer les conduisit jusqu'au côté nord-est du monastère, où était un vert buisson (supposé être celui de l'Exode) derrière un muret, puis s'arrêta devant un modeste bâtiment qui jouxtait le réfectoire. Écartant un rideau qui en fermait l'entrée, il fit signe à Andreas de passer, mais arrêta les deux jeunes gens d'un geste de la main.

— Ceux-là doivent vous attendre ici.

L'Apothicaire s'immobilisa.

— Non, dit-il d'une voix ferme. Ils sont avec moi, ils restent avec moi.

Et Andreas, qui était de fort méchante humeur, pensait réellement ce qu'il venait de dire. S'il avait accepté de rencontrer Juan Hernández Manau tout seul, à Burgos, il ne voulait pas abandonner ses deux compagnons une seconde fois. Après tout, ils avaient fait tout ce chemin avec lui, ils l'avaient soutenu jusqu'au bout, avec une confiance aveugle, il n'y avait aucune raison de les tenir à l'écart lors des étapes majeures de son investigation.

Ils étaient trois, trois ils resteraient.

— Cela n'est pas possible, monsieur.

— Alors vous pouvez dire à votre higoumène qu'il ne me verra pas ! répliqua Andreas en faisant marche arrière.

Lors, une voix s'éleva de l'intérieur :

— Laissez-les entrer, frère Kosmas !

La figure du moine se rembrunit, puis à contrecœur il s'écarta devant les deux adolescents.

Ils découvrirent alors une petite pièce modeste, éclairée à la seule lumière d'un chandelier, parfumée d'encens, et dont les murs étaient décorés de multiples icônes sur bois, peintes à la cire chaude. Le plafond était si bas qu'on avait le sentiment d'être dans la tanière d'un animal.

Au bout de la pièce, derrière une petite table, un vieil homme leva la tête vers eux et leur fit signe d'avancer. Vêtu de noir de la tête jusqu'aux pieds, il portait une longue barbe, une chevelure qui lui tombait jusque sur les épaules, et sur son chef un *klobouk*, qui était similaire au *kamilavkion* des autres moines mais possédait en sus un voile qui descendait dans son dos.

Et d'emblée, le vieil homme leur parla dans un français irréprochable.

— Bonjour, chers voyageurs, je suis Athanasios, l'higoumène de ce monastère, et je vous souhaite la bienvenue au sein de notre communauté. Que la paix soit sur vous, ou, comme le disent les gens du désert, *As-salâm 'aleïkoum*.

— *'Aleïkoum as-salâm*, répondit gravement Andreas alors que les deux autres se contentaient d'incliner la tête. Je suis Andreas Saint-Loup, et voici Robin et Aalis, mes amis.

— Vous n'êtes pas des pèlerins, dit alors l'higoumène, mais il ne le dit pas sur le ton du reproche.

— Non pas.

— Bien, bien. Et cet homme qui vous pourchassait, vous savez qui il est ?

— Nous ne savons pas qui il est, mais nous connaissons l'un des noms qui sont donnés aux gens de son espèce.

— Et quel est ce nom ?

— *Mal'ach*.

Le vieil homme hocha la tête d'un air satisfait. À dire vrai, même, il souriait.

— Et vous savez pourquoi le *Mal'ach* vous pourchassait ?

— Pour nous empêcher de trouver ce que nous sommes venus chercher ici.

De nouveau, le père Athanasios opina du chef.

— Et vous-mêmes, vous savez ce que vous êtes venus chercher, oui ?

Avant de répondre, Andreas échangea un regard avec les deux jeunes gens.

— Oui.

— Quoi ?

— Le *Shatirum lâ-mi'umma*.

— Bien, bien, dit encore le vieil homme de sa voix calme et monocorde.

— Est-il ici ? demanda Andreas.

L'higoumène écarta les bras d'un air impuissant.

— Ce n'est pas moi qui le cherche, dit-il d'un air mystérieux.

Andreas poussa un soupir de lassitude.

— Allons, allons, monsieur Saint-Loup, plus est pénible la recherche, plus est grande la découverte. Je ne puis vous dire si ce que vous cherchez est ici, mais je puis vous affirmer qu'ici est un lieu saint où l'on trouve... beaucoup de choses. Encore faut-il prendre le temps de connaître cet endroit !

— Nous ne demandons qu'à le découvrir.

— Bien, bien. Alors demain, je vous ferai visiter moi-même notre maison. Mais d'abord, vous devez dormir, et moi, je dois prier. Ici, vous êtes en paix.

Sans laisser à Andreas le temps d'ajouter quoi que ce fût, le père Athanasios se leva et tapa dans ses mains.

Le caloyer qui les avait accompagnés refit irruption dans la pièce et les invita à le suivre de nouveau.

Adoncques on les guida à la lueur d'un cierge de l'autre côté du monastère, le long du mur oriental, dans l'une des cellules qui étaient destinées aux visiteurs, modeste, spartiate même, et dont le seul décor était un tapis persan qui couvrait tout le sol. Là, on leur donna à manger et on les laissa tous les trois.

— Comment vous sentez-vous, maître ? demanda Robin à voix basse, car en ces lieux on n'osait point parler trop fort.

— Aussi bien que l'on peut se sentir après avoir vu ce que nous avons vu, répliqua Andreas, qui avait toujours le front soucieux.

— Comme vous l'avez dit, il doit bien y avoir une explication...

— Moi, tout ce que je vois, intervint Aalis, c'est que nous sommes débarrassés une bonne fois pour toutes de cette espèce de blondinet de malheur, et je ne vais pas m'en plaindre ! Ses cendres peuvent bien s'envoler au vent du désert !

Andreas esquissa un sourire.

— Tu as sans doute raison, ma petite. Sagesse paysanne.

— Je ne suis pas paysanne !

— Non, mais moi je le suis, répliqua l'apprenti.

Ils sourirent tous les trois, se forçant peut-être un peu, car sans doute ils voulaient profiter de cet instant de détente silencieux, comme si le seul fait de se retrouver là ensemble, dans l'intimité de cette petite pièce, fût déjà un réconfort.

— Vous pensez que nous allons trouver ce que nous cherchons ? demanda Robin.

— Je ne sais pas. L'higoumène s'est montré bien mystérieux...

— C'est le moins qu'on puisse dire ! répliqua l'apprenti.

— On aurait dit un autre de ces maîtres gnostiques, qui parlent en énigmes, en sous-entendus, et quand ils ne donnent pas une réponse ambiguë, c'est qu'ils répondent par une nouvelle question ! Et pourtant, il nous a finalement accueillis ici. Il avait l'air de ne pas être étonné de nous voir, ni même de voir le *Mal'ach* à nos trousses. Je pense qu'il sait pourquoi nous sommes là. Partant, Robin, je pense que nous sommes au bon endroit. Quant à savoir si le livre est bien ici, c'est une tout autre affaire !

— Et si le livre se trouve vraiment dans la bibliothèque, nous laisseront-ils le prendre, ou au moins le lire ?

— Je l'espère, mon garçon, je l'espère.

Ils discutèrent ainsi à voix basse jusque tard dans la nuit, évoquant leurs meilleurs souvenirs pour effacer les mauvais, puis ils finirent par s'assoupir sans y penser, et le calme profond du monastère fut comme un antidote pour leurs âmes ébranlées : ils dormirent comme des moines.

Monastère Sainte-Catherine du Sinaï

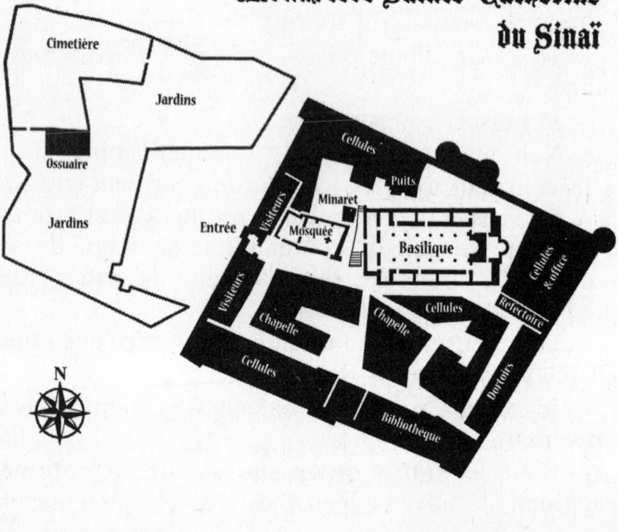

142

Quand, le lendemain matin, Andreas, Robin et Aalis mirent le nez dehors, le monastère, baigné de soleil, était déjà animé depuis fort longtemps. Ils assistèrent alors au ballet des Bédouins servants qui s'affairaient à leurs tâches, qui au jardin, qui aux puits, qui aux travaux de réparation que l'on menait sur la muraille, alors que les moines, eux, étaient à l'église pour la fin de l'office des matines. Aussi, nos trois compagnons, contournant la mosquée, se dirigèrent-ils vers icelle, certains d'y retrouver l'higoumène.

La basilique, dite de la Transfiguration, orientée plein est (alors que la muraille du monastère, elle, suivait le sens de la vallée), avait tous ses murs blanchis à la chaux. Au-dessus de son portail, dont les vantaux étaient remarquablement sculptés des figures d'Abraham, d'Isaac, d'Élie, de Moïse et de Zacharie, était gravé le même verset que sur la muraille extérieure du couvent : *C'est là la porte du Seigneur, et les justes y entreront*. Ils entrèrent.

La divisant en trois nefs, ses douze colonnes corinthiennes de pierre brute soutenaient une belle voûte qui, peinte en bleu et parsemée d'étoiles d'or, figurait le cosmos. Sur chacun de ces piliers était accrochée l'une des icônes des douze saints qui étaient célébrés pour chaque mois de l'année, et l'on racontait que leurs reliques étaient enfermées à l'intérieur même des colonnes. Neuf chapelles encadraient le pourtour de la basilique, dont la principale, à l'extrémité est de l'édifice, était dédiée, bien naturellement, au Buisson ardent qui, selon la tradition, se fût trouvé en cet endroit précis. Le sol, quant à lui, était pavé d'une mosaïque en marbre blanc et noir.

L'ornement étant de mise dans l'art des églises d'Orient, le lieu saint était rempli d'une profusion de dorures fines et capricieuses, d'objets ouvragés, d'argent ou de vermeil, encensoirs, candélabres, chaires sculptées, portes en cèdre, et surtout d'icônes qui, dans le rite de Jérusalem, avaient une grande importance. La légende raconte qu'il y eut dans cette église assez d'argenterie pour charger soixante chameaux.

La plus belle pièce de l'église, sans doute, était une mosaïque réalisée à la fin du VIe siècle sur le plafond du chœur, figurant la Transfiguration du Christ. On y voyait, encadrés de médaillons, Jésus avec Moïse et Élie, et à leurs pieds, les trois disciples Pierre, Jean et Jacques.

Près du maître-autel était une châsse gravée qui renfermait le crâne de sainte Catherine, et devant lui, en ce moment, se tenaient l'higoumène et les pères de la communauté, à savoir le frère *dikaios*[1], le frère *skevophylax*[2], le frère *oikonomos*[3], le frère secrétaire et le frère bibliothécaire.

L'Apothicaire et les deux jeunes gens étaient arrivés à l'issue de l'office, au moment où, après les *matutinos ymnos*[4], le père Athanasios faisait le « renvoi du matin », une prière conclusive qui s'achevait par la bénédiction de tous les caloyers de la communauté, un par un, par imposition des mains. Chacun de leurs gestes, chacune de leurs paroles respectait le rite de

1. *Juste.*
2. *Conservateur du trésor.*
3. *Administrateur.*
4. *Hymnes du matin.*

l'église de Jérusalem, qui différait légèrement de celui de l'église de Constantinople, et plus grandement du rite romain.

Quand la cérémonie fut terminée, Aalis et Robin se signèrent, alors qu'Andreas, lui, avait le regard perdu dans la voûte dont il admirait les étoiles.

Après que tous les moines furent sortis de la basilique, l'higoumène traversa la nef pour rejoindre ses invités.

— Avez-vous bien dormi, chers visiteurs ?

— En vérité, fort bien, affirma Andreas.

— Vous dites cela comme si la chose était étonnante ! s'amusa le père Athanasios.

— Notre soirée avait été mouvementée...

— Ce monastère est un lieu de calme et de sagesse. Songez que, depuis près de mille ans, jamais les Bédouins ne sont venus troubler la quiétude de notre maison. Nous sommes une arche de paix transportant les trésors matériels et spirituels de l'Église au cœur même du désert. Les caprices de la nature, même, n'ont guère raison de nous. Voyez plutôt : il y a six mois, un très violent tremblement de terre a frappé la région. Nos murs, quoiqu'un peu abîmés ici et là, sont toujours debout. Je vous l'avais promis : ici vous êtes en paix.

— Et pourquoi avoir accepté de nous y laisser entrer, après avoir d'abord refusé ?

— N'étiez-vous point en danger de mort à ce moment-là ? Cela relève de la pure charité chrétienne, il me semble !

— Quelque chose me dit qu'il y a un peu plus que cela, risqua Andreas, qui espérait le faire parler.

— Disons que j'ai été convaincu de la pureté de votre quête, et que ceux qui cherchent avec le cœur sont toujours bienvenus dans notre maison.

— Vous en avez été convaincu par la présence de ce *Mal'ach* à nos trousses ?

— Si vous continuez de me demander pourquoi je vous ai laissé entrer ici, je vais finir par le regretter ! dit-il d'un air taquin.

Andreas inclina la tête en souriant pour lui signifier qu'il n'insisterait pas.

— Allons, dites-moi plutôt ce que vous pensez de notre basilique !

— Elle est… singulière, répondit Andreas.

— Très jolie, corrigea Aalis.

— Admirable, ajouta Robin.

— Nous l'appelons *catholikon*[1] de la Transfiguration. Ce monastère fut d'abord dédié à la Vierge Marie, qui est très importante dans notre rite, comme vous le savez peut-être. Pour nous, Marie est *Theotokos*, ce qui signifie « qui a enfanté Dieu », car nous réfutons la distinction que certains font entre l'humanité et la divinité du Christ. Ceux-là prétendent que si Jésus eût été véritablement né d'une femme, il n'eût pu être Dieu. Nous soutenons le contraire : Jésus est Dieu, et donc Marie est mère de Dieu.

— Certains pourraient vous traiter d'hérétiques ! railla Andreas.

— Certains l'ont fait, répliqua l'higoumène. Mais passons… Depuis le IXe siècle, le monastère n'est plus seulement dédié à Marie mais à sainte Catherine d'Alexandrie, dont les reliques ont été trouvées sur un mont non loin d'ici et sont conservées dans cette châsse. Toutefois nous ne manquons pas de continuer à vénérer la Vierge Marie, et avec elle Moïse et Élie, car tous deux vinrent sur le mont Sinaï, et tous deux apparurent auprès du Christ au moment de la Transfiguration. Ainsi, la basilique a été sanctifiée sous le nom de *catholikon* de la Transfiguration…

— C'est très bien, dit Andreas, mais pourquoi nous dites-vous tout cela ? Vous savez que nous ne sommes pas ici en pèlerinage…

---

1. Première église d'un monastère orthodoxe.

— Eh bien, vous qui me parlâtes hier du *Shatirum lâ-mi'umma*, j'ai pensé que la chose pourrait éveiller votre intérêt.

— Pourquoi ?

Le père Athanasios – c'était décidément une habitude – sourit de nouveau.

— La Transfiguration est une scène des Évangiles qui est très chère aux gnostiques, monsieur Saint-Loup !

— Je l'ignorais.

— Vous allez comprendre pourquoi. En français on dit *Transfiguration*, mais le terme exact est *Metamorphôsis* : Jésus se métamorphose pour révéler sa véritable nature divine à trois de ses disciples. Souvenez-vous : le Christ se rend sur une montagne – qui n'est pas cette fois le mont Sinaï, mais le mont Thabor, en Galilée. Il est accompagné de Pierre, Jacques et Jean, et pour eux il se métamorphose : son visage se modifie et ses vêtements deviennent d'une blancheur éclatante. « *Son visage resplendit comme le soleil, et ses vêtements devinrent blancs comme la lumière* », dit saint Matthieu. « *D'une telle blancheur qu'il n'est pas de foulon sur la terre qui puisse blanchir ainsi* », ajoute saint Marc. En somme, il leur livre la connaissance de ce qu'il est réellement, à savoir un être céleste, qui n'appartient pas au bas monde. Pour certains, en cet instant unique, Jésus livre la gnose à ses trois plus fidèles apôtres, et la forme qu'il prend alors est une préfiguration de l'état corporel annoncé aux chrétiens pour leur propre résurrection. Vous comprenez mieux pourquoi je vous en parle ?

Andreas opina du chef.

— Pendant cette scène, continua l'higoumène, les prophètes Élie et Moïse apparaissent miraculeusement à ses côtés : Moïse, celui par qui tout commence, car c'est à lui que le vrai Dieu livre la Loi et dit vouloir sauver les hommes, et Élie, celui par qui tout termine, car il doit arriver avant le Messie et préparer sa venue. Mais, plus intéressant pour vous encore : les morts de ces deux prophètes sont entachées de mystère. Et d'ailleurs, peut-on vraiment parler de mort, ou devrait-on dire « disparition » ? Moïse est emporté par Dieu et découvre du haut d'une montagne le pays qui est promis au peuple d'Israël, et jamais on ne retrouve sa tombe. Élie, quant à lui, est emporté dans les cieux par un char de feu.

— Seriez-vous en train de nous dire que les deux prophètes qui vinrent sur le mont Sinaï, là où est le Buisson ardent, furent tels ces gnostiques dont on dit qu'ils quitteraient le monde en recevant la gnose ? Ou, en l'occurrence, en lisant le *Shatirum lâ-mi'umma* ?

— Je ne fais que citer la Bible, monsieur Saint-Loup, répondit malicieusement le père Athanasios.

— Et ainsi vous vous intéressez à la gnose ? insista Andreas. Je croyais qu'elle était regardée par l'Église comme la plus grande hérésie ?

— Ici, je vous le répète, est un lieu de paix et un havre d'étude. Nous nous intéressons à tous les mystères, sans distinction. Il y a toujours un peu de vérité même dans les plus grands mensonges. Je pourrais aussi vous parler longuement du soufisme, que nous fréquentons ici quotidiennement, du fait de la proximité des penseurs arabes, et qui entre curieusement en résonance avec la pensée gnostique. Écoutez plutôt : pour les soufis, Mohammad – que vous appelez Mahomet – aurait reçu des révélations ésotériques qu'il n'aurait partagées qu'avec ses plus proches compagnons. Ainsi, les soufis affirment l'existence d'une connaissance cachée, *ilm al bâtin*, et prônent un refus de s'attacher aux choses de ce monde pour accéder enfin à l'Être suprême...

— Cela fait en effet songer au gnosticisme, admit Andreas.

— N'est-ce pas ? C'est peut-être qu'il y a au fond de tout cela un peu de vérité.

— Peut-être. Hier, quand je vous ai demandé si le *Shatirum lâ-mi'umma* était ici, vous avez esquivé ma question...

— Ah ! C'est que je ne peux pas y répondre, monsieur Saint-Loup.

— C'est pourtant une question assez simple... Le livre est-il ici, oui ou non ?

— Pour vous, il l'est peut-être.

— Réponse de gnostique ! s'emporta Andreas.

— Allons ! Si vous connaissiez sa nature, vous sauriez que je ne puis vous en offrir de meilleure.

— Ainsi vous reconnaissez son existence, puisque vous évoquez sa nature ?

— Seriez-vous en train d'essayer de me piéger ? s'amusa l'higoumène. Je ne puis point vous parler de son existence, ne l'ayant moi-même jamais vu. Mais son essence m'est connue. Et, véritablement, je ne saurais pas vous en dire plus ! Allons ! Cette quête vous appartient, continuez de la suivre seul. Pour ma part, je vous ai simplement promis une visite des lieux, alors allons !

Andreas ne masqua guère sa déception, mais l'higoumène, toujours souriant, tendit le bras vers le portail de la basilique.

— Vous avez vu notre église, je vais maintenant vous montrer le reste du monastère.

Ainsi, il les conduisit sur le parvis de l'église, depuis lequel il leur fit admirer le minaret qui, accolé à la mosquée, se dressait fièrement au-dessus de toutes les autres constructions.

— Ici était jadis notre réfectoire. Nous l'avons transformé en mosquée, et nous avons fait le minaret bien haut afin que les guerriers du calife Al-Hâkim le voient de loin et ne nous attaquent point !

— C'est fort judicieux, glissa Andreas.

— C'est aussi une marque de respect et une façon de donner corps aux principes de paix et de coopération qui nous unissent aux fidèles du prophète

Mohammad. Nous avons d'ailleurs à l'intérieur de la mosquée de fabuleux trésors, tel le *minbar*[1], qui est en bois sculpté, et qui nous fut offert par Shahan Shah el-Afdal, vizir de la dynastie fatimide. Vous pourrez le voir tout à l'heure, s'il vous plaît.

Lors, descendant un petit escalier, ils contournèrent la basilique par le nord et, au milieu des habitations qui se chevauchaient les unes les autres, le père Athanasios leur montra un puits modeste, protégé par une alcôve de pierre voûtée.

— Ici est le puits près duquel Moïse rencontra les sept filles de Jéthro et dans lequel notre communauté continue aujourd'hui de s'alimenter en eau. Nous avons plusieurs puits dans le monastère, si bien que l'eau ne manque jamais, ce qui est miraculeux en cet endroit. Et dans nos jardins, que vous avez dû voir en arrivant, coule même un ruisseau. C'est le quartier du monastère qui a ma préférence, et je m'y rends souvent quand j'ai besoin de méditer. Son accès se fait par un souterrain. Vous pourrez également vous y rendre, si le cœur vous en dit. Nous y cultivons des légumes, des citrons, des abricots, des pommes... c'est un véritable enchantement.

Ils continuèrent leur visite vers l'est et, longeant le mur nord de la basilique, ils s'arrêtèrent devant un petit bâtiment qui lui était accolé.

— Voici maintenant le *skevophylakion*, autrement dit le trésor du monastère : il contient des reliques, des icônes très anciennes, des vêtements, des objets de piété fort précieux, et des manuscrits enluminés, dont la plupart sont de Constantinople. Seul le frère *skevophylax* peut vous faire visiter l'endroit, mais je suis certain qu'il acceptera de le faire si vous le lui demandez.

Longeant ensuite le mur oriental du couvent, ils passèrent devant la petite bâtisse où l'higoumène les

1. Chaire en bois depuis laquelle l'imam fait son sermon.

avait reçus la veille, puis devant le réfectoire, puis devant les dortoirs, et enfin ils arrivèrent devant l'entrée de la bibliothèque.

— Comme vous pouvez le voir, notre bibliothèque est fort grande, surtout pour un lieu tel que celui-là. Savez-vous que c'est la plus ancienne bibliothèque du monde chrétien ?

— Sans doute, nous le savons.

— Depuis la destruction de la bibliothèque d'Alexandrie, celle-ci est sans doute la plus riche qui soit, plus riche encore que celle de l'abbaye romaine du mont Cassin, où saint Benoît fonda l'ordre des Bénédictins.

— Et où séjourna Thomas d'Aquin, intervint Andreas.

— En effet. Monsieur Saint-Loup est connaisseur ! Notre bibliothèque est l'une des fiertés de ce monastère, encore que de tels sentiments ne conviennent guère à notre fonction, ajouta le père Athanasios sur le ton de la plaisanterie.

— Vous devinez que nous aimerions beaucoup entrer à l'intérieur ! s'empressa de dire Andreas, les yeux brillants.

— Mais je vous en prie... Maintenant que je vous ai montré les différents quartiers du monastère, vous pouvez faire comme bon vous semble, à condition, bien sûr, de respecter les gens qui travaillent ici et le silence qui s'impose. Le frère bibliothécaire est toujours prêt à recevoir les visiteurs.

— Merci, père higoumène.

— Seulement, je dois aussi vous prévenir d'une chose : la loi exige que les visiteurs ne passent pas plus de deux nuits dans notre monastère. Aussi, demain, vous devrez nous quitter au plus tard dans la soirée. Et il n'y a aucune exception à cette tradition, monsieur Saint-Loup. Aucune.

— C'est entendu. Mais à mon tour j'ai une dernière question à vous poser.

— Je vous écoute, monsieur.

Andreas, alors, posa une question qui, depuis le début de leur conversation, l'avait hanté :

— Vous nous avez dit tout à l'heure qu'un tremblement de terre avait frappé la région et abîmé votre belle muraille il y a six mois environ...

— En effet. Nous avons aussi eu à déplorer quelques dégâts dans trois de nos vingt-cinq chapelles, mais rien que nos frères maçons ne sachent réparer ; avec l'aide des Bédouins s'entend.

— Vous souvenez-vous de la date exacte à laquelle ce tremblement de terre a eu lieu ?

— Bien sûr ! Comment l'oublier ?

— Et quel jour était-ce donc ?

— C'était le onzième jour de janvier[1].

Andreas, abasourdi, peina à masquer son trouble.

— Du reste, quand j'y pense, c'est étonnant, dit l'higoumène comme s'il n'avait pas remarqué l'émoi de son interlocuteur : c'est le jour où nous célébrons la mémoire de saint Hygin, qui fut le neuvième évêque de Rome en l'an 140, et qui était grec.

— Et alors ? demanda Andreas qui ne voyait là rien de bien étonnant.

— Et alors il fut le premier pape à s'opposer au gnosticisme chrétien, cher ami, et il excommunia d'ailleurs l'Égyptien Valentin et le Syrien Cerdon, deux des plus grands gnostiques de l'histoire... Vous qui êtes passionné par le gnosticisme, voilà une coïncidence troublante, n'est-ce pas ?

Un sourire se dessina sur le visage du père Athanasios sans qu'Andreas pût deviner s'il se moquait de lui ou s'il trouvait réellement la chose amusante.

1. Les lecteurs les plus curieux pourront constater par eux-mêmes dans nombreuses chroniques que c'est en effet aux environs de cette date qu'eut lieu le plus grand tremblement de terre subi par le monastère Sainte-Catherine dans son histoire.

— Allons, reprit-il, j'ai beaucoup à faire, bonne journée, chers visiteurs ! Et que la paix soit sur vous !

Il les salua et s'éclipsa discrètement.

— Maître ! Qu'y a-t-il ? demanda Robin qui, naturellement, avait remarqué le tourment de l'Apothicaire.

— Le onzième jour de janvier. C'est le jour où... C'est le jour où j'ai découvert la pièce vide. En somme, c'est le jour où eût disparu la personne qui y vivait...

— Vous pensez que ces deux événements ont un lien ?

— La raison voudrait que cela fût une coïncidence, Robin. Mais ma raison est bien ébranlée depuis quelques jours, et je ne sais plus si je puis encore m'y fier.

Andreas, dont le visage avait blanchi, se retourna vers la bibliothèque, ce lieu qu'ils avaient si ardemment désiré trouver depuis leur départ de Compostelle.

— Allons, dit-il en soupirant. La réponse se trouve peut-être à l'intérieur de ces murs.

Et ainsi ils entrèrent, fébriles, dans la bibliothèque du monastère Sainte-Catherine, habités par la plus grande espérance.

143

C'était un bâtiment aussi haut que s'il avait eu deux étages, tout en longueur, qui suivait l'enceinte méridionale du monastère. À l'intérieur, l'intégralité des murs était couverte d'étagères chargées de livres de toutes tailles et de boîtes en bois portant des étiquettes. Du sol jusqu'au plafond, les meubles se répartissaient sur deux niveaux, et l'on accédait au second degré par un échafaudage que l'on pouvait déplacer le long des rayonnages. La quantité de manuscrits que comptait la bibliothèque, comme l'avait laissé entendre le père Athanasios, était particulièrement impressionnante, étouffante presque. Certains étaient débout, d'autres couchés, certains avaient de belles reliures en cuir, d'autres des reliures en bois couvertes d'enluminures d'argent. D'autres encore, plus précieux sans doute, étaient dans des niches fermées par des petites grilles. Partout où le regard se posait, ce n'était que rangées de registres, colonnes de codices, piles de boîtes.

De fins piliers en pierre brute séparaient le bâtiment en deux dans sa longueur, et on y avait attaché les portraits de tous les higoumènes qui avaient dirigé le monastère depuis sa fondation. Le plafond, à poutrelles, était droit, de couleur blanche, ce qui permettait d'avoir une plus grande lumière en ce lieu de lecture et d'écriture.

Dans la partie occidentale de la pièce était un *scriptorium*, où des manuscrits en cours reposaient sur des hauts pupitres de bois au milieu des plumes, des plumiers, des pigments, des tanins, liants, règles, férules, équerres, compas, calames, traçoirs, pinceaux, pierres à brunir, signets, attendant sans doute d'être achevés par les frères copistes, enlumineurs ou lettristes. Sur des petits tabourets on avait aussi laissé quelques écritoires que l'on pouvait emporter partout avec soi.

Dans la partie orientale, le frère bibliothécaire trônait, une plume à la main, derrière une grande table de bois brun qui, elle aussi, était couverte de volumes et de parchemins. C'était un homme de quarante à cinquante ans, barbu comme tous les frères du couvent, et qui portait la même tunique bleue et le *kamilavkion* sur son chef.

— Ah ! Vous êtes les Français dont nous a parlé l'higoumène ? demanda celui-là en les voyant entrer.

Les trois compagnons hochèrent la tête.

— Eh ! Quel plaisir de pouvoir parler votre langue ! s'exclama-t-il. La langue du *Conte de Floire et Blancheflor*[1] et celle du *Chevalier de la charrette*[2] !

— En plus d'un siècle, notre langue a quelque peu évolué, fit remarquer Andreas en souriant. Depuis, il y a eu le *Roman de la Rose*, de Guillaume de Lorris et Jean de Meung, quoique l'image qu'ils y livrèrent de la femme soit tout à fait contestable. Il y a eu *Jehan et Blonde*, par Philippe de Rémi, les fables de Marie de France, et puis tous ces récits aux auteurs inconnus, *Partonopeus de Blois*, *La Queste du Saint-Graal*, *La Mort le Roi Artu*, *Le Roman de Renart*, et puis il y a eu Rutebeuf, et puis…

— Diantre ! Je vois que j'ai beaucoup de retard ! Mais quel plaisir, tout de même ! Depuis une vingtaine d'années, les visites se font de plus en plus rares ici, et c'est toujours une joie que de voir des Français !

---

1. Récit en vers, anonyme, qui, en 1150, fut l'un des premiers récits en langue française, à une époque où l'on écrivait plutôt en latin.
2. Roman de Chrétien de Troyes, 1170.

— Vous avez en tout cas une magnifique bibliothèque.

— Je n'en suis que son gardien temporaire, monsieur, dit le caloyer humblement.

— C'est un beau privilège.

— En effet ! Ah ! Voulez-vous que je vous la fasse visiter un peu ?

— Nous serions vos obligés ! répliqua Andreas, enthousiaste.

— Parfait, parfait ! Nous avons près de trois mille ouvrages différents dans ces murs, certains en plusieurs exemplaires. La plupart sont en grec, mais nous en avons aussi beaucoup en arabe et en syriaque, quelques-uns en hébreu, en araméen, en latin et en persan. Nous avons des manuscrits sur parchemin, bien sûr, mais aussi des rouleaux, et quelques-uns sur papier, une matière que nous devons à la sagesse des inventeurs d'Asie, mais qui nous fut apportée par les Arabes. Vous connaissez le papier ?

— Sans doute !

— On le fabrique en humidifiant et en faisant macérer des chiffons de lin ou de chanvre, précisa le moine, comme s'il n'avait pas entendu la réponse d'Andreas. C'est une merveille !

Le frère bibliothécaire se leva et commença à leur montrer les différents rayonnages de la longue salle ainsi que leur plan de classification. Les ouvrages étaient rangés par thème, puis les thèmes par format, puis les formats par ordre d'entrée.

— Ici, tout est fait pour le plaisir du lecteur et pour la mise en lumière de la vérité. Sénèque, dans *De tranquilitate animi*, disait très justement qu'une bibliothèque se doit d'être pratique pour l'utilisateur. Mais elle se doit aussi et surtout d'être le refuge de l'unique et absolue vérité, de l'*auctoritas*. La classification des thèmes, bien sûr, se fait dans un ordre ascendant vers Dieu. Ainsi, la bibliothèque est d'un seul tenant : le sommet de la bibliothèque, c'est la Bible, qui doit nécessairement être placée dans le premier *armarium*, car à elle seule elle englobe la totalité du savoir.

Andreas se garda de tout commentaire bien que, sur le sujet, il eût fort à dire, ou à contredire, d'ailleurs.

— Voyez : les usuels sont reliés aux étagères par une petite chaîne, les rouleaux sont dans les boîtes que vous voyez un peu partout, et les codices sont disposés à plat. Ici, donc, dans le premier *armarium*, sont toutes les copies que nous ayons des Ancien et Nouveau Testaments, dont notre plus fameuse est le *Codex Sinaiticus*, que voici, et qui date du IVe siècle.

Le bibliothécaire prit le trousseau de clefs à sa ceinture et sortit méticuleusement le codex d'une petite niche fermée où il était isolé, puis il le posa sur un pupitre, devant ses invités. L'amour qu'il manifestait à l'égard de ses livres était assurément chose réjouissante à voir.

— Voyez sa graphie grecque en onciales, qui était d'usage à l'époque, et admirez l'excellente qualité du vélin et de l'encre, qui lui a permis de venir jusqu'à nous. Ce codex faisait partie d'un ensemble de cinquante codices semblables, réunis par Eusèbe de Pamphile[1] – mais à ma connaissance celui-là est le seul qui ait survécu.

— Splendide !

Ils continuèrent leur visite derrière le caloyer qui, tous les deux pas, s'arrêtait pour leur livrer avec ferveur quelque nouvelle information.

— Une grande partie des titres que nous gardons ici date du VIe siècle et est l'œuvre de saint Jean Climaque. C'était un frère de Sainte-Catherine, qui s'était retiré du monastère pour aller vivre en ermite sur le mont Sinaï. Là-bas, il recopia un grand nombre de manuscrits. Tenez, voyez ce psautier qui est de sa main. Ah ! Je reconnaîtrais son écriture entre mille !

---

1. Évêque de Césarée, en Palestine, au IVe siècle, qui était auteur et théologien chrétien.

Il les emmena alors de l'autre côté de la bibliothèque et leur montra la seconde rangée de meubles.

— La plupart de nos manuscrits sont des textes religieux, pour sûr, mais nous en avons aussi qui sont de nature pédagogique, comme des textes de la Grèce antique, qui sont ici, et là des *lexicons* ; plus haut nous avons des ouvrages médicaux, arabes principalement, et ici des récits de voyage... Tout au fond de la pièce, dans ces grandes armoires, il y a aussi moult archives que je me dois de conserver : des lettres, des livres de comptes, des chartes, et une foule d'autres documents encore. Je ne puis tous vous les citer, bien sûr !

Puis, se tournant vers les deux adolescents :

— Savez-vous lire ?

— Oui, répondit aussitôt Robin, alors qu'Aalis, elle, s'abstint d'ouvrir la bouche.

— Et tu aimes les livres, j'espère ? demanda le moine en ne regardant plus que l'apprenti, comme si Aalis n'eût plus existé à ses yeux.

Robin hocha bêtement la tête.

— Nous devons les vénérer, mon garçon ! Je dis bien les vénérer car, comme les icônes, les livres doivent être vénérés et non pas adorés. On n'adore que Dieu, n'est-ce pas ? Les livres, comme les icônes, sont non seulement catéchétiques et pédagogiques, mais ils sont aussi une trace de l'histoire, tu comprends ? Leurs pages renferment l'empreinte du temps auquel ils ont été écrits, et cela est très important, car si les hommes meurent, les écrits, eux, subsistent. Le livre est un support universel qui unit les hommes dans l'espace et dans le temps, c'est un navire entre les âmes, une lumière dans l'obscurité ! Ah oui ! Tu dois les vénérer ! Tiens, regarde celui-là, prends-le dans tes mains.

Robin s'exécuta timidement et prit le volume que le caloyer avait sorti d'une seconde petite niche.

— C'est le *Codex Syriacus*. Il a été écrit il y a près de huit cents ans. Est-ce que tu comprends la beauté de la chose ?

— Je la comprends.

— Il faut vénérer les livres, répéta le frère bibliothécaire d'un ton professoral, quels qu'ils soient. Qu'ils soient d'un mauvais papyrus, ténéotique, ou d'un papyrus de belle qualité, claudien, qu'ils soient sur un beau vélin fait de la peau d'un veau mort-né, ou d'un demi-vélin fait de la peau d'un mauvais chevreau, qu'ils soient en rouleau, en volumen, en codex plié en deux ou en volume de feuillets unis par une reliure, qu'ils soient oblongs, qu'ils soient en rectangle de Pythagore ou en rectangle d'or, qu'ils soient in-folio, in-quarto, in-octavo, qu'ils aient ou non des enluminures, des miniatures, des illustrations… Ce qui compte, c'est le message qu'ils transportent, vois-tu, et…

— Et celui-là, le coupa Aalis en désignant un parchemin qui était enfermé derrière une grille, c'est quoi ?

Andreas, aussitôt, haussa des sourcils intrigués et s'approcha de l'objet qu'elle venait de désigner.

— Oh… Celui-là, répondit le frère bibliothécaire d'un air quelque peu désabusé, c'est notre *Lettre de protection*. Il convient non pas d'en estimer la valeur historique, mais plutôt la valeur politique. Il n'a rien à faire ici, au reste. Cela fait des années que je dis à l'higoumène que nous devrions l'exposer à l'entrée du monastère, à la vue des visiteurs.

— Pourquoi ?

— Il s'agit du manuscrit supposé du prophète Mohammad… Voyez, il est écrit en caractères coufiques sur de la peau de gazelle, et en bas on distingue l'empreinte d'une main. Ce serait la signature du Prophète, qui, dit-on, ne savait pas écrire. C'est l'acte par lequel Mohammad aurait accordé sa protection à notre monastère, et que l'on appelle *Ahtiname*, ce qui en arabe signifie « testament d'obligation ».

Sur le ton de la confidence, il ajouta :

— Ne me demandez pas de vous en garantir l'authenticité, n'est-ce pas… Pour tout vous dire, mais cela reste entre nous, je crois reconnaître dans cette écriture la patte des nestoriens[1]. Mais comme je vous le disais, il a surtout une valeur politique.

— Bien sûr, s'amusa Andreas.

— Nous avons ici des choses bien plus intéressantes...

Ainsi, le frère bibliothécaire continua de leur montrer les nombreux ouvrages dont il avait la responsabilité, et ensemble ils purent admirer des scholies, des *Vies des saints*, des anthologies, des recueils liturgiques, des livres d'offices, des évangéliaires, ici une *Œuvre de saint Denys l'Aréopagite*, là des *Homélies de saint Grégoire de Nazianze*, des *patericon*, des *triodion*, des ouvrages théologiques, quelques traités de philosophie antique ou de métaphysique, et puis quand ils eurent fait le tour complet de la vaste salle, ils revinrent éblouis devant le bureau du moine.

— Voilà, dit-il avec une sorte de béatitude dans la voix, vous avez vu notre bibliothèque !

— Merci beaucoup ! Elle est tout simplement remarquable.

— N'est-ce pas ? Sachez que, pendant tout le temps de votre séjour parmi nous, vous pouvez venir consulter ici autant de livres que vous le voudrez. Sous ma surveillance, bien sûr. Contrairement à certains moines romains, je ne crois pas que le savoir dût être réservé à un petit nombre : les livres sont faits pour être lus, et je me réjouis chaque fois que quelqu'un vient ici en ouvrir un.

— Eh bien, justement, intervint Andreas, et alors les deux jeunes gens s'immobilisèrent derrière lui. Il y a un livre que je cherche, et j'ai lu quelque part qu'il était au monastère Sainte-Catherine.

1. Religieux suivant les traces de Nestorius, patriarche de Constantinople du Ve siècle, considéré comme hérétique car il affirma que deux personnes coexistaient en Jésus-Christ, l'une divine et l'autre humaine, thèse infirmant le dogme du *Theotokos* justement si cher aux moines de Sainte-Catherine...

— Ah ! S'il est au monastère, monsieur, je vous le dirai tout de suite, car il n'y a pas un seul volume ici dont je ne connaisse non seulement le nom, mais même la position dans la bibliothèque ! Allons, de quel livre s'agit-il ? demanda-t-il, prêt à relever le défi.

Andreas, comme si la chose lui eût demandé un certain effort, prit une grande inspiration, puis :

— Le *Shatirum lâ-mi'umma*.

— Pardon ?

— Le *Shatirum lâ-mi'umma*.

Aussitôt, le frère bibliothécaire fit une moue surprise, puis il dévisagea longuement Andreas, et on eût dit qu'il se demandait si son interlocuteur ne se moquait pas de lui.

— Vous n'êtes pas sérieux ? dit-il finalement, et son visage avait soudain changé : il s'était assombri.

— Je crains bien que si, répondit l'Apothicaire.

— Allons ! Un tel livre, s'il existait, ne pourrait se trouver dans ma bibliothèque !

Andreas ne put s'empêcher de remarquer que, pour la première fois, le frère bibliothécaire avait utilisé un adjectif possessif pour qualifier l'endroit... comme s'il le sentait menacé et s'apprêtait à le défendre jalousement.

— C'est pourtant ce que j'ai lu quelque part, insista humblement Andreas.

— Eh bien, on vous aura menti ! rétorqua l'autre.

— Je vois... Mais êtes-vous certain qu'il n'est nulle part dans *votre* bibliothèque, peut-être sous un autre titre ? *Le Livre du néant* ? *Liber nihil* ? Ou *De nihilo*, peut-être ?

— Puisque je vous dis que non !

Le moine jeta un coup d'œil vers l'entrée de la bibliothèque, comme s'il redoutait qu'on l'entende ainsi s'emporter.

— L'higoumène est-il au courant que vous cherchez ce livre ? Est-ce pour cela que vous êtes venus ici ?

— Oui… Il ne nous a pas dit que nous pourrions le trouver dans la bibliothèque, mais il n'a pas dit le contraire non plus.

Le caloyer secoua la tête d'un air à la fois gêné et mécontent.

— Ah ! Le père Athanasios a un faible pour ce genre de légendes ! Il ne faut pas lui en vouloir. C'est malgré tout un grand érudit et un homme d'une grande sagesse. Mais ce livre… Eh bien, comme son nom l'indique, ce livre n'existe pas, chers visiteurs ! Et si vous en trouviez une copie, il s'agirait d'un faux, à l'évidence. Et ici, dans ma bibliothèque, il n'y a pas de faux !

— Hormis la lettre de Mohammad, bien sûr…

Pris à son propre piège, le frère bibliothécaire grommela quelque chose d'inaudible, puis il retourna s'asseoir derrière sa table de travail.

— Bon. À présent, si vous voulez bien m'excuser, je dois terminer une traduction… Si vous avez besoin d'un livre de ma bibliothèque, dites-le-moi, mais je puis vous assurer une chose : vous ne trouverez pas ici celui que vous cherchez. Et d'ailleurs, vous ne le trouverez nulle part. Bonne journée !

Les trois compagnons échangèrent des regards perplexes, puis, après un moment de consternation, Andreas fit signe aux deux adolescents de le suivre dehors.

144

— Quel revirement soudain ! Vous croyez qu'il ment ?

— Malheureusement, il ne m'en a pas donné l'impression ! maugréa Andreas alors qu'ils déambulaient tous les trois dans l'une des cours du monastère. Il est si fier de tous ses livres, et aucun ne semble caché, pas même cette supposée lettre de Mahomet, même si elle est enfermée derrière une grille. Non, s'il avait eu ce livre, je crois qu'il se serait empressé de nous le montrer. Pensez donc : les maîtres de la *schola gnosticos* prétendent qu'il eût été écrit plus de trois mille ans avant Jésus-Christ, à l'époque des premiers forgerons, soit environ deux mille ans avant l'époque à laquelle on suppose que se passa l'épisode du Buisson ardent !

— Les parchemins existaient déjà ?

— Non, mais le papyrus, oui ! Certes, en Mésopotamie on écrivait plutôt sur des tablettes d'argile, mais cet imbécile de bibliothécaire a l'air de penser que le papier est une invention récente, alors qu'il est plus ancien que le parchemin ! Les Égyptiens utilisaient déjà le papyrus plus de trois mille ans avant Jésus-Christ ! Certains rouleaux avaient tant de feuilles collées ensemble qu'ils pouvaient atteindre des longueurs incroyables ! Quoi qu'il en soit, s'il avait eu ce livre dans sa bibliothèque, je crois qu'il s'en fût vanté. C'eût été sa plus belle pièce. Peut-être même enrage-t-il de ne point l'avoir, ce qui expliquerait son courroux. Le livre ne doit pas être là. Ou alors, il ne le sait pas lui-même, mais je peine à y croire.

— Mais alors où serait-il ?

Andreas réfléchit.

— Je ne sais pas… Au trésor, peut-être ? L'higoumène nous a dit qu'il contenait certains manuscrits, et c'est souvent au trésor que l'on garde les documents les plus précieux, n'en déplaise à notre ami bibliothécaire.

— Alors allons-y ! lança Aalis.

— Allons-y !

Ils passèrent à grands pas de l'autre côté de la basilique et, là aussi, ils furent aimablement accueillis par le frère gardien du trésor, qu'on appelait donc frère *skevophylax* et qui leur montra lui aussi son incroyable collection à l'intérieur du *skevophylakion*. La bienveillance avec laquelle les moines leur ouvraient les portes confirmait au moins une chose : ici ils se sentaient en sécurité, dans un havre de paix, et s'il était difficile de passer les murailles du couvent, une fois à l'intérieur, on était considéré comme un frère.

Robin éprouva quelque émotion quand le caloyer ouvrit pour eux les châsses renfermant les plus glorieuses reliques du monastère, dont une partie du crâne de saint Jean Chrysostome, un os de l'un des bras de saint Basile, la mâchoire inférieure de saint Grégoire de Nisse, et bien d'autres reliques encore, dont bien sûr plusieurs de saint Jean Climaque, l'higoumène du monastère qui était parti vivre en ermite, comme le leur avait raconté le frère bibliothécaire

Andreas, quant à lui, fut davantage intéressé par les nombreuses icônes que possédait le trésor, et notamment un saint Pierre et un Christ Pantocrator, tous deux du VIe siècle, un diptyque de l'Annonciation, qui était du XIIe, et bien sûr, une Transfiguration, de la même époque. Ces peintures à l'encaustique – qui n'étaient pas de simples représentations mais de véritables messages théologiques, emplis de symboles –

étaient d'une finesse saisissante pour leurs époques respectives.

Quant aux manuscrits qui étaient là, s'ils étaient certes magnifiquement enluminés, aucun n'était antérieur au IXe siècle. Ainsi, quand le frère *skevophylax* eut terminé la visite, nos trois compagnons comprirent que le *Shatirum lâ-mi'umma* avait peu de chances de se trouver parmi ces trésors.

L'Apothicaire, toutefois, décida de poser la question, en espérant pouvoir trouver au moins quelque indication dans la réponse du caloyer, quelle qu'elle fût.

— Je suis confus, chers visiteurs... Je ne connais pas ce livre dont vous me parlez, répondit le moine. Avez-vous regardé à la bibliothèque ?

Andreas poussa un soupir, ils remercièrent leur hôte et sortirent du *skevophylakion*, un peu plus anéantis encore.

— Maître, je commence à douter de la présence de ce livre dans le monastère !

— Je pourrais te faire une réponse de gnostique et te dire que le doute est le chemin du progrès, mais je dois admettre que je commence moi aussi à perdre patience, mon garçon.

Aalis, en revanche, sembla animée par un nouvel espoir :

— Si je puis me permettre, et si je me souviens bien de ce que vous nous avez dit, c'est vous qui avez supposé que le livre se trouverait dans la bibliothèque, Andreas, mais la phrase sur le tombeau ne disait pas tout à fait cela, n'est-ce pas ?

Andreas se tourna aussitôt vers la jeune fille et son visage sembla s'illuminer.

— Bigre ! Mais c'est que tu as raison ! *Le Livre est caché dans le Buisson ardent* ! Voilà ce que révèle le tombeau de Priscillien ! Comme il s'agit d'un livre, j'en ai déduit qu'il se trouvait nécessairement dans cette vénérable bibliothèque, mais après tout, la phrase ne dit pas cela ! À force de trop vouloir interpréter les choses, on oublie d'écouter leur sens premier. Aristote, citant Empédocle, disait qu'il faut toujours d'abord aller au plus simple. Ma petite Aalis, tu es un génie, une véritable aristotélicienne, ou, devrais-je dire, une parfaite péripatéticienne[1] !

— C'est plutôt vous qui êtes un imbécile, répliqua la jeune Occitane d'un air moqueur.

— Ne force pas ta chance, petite insolente, ou bien je t'arrache la peau des fesses et j'en fais un parchemin pour le frère bibliothécaire !

— Ma foi, cela ferait un très joli vélin, glissa Robin discrètement.

— Allons ! Cessez vos idioties, je crois que nous sommes sur la bonne piste ! Allons au plus simple : le livre est dans le Buisson.

— Ce n'est pas si simple que cela, maître : car le Buisson lui-même n'est pas là où il devrait être. On l'a déplacé pour construire une chapelle sur son emplacement originel.

— Eh bien, soit ! Cela nous laisse deux endroits où chercher : la chapelle derrière l'autel de la basilique, et le Buisson lui-même, déplacé à l'extérieur.

— Commençons par la chapelle ! proposa Robin.

Adoncques ils retournèrent dans la basilique, où ils croisèrent plusieurs moines qui durent penser qu'ils allaient se recueillir dans l'une des chapelles, fût-ce celle consacrée à sainte Catherine, celle réservée aux catholiques romains (qui, de fait, avait la faveur des pèlerins français), ou celle du Buisson ardent. C'est évidemment bien en cette dernière qu'ils se rendirent, mais pas pour les raisons usuelles.

---

1. Ainsi nommait-on l'école philosophique d'Aristote car, selon la légende, il avait l'habitude d'instruire ses élèves en marchant avec eux autour de son école à Athènes (*peripatein*, en grec, signifie « se promener »). On comprend aussi pourquoi le mot désigne également les femmes pratiquant « le plus vieux métier du monde » et pour lesquelles, on s'en souvient, Andreas avait une grande sympathie.

Descendant les quelques marches qui la séparaient de l'abside, ils pénétrèrent silencieusement dans l'alcôve à l'extrémité est de la basilique. Pour ne pas attirer l'attention et ne point heurter leurs hôtes, ils se plièrent à la coutume et se mirent tous trois pieds nus, ainsi que Dieu l'avait demandé à Moïse avant qu'il n'approchât du Buisson ardent, puis ils écartèrent doucement les tentures qui fermaient l'auguste sanctuaire.

Là, ils découvrirent le saint des saints, la plus ancienne construction du monastère, cette chapelle semi-circulaire dans laquelle on disait que l'antique communauté de moines se fût déjà réunie avant même l'édification du couvent. Le sol était couvert de riches tapis persans et les murs décorés de carreaux de céramique bleus et blancs, comme les Arabes savaient si bien les faire, et sur ceux-là aussi était une multitude d'icônes.

L'autel, qui marquait l'endroit supposé où eût brûlé le Buisson ardent sans se consumer, était situé contre le mur au fond du demi-cercle. Élevé par quatre colonnes, il abritait une niche dans laquelle vacillaient trois cierges figurant les flammes du Buisson, et dont le sol était couvert d'une plaque d'argent ornée de croix, que les pèlerins venaient baiser après s'être prosternés là. Au-dessus de l'autel, enfin, une petite ouverture dans le mur, en forme de meurtrière, laissait passer les rayons du soleil certains jours de l'année.

— Et maintenant ? Où chercher ? demanda Aalis tout en inspectant la pièce.

Nulle part il n'y avait d'armoire, de cabine ou même de petite boîte qui eût pu renfermer un livre, et la chapelle ne semblait abriter aucune cache secrète.

Andreas, tels les pèlerins en prière, s'agenouilla devant la niche et chercha partout une trappe, dans le sol, sur le mur, sous l'autel, mais il ne trouva rien. Comme à son habitude, il s'entêta longtemps avant que d'abandonner.

— Il n'y a rien ici, maugréa-t-il en regardant ses deux compagnons d'un air dépité.

Les deux jeunes gens partagèrent sa désillusion.

— Il reste le véritable Buisson, qui est dehors, dit Robin comme pour se redonner un peu de conviction.

— Oui... Mais je dois vous dire, mes enfants, que je n'ai pas beaucoup d'espoir à son sujet. D'abord, permettez-moi de douter que ce buisson soit bien authentique – il aurait plus de deux mille ans, tout de même, ce qui pour une ronce commune me semble quelque peu exagéré, quels que soient les talents de jardiniers que semblent avoir ces habiles caloyers...

— Ce n'est pas n'importe quel buisson, maître !

— Si tu le dis. Mais, de toute façon, il a été déplacé au moment de la construction de la chapelle... je ne vois pas comment le livre pourrait encore s'y trouver ! En outre, je ne suis pas sûr qu'il soit fort élégant de creuser en dessous. Nous allons finir par nous attirer des ennuis.

— Allons voir tout de même ! insista Aalis.

Ils le firent, mais ce fut en vain.

Le buisson, encerclé par un petit muret de pierre sèche, ne cachait aucun mystère lui non plus, et de fait Andreas se ridiculisa quelque peu en grattant dans la terre sous le regard courroucé d'un moine de passage.

Le soir approchait quand ils eurent fini toutes ces recherches infructueuses, et l'excitation qui avait gagné nos trois compagnons en entrant la veille dans le monastère était bien retombée, faisant place à un immense abattement.

— L'higoumène s'est moqué de nous en nous laissant espérer que nous pourrions trouver ici quelque chose ! s'exclama l'Apothicaire alors qu'ils étaient rentrés dans leur petite cellule.

— Peut-être ne lui avons-nous pas posé les bonnes questions, suggéra Robin.

— Tu as bien vu comment il les esquivait toutes ! répliqua Andreas.

— Retournons le voir ! Avec tout ce que nous avons appris, il nous mettra peut-être sur une nouvelle piste…

— J'ai bien peur que cela soit inutile.

— Allons-y tout de même ! insista l'apprenti.

Mais quand ils se présentèrent devant le bâtiment où le père Athanasios les avait d'abord reçus, on leur annonça qu'il avait quitté le monastère, et que, parti pour Al-Qahira[1], il ne serait pas de retour avant plusieurs semaines.

Eux devaient partir le lendemain.

1. Le Caire (littéralement, *La Victorieuse*).

145

La seconde nuit qu'ils passèrent dans le monastère Sainte-Catherine leur fut beaucoup moins douce que l'avait été la première, car tous trois ne purent se défaire de leur grande déception ni de leur inquiétude. En outre, ils savaient qu'il ne leur restait plus qu'une seule journée à passer ici. Avaient-ils vraiment fait tout ce chemin pour ne trouver rien ? L'higoumène s'était-il moqué d'eux ? Devaient-ils maintenant retourner en France avec le goût amer de l'échec ?

Le lendemain matin, toutefois, Andreas réveilla ses deux compagnons pour leur exposer la nouvelle idée que la nuit lui avait portée, elle dont on sait qu'elle porte conseil :

— La situation prétendue sacrée de ce monastère est très théorique, expliqua-t-il. Les moines affirment qu'il se trouve à l'endroit précis du Buisson ardent, mais nous savons combien il est périlleux de prêter trop de foi au dire des cénobites ! Peut-être le véritable buisson – s'il a existé – ne se trouvait-il pas tout à fait là, et donc, peut-être ne cherchons-nous pas au bon endroit ! Qui sait, il était peut-être au sommet du mont Sinaï, là-haut ? Ou bien un peu plus loin dans la vallée ! Ou même encore plus loin !

— Nous n'allons tout de même pas retourner toute la terre de la péninsule ! répliqua Robin d'un air découragé.

— Non pas, mais nous pourrions essayer de trouver à la bibliothèque quelque information sur la véritable situation du Buisson.

— Voudriez-vous que nous retournions voir le frère bibliothécaire ? Je ne suis pas sûr qu'il nous reçoive avec autant de bienveillance qu'hier ! En outre, s'il y avait dans sa bibliothèque un document invalidant la position supposée du Buisson, vous pensez bien qu'il ne l'y conserverait point !

— Tout orgueilleux qu'il est, je doute que ce caloyer ait réellement lu tous les livres que contiennent ses rayonnages, et je doute aussi qu'il connaisse toutes les langues dans lesquelles ils ont été écrits...

— Prétendez-vous les connaître toutes, vous ? se moqua Aalis.

— Non, mais au moins je sais ce que je cherche... Et cela ne coûte rien d'essayer. De toute façon, nous n'avons guère mieux à faire ! À moins que vous n'ayez une autre proposition ?

— Ne sachant toujours pas lire, j'ai bien peur de ne pas pouvoir vous être d'une grande utilité, avoua la jeune fille.

— Eh bien, tu n'auras qu'à enquêter discrètement dans le monastère pendant que nous chercherons dans les livres, suggéra Andreas.

— Enquêter ?

— Oui ! Promène-toi, farfouille, visite les lieux ! Vérifie que nous n'avons rien oublié...

— En somme, vous avez envie de vous débarrasser de moi ?

— En somme.

La jeune fille haussa les épaules.

— Après tout, je serai mieux dehors qu'enfermée avec vous !

— Indubitablement.

Et ainsi, après un modeste déjeuner, ils se séparèrent pour la journée. Aalis partit seule déambuler dans les allées du monastère, observant les us de ses occupants, pénétrant dans toutes les pièces où elle était admise, et Andreas et Robin retournèrent voir le frère bibliothécaire qui, bien sûr, les vit arriver d'un fort mauvais œil.

— J'espère que vous n'êtes pas venus me demander encore quelque information sur ce livre fantasque...

— Comment le pourrions-nous, puisque vous dites qu'il n'existe pas ? rétorqua malicieusement Andreas.

— Tant mieux, tant mieux ! Dans ce cas, que puis-je pour vous ?

— Eh bien, mon apprenti et moi-même aimerions parcourir les ouvrages qui retracent l'histoire du monastère.

Le bibliothécaire fronça de nouveau les sourcils.

— Ne me dites pas que vous espérez y trouver quelque chose sur ce livre ?

— Je vous promets que non ! répondit l'Apothicaire. Nous aimerions savoir comment le Buisson a été découvert.

— Hmmm, fit le caloyer d'un air méfiant. Puis-je vous demander pourquoi ?

— Eh bien... Voyez-vous, improvisa Andreas, je suis apothicaire, et cette plante miraculeuse attire forcément mon attention.

— Vous n'envisageriez tout de même pas d'en faire un médicament ? demanda le moine, perplexe.

Andreas mima un rire ridicule.

— Non ! Bien sûr que non ! J'aimerais étudier non pas ce buisson-là – Dieu m'en préserve – mais son espèce, et j'eusse donc aimé savoir si d'autres buissons similaires – je dis bien similaires, car celui-là est unique, assurément – eussent été découverts ailleurs dans la région. La chose est peut-être relatée dans une chronique...

— J'en doute fort. C'est justement la singularité de ce buisson qui en prouva la divine origine. Mais je vais voir ce que je peux trouver, dit le moine en quittant sa place.

Lors on le vit farfouiller dans les différentes étagères puis déposer plusieurs volumes sur un pupitre, fort éloigné de son bureau (sans doute craignait-il d'être dérangé). Puis, des archives, il sortit d'autres documents encore. Malgré l'antipathie soudaine qu'il avait conçue la veille à l'égard des Français, le frère bibliothécaire était visiblement si fier de sa collection qu'il ne résistait toujours pas à l'envie de la leur montrer ; en outre, son antre avait si peu de visiteurs qu'il était simplement heureux chaque fois qu'il se sentait utile.

— Tenez, voyez si vous trouvez quelque chose là-dedans, dit-il.

Aussitôt, Andreas et Robin – qui savaient que le temps leur était compté – se lancèrent avidement dans leurs recherches. Parcourant les livres chacun de leur côté, ils s'interrompaient par moments pour montrer à l'autre quelque découverte intéressante.

Dans les chroniques qu'ils parcoururent, et qui étaient presque toutes en grec ou en latin, ils constatèrent qu'un débat avait en effet animé les premiers siècles de la chrétienté quant à la situation exacte du mont Sinaï. Dans les premiers temps, nombreux le plaçaient dans le Djebel Serbal, une montagne qui n'était pas très éloignée de celle-ci, d'autres évoquaient plutôt l'ancien volcan de Hala el-Badr, qui était en Arabie, mais l'Église s'accorda finalement sur ce lieu-ci, fondant son affirmation sur la présence insolite d'un buisson en un tel endroit et, plus haut, d'une grotte qui ressemblait fort à celle où Moïse eût séjourné. Le troisième argument utilisé par l'Église pour affirmer qu'ici était bien l'emplacement du mont Sinaï ne put laisser Andreas indifférent : la région était connue pour être victime de nombreux tremblements de terre... Or, justement, l'Exode mentionnait un tel séisme au moment de l'apparition de Dieu sur ce mont : « *La montagne de Sinaï était tout en fumée, parce que l'Éternel y était descendu au milieu du feu ; cette fumée s'élevait comme la fumée d'une fournaise, et toute la montagne tremblait avec violence.* » L'Apothicaire fit constater la chose à son apprenti.

— Et alors ? Vous croyez qu'il y a un tremblement de terre ici à chaque fois que...

— Je ne crois plus rien du tout, mon pauvre garçon ! Je me contente de constater un faisceau accablant de coïncidences. En revanche, je trouve l'argumentation de l'Église assez faible dans sa tentative de démontrer qu'ici se fût vraiment trouvé le mont Sinaï de la Bible... La manœuvre manque de rigueur historique.

Robin hocha la tête et ils se remirent à chercher.

Après un long moment, Andreas arriva au bout de la pile de volumes qu'il avait devant lui et, comme il n'avait rien trouvé de plus probant, il eut soudain une idée qui, certes, ne lui apporterait pas plus d'informations sur le Buisson, mais lui donnerait peut-être une indication néanmoins capitale. Abandonnant Robin qui, lui, était toujours plongé dans ses livres, il retourna voir le caloyer à l'autre bout de la pièce.

— Excusez-moi, frère bibliothécaire, mais conservez-vous un registre avec la liste des pèlerins qui visitent votre abbaye ?

— Naturellement ! répondit le moine, qui avait finalement retrouvé sa bonne humeur de la veille. Chaque visiteur est même invité à y laisser un petit mot et sa signature. S'il sait écrire, évidemment.

— Est-il possible de le consulter ?

— Mais bien sûr ! Et bien que l'higoumène m'ait dit que vous n'étiez pas ici en pèlerinage, je veux bien faire un petit écart et vous laisser y mettre un mot à votre tour.

— C'est trop aimable.

Le frère bibliothécaire se leva de nouveau et alla chercher le registre, qui était rangé du côté des archives.

— Il n'y a qu'un seul volume ? demanda Andreas, surpris.

— Oh oui ! Vous savez, nous n'avons pas tant de visites que cela. Il se passe parfois six mois sans que personne vienne nous voir.

L'Apothicaire posa le registre sur un pupitre et commença à le feuilleter.

Il ne remontait pas plus loin qu'au XIe siècle, mais c'était déjà fort instructif : on y pouvait voir le jour d'arrivée, la provenance et la destination de tous ces voyageurs, dont la plupart étaient français, italiens, espagnols et anglais, et certains y laissaient même quelque impression.

Andreas en lut plusieurs au hasard.

« *Robert de Boyeus, marchand français, venant d'Égypte et se rendant au mont Liban, à Constantinople et de là en Perse, vingt et unième jour d'avril de l'an 1134.* »

Puis, plus bas, en castillan :

« *Le neuvième jour de septembre 1148 sont arrivés ici Simón Ruiz, de Tolède, et Jose Vázquez, de Cáceres.* »

Plus bas encore :

« *Maître Hubert de Lille, clerc français, est arrivé le septième jour de mai 1189 pour visiter cette prodigieuse contrée. Son projet était de monter après sur le mont de Moïse, mais les grandes fatigues qu'il a supportées et la mauvaise eau qu'il a bue dans le désert l'ont rendu tellement malade qu'il ne pourra quitter le monastère que quand ses forces lui seront revenues.* »

Quelques pages plus loin, en anglais :

« *Ici j'ai reçu la plus douce hospitalité et lu le Décalogue sur le point le plus élevé où l'on dit que la Loi fut donnée à Moïse. Thomas D. Noton, de Londres, treizième jour de mars de l'an 1225.* »

N'y tenant plus, l'Apothicaire tourna rapidement les pages pour trouver la partie qui l'intéressait : Juan Hernández Manau avait affirmé, lors de leur étrange entretien à Burgos, que la personne auprès de laquelle Andreas eût appris son métier, à Compostelle, cette personne qui eût disparu de son souvenir, donc, était soudain partie en voyage en janvier 1297, laissant son apothicairerie à son apprenti. Si, comme Andreas le pensait, cette personne était venue ici chercher le livre, elle fût donc probablement arrivée aux environs de mars 1297.

De fait, après avoir fouillé dans le registre, ébahi, l'Apothicaire trouva ce qu'il avait prédit (nous n'osons dire « espéré ») : entre deux autographes, l'un daté de février 1297, et l'autre de mai, il y avait un grand vide. Un espace blanc dans lequel, sans doute, un texte eût dû apparaître.

Andreas, aussitôt, apostropha son apprenti :

— Regarde ! Comme dans le registre de l'hôpital d'Étampes !

— Une preuve de plus ! s'exclama Robin, fasciné.

— Oui… Et regarde, il y en a d'autres avant ! Ici un premier en 1044, et là un second en 1127. Je suis sûr qu'en y regardant de plus près nous en trouverions plusieurs.

— À chaque blanc correspondrait une personne venue ici et qui eût ensuite disparu en lisant le livre ?

— C'est ce que cela laisse penser, n'est-ce pas ? Prodigieux ! Mais cela ne nous donne toujours pas d'information sur ce maudit buisson. As-tu trouvé quelque chose, toi ?

— Non, maître. J'ai épluché tout ce que j'avais, et je ne trouve aucun document qui donne une indication précise sur la situation du buisson, ni sur sa découverte.

L'apothicaire fit une moue de désappointement.

Prenant une plume, il tourna le registre à la dernière page manuscrite et y inscrivit un petit texte à son tour :

« *Le septième jour de juillet de l'an 1313 sont arrivés ici Andreas Saint-Loup, apothicaire à Paris, Robin Messonnier, son apprenti, et Aalis Nouet, de Béziers, non pour le mont Sinaï, mais dans un but d'utilité.* »

Avec aux lèvres une espèce de petit sourire, il apposa sa signature et rapporta le registre au frère bibliothécaire.

— Avez-vous trouvé quelque chose dans tous ces documents ? demanda celui-ci.

— Nous avons trouvé de nombreuses choses, répondit poliment Andreas, mais pas tout à fait ce que nous cherchions.

— Je vois… Je dois reconnaître qu'hier je me suis peut-être trompé à votre sujet : votre détermination vous honore, tout comme vous honore votre amour de la chose écrite. De mon côté, j'ai réfléchi : il y a peut-être quelque chose qui pourrait vous intéresser. Suivez-moi.

146

Aalis avait fait plusieurs fois le tour de ce labyrinthe de pierres quand elle commença à éprouver quelque lassitude, encore que cette déambulation lui donnât l'occasion de méditer un peu, car l'endroit – un monastère – s'y prêtait volontiers, et cela faisait longtemps qu'elle ne s'était pas trouvée seule, à force de courir dans les jupes d'Andreas.

Ainsi elle pensa aux raisons de sa présence ici, à ce que cachait sa détermination à vouloir s'engager dans cette aventure qui, au fond, ne la concernait pas vraiment, à ce qu'elle ferait après, à ce qu'elle attendait de sa vie future, et surtout, elle pensa à ses deux compagnons ; à la façon dont elle les regardait. Car aujourd'hui, ils étaient devenus sa seule famille, les deux seules personnes qu'elle connût vraiment et qui la connussent. Et, si elle s'était promis de retourner voir un jour Luc et Marie dans leur petit village de Cazo, il y avait de grandes chances à présent qu'elle suive Andreas et Robin dans leur retour en France et donc, qu'elle aille jusqu'à Paris. Paris !

Et alors le recul que lui offrait l'introspection (ou l'atmosphère de ce sanctuaire, peut-être) lui permit de recevoir une soudaine révélation, dont l'évidence n'avait sans doute échappé à ce jour qu'à elle-même : les sentiments qu'elle nourrissait à l'égard d'Andreas étaient parfaitement ridicules, et ils étaient injustes.

Ils étaient ridicules parce que, comme le lui avait dit l'Apothicaire lui-même, ils ne seraient jamais réciproques ; or même si d'un amour à sens unique on fait de très beaux romans, on n'en fait guère une vie.

Et ils étaient injustes car, en se perdant dans cette quête perdue d'avance, elle avait fermé son cœur et ses yeux pour le reste du monde. En cela, d'ailleurs, elle ressemblait à Andreas qui, tout entier à la recherche de son livre, ne voyait plus que lui. Au fond, leur petite compagnie formait un ballet infernal et grotesque, comme celui de trois serpents qui se mordent la queue, car voilà : Robin aimait Aalis et souffrait de ne rien recevoir en retour, Aalis, croyant aimer Andreas, souffrait elle aussi de ne rien recevoir et, partant, se fermait à Robin, quant à Andreas... eh bien, Andreas, lui, n'aimait plus personne, sinon peut-être ce fantôme qu'il poursuivait de par le monde mais dont il savait déjà qu'il ne le retrouverait jamais.

C'était comme si l'Amour (nous le dotons ici d'une majuscule car ainsi, le personnifiant, tels les peintres qui lui attribuent un arc et une flèche, nous pouvons lui prêter quelque intention, mais le lecteur se doute que ce n'est qu'une image poétique, car l'amour en vérité n'a ni ailes, ni flèches, ni ne peut prétendre à la moindre intention, l'amour n'est qu'un mot pour dire ce sentiment si flou qui nous pousse à vouloir pénétrer l'âme et le corps d'un autre, pour n'être plus seul tout en restant un, et qu'ensuite on entretient aussi longtemps qu'on le peut en continuant de lui donner ce nom, car la pudeur nous interdit de dire qu'il est éphémère et se mue invariablement en tendresse, dans le meilleur des cas, et en inimitié dans le pire), c'était comme si l'Amour, disons-nous, se jouait de ces trois imbéciles, en riant comme on rit quand on a fait une bonne farce.

Ainsi Aalis se demanda – et pour la première fois – si son amour pour l'Apothicaire était bien de celui des amants, ou s'il n'était pas plutôt la reproduction de ce sentiment qu'elle avait aussi éprouvé pour Zacharias, et qui avait quelque chose de l'amour d'une fille pour son père.

Et là, soudainement, dans le silence et la paix du vieux monastère, c'était comme si son cœur et ses yeux s'étaient ouverts à nouveau, et alors un visage était apparu, qui était celui de Robin. De Robin Meissonnier.

La jeune fille éprouva un brutal remords, de la honte presque, et la peur même qu'il fût déjà trop tard. Car maintenant les choses lui paraissaient plus clairement : il y avait dans le cœur de l'apprenti une pureté et une bonté qu'elle n'avait jamais vues ailleurs et auxquelles, pourtant, elle n'avait pas su encore accorder l'attention, l'admiration qu'elles méritaient. Contrairement à Andreas, le jeune homme n'éprouvait point le besoin de cacher son humanité derrière le masque de l'ironie, du sarcasme, car elle se suffisait à elle-même, et elle était si franche et si simple que, assurément, elle n'était guère chez lui le produit d'un calcul. Robin était bon, ingénument.

Et alors elle songea à tous les moments qu'elle avait passés avec lui, les pires et les meilleurs, et alors elle songea à tous les signes que le garçon lui avait envoyés, et alors elle songea à la discrétion avec laquelle il l'avait fait, et alors elle songea à la peine que son indifférence à elle avait dû lui causer, sans que jamais il le montrât, et alors elle songea à sa propre bêtise car, assurément, elle l'aimait en retour.

Elle aimait sa petite tête rousse, elle aimait sa maladresse, elle aimait la timidité et le courage que celle-ci cachait, elle aimait sa force aussi, celle dont il faisait preuve chaque jour en soutenant inlassablement ce vieil ours d'Andreas et cette petite peste d'Aalis, elle aimait la douceur de sa voix comme celle de ses gestes, elle aimait ses mains qui avaient caressé ses cheveux, elle aimait ses yeux, elle aimait son regard, elle l'aimait.

La vérité soudaine, la clarté, l'authenticité de ce sentiment si longtemps refoulé la frappèrent comme frappe un arbre la foudre, et cette commotion violente fut tout à la fois salvatrice, libératrice, exaltante et terrifiante ; elle éprouva le besoin immédiat de faire quelque chose, de réparer ce qu'elle avait abîmé.

Ainsi, Aalis, prise d'une lubie subite, courut vers la petite cellule où on les avait logés, prit dans son sac les outils de Luc et, ayant trouvé un moine qui parlait sa langue, elle lui demanda de la conduire aux jardins.

147

Prenant le trousseau de clefs à sa taille, le frère bibliothécaire traversa la pièce et ouvrit l'une des petites niches où il conservait les ouvrages les plus précieux. Il en sortit un codex sur parchemin qui semblait très ancien et le posa délicatement sur un pupitre.

— Ce codex est très précieux, expliqua-t-il d'une voix grave et profonde, aussi je vous demande de le manipuler avec la plus grande précaution. C'est le manuscrit original de l'*Itinerarium Egeriae*[1], qui date du début du Ve siècle et, à ma connaissance, il n'en existe qu'une seule copie, laquelle a d'ailleurs été réalisée ici même il y a plus de deux cents ans par un copiste de l'abbaye du mont Cassin. Le nom de l'auteur n'est pas mentionné sur ces pages, mais nous savons maintenant, grâce aux historiens qui sont venus ici l'étudier, qu'il s'agissait d'une femme, une Galicienne érudite qui s'appelait Égérie et qui fit en l'an 380 un pèlerinage en Terre sainte, qu'elle raconta ensuite dans ce récit en latin, rédigé à Constantinople. Vous y trouverez des informations sur ces lieux avant la construction du monastère, ainsi que sur le Buisson.

— Merci beaucoup, frère bibliothécaire !

Le caloyer hocha la tête et retourna à son bureau.

1. Ce manuscrit a aujourd'hui disparu ; il ne nous reste que quelques fragments de la copie qui en fut faite au XIe siècle.

Andreas adressa à son apprenti un sourire enthousiaste : c'était exactement le genre de documents qu'ils cherchaient. Il était antérieur à l'édification du couvent – et donc au déplacement du Buisson – et avec un peu de chance l'auteur y donnait quelque information précise sur la position de celui-ci. Partant, ils parcoururent ensemble, et frénétiquement, les premiers chapitres de ce récit de voyage, où était relatée la visite du Sinaï. Égérie y racontait ses séjours dans les établissements du monachisme oriental qui, en ce temps, étaient fort nombreux sur la péninsule. Elle consacrait en particulier plusieurs chapitres au mont Sinaï, sur lequel se réunissaient donc déjà des moines avant même la construction du monastère. Le passage concerné commençait ainsi :

« *Interea ambulantes peruenimus ad quendam locum, ubi se tamen montes illi, inter quos ibamus, aperiebant et faciebant uallem infinitam, ingens, planissima et ualde pulchram, et trans uallem apparebat mons sanctus Dei Syna*[1]. »

Sur la page suivante apparaissait la première mention du Buisson ardent :

« *Haec ergo uallis ipsa est, in cuius capite ille locus est, ubi sanctus Moyses cum pasceret pecora soceri sui, iterum locutus est ei Deus de rubo in igne*[2]. »

Andreas, enthousiaste, serra vigoureusement le bras de son apprenti. Ce texte leur apprenait au moins une

1. *Dans le même temps, nous arrivâmes à pied en un certain endroit où les montagnes, parmi lesquelles nous voyagions, s'ouvraient et formaient une vallée infiniment grande, assez plate et extraordinairement belle, et au-delà de la vallée apparut le Sinaï, la montagne sainte de Dieu.*
2. *Cela est aussi la même vallée à la tête de laquelle se trouve l'endroit où, alors que saint Moïse nourrissait les troupeaux de son beau-père, Dieu lui parla par deux fois depuis le Buisson ardent.*

chose : le Buisson existait déjà plus d'un siècle avant la construction du monastère. Mais cela ne donnait aucune indication plus précise sur sa situation, seulement qu'il était « à la tête » de cette vallée...

Avec passion, ils poursuivirent leur lecture, pressés l'un contre l'autre, suivant fébrilement chaque ligne du bout du doigt. Égérie racontait ensuite son ascension du mont, puis, enfin, huit pages plus loin, elle livrait un chapitre entier sur le Buisson ardent !

Soudain, Andreas lança une petite exclamation de joie qui fit pousser un soupir d'agacement au frère bibliothécaire, de l'autre côté de la salle. La phrase qu'il venait de lire donnait assurément la réponse qu'ils espéraient tant !

« *Hic est autem rubus, quem superius dixi, de quo locutus est Dominus Moysi in igne, qui est in eo loco, ubi monasteria*[1] *sunt plurima et ecclesia in capite uallis ipsius. Ante ipsam autem ecclesiam hortus est gratissimus habens aquam optimam abundantem, in quo horto ipse rubus est*[2]. »

— Le jardin ! lança Andreas à voix basse. Comment n'y avons-nous pas songé plus tôt ? *In quo horto ipse rubus est* ! Où donc un buisson pourrait-il être, sinon dans un jardin ?

— Allons-y ! répondit Robin, aussi excité que son maître.

---

1. Le lecteur notera ici que le mot *monasteria*, qui est le pluriel de *monasterium* (lui-même issu du grec *monastêrion*), ne désigne pas un monastère comme on l'entend aujourd'hui, mais des « cellules », habitats individuels des moines dans les premiers temps de la chrétienté.

2. *Cela est le buisson dont j'ai parlé plus haut, depuis lequel Dieu parla à Moïse dans le feu, et celui-là même est situé à cet endroit à la tête de la vallée où sont de nombreuses cellules et une chapelle. Il y a un jardin très agréable devant la chapelle, qui contient une eau abondante et excellente, et le Buisson lui-même est dans ce jardin.*

En essayant de cacher autant que possible leur impatience, ils rendirent le codex avec un « merci » à l'unisson au frère bibliothécaire qui, perplexe, les regarda partir côte à côte d'un pas preste.

— Aalis ! s'exclama Robin quand ils furent dehors. Nous devons d'abord trouver Aalis. Nous ne pouvons pas y aller sans elle.

— Oui, tu as raison, mon garçon. Mais où est donc cette petite girouette ?

Le troisième moine auquel ils posèrent la question leur annonça que la jeune fille était allée au jardin. Andreas et Robin échangèrent un regard perplexe : les avait-elle précédés ?

— Cette petite m'étonnera toujours, murmura l'Apothicaire.

Robin se contenta de sourire.

— Pourriez-vous nous y conduire ?

— Bien sûr, mais n'oubliez pas que vous devez quitter le monastère avant la tombée du soir ; notre règle est formelle.

— Nous l'avons promis à l'higoumène, confirma Andreas.

Lors, le caloyer les guida vers un bâtiment au nord-ouest du monastère, dans lequel il ouvrit une petite porte de fer, fermée à clef, puis, leur tendant une lampe à huile :

— Suivez le souterrain et vous arriverez dans les jardins. Avant la tombée du soir, présentez-vous devant la muraille par laquelle vous êtes entrés et par laquelle vous devrez alors sortir. Bonne visite !

Les deux compagnons, de plus en plus excités, se succédèrent à l'intérieur de ce corridor en pente douce, s'éclairant à l'aide de la lampe et faisant de grandes enjambées pour aller au plus vite.

— Encore un souterrain ! ne put s'empêcher de faire remarquer Andreas.

Bientôt, ils ressortirent au-dehors, et ils étaient de l'autre côté de l'enceinte, au beau milieu de cette incroyable oasis, et ce fut comme s'ils s'étaient transportés dans un autre monde.

Les jardins, entourés de murs de pierre sèche, s'étalaient avec splendeur sur plusieurs terrasses successives où étaient, dans un alignement rigoureux, des plantations d'oliviers, de poiriers, de citronniers, d'orangers et de moult vignes. En marchant parmi ces plantes aux couleurs resplendissantes, Andreas et Robin, perplexes, furent assaillis par la sensation de fraîcheur qui se dégageait du système d'irrigation imaginé avec ingéniosité par les moines et du petit ruisseau qui traversait l'endroit. Le clapotis incongru de l'eau était un enchantement au milieu de ces arides montagnes, comme l'étaient le parfum et l'ombrage délicieux qu'offraient les arbres aux marcheurs.

Envahis par un sentiment de paix et de sérénité, les deux compagnons cheminèrent sans rien dire, avalant ici un fruit qu'ils arrachaient à un arbre, là de petites pistaches rondes de Mésopotamie.

Le travail que les moines fournissaient ici depuis des siècles forçait l'admiration : il avait fallu faire venir d'Égypte, à dos de dromadaire, une quantité impressionnante de terre végétale, prise au bord du Nil, et l'étendre patiemment sur le granit, à une assez grande épaisseur pour que les racines des arbres pussent s'y enfoncer. Chaque jour, il fallait soigner ce jardin pour l'élever et le conserver malgré la rigueur du climat, et les caloyers y récoltaient assez de fruits pour assurer quelque ressource à la communauté en les revendant aux marchés du Caire, et assez de raisins pour en tirer un vin respectable.

— Je ne vois pas Aalis, dit finalement Robin avec une note d'inquiétude, après un long moment de silence.

— Il y a un bâtiment là-bas, fit remarquer l'Apothicaire en tendant le doigt du côté du cimetière qu'ils avaient aperçu le jour de leur arrivée dans la vallée. Allons voir.

Après avoir gravi plusieurs marches qui permettaient de passer d'une terrasse à une autre, ils arrivèrent devant cet austère bâtiment de granit, rectangulaire, qui n'avait aucune fenêtre et n'était pas très haut, quoique massif.

— Qu'est-ce que c'est ? demanda Robin.

— C'est un ossuaire, répondit Andreas. J'ai lu quelques lignes à son sujet dans la bibliothèque.

— Vous croyez qu'Aalis est dedans ?

— Elle est capable de tout. Entrons !

Lors ils pénétrèrent dans ce grand caveau, au centre duquel on accédait après avoir descendu un petit escalier, car il était enfoncé dans le sol. L'air y était sensiblement plus frais que dehors et il se dégageait des lieux une atmosphère lugubre qui contrastait grandement avec la gaieté radieuse des jardins.

Robin, qui semblait préférer rester derrière son maître, frissonna.

Les parois étaient tout entières couvertes d'une déconcertante quantité d'ossements, entassés avec un ordre méticuleux – les membres le long des murs latéraux, les têtes dans le fond – et d'une manière qui faisait des motifs à la fois sinistres et élégants. Il y avait là les restes des anciens ermites du Sinaï que l'on avait trouvés dans les cavernes et les cellules abandonnées parmi les montagnes, ainsi que ceux des moines décédés depuis lors dans le couvent. Certaines mains étaient encore couvertes d'une peau noircie, et Robin, oppressé, s'attendait à tout moment à en voir bouger une qui lui sautât à la gorge et l'étranglât…

Entre les ossements, on pouvait aussi distinguer ici et là de sordides instruments de pénitence, fouets de flagellation aux lanières agrémentées de morceaux de fer, ceintures ou couronnes munies d'épines dirigées vers l'intérieur, tous ces terribles ustensiles par lesquels les moines pratiquaient leurs mortifications corporelles pour expier les voluptés charnelles, l'infâme passion de l'impureté, et qui faisaient maintenant partie de ce décor morbide.

Mais ce qui glaça véritablement le sang de l'apprenti se trouvait au bout de la pièce : c'était un personnage momifié, vêtu de blanc, la tête couverte d'un bonnet de drap d'argent, qui était assis sur un trône de pierre et semblait dévisager les vivants, les juger tel un souverain revenu du pays des morts.

— Sortons d'ici ! murmura Robin. Vous voyez bien qu'elle n'est pas là !

— Allons, allons... Ce ne sont que des os, répliqua Andreas en souriant. Tu n'as aucune raison d'avoir peur.

— Parce que la mort ne vous fait pas peur, à vous, peut-être ? Je commence à vous connaître, Andreas, et je sais bien qu'elle vous obsède !

— Ce n'est pas de mourir qui me fait peur, mon garçon, c'est de cesser de vivre.

— Je ne vois pas bien la différence !

— La mort, pour moi, n'est pas un état, et je ne peux redouter de la vivre, puisqu'elle ne se vit pas.

— Vous êtes bien sûr de vous ! Et d'ailleurs, êtes-vous bien certain, en cet instant même, d'être vivant ?

Andreas, surpris, haussa les sourcils.

— C'est la question la plus intelligente que tu m'aies jamais posée, mon garçon. Je ne suis pas sûr d'avoir encore beaucoup de choses à t'apprendre.

Il s'avança et, fermant le poing, il cogna trois fois du bout des phalanges sur un crâne de l'ossuaire.

— Ce dont je suis certain, en revanche, c'est que ce moine-là est bel et bien mort. Ça sonne creux.

— Maître ! s'indigna Robin. Vous ne changerez donc jamais !

— J'ai bien peur que si. Allons, sortons d'ici, petit homme, je vois que ces miroirs de nos avenirs communs te mettent mal à l'aise. Regarde, il y a une deuxième porte de ce côté-là. Peut-être ne sommes-nous qu'au purgatoire et que la lumière que nous apercevons là-haut est celle du jardin d'Éden.

Robin ne se le fit pas dire deux fois et passa le premier dans le couloir qui remontait au-dehors, au nord de l'ossuaire. Une fois en haut des marches, il s'immobilisa.

— Maître, si c'est le jardin d'Éden, il ressemble tristement à un cimetière.

En effet, ils étaient à présent au milieu de cet immense champ de cyprès parmi lesquels s'élevaient d'innombrables tombes, à perte de vue, certaines fort anciennes, d'autres plus récentes. Le soleil commençait à descendre derrière les montagnes, et le monde se teintait de ces couleurs roses qui annoncent ici la venue du soir. Bientôt, ils allaient devoir quitter le monastère, comme ils l'avaient promis. Ils n'avaient plus de temps à perdre.

— Espérons que l'un de ces cyprès soit l'Arbre de la connaissance, plaisanta Andreas, mais en disant cela il ne put s'empêcher de penser au gnosticisme et à son étymologie, et se dit alors que sa plaisanterie n'était peut-être pas si drôle que cela.

— Espérons surtout que nous y trouverons Aalis !

Ils avancèrent lentement au milieu du cimetière, découvrant ici et là les noms des religieux enterrés, les dates de leur naissance et celles de leur mort et, soudain, Robin poussa un cri qui fit sursauter son maître.

— Regardez ! dit-il, livide.

Andreas s'approcha et découvrit ce qui avait fait glapir son apprenti.

À quelques pas de là, au pied de l'un de ces grands arbres, se dressait une magnifique statuette inachevée, dont on reconnaissait aisément qu'elle était de la main de la jeune Occitane, et c'était à ce jour sa plus belle pièce. Avec une grande finesse, elle figurait un moissonneur coupant les blés avec une faux, et rappelait le dessin que Robin lui avait fait faire sur la façade du palais de Gelmírez à Compostelle.

— Mais c'est un messonnier ! murmura Andreas. Comme c'est mignon : je crois que notre petite te prépare un cadeau !

Éparpillés autour de la sculpture, parmi les copeaux de bois, les outils de la jeune fille avaient été laissés à l'abandon.

— Il lui est arrivé quelque chose ! s'exclama Robin, affolé, et alors il se mit à courir en criant le nom de la jeune fille.

Andreas s'efforça de le suivre et appela Aalis à son tour, serpentant entre les arbres et les tombes, se laissant gagner lui aussi peu à peu par l'inquiétude, jusqu'à ce que, soudain, une voix retentisse plus à l'est ; et c'était celle de la jeune fille.

— Robin ! criait-elle. Par ici !

Maître et apprenti obliquèrent vers l'orient et trouvèrent rapidement Aalis, qui était à genoux devant une sépulture, dans la partie culminante du cimetière, et qui semblait très agitée.

— Qu'est-ce que tu fais là ? demanda Robin, presque sur le ton du reproche.

— C'est... c'est incroyable !

— Quoi donc ? demanda Andreas.

— Là... là... Sur la tombe ! J'ai vu... j'ai vu une flamme !

L'Apothicaire, affaissant brusquement les épaules d'un air dépité, poussa un long soupir et commença à ricaner.

— Ne vous moquez pas, Andreas ! Je vous jure que j'ai vu une flamme qui courait partout autour de la tombe ! Une flamme bleutée ! Et quand elle passait ici sur les herbes et les buissons, elle... elle ne les faisait pas se consumer... comme... comme la flamme sur le Buisson ardent dans la Bible !

— Cela s'appelle un feu follet, misérable sotte, et la chose est connue depuis la nuit des temps ! On en voit souvent dans les cimetières, et les imbéciles de ton acabit les prennent pour des âmes en peine, quand ce n'est qu'un phénomène de physique pure. Ce sont des vapeurs qui s'élèvent des corps en putréfaction, rien de plus, rien de miraculeux ou de surnaturel, pas plus que les feux de Saint-Elme que l'on voit parfois sur les mâts des bateaux.

— Peut-être... Mais la tombe...

— Eh bien ?

— La tombe, regardez !

— Quoi ?

— Comme par hasard, c'est la seule qui ne porte pas de nom !

Andreas fit une moue désabusée, mais se pencha tout de même sur la pierre tombale. En effet, elle ne portait aucune inscription.

— Maître, intervint Robin par-dessus son épaule, vous pensez que...

— Je pense que l'inscription s'est effacée avec le temps, voilà tout.

— La surface est parfaitement lisse, maître, et... Il est vrai que cette tombe ne ressemble à aucune autre, ni par sa matière, qui est bien plus blanche, ni par sa forme, qui est bien plus large.

— Robin, diabolique que tu es, tu ne vois que ce que tu veux voir !

— Et vous, maître, vous ne voyez les choses que sous le spectre de votre éternel scepticisme !

— Le scepticisme est le moteur de la connaissance !

— Il est souvent l'ennemi du progrès !

— Tu es un imbécile !

— Vous êtes un acariâtre !

— Bigot !

— Impie !

— Inculte !

— Vaniteux !

Pendant que les deux hommes se disputaient, Aalis était allée chercher un solide bâton avec lequel elle essayait maintenant de faire levier pour soulever la pierre tombale.

Andreas interrompit aussitôt le flot de ses injures et la dévisagea, médusé.

— Mais que fais-tu, petite idiote ?

La jeune fille ne répondit pas, et Robin, les joues rouges de colère, s'écarta pour trouver un bâton à son tour et lui prêter main-forte.

— Ah ! bravo ! s'exclama Andreas. Notre petit dévot est maintenant devenu un profanateur !

— Aidez-nous, ou taisez-vous ! répliqua l'apprenti.

L'Apothicaire croisa les bras d'un air moqueur.

— Quel magnifique spectacle ! dit-il en les observant tous les deux qui s'agitaient autour de la tombe comme deux cambrioleurs.

Lors, il entendit au loin l'écho de plusieurs voix. Faisant quelques pas en arrière, il se hissa sur la pointe des pieds et aperçut, de l'autre côté de l'ossuaire, deux moines qui erraient dans les jardins. À leur façon d'inspecter partout autour d'eux, on pouvait supposer qu'ils les cherchaient, sans doute pour les inviter à quitter le monastère, comme le soir approchait vitement.

— On vient ! dit-il en retournant auprès des deux jeunes gens.

— Maître ! C'est notre dernière chance ! Allez ! Pour une fois ! Avec tout ce que nous avons vu, toutes ces choses incroyables dont nous avons été témoins, faites preuve d'un peu de...

— Par pitié ! le coupa Andreas. Ne prononce pas le mot « foi » !

— Alors faites au moins preuve d'un peu de confiance ! Aidez-nous !

Andreas secoua la tête, puis, blasé, vint à leur secours. Le garçon avait raison sur un point : si ridicule fût-elle, c'était leur dernière chance de trouver ici quelque chose.

— Tu n'as donc pas vu assez de squelettes dans cet ossuaire, grinça-t-il tout en tirant de toutes ses forces sur la pierre tombale.

Petit à petit, sous leurs efforts conjugués, la plaque de granit commença à bouger. Concentrant leur action du même côté, ils parvinrent à la soulever un peu, puis un peu plus, puis encore plus, et soudain elle se libéra du sol. Des petits morceaux de terre sèche tombèrent dans le gouffre en produisant des crépitements. Lors, ils se mirent tous trois au même bout et poussèrent ensemble ce couvercle de pierre, et il était si lourd qu'ils eurent bien du mal à le déplacer, et puis enfin il céda, et alors on vit apparaître l'ouverture dans le sol.

Andreas se redressa d'un coup, comme s'il eût été frappé par la foudre.

— Ce… ce n'est pas possible, balbutia-t-il, les yeux écarquillés et les lèvres tremblantes.

Comme lui, les deux autres restèrent bouche bée.

Car voilà : à l'endroit où eût dû se trouver quelque sarcophage, un escalier descendait dans la roche.

Un vieil escalier de pierre, caché sous une tombe !

148

C'est une sorte de temple antique, au milieu d'une clairière perdue dans la verte forêt galicienne, à quelques lieues seulement de Saint-Jacques-de-Compostelle. La façade est sculptée de fins ornements, et son entrée bordée de deux colonnes corinthiennes qui se terminent en larges chapiteaux et supportent un fronton à jour triangulaire. Au pied des murs de pierre grimpent des lierres qui, tels des bras sortis de la terre, semblent vouloir empêcher l'édifice de la quitter.

Si le lecteur, poussé par quelque légitime curiosité, passait le porche de ce temple, il arriverait dans la pénombre d'un vestibule envahi par la poussière et par la flore environnante, sans meuble ni décor, aux murs craquelés, au sol jonché de débris, et il aurait le sentiment, sans doute, de visiter une ruine oubliée de l'Antiquité. S'il franchissait ensuite la porte qui se niche au bout de ce *prodromos* – mais alors pour cela il faudrait qu'il se baisse car cette porte est bien basse, et il faudrait qu'il en trouve les clefs car cette porte est close – s'il la franchissait, disons-nous, il découvrirait derrière une longue salle qui, remplissant la quasi-totalité de la surface du temple, s'inscrit dans les belles proportions du rectangle d'or, et il verrait alors que les lieux sont occupés par une bien étrange assemblée.

Cette vaste salle n'a pas de fenêtre et ne reçoit pour lumière que celle des bougies qui brûlent sur trois chandeliers, dressés en son centre et qui forment un triangle droit. De chaque côté des chandeliers, longeant les murs latéraux, sont deux rangées de fauteuils, et sur ces fauteuils sont des hommes, et ces hommes portent de longs manteaux blancs. Au pied de la paroi qui fait face à la porte, et qui est à l'orient, une estrade élève trois trônes en bois de cèdre ouvragés, et sur ces trônes, dominant l'assemblée, sont trois hommes, et celui qui se tient au milieu est une figure que le lecteur connaît.

C'est Simón Diaz, que l'on a vu recevant Andreas en sa maison de Saint-Jacques-de-Compostelle et lui soufflant le secret du tombeau de Priscillien.

Et maintenant c'est lui qui parle :

— Il va trouver le Livre, dit-il.

— En es-tu certain, mon frère ? dit un autre.

— Je le suis, répond-il.

— Et comment peux-tu l'être ? demande un autre encore.

— Je le suis car il est parti pour le mont du Néant, que l'on appela par la suite mont Sinaï, mont de Moïse ou Djebel Moussa, et qu'il a remporté trop d'épreuves pour ne pas mener sa quête jusqu'à son terme. Il a vaincu le roi de France, il a vaincu l'Inquisition, il a vaincu les *Mal'achim*, et il est accompagné de deux braves adolescents. J'ai vu dans ses yeux la lueur de celui qui n'abandonne jamais et qui ne vit que pour découvrir la vérité.

— Moi aussi, j'ai vu cela.

— Et moi aussi.

— Et quand il l'aura trouvé ?

À cette question, nul ne répond. Le silence règne car tout est dit. Et alors les bougies s'éteignent une à une, et les visages rentrent dans l'ombre, et les corps s'effacent, et c'est comme si, soudain, tout avait disparu.

149

Andreas, qui avait toujours la lampe à huile du caloyer avec lui, passa le premier dans le petit escalier au milieu du tombeau. Il était si étroit que ses épaules frôlaient les murs de chaque côté, et c'était une chose inquiétante que de descendre ainsi dans le royaume des morts.

D'un pas lent et silencieux, cérémonieux presque, ils s'enfoncèrent tous trois dans le cœur de la montagne, et si la descente se révéla fort abrupte, elle fut aussi très courte car déjà ils arrivaient dans une pièce, non pas une pièce mais une grotte, creusée dans le granit souterrain. Les murs, le plafond et le sol étaient d'une seule et même composition, surface brute et grise dont on distinguait mal les détails. La lumière de la lampe ne portait pas assez loin pour voir où se finissait la caverne, aussi, prudemment, s'avancèrent-ils dans les ombres, formant un groupe serré, et on eût dit une procession.

Après quelques pas ils purent distinguer le bruit d'une eau qui coule, et après d'autres pas encore ils virent scintiller les reflets d'une cascade qui jaillissait du mur du fond et tombait dans un bassin, lequel nourrissait un petit ruisseau souterrain, lequel était sans doute celui qui, plus bas, sortait au milieu des jardins (car ici, quoique sous terre, on était plus en hauteur).

Andreas souleva la lampe devant lui, et alors, au milieu de ce bassin, telle une île déserte dans l'océan, ils virent qu'émergeait un monticule de pierres sur lequel étaient deux choses, et ces deux choses médusèrent nos trois visiteurs.

Au deuxième plan, un buisson. Un buisson souterrain, de ceux qui se nourrissent non pas de lumière mais d'obscurité et d'air humide.

Au premier plan, posé au pied de celui-là, un étui en cuir, oblong et cylindrique, de ceux qui servaient à conserver les rouleaux de parchemin et que l'on nommait parfois *scrinia* (qui a donné le mot « écrin »), mais qui rappela aussi à Aalis les *mezouzot* qu'elle avait vues sur les linteaux des portes dans la juiverie de Bayonne.

— Le Buisson ! murmura Robin, qui en ce moment était proche de l'apoplexie.

Andreas, alors, moult agité, voulut s'avancer davantage, mais son apprenti le retint par l'épaule.

— Maître ! Vos chaussures !

— Pardon ?

— Enlevez vos chaussures !

— Et pour quoi faire ?

— Vous savez très bien !

— Parce que Dieu l'a demandé à Moïse ? Tu te moques de moi ? Tu m'as pris pour un autre !

— Maître ! À quoi bon prendre le risque ? Cela ne vous coûte rien ! Maintenant que vous êtes là !

— Cela me coûterait mon libre arbitre, jeune homme. En outre, je risquerais de me faire mal aux pieds. Tais-toi donc et laisse-moi !

L'Apothicaire se remit en route et rejoignit prestement le bassin. Là, il posa la lampe sur le sol et mit les genoux à terre. Il trempa les mains dans l'eau, qui était fraîche et limpide, puis il tendit le bras vers le petit îlet, mais il ne parvint pas à l'atteindre car il était trop loin.

Poussant un soupir, il jeta un regard agacé à son apprenti derrière lui.

— Tu as gagné, dit-il en enlevant ses chausses.

Lors, pieds nus, il entra doucement dans le bassin. Comme il avançait dans l'eau péniblement, ses jambes s'enfoncèrent de plus en plus, jusqu'à mi-cuisse, et alors il fut devant le monticule de pierres où poussait cet improbable buisson.

Malgré le caractère que le lecteur lui connaît, Andreas, en cet instant, éprouva quelque vive émotion. Peut-être pas une émotion de nature religieuse, mais au moins l'émotion que l'on ressent devant une chose sacrée, quel que soit le sens que l'on donne à ce mot. Ce respect qu'inspirent les plus anciens vestiges, les plus anciennes sagesses, cet émoi que provoque la découverte d'un trésor perdu, et cette joie mélancolique qui nous assaille quand on voit surgir devant soi l'objet d'un si long désir, la fin d'une si longue quête.

Adoncques, quand il leva les mains pour prendre l'étui de cuir, elles tremblaient, et il suspendit son geste un instant, puis, du bout des doigts, il effleura ce Graal, ce talisman, ce fétiche, comme si celui-ci eût pu le brûler, le foudroyer sur cette place. Enfin, la figure figée, les yeux grands ouverts, il le saisit entre ses mains et, le portant comme on porte une offrande, il se retourna lentement et ressortit du bassin sans quitter des yeux le trésor qu'il portait dans ses paumes.

Robin et Aalis, impatients, fébriles, l'attendaient sur le rebord. Quand il s'agenouilla pour inspecter son butin, ils se pressèrent dans son dos pour assister à l'ouverture du coffret.

En ce moment l'on peut dire que trois cœurs battaient plus fort qu'à l'accoutumée et certains diront même qu'ils battaient à l'unisson, et nous-même, en écrivant ces lignes, devons reconnaître que l'émotion nous gagne.

Andreas, chancelant, dénoua la lanière qui retenait le couvercle, puis il déboîta celui-ci. Soulevant l'extrémité de l'étui, il fit doucement glisser le rouleau qui était à l'intérieur, et qui était très épais.

Le papyrus – car c'en était un, et il avait un nombre de feuilles considérable – se posa lourdement dans sa main. Avec des gestes délicats, Andreas commença à en dérouler le bord, très légèrement, juste assez pour voir la première ligne manuscrite, mais il s'arrêta aussitôt en voyant que la matière s'abîmait.

Toutefois, en un éclair, il avait eu le temps d'apercevoir le titre, qui était inscrit tout en haut de la première feuille du rouleau, et Robin aussi, derrière lui, l'avait aperçu, et tous deux furent envahis par une grande exaltation, car ces caractères très anciens indiquaient *Shatirum lâ-mi'umma*.

— Maître ! Vous l'avez trouvé !

Andreas hocha lentement la tête, mais ce n'était pas seulement un acquiescement, c'était le signe de son contentement, de sa félicité, même, et peut-être aussi un moyen de se convaincre lui-même tant la chose était incroyable.

— Vous l'avez trouvé ! répéta l'apprenti, les yeux pleins de lumière.

— C'est vous, mes enfants, qui l'avez trouvé. Tout seul, je ne serais pas descendu sous cette tombe.

— Ha ! ha ! s'exclama Aalis, amusée. Soudain je ne suis plus si misérable et si sotte que je l'étais tout à l'heure, n'est-ce pas ?

— Vous êtes deux petits génies, mes adorables.

Robin posa une main affectueuse sur l'épaule de son maître, et en cet instant, ce n'était plus un maître et son apprenti, mais deux amis.

— Bon, intervint la jeune fille. Et maintenant ?

Andreas, avant que de répondre, refit glisser précautionneusement le papyrus dans son étui.

— Maintenant, nous quittons le monastère, comme nous l'avons promis, et nous rentrons chez nous !

— À la bonne heure ! lança Robin. Mais croyez-vous, maître, qu'avant de partir je puisse prendre un rameau de ce buisson ?

— Pour ce qui me concerne, tu peux le prendre tout entier, mon garçon !

L'apprenti enleva ses chausses à son tour, puis, fort impressionné, traversa le bassin, et après s'être signé devant la plante il en ôta délicatement une toute petite branche. Nous devons dire que, ce faisant, il avait les yeux durement fermés et la mâchoire serrée, comme s'il s'était attendu à une horrible catastrophe, une divine punition, mais il ne se passa rien et, glissant le rameau dans sa chemise, il sortit du bassin, non sans s'être signé une deuxième fois.

— Et toi, Aalis ? Tu n'emportes pas un souvenir ?

— Mes souvenirs à moi sont dans ma tête, et ils sont immortels.

L'Apothicaire approuva, puis ils retournèrent tous trois, transformés, vers le petit escalier qui les ramena au-dehors, où la nuit était tombée. Là, ils remirent, non sans peine, la pierre tombale à sa place.

— Je vais aller récupérer mes outils et la statuette que j'ai commencée, dit Aalis. Elle est pour toi, Robin, mais il faut que je la finisse.

L'apprenti sourit en voyant la jeune fille aller ramasser ses affaires, puis ils sortirent du cimetière et retournèrent aux jardins, où ils tombèrent sur deux moines de Sainte-Catherine.

— La nuit est tombée ! lança le plus vieux des deux d'un air de réprobation.

— Justement, nous partions ! assura Andreas.

Et de fait, passant de nouveau par le corridor qui s'enfonçait sous l'enceinte du monastère, ils suivirent les caloyers jusque dans leur cellule, où ils prirent leurs sacs, puis de là ils se rendirent à l'endroit dans la muraille où était la nacelle.

Émus – mais pour des raisons qu'ils ne pouvaient confesser – ils firent leurs adieux aux quelques religieux qui étaient là, puis les deux jeunes gens passèrent les premiers. On les fit descendre jusqu'au pied de l'enceinte, puis on remonta le panier au moyen de la poulie.

Andreas se glissa dans la nacelle, mais avant qu'on n'eût le temps de l'envoyer en bas, une voix s'éleva de l'intérieur du couvent qui suppliait qu'on attendît.

Lors, l'Apothicaire vit apparaître au bout de la coursive le frère bibliothécaire, le front trempé de sueur, car il avait couru.

L'homme se pencha vers Andreas et, comme s'il ne voulait pas que ses frères l'entendissent, il lui dit à voix basse et en français :

— Alors, vous l'avez donc trouvé !

Andreas, stupéfait, fronça les sourcils.

— Vous disiez ne pas croire en son existence !

Un petit sourire malicieux se dessina sur les lèvres du vieux moine.

— Contrairement à notre higoumène, qui est bien plus clairvoyant que nous tous, je ne vous savais pas digne de le recevoir.

Andreas sourit à son tour.

— Je ne suis pas encore certain de l'être.

— Je crois que vous êtes un homme meilleur que vous ne voulez le montrer ou l'admettre vous-même. Que la paix soit sur vous, monsieur Saint-Loup ! Mais avant de vous laisser partir, je voudrais vous donner un dernier conseil.

— Je l'écouterai volontiers.

Le caloyer jeta un coup d'œil vers le sac d'Andreas où, il l'avait deviné, se trouvait le long étui de cuir.

— Avant que de le lire, finissez ce que vous avez à faire.

— Que voulez-vous dire ? s'étonna l'Apothicaire.

— Que vous croyiez ou non aux pouvoirs de ce livre, ne le commencez pas que vous n'ayez d'abord tenu toutes vos promesses.

Andreas, d'un air grave, hocha lentement la tête.

— Je... je comprends la chose que vous me dites.

Et puis on le descendit et alors il éprouva comme un pincement au cœur à l'idée de devoir déjà quitter l'endroit.

150

Il faudrait à présent non plus deux mais trois volumes à ce livre pour raconter en détail le long voyage que firent Andreas, Robin et Aalis pour retourner au royaume de France, et comme il n'est toujours pas dans notre intention de lasser notre lecteur plus que de raison, nous dirons simplement qu'ils ne rentrèrent point par le même chemin qu'ils avaient pris à l'aller, puisque d'Alexandrie ils partirent en bateau pour Athènes, puis d'Athènes ils embarquèrent pour Syracuse, et de Syracuse pour Marseille, où ils arrivèrent un peu avant deux mois.

Pendant cette longue navigation, n'oubliant pas les paroles du frère bibliothécaire, Andreas s'efforça de ne jamais ouvrir le précieux étui qu'il portait sur lui en toutes circonstances, et ce fut pour lui une grande épreuve, car l'envie, à l'évidence, était très grande. Le soir, parfois, il posait le cylindre devant lui, et il restait un long moment à le regarder en silence, comme s'il avait pu percer ses mystères simplement de cette façon. Quand les deux jeunes gens lui demandaient s'il avait enfin regardé le papyrus, toujours il répondait : « L'heure n'est pas encore venue. »

Si l'Apothicaire se montra pendant toute cette traversée plus taciturne et songeur encore qu'il ne l'avait jamais été, il n'en fut pas de même pour Robin et Aalis qui, bien qu'ils ne le consommassent point encore, construisirent, sans se le dire, les premières fondations d'un amour naissant. Aalis termina sa statuette et l'offrit cérémonieusement au garçon. Et pour tout dire, ces jeux courtois, de plus en plus évidents, agaçaient Andreas, qui ne manquait jamais de les mettre mal à leur aise en lançant ici et là un : « Il serait peut-être temps que vous deux vous emboîtiez pour de bon », un « Ne me dites pas que vous attendez le mariage ! », ou un « Je vais finir par croire que vous ne savez pas comment vous y prendre, et s'il le faut, je veux bien me dévouer à vous montrer »...

Malgré les humeurs d'Andreas, cette drôle de compagnie s'amusa quelquefois, car il y avait désormais entre les trois voyageurs des liens si solides qu'aucune force, fût-elle surnaturelle, n'eût su les dénouer. Quand ils étaient ensemble, c'était comme s'ils étaient seuls au monde, car personne sur terre n'eût pu comprendre ni même deviner la puissance de leur attachement.

Depuis Marseille ils reprirent les routes de France, et ils perpétuèrent cette habitude de ne prendre que deux chevaux, les deux jeunes gens montant le même, comme de bien entendu.

Ainsi, après une longue chevauchée pendant laquelle il leur arriva encore moult aventures que nous conterons peut-être un autre jour ailleurs, au milieu du mois de septembre de l'année 1313, nos trois aventuriers étaient en cette région que l'on appelle la Beauce, qui est au sud-ouest de Paris, et alors Andreas s'enferma peu à peu dans un mutisme dont la profondeur finit par inquiéter ses compagnons, jusqu'à ce qu'un jour, enfin, il ouvrît la bouche, mais ce fut seulement pour leur dire :

— Ce soir, mes enfants, nous arriverons à Étampes, où je dois tenir une promesse que j'y fis il y a très exactement sept mois.

Puis il s'effaça de nouveau dans son silence jusqu'à leur entrée dans la ville. Là, ils prirent une chambre à l'hôpital Saint-Antoine, et c'est en retrouvant ces lieux où ils avaient déjà séjourné que Robin comprit ce que son maître voulait y faire. Dès lors, il témoigna à l'Apothicaire une douce bienveillance et l'aida à accomplir son dessein.

Le père Gineste, qui dirigeait toujours les lieux, manifesta une authentique joie à les revoir et leur offrit sa plus belle chambre, au sommet du bâtiment.

— Alors, ce pèlerinage ? demanda-t-il. Vous a-t-il comblés ?

— Bien plus que nous ne saurions vous le dire, mon père ! répondit Andreas, amusé.

La nuit n'était pas encore tombée quand ils se rendirent tous trois à la prévôté où ils demandèrent à être reçus par un lieutenant. Celui-là les fit attendre longuement, comme cela se fait beaucoup au royaume de France dès lors qu'on a affaire à l'administration.

Quand enfin ledit lieutenant daigna les recevoir, Andreas – bien qu'il y eût peu de chances que l'ordonnance royale demandant son arrestation fût encore d'actualité – se présenta de nouveau sous le nom de Thomas Roquesec.

— Et quelle urgence y a-t-il à me voir, à une heure aussi tardive ? demanda l'antipathique préposé.

— Nous cherchons quelque information au sujet d'une femme qui fut assassinée dans les rues d'Étampes le douzième jour de mars dernier.

— Je me souviens de cette histoire. Et alors ?

— Nous aimerions savoir si elle a été enterrée.

Le lieutenant sembla trouver la chose amusante.

— Enterrée ? Puis-je savoir quel lien vous avez avec cette femme ? demanda-t-il d'un air presque moqueur.

— Elle était ma sœur, mentit Andreas.

— Votre sœur ? Une prostituée ?

— Les prostituées n'auraient-elles point le droit d'avoir une famille ? répliqua l'Apothicaire, qui commençait à s'agacer.

— Si, si, bien sûr...

— Alors ? A-t-elle été enterrée ?

— Les putains dont personne ne réclame la dépouille sont jetées à la fosse commune, monsieur, comme le recommandent tant la loi que les règles de l'hygiène.

La figure d'Andreas se tendit durement.

— Le fut-elle donc ?

— Assurément. Vous ne pensez tout de même pas que la ville d'Étampes allait lui offrir un caveau de marbre avec des ornements, et en épitaphe : « Ci-gît une pute » ?

L'Apothicaire lutta pour conserver son calme.

— Puis-je savoir dans quelle fosse ?

— Mon pauvre ami ! Je ne m'en souviens plus !

— Eh bien, cherchez, s'il vous plaît !

Le lieutenant poussa un soupir d'exaspération puis, dévisageant longuement Andreas, il dut lire sur la figure de celui-ci une détermination et une animosité si grandes qu'il finit par se lever et dire, d'un air las :

— Soit ! Je vais aller voir dans les archives !

Il revint quelques instants plus tard et leur apprit que Magdala avait été jetée le 15 mars 1313 dans la fosse commune de la collégiale Notre-Dame-du-Fort.

Ils le remercièrent sans conviction et sortirent de la prévôté pour se rendre sur-le-champ à l'église susdite où, après moult recherches, ils finirent par trouver le chanoine.

— Vous n'y pensez pas ! s'écria celui-là quand ils lui demandèrent s'ils pouvaient exhumer le corps de Magdala afin de lui offrir une sépulture digne de ce nom. La chose ne se fait que sur ordonnance du prévôt ou du bailli, et ce seulement dans le cadre d'une affaire criminelle !

— C'était bien un crime ! argua Andreas.

— L'affaire est close, répliqua le chanoine.

Ils eurent beau insister et parlementer, le religieux campa sur sa position : non seulement il ne les laisserait pas exhumer son corps, mais il n'était pas disposé non plus à offrir à une ancienne prostituée une tombe en son joli cimetière !

Il fallut toute la pondération de Robin et d'Aalis pour éviter la catastrophe quand, n'y tenant plus, l'Apothicaire s'apprêta à corriger vertement le chanoine à grands coups de pied subtilement placés. Andreas, comme ses compagnons le poussaient hors de l'église, ne se priva point toutefois d'affubler l'impudent d'une longue liste de noms d'oiseaux, de chapon maubec, de misérable salaud, de ladre vert, de grippeminaud, de coquard, de catier, de musardeau, de couillon de moine ou de fot-en-cul, et d'autres épithètes encore, que rigoureusement la morale nous interdit de dire ici. L'esclandre fut si grand, même, qu'il attira passants et paroissiens sur le parvis de la collégiale, certains hilares, d'autres outrés, et l'Apothicaire ne décoléra point que ses amis ne l'eussent ramené de force à l'hôpital Saint-Antoine, où il noya sa colère tout le soir dans le diacode et le vin.

Le lendemain matin, quand ils sortirent au-dehors dans l'idée d'aller se plaindre auprès du prévôt, sans grand espoir toutefois, ils tombèrent nez à nez avec une vieille femme qui semblait les avoir attendus aux portes de l'hôpital.

Andreas, dont on sait qu'il avait bonne mémoire, reconnut aussitôt sa figure : c'était la Mère du quartier des *fillettes*, à laquelle Magdala avait demandé leur direction, et qui les avait ensuite assistés dans leur fuite quand les *Mal'achim* les avaient retrouvés.

— Salut les bourgeois ! les héla-t-elle depuis le petit banc de pierre où elle était assise.

— Qu'est-ce que tu veux ? demanda Andreas, auquel les excès de la veille avaient laissé une méchante douleur au crâne qui n'améliorait guère une humeur déjà bien entamée.

— Alors comme ça, on emmerde les curés ?

— Ce sont plutôt eux qui nous emmerdent ! répliqua l'Apothicaire.

La vieille femme sourit, de son sourire sans dents, et son visage brûlé de soleil s'illumina d'une façon qui la rendait presque belle, comme assurément elle l'avait été par le passé.

— Y paraît que vous voulez déterrer une *fillette* ?

— Elle n'était pas seulement une *fillette*, corrigea Andreas, elle était notre amie.

— Je me souviens d'elle. Magdala la Ponante qu'elle m'avait dit qu'elle s'appelait.

Andreas hocha la tête.

— Oui. C'était elle. Et c'était une femme extraordinaire.

La vieille femme le dévisagea longuement, sembla le jauger, puis, prise d'un étrange pressentiment, elle lui demanda :

— Et toi, le biffard, comment que c'est, ton nom ?

L'Apothicaire hésita à donner son véritable patronyme. Malheureusement, soit qu'il eût encore peur d'être recherché et qu'on les entendît, soit qu'il se méfiât d'un piège qu'on lui eût tendu en payant la catin, il y renonça finalement (nous disons malheureusement car, le lecteur l'aura compris, eût-il donné son vrai nom, la vieille Izia eût d'emblée reconnu celui dont Charles de Valois avait dit qu'il était son fils) :

— Je m'appelle Thomas Roquesec.

La Mère inclina la tête, avec une espèce d'air déçu puis, se levant, elle vint se placer juste devant Andreas, comme pour lui signifier qu'elle lui parlait en confidence :

— Si tu veux, on peut t'aider à la déplanquer, ta belle. C'est pas des manières de balanstiquer une brave femme à la fosse comme si que c'était la dernière des salopes.

Andreas haussa les sourcils et jeta un regard à ses deux compagnons, comme s'il cherchait leur avis.

— Et comment pourriez-vous nous aider ? demanda-t-il.

— C'est pas besoin d'être une grande cabèce pour savoir comment qu'on déplanque un cadavre, mon mignon ! Y faut des bras et des pelles.

— Les chanoines ne nous laisseront jamais faire !

— Qu'ils y viennent, ces baltringues ! rétorqua Izia.

Un sourire inespéré se dessina enfin sur le visage de l'Apothicaire. Il y avait quelque chose qui lui plaisait chez cette vieille femme, peut-être parce qu'elle lui rappelait justement Magdala... ou peut-être pour cette autre raison que le lecteur connaît, mais dont Andreas, lui, ne pouvait se douter.

— Ramenez-vous donc ce soir, quand le soleil se couche, à la fosse commune, et je vous promets qu'on réparera l'affront que lui ont fait ces entrouducutés.

Saint-Loup acquiesça, puis il regarda la Mère s'en aller sans dire un mot de plus. Toute prostituée qu'elle était, si vert fût son langage, il songea sur l'instant qu'elle avait un chien extraordinaire.

— Je suppose qu'on ne va plus voir le prévôt ? demanda Aalis, tout sourire.

— Qu'il crève la bouche ouverte, répondit Andreas.

Et ainsi, le soir, à l'heure dite, Andreas, Robin et Aalis se présentèrent derrière le cimetière de la collégiale Notre-Dame-du-Fort, où était l'une des plus grandes fosses communes de la ville.

Lors, dans la pénombre, bien qu'ils s'y fussent préparés, ils eurent la surprise de voir non pas deux ou trois catins, mais une belle douzaine, allant de la plus jeune à la plus âgée, de la plus belle à la plus vilaine, et toutes étaient assemblées autour de la Mère, et certaines avaient même déjà en main qui une pelle, qui une pioche, qui une fourche. Dans l'obscurité, on eût dit une troupe de paysans attendant le départ au matin des vendanges. Sur une charrette, elles avaient amené un cercueil, et en le voyant Andreas éprouva une vive émotion, non pas seulement parce qu'il avait le sentiment d'y voir déjà le corps de Magdala, mais parce qu'il était touché par l'attention de toutes ces femmes qui, pourtant, ne l'avaient pas connue. C'était une belle inspiration que de voir ces *fillettes* honorer la mémoire de l'une d'elles, par la plus authentique des compassions, celle qui ne calcule pas, et il pensa qu'il était peu de métiers où l'on pouvait trouver fraternité si belle.

— C'est qu'il est joli garçon, le crâne d'œuf ! s'écria l'une d'elles en le voyant arriver, déclenchant alors une salve d'approbations dans ses rangs.

— Et le rouquin, il est pas vilain non plus ! lança une autre.

— Vos gueules les ponifles ! intervint Izia. On n'est pas là pour esganacer.

Puis, s'avançant lentement vers Andreas et ses deux compagnons :

— Alors, on creuse ?

L'Apothicaire, ému, hocha doucement la tête et lors tout le monde se mit à l'œuvre dans l'ombre de la haute église.

Les tranchées de la fosse commune, qui étaient d'une largeur de six à sept pieds et d'une profondeur de douze à quinze, étaient comblées de terre dès que le lit de cadavres avait rempli toute la longueur, et s'il n'y avait aucun moyen de savoir dans laquelle le corps de Magdala avait été jeté, on pouvait toutefois estimer l'époque à laquelle chacune d'entre elles remontait en observant la consistance de la terre au sommet.

Partant, Andreas, qui connaissait mieux ce genre de choses, désigna celle des tranchées par laquelle il voulait qu'on commençât. Aussitôt, les femmes se mirent à creuser, et Robin et Aalis se joignirent à elles sans hésiter.

L'Apothicaire, en homme prévoyant, n'était pas venu les mains vides, et quand ils arrivèrent à la profondeur où apparurent les premiers cadavres, il distribua des petits bouts d'étoffe imbibés de vinaigre et recommanda à ces fossoyeurs fortuits de s'en couvrir la bouche et le nez afin de se préserver des effets nuisibles que produisent les exhalaisons qui s'élèvent d'un amas de corps en putréfaction. Pareillement, de temps en temps, il arrosait lui-même la fosse avec deux ou trois onces d'une dissolution de chlorure de chaux qu'il avait soigneusement préparée.

Quand la première tranchée fut assez dégagée, la Mère s'approcha d'Andreas et, posant une main sur son épaule :

— Je suis désolée, mon ami, mais tu es le mieux placé pour identifier la Ponante. Il faut que tu mettes les mains dans cette merde.

Andreas, le visage livide, opina du chef et commença ses recherches.

Les cadavres, enfermés pour la plupart dans de grands sacs de toile épaisse, étaient séparés par de vulgaires planches de bois. Parfois, il y en avait deux dans la même cellule, et alors les chairs se mêlaient et les ossements se confondaient, ce qui rendait plus difficile l'identification.

D'une main, l'Apothicaire tenait un mouchoir imbibé contre son visage, et de l'autre il s'efforçait d'ouvrir les sacs un à un. Plusieurs fois, assailli par les morbides effluves, il crut qu'il allait défaillir, mais sa détermination était si grande que, le front dégoulinant de sueur, il s'entêta.

Les cadavres les plus récents étaient couverts d'insectes nécrophages, d'asticots et de larves, et c'était une chose épouvantable que de voir ces viles bestioles glisser le long de la chair gâtée ou sortir lentement des orbites. De même, les corps dont la putréfaction ne datait que d'un ou deux mois, et dont la peau devenait noirâtre, avaient l'odeur la plus forte et la plus désagréable. Heureusement, Andreas s'en détournait rapidement, car ils n'étaient pas assez anciens pour correspondre à celui qu'il cherchait.

Soudain, alors qu'il en était au milieu de la tranchée, des bruits de pas s'élevèrent derrière l'église.

— On vient ! s'exclama une putain.

Andreas se redressa et la Mère lui fit signe de sortir du charnier.

Au coin de la rue, de l'autre côté du cimetière, ils virent alors apparaître une petite dizaine d'hommes, au nombre desquels étaient le chanoine et le lieutenant de la prévôté.

— Au nom du roi ! s'exclama ce dernier comme ils arrivaient, moult agités. Cessez sur l'instant ce sacrilège !

— Au nom de Dieu ! surenchérit le chanoine.

Et bientôt, d'autres habitants de la ville, attirés par la rumeur, s'amassèrent derrière eux, et non plus seulement des hommes, mais des femmes aussi, et tous conspuaient les profanateurs de plus en plus vivement.

— C'est une honte ! criaient les uns.

— Qu'on la laisse pourrir là, la putain ! cria un autre.

— Hérésie ! lança un autre encore.

La foule, de plus en plus nombreuse, et de plus en plus sotte, semblait prête à en arriver aux mains quand, soudain, la vieille Izia, montée sur la charrette, la harangua à son tour, et dans cette position elle ressemblait à un crieur public de la Rome antique.

— Dites donc, bande de tocards ! hurla-t-elle de sa voix rauque mais puissante. Passez votre chemin et laissez-nous terminer notre besogne pénards ! Le premier qui nous la coure, je balance les noms de tous les goitreux que je vois ici et à qui j'ai léché la pine ! Et je peux déjà vous dire que dans la bande y a des hommes mariés, des gens d'épée et des gens de robe ! Quant aux demoiselles, j'en connais une ou deux parmi vous qui n'ont pas baisé que leur mari et qui feraient mieux de se tenir à carrette !

Le silence, aussitôt, s'abattit sur cette pitoyable assemblée.

Andreas, voyant l'étonnante et redoutable efficacité de ce discours bien senti, retrouva une sorte de sourire.

— Cette femme, elle mérite une sépulture au moins autant que tous les enfilés que vous êtes ! reprit Izia. Mais vous morfillez pas le dardan : on va pas la terrer dans votre belle église, de peur que vos aïeux ne ressortent de leur tombe le braquemart à la main pour aller se faire boire au goulot par leur nouvelle voisine ! Allez ! Décanillez !

Il y eut quelques protestations dans la foule, surtout chez les femmes, mais petit à petit elle se dispersa. Le chanoine et le lieutenant de la prévôté, quant à eux, avaient depuis longtemps disparu.

La vieille femme redescendit de la charrette sous les rires des *fillettes*.

— Allez ! dit-elle. On n'est pas là pour jouer aux quilles.

Andreas, ragaillardi par le spectacle, reprit ses recherches, mais bientôt il retrouva sa mine grave devant la rudesse de sa tâche.

Le spectacle de cet homme immergé dans un océan pestilentiel de corps décharnés était si horrible à voir que Robin et Aalis se demandaient comment il pouvait y parvenir. C'est une chose que d'exhumer un corps quand on le fait par profession, c'en est une autre quand on le fait pour trouver la dépouille d'un être cher, et il fallut à Andreas un immense courage pour ne pas abandonner.

Chaque fois que, la main tremblante, il ouvrait un nouveau sac, il était un peu plus accablé. Puis quand il trouvait la confirmation que ce nouveau cadavre n'était pas celui de Magdala, il fermait les yeux et cherchait au plus profond de son âme la force de continuer.

Aux deux tiers de la fosse, dans l'un des sacs, il trouva le corps d'une femme dont le visage était si mutilé par la putréfaction qu'il eut d'abord quelque doute... Son cœur s'accéléra, sa mâchoire se serra, mais bientôt, en inspectant mieux la défunte, il fut à peu près certain que ce n'était pas elle. Il étudia encore cinq ou six autres macchabées avant de décréter que son amie n'était pas dans cette tranchée-là.

S'extirpant péniblement du gouffre, il s'écarta et se laissa tomber au sol, s'adossant à un arbre un peu plus loin, pendant que les *fillettes* comblaient de nouveau la tranchée, puis creusaient la seconde.

Dans sa vie d'apothicaire, Andreas avait eu maintes fois l'occasion d'étudier des cadavres ; il avait aussi assisté à nombreuses dissections pratiquées *post-mortem* par des confrères médecins, et parfois il y avait même participé. Mais plonger dans cet amoncellement d'os et de chair était une chose à laquelle rien ne l'avait préparé.

Quand la deuxième fosse fut mise au jour, Robin s'approcha de son maître :

— Voulez-vous que je cherche à votre place ?

Andreas, se remettant debout, secoua la tête.

— Non, mon garçon, c'est bien à moi de le faire. Je… J'en ai besoin.

Et alors il recommença son abominable exploration. Ses mains plongèrent au milieu des morts entourés de chaux, soulevèrent des squelettes, glissèrent sur les peaux en lambeaux, et puis, enfin, alors qu'il avait déjà ouvert une dizaine de sacs, il tomba sur une dépouille qui eût pu être celle de Magdala, d'abord parce que son stade de putréfaction semblait correspondre à l'époque de sa mort – la dessiccation était presque achevée, les parties molles avaient disparu, et le cadavre n'exhalait presque plus d'odeur – et ensuite, parce que c'était indéniablement le corps d'une femme, dont les dernières traces de vêtement pouvaient ressembler à ceux qu'elle avait portés. Enfin, il y avait quelque chose dans la forme du crâne qui, sans qu'il eût pu vraiment l'expliquer, donnait à Andreas l'impression qu'il s'agissait bien d'elle.

D'instinct, sans avoir vraiment réfléchi à son acte, il ouvrit plus largement le sac et sa main glissa lentement sur le bras atrophié, comme s'il avait voulu lui tenir une dernière fois la main. Lors, sur un doigt, il trouva l'ultime confirmation dont il avait besoin : une bague en argent dont on avait enlevé le joyau. Sans doute ceux qui avaient récupéré le corps de Magdala, n'ayant pas réussi à lui enlever sa bague, plutôt que de lui couper le doigt, comme cela se fait parfois, s'étaient contentés d'en dessertir la pierre. Mais même sans son émeraude, Andreas reconnaissait le bijou : c'était celui qu'il avait pris aux coquillards qui l'avaient attaqué, à l'entrée d'Étréchy, et qu'il avait ensuite offert à son amie, comme il l'eût fait à une épouse.

Lors, Andreas sortit de la fosse en rampant, et devant tous ces yeux qui le dévisageaient, assis par terre, démuni, il se mit à pleurer en silence.

— C'est elle, dit-il simplement en relevant son visage couvert de larmes.

Aalis aussitôt se précipita à ses côtés et le serra dans ses bras, telle une enfant son père, et les *fillettes* d'Étampes, refermant le sac, transportèrent dignement le corps de Magdala dans le cercueil qu'elles avaient amené.

151

Ils choisirent ensemble un petit sous-bois à l'écart de la ville, où poussaient de beaux et grands vieux chênes centenaires. La nuit était tombée, et il y avait quelque chose de solennel dans cette myriade de torches allumées que portaient les *fillettes* au milieu des arbres, comme une nuée de vers luisants qui dansaient dans la nuit.

Dans un silence cérémonieux, Robin et Aalis, aidés de trois des filles, au moyen de deux cordes, firent lentement descendre le cercueil dans le trou qu'elles avaient creusé au pied du plus grand chêne. Quand le sarcophage fut tout au fond, tout le monde s'assembla autour de ce tombeau de fortune, et chacun se recueillit à sa manière.

Robin, fidèle à lui-même, ferma les yeux, joignit les mains et commença une prière. Certaines des *fillettes* l'imitèrent. D'autres se donnèrent simplement la main.

Aalis, quant à elle, sortit un couteau de sa poche, contourna le gouffre et commença à graver quelque chose sur l'arbre qui se dressait au-dessus.

La Mère s'approcha d'Andreas et, lui serrant le bras, lui demanda :

— Tu veux pas dire quelque chose ?

— Je ne suis pas un prêtre, rétorqua Andreas dont les yeux étaient encore rougis.

— Et alors ? T'es pas obligé de parler du Bon Dieu, couillon !

L'Apothicaire haussa les épaules, puis il s'approcha du bord de l'excavation. Les filles s'écartèrent un peu et tous les yeux se tournèrent vers lui, hormis ceux de Robin, qui priait encore.

Andreas regarda longuement le cercueil de bois éclairé par les lueurs vacillantes des torches, et alors mille souvenirs confus de son amie revinrent à sa mémoire. Paris, les rires, les peines, les confidences, les douleurs, et puis ce jour où sa maison avait brûlé, et puis ceux qu'elle avait passés avec eux, au tout début de leur voyage.

Oppressé par tous ces visages tournés vers lui et qui semblaient attendre, il prit une profonde inspiration, et de sa voix grave et caverneuse, les yeux fixés sur le couvercle de chêne, il dit simplement :

— Tu me manques, misérable sotte !

La Mère, qui était à côté de lui, pencha la tête d'un air perplexe et demanda :

— Euh, c'est tout ?

Andreas sourit.

— Oui. C'est tout, dit-il.

— C'est un peu court...

— C'est un peu court ? répéta-t-il. C'est assurément ce qu'elle a dû se dire au moment de mourir.

Il y eut quelques rires dans l'assemblée, de ces rires qu'on lance pour chasser la tension en de pareils instants, car il est des douleurs que seul le rire apaise.

Au même moment, Robin ouvrit les yeux, et de sa chemise il tira le rameau qu'il avait pris sur le buisson de Sainte-Catherine et, venant aux côtés d'Andreas, il le jeta sur le cercueil.

La Mère fit un signe de tête aux *fillettes*, et elles comblèrent le trou avec la terre qu'elles avaient enlevée du sol. Petit à petit, le sarcophage disparut.

Andreas, la gorge nouée, s'approcha de l'arbre et lut ce qu'y avait gravé Aalis : « Ci-gît une pute ».

Il sourit, se retourna vers la jeune fille et la serra vivement dans ses bras. Il l'embrassa sur le front, puis il la quitta, s'avança vers Robin, et avec lui il fit de même. Ils restèrent ainsi un long moment, puis l'Apothicaire chuchota à l'oreille du jeune homme :

— Voilà, mon garçon. Tu es apothicaire.

Il lui tapota affectueusement l'épaule, puis il fit un geste du front à la Mère et aux putains qui voulait dire « merci infiniment ». Lors, sans dire un mot de plus, il fit volte-face et s'éloigna tout seul dans le linceul obscur de la nuit.

Les deux jeunes gens saluèrent à leur tour avec grande émotion cette singulière compagnie et s'apprêtèrent à suivre Andreas, mais Izia retint Robin par le bras.

— Nous boirons ce soir un gobel à la mémoire de votre amie. Faites-en boire un à ton maître à notre santé, entendu ?

— C'est promis, madame.

La vieille femme hocha lentement la tête et, malgré la pénombre, Robin crut voir une larme perler à son œil.

— Ton maître, c'est un brave garçon, dit-elle simplement, puis elle les laissa disparaître.

152

Robin et Aalis s'étaient endormis depuis un moment déjà quand Andreas se leva pour sortir silencieusement de la chambre qu'ils avaient prise à l'hôpital Saint-Antoine.

Sur le seuil, il s'arrêta et observa les deux jeunes gens étendus sur leur couche.

Ils étaient si proches l'un de l'autre qu'on eût dit deux amants. En vérité, songea l'Apothicaire, ils l'étaient déjà, mais ne le savaient pas encore. Son visage s'adoucit et il resta un long moment à les regarder ainsi, puis enfin il ferma doucement la porte.

Une bougie dans une main, son sac dans l'autre, il longea le couloir obscur et partit à l'autre bout, où était la petite bibliothèque du père Gineste, dans laquelle il s'enferma.

Là, il fixa sa bougie dans un chandelier qui trônait sur le bureau et s'assit au milieu des livres, où il se sentait si bien. Puis, avec des gestes délicats, il tira de son sac le *lexicon* d'Avicenne et le long étui de cuir, qu'il posa devant lui, l'un à côté de l'autre.

Les doigts tremblants, il sortit le *Shatirum lâmi'umma* de son enveloppe et, comme il l'avait fait si souvent depuis le jour de sa découverte, il se contenta de le regarder, obstinément.

Dans cet instant singulier, poussant un profond soupir, il se demanda qui, de lui ou de ses deux compagnons, avait finalement tiré le meilleur parti de cet incroyable périple.

Car voilà : si Robin et Aalis avaient certainement trouvé l'amour, lui, qu'avait-il donc trouvé ? N'avait-il point perdu, au contraire, l'amour d'une femme, en perdant Magdala ? Qu'espérait-il maintenant trouver dans ce vieux papyrus ? Le nom de cette femme qui avait disparu ? Et après ?

En cherchant, avec tant d'entêtement, à percer les mystères du monde physique, en fouillant si obstinément l'univers par la lentille de son *oculus corpuscula*, à la recherche de quelque vérité métaphysique, n'était-il point passé à côté de la vie ? À côté de *sa* vie ? Lui qui avait tout quitté, tout abandonné pour chercher une personne disparue, une personne qui n'existait pas, ne devait-il point se résoudre à penser, à présent, que l'amour était peut-être la seule réponse à ses aspirations ?

N'y avait-il, au fond, rien de plus mystérieux que l'amour ?

Quelle est donc cette énigme qui nous pousse à chercher l'âme sœur quand nous sommes en droit de penser qu'elle n'existe pas entièrement et que, dans cette quête, nous rencontrerons au moins autant de joies et de bonheurs que de peines et de déceptions ? Chacun de nous sait, secrètement ou non, qu'il n'y a rien de plus rare et de plus éphémère qu'un amour heureux, et pourtant, nous nous efforçons de le chercher encore, tels les gnostiques poursuivant ce livre qui n'existe pas, tel Andreas fouillant l'infiniment petit, et alors il est de l'humble avis de celui que vous avez bien voulu lire jusqu'ici que l'on ne devrait point tant chérir l'être aimé que l'amour lui-même, et se demander si l'Amour, au fond, ne serait point le dernier mystère qui subsistera quand nous aurons éliminé tous les autres. À celui-là, invisible et pourtant si puissant, certains donnent le nom de Dieu, et ils lui prêtent alors des intentions, une stratégie, quand nous pensons, nous, qu'en lui donnant ces attributs nous lui enlevons sa pureté et son essence même. L'Amour n'a pas de barbe. L'Amour n'a pas de Loi. Il n'a ni prophètes, ni prêtres, ni papes, ni guerriers, il est le sens le plus profond que l'on puisse donner à une vie, et il n'est que cela.

Andreas ferma les yeux et tenta de repousser le visage de Magdala qui hantait encore toute son âme.

Puis, avec la plus grande des précautions, et la plus grande des émotions aussi, il commença à dérouler le texte du *Shatirum lâ-mi'umma*.

Le papyrus, asséché par le temps, craqua ici et là, s'effrita quelque peu, éparpillant des petits morceaux sur le bureau, et il fallut à Andreas faire preuve d'une grande adresse et d'une grande patience, à la lumière de sa bougie, pour aplatir doucement devant lui les premières pages de l'antique manuscrit.

Lors, le cœur battant, le front plissé par l'appréhension, il lut la première phrase de ce livre qu'il avait si péniblement cherché.

À sa propre surprise, il n'eut aucunement besoin du *lexicon* d'Avicenne pour traduire dans sa tête les premiers mots de ce texte si long.

Et alors son visage se transforma en une expression qui était à mi-chemin entre la stupéfaction et l'amusement, peut-être, car voici, cher lecteur, ce que disait la première phrase du livre : « *Il vécut à Paris en l'an 1313 un homme sans famille qui allait du nom d'Andreas Saint-Loup, mais que d'aucuns appelaient l'Apothicaire et, quand on le désignait ainsi, nul n'ignorait qu'il s'agissait de celui-là…* »

Épilogue

153

Robin fut réveillé par les premiers rayons du soleil qui étaient entrés par la fenêtre de la petite chambre. Confus, il lui fallut quelque instant pour se souvenir de l'endroit où il se trouvait : ils avaient tant voyagé ! Et puis cela lui revint : Étampes, l'hôpital Saint-Antoine, Magdala.

Il tourna lentement la tête et regarda Aalis, qui dormait près de lui. Elle avait l'air si serein, si tranquille ! Et elle était si belle, avec son visage fin et doux, son nez gracieux, ses fossettes, ses sourcils délicats qui, par moments, se soulevaient un peu dans son sommeil. Sa longue chevelure châtaine courait sur ses épaules dénudées et leur faisait une couverture de soie. Il resta ainsi un fort long moment, à savourer la douceur de cette figure endormie, à admirer les courbes de cette femme qui, cette nuit, lui avait fait l'amour.

Lentement, la jeune fille se réveilla, et l'émeraude de ses yeux apparut comme pour achever, d'une dernière touche de couleur, ce si joli tableau.

En le voyant qui était là, à la regarder, Aalis eut un premier geste de recul, d'incompréhension puis, retrouvant à son tour ses esprits, elle sourit et s'étira comme le font les félins.

Robin passa sa main dans ses cheveux et lui caressa le visage.

— Je t'aime, murmura-t-il.

Elle poussa un soupir de contentement, puis, s'appuyant sur son coude, elle se glissa vers lui, se blottit dans ses bras et l'embrassa longuement.

Ils étaient restés un long moment dans cette tendre paresse quand, enfin, ils se décidèrent à se lever.

Ensemble, ils s'habillèrent, rassemblèrent leurs affaires et descendirent au réfectoire de l'hôpital Saint-Antoine pour prendre un déjeuner.

Après avoir salué le père Gineste, ils sortirent du bâtiment, traversèrent la ville et prirent chacun leur cheval, au relais d'Étampes.

Paris n'était plus loin. Ils y seraient le lendemain.

Quant à Andreas... Eh bien, Andreas, ils l'avaient oublié.

FIN

Remerciements

J'ai écrit *L'Apothicaire* de juin 2009 à juillet 2011, entre Paris et les terres rouges de l'Hérault. Ce roman (mon treizième...) trottait dans ma tête depuis fort longtemps – oserais-je dire depuis toujours ? – et, à ce jour, jamais aucun ne m'avait donné tant de travail et tant de satisfaction à la fois. Plus que jamais, la liste des gens que je dois remercier est un peu longue, mais sans eux ce livre n'aurait pas vu le jour.

Il y a d'abord les personnes qui m'ont apporté une aide capitale dans la rédaction de *L'Apothicaire* : Fabrice Mazza, Diane Luttway, Patrick Jean-Baptiste, Pierre Mollier, le docteur Philippe Pichon, Paolo Bevilacqua, Emmanuel Baldenberger, Christophe Zalewski, Pascal Bajou, et Luc & Marie, les authentiques bergers de Cazo.

Il y a ensuite toutes les équipes des éditions Flammarion et J'ai Lu, et en particulier Teresa Cremisi, Gilles Haéri, Patrice Hoffman, Tatiana Seniavine, Anna Pavlowitch et Caroline Lamoulie. Une pensée éternellement reconnaissante et admirative pour Stéphanie Chevrier, qui fut ma première éditrice en ces lieux, et pour Stéphane Marsan, qui le fut ailleurs, l'un et l'autre d'une si docte manière.

Il y a aussi la famille : JP & C (votre soutien dans les moments difficiles de la vie est le plus beau et le plus pur qui soit, j'espère un jour en être digne), les

Piche & Love, les Saint-Hilaire et Delphine, qui m'a tant soutenu.

Il y a bien sûr les amis : la Ligue de l'imaginaire, les anciens du CAEP, Yves Ragazzoli et sa bande, Emmanuel Pierrat, les Drouin-Malençon-Vachaud-LeDélézir et Guillaume Laurant.

Il y a ceux qui m'ont aidé aujourd'hui à reprendre une carrière de musicien, Renaud Séchan, Thomas Davidson Noton, Vincent-Marie Bouvot, Michaël Ohayon, Hugo Barbet, Théo Girard, Enrico Mattioli, Céline Ottria, JoK, Robi… ainsi que tous ceux qui me soutiennent sur www.akamusic.com/henri72

Il y a aussi ce merveilleux typhon qui souffle sur ma vie, mademoiselle Scheuer.

Mes plus tendres pensées, enfin, vont à ma princesse Zoé et à mon dragon, Elliott, qui sont chaque jour un émerveillement et un réconfort.

Bibliographie

Je tiens à donner ici une liste non exhaustive des principaux ouvrages qui m'ont permis d'établir la base documentaire nécessaire à la rédaction de *L'Apothicaire* :

Deux traductions françaises de l'Antidotarium Nicolai, Paul Dorveaux (H. Welter, 1896).

Dispensaire et antidotaire tant général que spécial ou particulier des remèdes servans à la santé du corps humain, Johann Jakob Wecker (Imprimerie d'Estienne Gamonet, 1610).

État de la pharmacie en France, E. Grave (chez l'auteur, 1879).

Histoire des apothicaires, A. Phillippe (Direction de publicité médicale, 1853).

Le Livre des métiers, Étienne Boileau (Imprimerie nationale, 1879).

La Maison du Temple de Paris, histoire et description, Henri de Curzon (Hachette, 1888).

La Médecine médiévale dans le cadre parisien, Danielle Jacquart (Fayard, 1998).

Mœurs et vie privée des Français dans les premiers siècles de la Monarchie, Émile de La Bédollière (A. Rigaud, 1855).

Nouvelle histoire de Paris de la fin du règne de Philippe Auguste à la mort de Charles V, Raymond Cazelles (Hachette, 1972).

Paris au Moyen Âge, Simone Roux (Hachette, 2003).
Paris sous Philippe le Bel, d'après des documents originaux, H. Géraud (Imprimerie de Crapelet, 1837).
Pèlerinage à Jérusalem et au mont Sinaï, Marie-Joseph de Géramb (Imprimerie J.-J. Vanderborght, 1836).
La Pharmacie à travers les siècles, Émile Gilbert (Vialelle et Cie, 1886).
Pharmacopée universelle, Nicolas Lémery (L. d'Houry, 1697).
Philippe le Bel, Jean Favier (Fayard, 1978).
Relation historique d'un voyage nouvellement fait au Mont de Sinaï, A. Morison (A. Laurent, 1704).
Statuts du Corps des Marchands apothicaires, Paul Dorveaux (H. Welter, 1896).
La Vie au Moyen Âge, Robert Delort (Seuil, 1982).

9958

Composition
NORD COMPO

Achevé d'imprimer en Espagne (Barcelone)
par BLACKPRINT CPI
le 8 octobre 2013.

Dépôt légal mars 2013.
EAN 9782290055786
OTP L21EPNN000252B002

ÉDITIONS J'AI LU
87, quai Panhard-et-Levassor, 75013 Paris

Diffusion France et étranger : Flammarion